KB076517

날카롭게 살겠다,

내 글이 곧

내 이름이 될 때까지

날카롭게 살겠다,
내 글이 곧
내 이름이 될 때까지

미셸 딘 지음, 김승욱 옮김

마티

"넌 너무 머리가 좋아서 탈이야."
이런 말을 들은 적이 있는 모든 사람에게

[일러두기]
외래어 표기는 국립국어원 원칙을 따랐다.
다만 「참고문헌」에 한국어판을 기재할 때는 해당 도서의 표기를 따랐다.

서 문

나는 이 책에 실린 여성들이 생전에 들었던 찬사, 즉 예리함을 키워드로 삼아 그들을 한자리에 모았다.

그들 각자가 지닌 재능은 서로 달랐으나, 잊을 수 없는 글을 쓰는 재주를 지녔다는 점은 그들 모두의 공통점이었다. 도러시 파커가 자신의 삶에서 느낀 부조리함을 신랄하게 돌아본 글을 쓰지 않았다면, 세상은 지금과 다른 모습이었을 것이다. 단 한 번의 여행을 다룬 1인칭 글 속에 세상의 역사 절반을 쓸어담을 수 있었던 리베카 웨스트의 능력도 마찬가지다. 전체주의에 대한 한나 아렌트의 생각, 트롤 무리 속에 떨어진 공주의 기묘한 의식을 주제로 삼은 메리 매카시의 소설, 해석에 대한 수전 손택의 생각, 영화 제작자들에 대한 폴린 케일의 정력적인 비평, 페미니즘 운동에 대한 노라 에프런의 회의적 시각, 권력을 쥔 사람들의 결점을 나열한 레나타 애들러의 글, 정신분석학과 저널리즘의 위험과 보람을 돌아본 재닛 맬컴의 글 또한 그렇다.

이 여성들이 20세기에 이러한 일들을 이룩했다는 사실은 그야말로 놀라울 뿐이다. 그들은 주제를 막론하고 여자들의 의견에는 귀를 기울일 생각이 별로 없던 세상에서 모습을 드러냈다. 도러시 파커가 신랄한 글을 발표하기 시작한 때는 여성들이 투표권도 얻어내기 전이었다는 사실을 우리는 쉽사리 잊어버린다. 2차 페미니즘 물결이 시작된 것은, 수전 손택이 「캠프에 대한 단상」이라는 글로 아이콘이 된 '이후'라는 사실을 우리는 별로 떠올리지 않는다. 이 여성들은 조직적인 여성운동을 통해 여성 전체가 앞으로 나아가기 이전에 이미 성별에 따른 차별적인 인식에 공개적으로 도전했다. 그들은 빼어난 재능을 통해 다른 여성들은 꿈도 꿀 수 없었던, 남성들과의 지적인 평등이라고 할 만한 것을 허락받았다.

개인적인 성공으로 인해 그들이 '페미니즘'의 집단적인 정치학과 긴장 관계에 놓인 적도 많았다. 이 책에 실린 여성들 중에는 페미니스트를 자처한 사람도 있고, 그렇지 않은 사람도 있다. 그러나 활동가로 일하는 것에 만족감을 느낀 사람은 사실상 한 명도 없었다. 활동가에 가장 근접했던 리베카 웨스트도 결국은 여성참정권 운동가들이 감탄스러울 만큼 맹렬하면서도 동시에 용서할 수 없을 만큼 숙녀답다는 사실을 깨달았다. 손택은 페미니즘을 변호하는 글을 썼으나, 곧 돌아서서 에이드리언 리치를 향해 노호를 내질렀다. 페미니즘 운동이 외부의 도전을 받았을 때 드러내는 '어리석음'을 지적한 것이다. 심지어 노라 에프런도 1972년 민주당 전당대회에서 조직을 갖추려는 여성들의 노력에 대해 불편한 감정을 고백한 적이 있다.

이런 양면적인 태도는 흔히 페미니즘 정치학에 대한 부정으로 일컬어진다. 실제로 그런 뜻이 노골적으로 드러난 경우도 있었다. 이 책에 실린 여성들은 모두 반골기질이 있어서, 서로 한 무리로 분류되는 것을 그리 반기지 않았다. 첫째, 이들 중 일부는 서로를 몹시 싫어했다. 매카시는 파커에게 아무 관심이 없었고, 손택은 매카시에 대해 같은 감정을 피력했다. 애들러가 케일을 비판하면서 초토화해버린 것으로 유명하다. 둘째, 이들은 '자매애'에 할애할 시간이 별로 없었다. 한나 아렌트가 자신의 작품을 '여성'과 관련된 맥락 속에 포함시킨 내게 장황하게 열변을 퍼붓는 모습이 보이는 듯하다.

그러나 이 여성들은 예술, 사상, 정치를 논하는 데 여성의 능력이 어느 모로 보나 남성과 동등하다는 사실을 확실하게 보여주는 증거로 여겨졌다. 우리가 지금까지 여성들의 이러한 능력을 증명하는 데 성과를 거둘 수 있었던 것은, 아렌트, 디디언, 맬컴 등 많은 여성들 덕분이다. 그들 자신이 그 사실을 알았든 몰랐든, 그들은 다른 여성들이 뒤따를 수 있는 길을 닦아주었다.

내가 이 책을 쓴 것은 마땅히 널리 알려져야 할 그들의 이야기가 잘 알려져 있지 않기 때문이다. 그들은 뉴욕의 일부 고립된 집단 내에서만 유명하다. 이 여성들 각자의 전기가 모두 이미 나와 있어서 나는 게걸스레 그 책들을 읽었다. 하지만 전기가 으레 그렇듯이, 이 책들은 주인공으로 삼은 여성 한 사람만을 별개로 분리해서 살펴보고 있었다. 내 눈에는 그들 사이의 연결점이 보이는 것 같은데, 그들의 전기에는 그 점이 빠져 있었다. 미국 문학의 발전을 보여주는 연대표에서는 보통 남성 소설가들의 이름이 이정표 역할을 한다. 헤밍웨이와 피츠제럴드, 로스와 벨로와 샐린저 같은 작가들. 이런 연대표에서 동시대의 여성 문필가들 또한 기억할 가치가 있는 작업을 했다는 사실은 별로 의미를 지니지 못한다. 이보다 학문적이고 '지적인 역사'에서도, 보통은 남자들이 전체를 지배했다고 여겨진다. 확실히 20세기 중반의 이른바 뉴욕 지식인들은 대개 남성 집단으로 표현된다. 그러나 내 조사 결과는 달랐다. 단순히 수적인 측면에서 남성이 여성보다 많았을 수는 있다. 그러나 기억할 만한 작품, 즉 당대를 규정하는 작품의 생산이라는 중요한 측면에서, 여성들은 남성에게 뒤지지 않았을 뿐만 아니라, 오히려 능가한 적도 많았다.

사실 파커의 목소리만큼 시대를 초월하는 목소리가 있는가? 모든 운문에서 우리는 그녀의 거친 목소리를 들을 수 있다. 또는 도덕과 정치라는 주제에서 한나 아렌트의 목소리보다 더 멀리 울려

퍼지는 목소리가 있는가? 수전 손택이 없었다면 문화에 대한 우리의 인식은 어찌 되었을까? 폴린 케일이 대중예술에 대한 찬사라는 문을 열어주지 않았다면 우리는 영화를 어찌 생각하게 되었을까? 이 여성들의 작품을 살펴보면 볼수록, 나는 20세기 문학과 지성의 역사에서 여성을 중심에 놓지 않는 것이 어떻게 가능할 수 있었는지 의아해졌다.

아무래도 당시에는 유난히 똑똑하고, 빼어나고, 예리한 여성에게 항상 찬사만 쏟아진 것은 아니었다는 점이 이유인 것 같다는 생각을 떨칠 수가 없다. 당시 사람들은 이 여성들의 신랄한 말에 못되게 굴 때가 더 많았다. 브로드웨이의 제작자들은 연극비평가의 자리를 빼앗아버릴 만큼 파커를 싫어했다. 『파티전 리뷰』에서 일하던 메리 매카시의 친구들은 그녀가 자신들을 주제로 쓴 패러디를 무시하면서, 그녀가 오만하고 매정한 사람이라고 생각했다. 폴린 케일은 동시대의 남성 영화인들에게서 진지함이 부족하다는 비판을 받았다(사실 그녀는 지금도 같은 비판을 받고 있다). 존 디디언이 캘리포니아 중부에 대해 쓴 유명한 에세이 「황금 꿈을 꾸는 사람들」을 발표했을 때, 독자들은 가차 없는 편지를 보내왔다. 언론인들이 취재 대상의 허영심을 이용한다고 재닛 맬컴이 지적했을 때는 신문 칼럼니스트들이 나서서 언론의 명예를 훼손했다며 그녀에게 창피를 주었다.

이런 비판 중 일부는 노골적인 성차별의 결과물이었다. 오로지 어리석음에서 나온 비판도 있었다. 이 두 가지가 섞여 있는 비판도 상당히 많았다. 그러나 이 여성들은 이런 비판에 대해 때로 몹시 재미있기까지 한 지적인 회의주의로 대응함으로써 힘을 보여주었다. 한나 아렌트조차도 자신의 저서 『예루살렘의 아이히만』이 불러일으킨 소란에 대해 가끔 어이없다는 표정을 지었다. 디디언은 난폭한 편지를 보고 단순히 "오, 와우"라고 말했을 뿐이었다.

애들러는 자신을 비판한 사람들의 말을 본인에게 그대로 인용해서 들려주며, 동어 반복과 철학적 기반의 부족을 지적하곤 했다.

이렇게 냉소적인 태도 때문에 그들은 때로 "진지하지 못하다"는 이유로 무시를 당하기도 했다. 아이러니, 풍자, 조롱은 외부인들의 도구가 될 수 있다. 전통적인 인식이 형성될 때 참여할 수 없었던 사람들이 그런 인식에 대해 자연스레 느끼게 되는 회의주의의 부산물이 바로 이런 것들이기 때문이다. 따라서 누군가가 전통적인 인식에 개입하려고 시도할 때 이런 도구들을 사용하는 기미가 보인다면, 그들을 더욱 주의 깊게 살펴봐야 한다는 것이 내 생각이다. 다른 사람들과 다르다는 것에는 언제나 지적인 가치가 있다. 이 경우에는 '다른 사람'이 곧 남성, 백인, 상류계층, 중요한 학파 출신 등이 되겠다.

이 책에 실린 여성들이 항상 옳았던 것은 아니다. 그들이 인구통계적으로 완벽한 표본인 것도 아니다. 이 여성들은 백인 중산층 출신이라는 비슷한 배경을 갖고 있다. 유대인도 많이 포함되어 있다. 앞으로 보게 되겠지만, 그들도 각자의 버릇, 선입관, 편견의 산물이다. 만약 세상이 지금보다 더 완벽했다면, 조라 닐 허스턴 같은 흑인 작가가 이 집단의 일부로서 더 널리 인정받았겠지만 지금은 인종차별 때문에 그녀의 작품이 이 집단의 가장자리에만 머물고 있다.

그렇다 해도 이 여성들은 20세기의 훌륭한 논쟁들에 치열하게 참여했다. 그것이 이 책의 요점이다. 그들은 작품만으로도 존재를 인정받기에 충분하다.

내게 또 하나의 동기가 있었음을 여기서 자백해야겠다. 이 두 번째 동기로 인해 나는 이 여성들에 대해 다양한 의문을 갖고 조사해보게 되었다. 특정한 포부를 지닌 젊은 여성 독자라면, 이 여성들의 이야기를 아는 것이 가치 있는 일이 될 것이다. 세상 구석구석에 성차별이 배어 있다 해도, 그것을 뚫고 나아가는 길이 있음을 아는 것도 가치 있는 일이다.

따라서 내가 이 책에서 이 여성들이 남성들에게 방해를 받기도 하고 도움을 받기도 하면서, 실수를 저지른 적도 있지만 실수가 전부가 아닌 인간으로서 그토록 우아하게 자신의 주장을 펼치며 결코 잊을 수 없는 존재가 될 수 있었던 원인이 무엇인지 의문을 갖고 조사해본 이유는 딱 하나뿐이다. 페미니즘 이후의 시대인 지금도 우리에게는 이런 여성들이 더 필요하다는 것.

Parker

파커

1893.8.22. – 1967.6.7.

1

"파커는
펜을 망치처럼 휘둘렀다."

한 시대를 이끈 별이었던 도러시 파커는 열아홉 살 때부터 일을 시작했다. 처음부터 그녀의 가정형편이 그렇게 어려웠던 것은 아니다. 1893년에 그녀가 태어났을 때, 그녀의 아버지는 상당히 부유한 모피 상인이었다. 아버지의 성은 로스차일드였는데, 파커는 나중에 인터뷰를 할 때마다 유명한 은행가인 그 로스차일드 집안이 아니라고 밝히곤 했다. 그래도 어쨌든 뉴욕의 점잖은 유대인 가정이었던 그녀의 집은 저지쇼어에서 휴가를 즐기고, 맨해튼 어퍼웨스트사이드에 커다란 아파트를 한 채 가지고 있을 만큼 경제적으로 풍족했다. 그러나 그녀의 아버지가 1913년 겨울에 세상을 떠났다. 첫 아내에 이어 재혼한 아내도 세상을 떠나고, 형제까지 타이타닉 호와 함께 바닷속으로 사라져버리면서 상심한 탓이었다. 그는 자녀들에게 거의 아무것도 남기지 않았다.

당시 도러시 로스차일드를 경제적 어려움에서 구원해줄 신랑 후보도 없었다. 게다가 그녀는 이렇다 할 교육도 받지 않은 상태였다. 심지어 고등학교 졸업장도 없었다. 그녀와 비슷한 가정에서 태어난 여성들은 대개 직업교육도 받지 않던 시대였다. 20세기 중반까지 수많은 중산층 여성에게 스스로 생계를 해결할 수 있는 수단을 쥐어준 비서학교는 도러시 로스차일드가 성년이 된 후에야 비로소 하나둘씩 생겨나던 참이었다. 따라서 그녀는 자신의 유일한 재주를 이용해서 돈을 벌 수밖에 없었다. 맨해튼 전역에 무용학원들이 우후죽순으로 들어서던 시기였기에 그녀는 피아노 연주로 곧 충분한 돈을 벌 수 있었다. 파커는 자신이 가끔 학원생들에게 조금은 추문의 원인이 될 수도 있는 새로운 춤인 래그타임 댄스를 가르치기도 했다고 즐겨 말하곤 했다. 터키 트롯, 그리즐리 베어 등이 바로 그런 춤이었다. 그녀는 언제나 이 이야기를 소재로 우스갯소리를 했다. "그녀의 학원에 다닌 남자들이 모두 학원을 졸업한 뒤에도 언제나 잘못된 스텝으로 레임덕처럼 굴었다."[1] 파커의 친구는 그녀의 농담을 이렇게 전했다.

재미있는 이야기지만, 과장임이 거의 확실하다. 그녀의 친구들과 동시대에 활동한 사람들의 기록에는 파커가 피아노 근처에라도 앉아 있었다는 말이 전혀 나오지 않는다. 종류를 막론하고 춤을 추었다는 이야기에 대해서는 말할 것도 없다. 어쩌면 파커는 어느 시점에 피아노를 그냥 포기해버린 것인지 모른다. 나중에 글쓰기에 대한 태도가 변한 것처럼, 음악적인 재능으로 돈을 벌 수밖에 없는 상황에 몰리면서 음악이 괴로운 것으로 변해버렸을 수도 있다. 하지만 파커가 유머를 위해 일부러 과장된 이야기를 지어냈을 가능성도 있다. 유머는 처음부터 좋은 탈출구가 되어주었기 때문이다. 도러시 로스차일드는 우스갯소리를 잘하는 재주 덕분에 나중에 전설적인 '파커 부인'으로서 좋았던 시절의 화신 같은 존재가 되었다. 파커 부인은 언제나 한 손에 칵테일을 들고서, 신랄한 말을 수류탄처럼 툭 던지곤 했다.

그러나 소란스럽고 반짝거리는 파티장의 겉모습 속에 불행과 좌절이 감춰져 있듯이, 파커의 인생도 그러했다. 다른 사람들을 매혹시킨 그녀의 이야기는 끔찍한 경험을 다듬어서 재미있게 만들어놓은 것이었다. 음악에 맞춰 빙글빙글 춤을 추는 사람들의 중앙에 앉아 피아노를 치는 파커라는 유쾌한 이미지 속에도 분노와 고통이 숨어 있었다. 파커는 아버지가 돌아가신 뒤 자신이 무일푼

신세였음을 사람들에게 확실히 거리낌 없이 털어놓았다. 그렇게 밑바닥에서부터 스스로 일어선 이야기에는 영웅적인 분위기가 있기 때문이었다. 그러나 그녀는 다섯 살 때 세상을 떠난 어머니나 자신이 몹시 싫어했던 계모의 이야기는 좀처럼 입에 담지 않았다. 자신이 열다섯 살 때 학교를 그만둔 것은, 점점 병세가 악화돼서 정신마저 온전치 못한 아버지를 집에서 돌보기 위해서였다는 이야기도 잘 하지 않는 편이었다. 그녀는 거의 5년이 흐른 뒤에야 아버지의 사망으로 그런 처지에서 벗어날 수 있었다.

나중에 어느 노신사의 마지막 날을 그린 단편 「훌륭한 노신사」(The Wonderful Old Gentleman)에서 파커는 작품 속 주인공의 상태를 다음과 같이 묘사했다.

> 그들이 노신사의 병상 옆에 모일 필요는 없었다. 그는 그들을 전혀 알아보지 못했을 것이다. 사실 그는 거의 1년 전부터 그들을 알아보지 못해서, 그들을 엉뚱한 이름으로 부르며 다른 집 남편이나 아내나 자녀를 그들의 가족으로 착각해 건강히 잘 지내고 있느냐면서 진지하고 예의바르게 묻곤 했다.[2]

파커는 아버지의 죽음을 비극으로 포장하기를 좋아했으며, 때로는 스스로 생계를 해결해야 하는 처지가 된 것에 대해 씁쓸한 기색을 드러내기도 했다. "돈이 한 푼도 없었어요."[3] 그러나 직장을 구해야만 하는 처지가 오히려 복이 되었다. 파커에게 나쁜 경험을 좋은 소설로 만들 수 있는 첫 번째 기회를 제공해주었기 때문이다. 이것이 그녀의 재능이었다. 복잡한 감정들을 재치 있는 말로 다듬어서, 겉으로 드러나지 않게 씁쓸함을 암시하는 것.

이런 경험을 한 뒤, 파커는 모든 행운이 일종의 우연이라는 결론을 내린 듯하다. 그녀는 글을 쓰는 일을 하게 된 것이 우연이었다고 자주 말했다. "돈이 필요해서"[4] 글을 썼다는 것이다. 그러나 이것이 진실의 전부는 아니었다. 정확히 언제부터 시를 쓰겠다는 생각을 했는지는 확실치 않지만, 어쨌든 파커는 어렸을 때부터 시를 썼다. 그녀는 기록을 꼼꼼히 남기는 성격이 아니었고, 그녀의 원고도 거의 남은 것이 없다. 파커가 어렸을 때 아버지에게 쓴 편지 몇 통을 그녀의 전기 작가가 어렵게 손에 넣은 적이 있는데, 거기에 이미 작가의 싹이 드러나 있었다. "글씨가 위로 솟아오르는 모양이면, 희망적인 성격이래요." 그녀는 아버지에게 쓴 편지에서 자신의 필체에 대해 이렇게 썼다. 그러고는 나중에 그녀 특유의 방식이 된, 분위기를 확 꺼뜨리는 말을 덧붙였다. "제가 그런 것 같아요…."[5]

재능도 때로는 일종의 우연일 수 있다. 재능이 어떤 사람을 선택해서, 그 사람 본인은 한 번도 꿈꾼 적이 없는 삶을 마련해주는 경우가 그렇다. 그러나 도러시 파커가 작가가 되는 데 한 손을 거든 우연은 딱 이것 하나뿐이었다.

파커에게 처음으로 일할 기회를 준 사람은 프랭크 크라운인실드라는 남자였다. 그는 1914년에 여러 작가 지망생들이 제출한 원고에서 그녀를 발견했다. 그가 그녀에게서 자신의 일면을 보았던 것인지도 모른다. 이를테면 그녀의 반골기질 같은 것. 매사추세츠의 백인 상류층 출신인 크라운인실드는 당시 이미 40대였지만, 뉴욕 상류사회 사람들과는 다른 인물이었다. 우선 그는 평생 결혼하지 않았다(확실한 증거는 없지만, 어쩌면 동성애자였을지 모른다). 주위 사람들에게 크라운인실드는 마약중독자인 골칫거리 형제에게 헌신적인 사람으로만 보였다. 그는 또한 짓궂은 장난을 잘 치고, 『배너티 페어』(*Vanity Fair*)의 첫 변신을 주도한 사람으로 유명했다. 그는 콘데 내스트(1909년에 설립된 미국의 대중매체 회사. 『글래머』,

『뉴요커』, 『배너티 페어』, 『보그』 등 많은 잡지를 거느리고 있다 — 옮긴이)에 의해 기용되어서, 한때 근엄하고 진지한 남성 패션 잡지이던 『배너티 페어』를 완전히 다른 모습으로 탈바꿈시켰다.

그때만 해도 미국 잡지들의 초창기였다. 『하퍼스』(*Hapers*)와 『애틀랜틱 먼슬리』(*Atlantic Monthly*)가 아직 이런저런 시도를 하던 시기. 『뉴요커』(*New Yorker*)는 만들어지지도 않았고, "더뷰크의 노부인"(『뉴요커』를 창간한 해럴드 로스는 '더뷰크의 노부인'을 위해 이 잡지를 만들지 않겠다고 말했다. 더뷰크는 아이오와 주의 도시인데, 로스의 말로 인해 '작은 시골 도시'라는 이미지가 굳어졌다 — 옮긴이)보다 더 폭넓은 독자들을 염두에 둔 사람도 없었다. 지그문트 프로이트의 조카이자, 홍보라는 분야를 만들어낸 사람으로 자주 꼽히는 에드워드 버네이스는 1913년 가을에야 일을 시작한 애송이였다.[6] 광고업계도 자신들의 힘을 비로소 조금씩 깨닫는 수준에 불과했다.

모델로 삼을 만한 것이 거의 없었으므로, 크라운인실드의 『배너티 페어』는 편집자의 성격을 닮아 신랄하고 뻔뻔스러운 잡지가 되었다. 특히 최고 부자들을 대하는 태도가 그러했다. 모종의 이유(형제의 고통일 수도 있고, 크라운인실드 가문이 언제나 돈보다 명성이 더 높은 가문이었다는 점일 수도 있다)로 인해 그는 부자들에 대해 비판적인 태도를 취했다. 그러나 지옥 불처럼 노호를 퍼붓는 사회 비평가는 아니었다. 그는 조롱을 택했다. 그가 새로 변신한 『배너티 페어』 첫 호에 쓴 편집자의 글조차 냉소적이다.

> 우리는 여성을 위해 고상한 전도사 같은 일을 하고자 한다. 우리가 아는 한, 미국 잡지가 여성을 위해 해본 적이 없는 일이다. 우리는 여성들의 지성에 자주 호소할 것이다. 우리는 여성들이 최대로 능력을 발휘할 때는 뇌를 움직일 수 있는 존재라고 감히

『배너티 페어』 1914년 6월호 표지.
콘데 내스트가 남성 잡지 『드레스』를 인수한 후 1913년에 창간한 『배너티 페어』는 1920년대에 매 호 9만 부씩을 팔며 최고 인기를 구가했으나, 대공황으로 판매 부수가 줄면서 1936년에 같은 회사가 운영하던 『보그』와 합쳐졌다. 이후 1983년부터 다시 이름을 되찾아 재발행되었다.

믿는다. 심지어 우리 시대의 글에 더 독창적이고, 자극적이고, 대단히 매력적인 기여를 하는 사람들이 바로 여성들이라고 대담하게 믿고 있다. 따라서 우리는 단호하고 고집스러운 페미니스트라고 스스로 선언하는 바이다.[7]

이런 풍자는 오히려 역으로 작용해서 혼란을 야기하기 쉽다. 이것은 당시 비교적 새로운 개념이었던 페미니즘에 대한 유머인가? 아니면 페미니즘을 위해 봉사하는 유머인가? 아니면 정치적 목적이 전혀 없는 무의미한 조롱인가? 내가 보기에는, 이 세 가지 모두인 것 같다. 이런 풍자에서 얻을 수 있는 커다란 즐거움 중 하나는, 이것이 여러 방향으로 굴절되는 모습을 지켜볼 수 있다는 점이다. 그리고 그 방향들 중 적어도 일부는 여성들이 걸을 수 있는 길이었다. 1914년에 새로운 『배너티 페어』 첫 호가 발행되었을 때, 여성들에게는 아직 투표권조차 없었다. 그러나 짓궂은 장난을 좋아하는 크라운인실드는 반골 기질이 있는 작가들, 사회적으로 인정받는 예의의 테두리 안에서 적응하지 못하는 사람들을 원했다.

그런데 그런 작가 중 많은 사람이 공교롭게도 여성이었다. 여성참정권 운동가인 앤 오헤이건은 그리니치빌리지의 이른바 보헤미안 기질에 대한 글을 썼다. 자신이 머리를 단발로 자른 최초의 여성이라고 즐겨 주장하던 아방가르드 삽화가 클라라 타이스는 처음부터 이 잡지에 필수적인 인력이었다. 1930년대에 독신여성의 화신이 된 마조리 힐리스 또한 이 잡지 초창기에 이곳에 글을 발표했다.

파커는 나중에 이 잡지를 상징하는 목소리가 되었으나, 자리를 잡는 데 시간이 좀 걸렸다. 크라운인실드의 눈길을 끈 것은 그녀가 제출한 경묘시(輕妙詩. 세련되고 가벼운 필치의 오락적인 시 — 옮긴이)였다. 「어느 포치에서나」(Any Porch)라는 제목의 이

시는 지나가다 들은 이야기들을 9연에 걸쳐 풀어놓았다. 대체로 부유하고 아는 것이 조금 많은 사람들의 집 “어느 포치에서나” 그런 이야기를 들을 수 있다는 것이었다. 20세기 초 상류사회의 도덕적 편견을 바탕으로 삼은 이 시는 지금 우리 눈에는 조금 서투르게 보인다. 그러나 파커가 나중에 집착하게 되는 특징들, 즉 여성성의 구속에 대한 신랄한 해석과 이미 용인된 진부한 말만 하는 사람들에 대한 마뜩잖음이 드러나 있다.

> 브라운 부인은 나쁘지 않아
> 그녀는 무도덕이란다, 부도덕이 아니라…
> 저 가엾은 아가씨는 혼기가 지난 모양이군
> ‘직업’ 이야기를 하고 있으니 말이야.[8]

크라운인실드는 여기에서 뭔가를 발견하고, 이 시의 값으로 파커에게 5달러 또는 10달러 또는 12달러를 지불했다(파커, 크라운인실드, 그 밖의 다른 사람들이 금액에 대해 저마다 다른 말을 하고 있다). 이 작은 성공으로 용기를 얻은 파커는 크라운인실드에게 일자리를 부탁했다. 처음에 그는 『배너티 페어』에 그녀를 위한 자리를 마련하지 못하고, 대신 『보그』에 취직시켜주었다.

그녀에게 딱히 이상적인 일자리는 아니었다. 1916년의 『보그』는 훌륭한 숙녀들을 위한 잡지로서, 훌륭한 숙녀 같은 글을 많이 실었다. 파커는 패션에 별로 관심이 없었다. 처음부터 그랬다. 하지만 『보그』에서 그녀는 어떤 섬유의 장점에 대해, 치마 길이에 대해 열정적이다 못해 거의 종교적인 의견을 피력하는 글을 써야 했다. 그래서 처음부터 이 일에 힘을 낼 수 없었다. 많은 세월이 흐른 뒤 그녀는 이때의 기억을 예의 바르게 포장해서 설명하려고 시도했지만, 자신이 다른 것들 못지않게 당시의 동료들에 대해서도 꽤 비판적이었다는 사실을 숨기지 못했다. 그녀는 『파리 리뷰』(*Paris review*)와의 인터뷰에서 『보그』의 여성 동료들에 대해 "평범했다. … 세련되지 못했다"[9]고 말했다. 그녀가 그들에 대해 내놓은 칭찬은 부정적인 말에 비해 절반도 되지 않았다.

> 품위 있고 훌륭한 여성들이었습니다. 내가 만나본 가장 훌륭한 여성들이었죠. 하지만 그런 잡지와는 어울리지 않았습니다. 웃기게 생긴 보닛을 쓰고 다니면서, 잡지기사에서는 모델들을 처녀처럼 다뤄서 강인한 아가씨들을 둘도 없이 귀엽고 사랑스러운 여성들로 바꿔버렸습니다.

『보그』는 그때 막 싹을 틔우던 상업적인 의류업계의 요구에 좌우되고 있었다. 그런데 이 의류업계는 주로 고객들의 욕구에 영합하면서 또한 그들을 하찮고 평범한 존재로 대했다. 그 당시에도 이미 잡지의 모든 기사에는 일종의 마케팅 요소가 포함되어 있었기 때문에, 언제나 상품 카탈로그 같은 어조가 요구되었다. 여성들이 갑갑하게 몸을 구속하는 옷에 반항하기까지 50여 년이나 남은 때였지만, 파커는 짓궂으면서도 동시에 감탄이 나올 만한 선견지명으로 『보그』에서 매번 아름다운 옷이야말로 여성을 가장 세련되게 꾸며준다는 주장을 무너뜨리는 행동을 했다.

그래도 그녀가 『보그』에서 도무지 자신의 수준에 미치지 못한다고 생각하는 주제를 다루며 보낸 2년 여의 세월 동안 그녀의 재치가 빛을 발하기는 했다. 「어느 포치에서나」를 쓴 그녀는 펜을 망치처럼 휘둘렀다. 그리고 『보그』에서 겪은 시련은 그녀의 글을 은밀하고 섬세하게 다듬어주었다. 예를 들어, 『보그』의 페이지들을 대부분 차지하는, 펜으로 그린 패션 삽화에 캡션을 쓰는 일을 맡았을 때, 그녀는 펜을 아주 가느다란 바늘처럼 놀렸다. 그녀 본인은 그림이 이루 말할 수 없이 멍청한 소재를 다루고 있다고 생각할지라도, 편집부장에게 이런 심사를 들키지 않으려면 아주 섬세한 재치를 구사해야 했기 때문이다. 이런 작업 덕분에 그녀는 정말로 눈부신 그림 설명을 쓸 수 있었다. “간결함이 바로 란제리의 영혼”[10]이라는 유명한 캡션이 좋은 예다. 패션에 필요한 정교한 속옷을 더욱 더 가벼운 필치로 조롱한 캡션들도 있다.

> 첫사랑만큼이나 짜릿한 것은 첫 코르셋뿐이다. 자신이 중요한 인물이 되었다는 기쁨을 준다는 점이 똑같다. 이 옷은 튼튼한 열두 살짜리처럼 일자로 뻗은 몸에 허리선과 비슷한 것을 만들어주도록 설계되었다.[11]

편집자들은 그녀의 의도를 눈치챘다. 그래서 그녀의 경멸이 너무 또렷이 드러나는 글은 다시 고쳐 쓰기도 했다. 겉으로 보기에 파커의 태도는 흠 잡을 데 없었지만, 『보그』의 침착한 편집부장 에드나 울먼 체이스는 회고록에서 그녀를 “당밀처럼 달콤한 혀와 식초 같은 재치”를 지닌 사람으로 묘사했다. 파커가 적당히 꾸며낸 말로 신랄함을 숨기고 거기에 꿀까지 발라 내놓는다는 사실을 체이스 또한 알아차렸다는 사실이 중요하다. 파커가 나중에 사귄 친구인 연극비평가 알렉산더 울컷이 젊은 시절의 파커를 묘사한 말 그대로다. “귀여운 넬(찰스 디킨스의 소설 『오래된 골동품 상점』의 주인공인 넬 트렌트. 천사처럼 착한 인물이다 — 옮긴이)과 맥베스 부인의 기묘한 혼합.”[12] 이 시기에 파커는 글을 쏟아내다시피 했다. 『보그』뿐만 아니라 『배너티 페어』에도 자주 글을 쓰면서 『배너티 페어』에 확실히 마음이 있음을 드러냈다. 마침 『배너티 페어』는 파커가 대량으로 쏟아내는 가볍고 풍자적이고 잊어버려도 그만인 운문에 더 많은 지면을 할애해주었다. 파커는 스스로 ‘증오의 노래'라고 명명한 양식으로 자꾸만 되돌아왔다. 여성에서부터 개에 이르기까지 수많은 대상을 겨냥한 경묘시였다. 개중에는 아주 재미있는 시도 있었지만, 대부분은 불만을 있는 그대로 드러내는 내용이었기 때문에 거칠고 혹독했다. 파커는 시보다 길이가 긴 에세이에서 재능을 훨씬 더 많이 드러냈다. 식초 같은 재치도 그런 글에서 더 효과적이었다. 우스꽝스러운 주제를 식초의 산성이 천천히 녹여버리는 것 같았다. 그녀의 권태 또한 작품에 고급스러운 맛을 더해주었다.

1916년 11월에 발행된 『배너티 페어』에서 파커는 「내가 결혼하지 않은 이유」(Why I Haven't Married)라는 글을 통해 자신의 삶을 설명했다. 뉴욕 남녀들의 데이트 관습을 비꼬는 글이었는데, 파커의 시대에도 우리 시대 못지않게 데이트 관습에 문제가 많았던 것 같다. 독신여성이 함께 식사를 하게 되는 남성들의 '유형'에 대한 파커의 간략한 묘사는 지금도 잘 어울릴 것 같다. 무한한 배려를 지닌 좋은 남자 랠프에 대해 파커는 이렇게 썼다. "수많은 담요와 쿠션에 에워싸인 내가 보였다. … 여성참정권에 반대하는 모임의 회원이 된 내가 보였다."[13] 좌파 보헤미안인 막시밀리안은 다음과 같이 묘사했다. "그는 예술의 ㅇ자를 이용한다." 신진 사업가 짐에 대한 묘사는 이렇다. "그의 애정순위에서 나는 3등쯤 되었다. 1등과 2등은 그의 회사인 '헤이그 앤드 헤이그'이고, 그 다음 3등이 나였다."

한편 1917년 『보그』에 실린 '인테리어 신성모독'이라는 글에서 파커는 앨리스테어 세인트 클라우드라는 인물(가공의 인물일 가능성이 있다)이 실내장식을 맡은 집을 방문해서 당혹스러워하는 모습을 묘사했다(그 집을 방문한 사실 자체도 허구일 가능성이 있다). 글에 따르면, 이 집의 어떤 방은 보라색 새틴과 검은 카펫으로 장식되어 있었으며, "이단심문 시대의 유물임이 분명한 진귀한 의자"[14]도 있었다.

방 안에 다른 물건은 없었다. 흑단 받침대 위에 화려한 진홍색으로 제본된 책 한 권만 외로이 놓여 있을 뿐. 슬쩍 제목을 확인해봤더니 『데카메론』(*Decameron*)이었다.

"이 방은 뭡니까?" 내가 물었다.

"서재입니다." 앨리스테어가 자랑스레 말했다.

그녀는 계속 발전하면서 강렬한 문장을 더 많이 만들어내고, 자신의 과녁을 더 정밀하게 타격했다. 그녀의 재능은 처음부터 분명히 드러나 있었지만, 솜씨를 갈고닦아 발전시키는 데는 그만큼 시간이 필요했다. 크라운인실드의 감탄과 관심이라는 자극 또한 그녀의 발전에 반드시 필요한 요소였던 것 같다. 일을 시작하고 몇 해 동안 파커는 그 어느 때보다 많은 글을 쏟아냈다. 스스로 길을 개척하는 삶이 그녀에게는 잘 맞았다. 그래서 그녀는 1916년 봄에 에드윈 폰드 파커 2세와 결혼한 뒤에도 자신의 힘으로 살아갔다.

그녀에게 파커라는 성을 준 남자는 코네티컷의 훌륭한 가문에서 태어난 금발의 젊은 주식중개인이었다. 그러나 그녀의 경우와 마찬가지로, 그의 가문 또한 알려진 것만큼 부유하지는 않았다. 에디라고 불리던 그는 자신의 목소리보다는 다른 사람들의 눈을 통해 우리에게 알려져 있다. 그는 처음부터 술을 즐겨 마시는 미식가였다. 장차 그의 신부가 된 파커보다 훨씬 더했다. 그를 처음 만났을 때 도러시는 절대 금주가에 가까웠다. 그러나 결혼생활을 하면서 에디가 그녀를 진의 세계로 끌어들였다.

"처음부터 끝까지 결혼식이라는 과정은 신랑에게 슬픈 일이다."[15] 파커가 1916년에 결혼식을 마친 뒤 어느 글에 쓴 문장이다. "결혼행진곡 첫 소절부터 신혼여행이 시작될 때까지 그는 망각의 안개에 에워싸여 길을 잃는다." 어느 모로 보나 파커는 에디를 사랑한 것 같은데도 그를 주로 그 안개에 맡겨두었다. 결혼식 이후

몇 달 만에 미국이 1차 세계대전에 참전하자, 에디는 군에 입대해서 훈련소로 떠났다가 나중에는 전선으로 파견되었다. 그곳에서 그는 모르핀에도 손을 댄 듯하다.

에디 파커는 이러한 문제들로 인해 아내의 삶에서 유령 같은 존재가 되었다. 그녀는 여러 파티에 이 유령을 끌고 다녔으며, 그를 억지로 끼워 넣은 이야기를 한두 개 만들어내기도 했다. 그러나 애당초 자신이 그에게 매력을 느낀 이유에 대해서는 이렇다 할 설명을 하지 않았다.

크라운인실드는 1918년에 마침내 파커를 『배너티 페어』로 데려오는 데 성공했다. 그리고 그녀에게 산문을 써줄 것을 요구했다. 잡지가 새로이 탄생했을 때부터 연극비평을 맡아온 P. G. 우드하우스가 그만뒀기 때문이었다. 크라운인실드는 파커에게 그의 자리를 제안했다. 그녀는 연극에 대해 단 한 번도 글을 쓴 적이 없었고, 『배너티 페어』의 연극비평은 잡지에서 상당한 비중을 차지하고 있었다. 20세기 전반기에 세련되고 중요한 인물들은 연극비평에 관심을 기울였다. 활동사진은 아직 대중예술에서 우위를 점하지 못했으므로, 연극이 스타들을 배출해내고 있었다. 그러므로 연극비평에는 여러 사람의 지위와 많은 돈이 걸려 있었다.

파커가 처음에 쓴 연극비평들이 몹시 조심스러웠던 것도 아마 이 때문이었을 것이다. 유머러스하고 자신감 있던 글이 갑자기 리듬을 잃었다. 처음 몇 번의 글에서 그녀는 불안한 태도를 보였다. 자신이 평해야 하는 연극이나 뮤지컬을 설명하는 데 별로 공을 들이지 않은 적도 많았다. 1918년 4월에 나온 그녀의 첫 번째 연극비평에서는 뮤지컬이 공연되는 동안 장갑 한 짝을 찾는 데 거의 모든 시간을 보낸 관객 한 명에 대한 장황한 불평만 늘어놓았다. 그리고 갑자기 글을 마무리해버렸다. "자, 이런 얘기다."[16]

그녀가 자신감을 되찾기는 했지만, 느린 과정이었다. 긴 투구동작 끝에 믿을 만한 속구가 나올 때가 더 많아졌다. 과녁을 선정하는 능력도 향상되었다. 네 번째 비평에서 그녀는 연극비평가가 평하고 싶은 작품이 잡지가 서점에 진열되기 전에 이미 막을 내리는 경우가 많다면서, 연극비평가의 "힘든 삶"[17]을 이야기했다. 다섯 번째 비평에서는 전쟁이라는 장치를 좋아하는 연극계에 비난을 던졌다. "연합국의 국기가 없다면, 쇼걸들에게 과연 무슨 옷을 입혔을지 모르겠다."[18] 그녀의 독설은 점차 예전처럼 우아해지기 시작했다. "[입센이] 가끔은 여성들에게 염화제2수은을 먹거나 가스 밸브를 열거나, 집에서 조용하고 깔끔한 모종의 행동을 하게 해줬으면 좋겠다."[19] 그녀는 「헤다 가블레르」(Hedda Gabler, 입센의 작품 중 하나. 주인공 헤다는 「인형의 집」의 노라와는 대조적인 인물이며, 극 중에서 권총으로 자살한다 — 옮긴이)를 공연할 때 어쩔 수 없이 총성이 울리는 것에 대해 이렇게 불평했다.

그녀가 점차 자신감을 얻게 된 데에는 『배너티 페어』의 동료들이 자신의 아군이라는 사실을 알게 된 것이 영향을 미쳤다. 크라운인실드를 비롯해서 『배너티 페어』의 편집자들은 그녀를 이해해주었다. 유머를 좌우하는 것은 서로를 이해해주는 마음이다. 대담하거나 일반적인 규범을 뛰어넘는 농담을 던질 수 있는 것은, 농담을 하는 사람과 듣는 사람 사이에 모종의 공감대가 형성되어야만 가능한 일이다. 파커는 작가로 활동하는 동안 대개 가까운 친구들로부터 격려와 지지를 받았다. 그리고 그들 거의 모두가 남성이었다. 특히 중요한 인물로는 『배너티 페어』의 동료 두 명이 있다. 파커가 『보그』에서 『배너티 페어』로 이직한 직후 『배너티 페어』의 편집주간으로 입사한 서투른 신문기자 로버트 벤츨리와 호리호리하고 과묵한 겉모습 속에 엄청난 유머감각을 숨기고 있던 로버트 셔우드. 이 두 사람과 파커는 항상 뭉쳐 다니며 말썽을 피우는

『배너티 페어』의 골칫덩이 트리오였다.

그들은 각각 문자 그대로 전설의 주인공들이었다. 파커는 한참 세월이 흐른 뒤 자랑스러움과 짓궂음이 확연히 드러나는 말투로 이렇게 말했다. "우리가 정말 못되게 굴었다고 말할 수밖에 없겠네요."[20] 그들은 짓궂은 장난, 특히 직장 상사를 놀리는 장난을 좋아했다. 파커가 장의업계 전문잡지를 구독한 것은 많은 사람이 좋아하는 일화 중 하나다. 그녀와 벤츨리는 음침한 유머를 좋아했다. 크라운인실드가 파커의 책상 옆을 지나다가 그녀가 시신 방부 처리 과정을 정리해놓은 다이어그램을 잡지에서 오려서 붙여놓은 것을 보고 움찔거리는 모습도 그들에게 즐거움을 안겨주었다. 그들은 점심을 아주 오랫동안 먹고 늦게 사무실로 돌아와서는 어떤 변명도 하지 않았다. 크라운인실드가 유럽으로 출장을 떠났을 때는 그들의 행동이 더욱 심해졌다. 그들은 그리 헌신적인 직원이 아니었다.

그들의 게으른 정신은 당연히 앨곤퀸 원탁에까지 이어졌다. 앨곤퀸 원탁이란 맨해튼 미드타운의 앨곤퀸 호텔에서 작가들과 기타 화려한 인물들이 한동안 만나서 시간을 보내던 유명한 모임을 말한다. 앨곤퀸 원탁은 1919년에 당시 『뉴욕 타임스』(*New York Times*)에서 연극비평을 맡고 있던 알렉산더 울컷이 전쟁에서 돌아온 자신을 환영하는 의미의 오찬을 열면서 자유분방한 분위기 속에 공식적으로 시작되었다. 참석자들은 이 자리가 너무나 즐거워서 계속 이런 모임을 갖기로 합의했다. 그들의 명성은 짧은 기간 이어지다 덧없이 사라진 원탁 모임보다 더 오랫동안 이어졌다. 가십 칼럼에서 이 원탁 모임이 처음으로 언급된 것은 1922년이다. 1923년에는 호텔 주인의 반유대주의 발언 때문에 참석자들 사이에 문제가 있었던 것이 알려졌으며,[21] 1925년에 이 모임의 끝이 선언되었다.

나중에 파커는 원탁 모임에 대해 양면적인 태도를 취했다. 사실 그녀는 자신이 한 행동 중 성공을 거둔 거의 모든 것에 대해 이런 태도를 취했다. 몇몇 사람의 말처럼, 그녀는 원탁에서 유일한 여성이 아니었다. 루스 헤일이나 제인 그랜트 같은 언론인들과 에드나 퍼버 같은 소설가들이 그 자리에서 함께 술을 마실 때가 많았다. 그러나 행동이나 발언이 이 모임과 가장 밀접하게 연관되어 있는 사람이 바로 파커라는 데에는 의심의 여지가 없다. 명성이라는 측면에서 그녀는 그 자리에 있던 대부분의 남자들을 무색케 했다. 실제로 그들은 망각 속으로 사라져갔다. 또한 함축성이 있는 재치 덕분에 가십 칼럼니스트들이 가장 자주 인용한 사람도 파커였다.

파커는 이런 모든 현상이 불편해서, 인터뷰 도중 원탁에 관한 이야기가 나오면 때로 이렇게 쏘아붙였다. "난 그 자리에 그렇게 자주 나가지 않았어요. 돈이 너무 많이 들었으니까요."[22] 아니면 그 모임 전체를 깎아내리기도 했다. "입만 산 인간들이 잘난 척을 하는 자리였지요. 우스운 이야기를 며칠씩 아껴두었다가 확 치고 나올 기회만 기다리는 인간들이었어요."[23] 글을 쓰는 사람들의 세계에서 힘을 뽐내던 원탁 모임에 대해 회의적이고 비판적이었던 당시 언론보도가 그녀에게 영향을 미쳤음이 분명하다. "글쓰기에 인상적인 기풍을 더하거나 중요한 시를 지은 사람이 한 명도 없는데도, 그들은 전통과 관습을 중시하는 사람들을 위에서 내려다보는 듯한 태도를 취했다."[24] 1924년에 한 가십 칼럼니스트는 이렇게 코웃음을 쳤다.

어쩌면 파커가 원탁의 친구들을 살짝 경시하며 지나친 태도를 취했던 것인지도 모른다. 그들이 호텔에서 오찬이나 만찬을 먹으며 보낸 즐거운 시간에 별로 중요한 의미가 없었던 것은 사실이다. 하지만 더 훌륭한 다른 일들을 위한 일종의 연료가 되기는 했다. 벤츨리와 셔우드 같은 참석자들이 기꺼이 귀를 기울여준 것이 파커에게 힘이 되었다는 뜻이다. 파커는 『배너티 페어』와 앨곤퀸 시절 이후로 다시는 그때만큼 많은 글을 쓰지 못했다.

다른 사람들의 자아 이미지(자신이 진지한 작가라든가

화려한 스타라는 생각)를 잘 받아들이지 못하는 선천적인 성격은 비평가로서 파커를 괴롭히는 문제가 되었다. 그녀는 연극을 보며 쉽사리 만족감을 느끼지 못했다. 간단히 말해서, 그녀는 연극의 팬이 아니었다. 제작자들은 파커가 칼럼에 쓴, 상처를 주는 발언들에 점차 분노했다. 파커의 발언에 비해 그들의 분노가 항상 지나치게 컸지만, 그것이 문제가 된 적은 거의 없었다. 제작자들은 비평의 대상인 동시에 광고주이기도 했으므로, 타격을 줄 수 있었다.

때로 파커는 그럴 의도가 없는데도 제작자들의 분노를 살 정도였다. 콘데 내스트의 등골이 휘게 만든 칼럼은 심지어 파커가 가장 독설을 퍼부은 글도 아니었다. 이 글에서 그녀가 비평한 공연은 지금은 사람들이 잘 모르는 서머싯 몸의 희극 「카이사르의 아내」(Caesar's Wife)였다. 이 공연에 주인공으로 출연한 빌리 버크에 대해 파커는 다음과 같이 말했다.

> 젊은 아내 역을 맡은 미스 버크는 발랄한 모습이 매력적이다. 그녀의 실력이 가장 돋보이는 곳은 진지한 장면이다. 그녀는 자신이 맡은 인물의 소녀다움을 전달하기 위해 가벼운 장면에서는 마치 에바 탱게이(1878-1947. '보드빌의 여왕'으로 유명했던 인물 — 옮긴이)를 연기하는 것처럼 군다.[25]

이 글은 평소에 비해 덜 노골적인 편이었다. 그런데도 브로드웨이의 전설적인 제작자이자 버크의 남편인 플로 지그펠드는 당장 전화기를 붙잡고 불만을 제기했다. 에바 탱게이는 무엇보다도 요즘으로 치면 대략 '스트리퍼'쯤 되는 인물이었다. 반면 빌리 버크는 티끌 하나 없이 깨끗한 이미지를 갖고 있었다. 현재 그녀를 아는 사람들은 십중팔구 1939년에 MGM이 제작한 영화 「오즈의 마법사」(The Wizard of OZ)의 착한 마녀 글린다 역을 떠올릴 것이다. 그러나 버크를 가장 자극한 것은 탱게이의 이름이 암시하는 이미지가 아니었을 가능성이 있다. 파커가 이 비평을 썼을 때 버크는 막 서른다섯 살이 되었으므로, 스트리퍼를 연상시키는 비유보다는 그녀의 나이에 대한 공격에 더 분노했을 가능성이 크다.

어쨌든 파커의 자유로운 비평에 그동안 불만을 제기한 사람은 지그펠드뿐만이 아니었기 때문에 콘데 내스트는 변화가 필요하다고 강력히 주장했다. 크라운인실드는 파커를 플라자 호텔로 데려가 차를 마시면서 연극비평에서 그녀를 빼고 싶다고 말했다. 그녀가 잡지사를 스스로 그만두었는지 해고되었는지는 여전히 논란거리다. 어떤 사람의 글을 읽는가에 따라 결론이 계속 달라진다. 파커는 자신이 메뉴판에서 가장 비싼 디저트를 주문한 뒤 그 자리를 박차고 나와 벤츨리에게 연락했다고 말했다. 그도 즉시 함께 그만두기로 결심했다.

벤츨리는 파커의 인생에서 누구보다 중요한 인물이 되어 있었다. 그녀는 그의 인정을 원하고, 그의 목소리를 흉내 내려 했다. 두 사람의 친구들은 혹시 둘이 사귀는 사이가 아닌지 궁금해했지만, 그런 증거는 하나도 없다. 파커 역시 벤츨리에게 가장 중요한 인물이었음은 분명하다. 그가 부양해야 할 자식들이 있는데도 직장을 그만둔 것을 보면 짐작할 수 있다. "나는 그렇게 훌륭한 우정의 표현을 본 적이 없다."[26] 파커는 이렇게 말했다.

그들은 그렇게 극적으로 일을 그만두었지만, 잡지사를 떠나는 것에 대해 크게 분노하지는 않았다. 자신의 후임을 직접 고를 정도였다. 파커는 일을 그만두기 얼마 전에, 작가 지망생들이 자발적으로 보내온 산더미 같은 원고 속에서 에드먼드 윌슨이라는 아주 젊은 비평가를 찾아냈다.[27] 크라운인실드가 윌슨에게 벤츨리의 자리를 제안했을 때, 파커는 기뻐했을지도 모른다. 그녀는 해고된 지 1년도 안 돼서 다시 『배너티 페어』에서 일하게 되었다.

업무 인수인계는 순조롭게 이루어졌다. 중간에 젊고 물정 모르는 윌슨을 위해 앨곤퀸에서 몇 번 술자리를 갖기도 했다. 윌슨은 나중에 '진지하고' 존경받는 비평가가 되어 『악셀의 성』(*Axel's Castle*)과 『핀란드 역으로』(*To the Finland Station*) 등의 저서를 펴냈다. 윌슨은 원탁 모임에도 초대받았지만, "그 모임에 특별한 흥미를 느끼지 못했다"[28]고 일기에 썼다. 그러나 파커에 대해서는 흥미를 느꼈다. "그녀의 본성에 깃든 갈등" 때문이었다. 그가 그녀를 앨곤퀸의 다른 참석자들과 따로 구분한 것은, 그녀가 진지한 사람들과 "동등하게"[29] 대화할 수 있기 때문이었다. "겨냥이 확실하고 치명적인 악의" 덕분에 그녀는 앨곤퀸 모임의 다른 사람들보다 덜 촌스러운 인물이 되었다. 이 모든 것이 마음에 든 윌슨은 파커가 세상을 떠날 때까지 줄곧 그녀와 우정을 유지했다. 그녀가 완전히 실패해서 빈털터리가 되었을 때도 예외가 아니었다. 윌슨은 비슷한 배경과 지위를 지닌 많은 남성들과 달리 예리한 여성들과의 시간을 진심으로 즐거워했다. 그러니 진실로 똑똑한 여성과 함께 하는 시간을 거부할 수 없었을 것이다.

어쨌든 파커는 콘데 내스트에 불만을 품을 필요가 없었다. 이미 명성을 누리고 있었으므로, 그녀는 혼자 힘으로도 얼마든지 일을 얻을 수 있었다. 『엔슬리』(*Ainslee's*)라는 잡지가 곧 그녀에게 연극비평을 맡겼다. 시내의 여러 신문과 잡지에는 그녀의 경묘시가 거의 매주 실렸고, 연극비평은 한 달에 한 번씩 실렸다. 그 외에도 그녀는 여러 산문을 썼다. 1920년대 내내 그녀는 끊임없이 일했다. 비록 시로는 결코 생활에 필요한 돈을 벌 수 없었다고 말하곤 했지만, 자신이 버는 돈과 에디가 주는 돈으로 어떻게든 살아갈 수 있었다. 그들은 1922년에 이미 별거 중이었으며, 1928년에 공식적으로 이혼했다.

그녀의 글이 인기를 누린 것은 확실했다. 그렇다면 글의 수준은?

그녀의 시는 그런 면에서 많은 시련을 겪었다. 미국에서 경묘시의 인기가 점점 줄어들다가 1930년대에는 완전히 사라져버렸기 때문이다. 지금은 이런 시에 매력을 느끼는 사람이 별로 없다. 진부하고, 지나치게 장식적으로 보이는 탓이다. 파커 역시 시에서 주로 로맨스를 주제로 다뤘는데, 이로 인해 감상적이라는 비판을 받았다. 파커는 이 비판을 스스로 받아들여, 자신의 시가 무가치하다고 생각하게 되었다. 하지만 주의 깊게 읽어보면, 그녀의 주위 사람들을 사로잡은 그 빛을 시에서도 발견할 수 있다. 그녀가 내버리다시피 한 시에도 강렬한 구석이 있다. 1922년에 쓴 「신여성」(The Flapper)이 한 예다.

> 그녀의 소녀다움이 소란을 일으키고
> 그녀의 태도가 소동을 일으킬지 몰라도
> 그녀는 해롭지 않아
> 잠수함만큼은.[30]

이것은 아무렇게나 던진 공격이 아니었다. 파커는 동시대의 사람들을 겨냥했다. 그녀의 별은 신여성을 신화적으로 미화한 대표 주자인 F. 스콧 피츠제럴드의 별과 나란히 떠올랐다. 젊은 대학생이 신여성과 사랑에 빠지는 내용을 다룬 피츠제럴드의 소설 『낙원의 이편』(*This Side of Paradise*)은 1919년에 비평가들의 찬사 속에 출판되어 엄청난 판매고를 기록했다. 피츠제럴드도 스타가 되었다. 그는 또한 잠시나마 시대의 신탁 같은 존재가 되었다. 파커는 그가 이 작품을 출판하기 전, 아직 힘들게 고생하고 있을 때 그와 개인적으로 아는 사이였다. 하지만 성공을 거둔 뒤 대중매체에 묘사되는 그의 모습이 그녀의 신경을 건드렸다. 1922년 3월에 파커는 「젊은 세계」(The Younger Set)라는 증오의 시를 발표했다.

청년 작가들이 있어
순문학을 발치에 놓을 사람들
매일 밤 잠자리에 들기 전에
그들은 무릎 꿇고 H. L. 멘켄에게 부탁해
자기들을 축복하고, 착한 아이로 만들어달라고.
그들은 언제나 직접 제본한 책을 들고 다니지
결국 세상에 레미 드 구르몽은 한 명뿐이라나
나도 완전히 같은 생각이야
그들은 당신이나 나처럼
유명해지는 것을
거액의 돈을 받는 것을 피하려고 해
신호만 떨어지면
그들은 즉시 자기 작품을 읽어줄 거야
백화점에서
또는 커다란 곡물창고에서
또는 여자들이 옷 갈아입는 방에서.[31]

지금은 거의 잊힌 존재가 된 레미 드 구르몽은 당시 엄청난 인기를 누리던 프랑스의 상징주의 시인 겸 비평가였다. 하지만 여기서 그는 '청년 작가들'의 진정한 수호성자인 피츠제럴드를 상징하는 존재임이 분명히 드러나 있다. 『낙원의 이편』을 발표했을 때 피츠제럴드의 나이는 겨우 스물네 살이었다. 따라서 동시대의 작가들은 그의 존재에 눈길을 주고, 그를 부러워하지 않을 수 없었다. "그걸 읽으면 우리가 아주 늙어버린 기분이 든다."[32] 원탁 모임의 한 멤버는 이 소설을 읽고 이렇게 투덜거렸다.

파커도 그를 부러워했을까? 그녀 본인은 한 번도 인정한 적이 없다. 항상 피츠제럴드를 친구라고 부르며, 그의 작품을 사랑한다고 말했을 뿐이다. 그러나 그녀가 그에게 승부욕을 느꼈음을 암시하는 힌트들이 있다. 1921년에 그녀는 「허버드 아주머니(영국 동요의 제목이자 주인공의 이름 — 옮긴이)를 한 번 더」라는 제목의 패러디를 『라이프』(*Life*)에 발표했다. "F. 스콧 피츠제럴드가 들은" 동화를 그대로 옮긴 작품이라는 설정이었다.

> 로절린드(『낙원의 이편』의 등장인물 — 옮긴이)는 열아홉 살의 팔꿈치를 열아홉 살의 무릎에 괴었다. 열아홉 살의 욕조의 반짝이는 벽 위로 보이는 것이라고는 단발로 자른 그녀의 구불거리는 머리카락과 거슬리는 회색 눈뿐이었다. 열아홉 살의 버릇없는 입술에 담배 한 개비가 나른하게 늘어져 있었다.
>
> 에이머리(『낙원의 이편』의 등장인물 — 옮긴이)는 문에 몸을 기대고 잇새로 「내소 홀(프린스턴 대학교 캠퍼스에서 가장 오래된 건물 — 옮긴이)로 돌아오며」를 작게 휘파람 불었다. 그녀의 젊고 완벽한 모습이 그의 마음속에 묘한 불을 붙여 놓았다.
>
> "네 얘기를 해봐." 그가 무심하게 말했다.[33]

모든 훌륭한 패러디가 그렇듯이, 이 패러디 역시 과녁이 된 사람의 작품을 면밀히 관찰한 결과물이었다. 여기에는 질투뿐만 아니라, 상당히 신랄한 비판도 있었다. 피츠제럴드가 상류층의 '무심함'을 숭배했던 것은 사실이다. 그는 아이비리그에 대해서도 감상적인 태도를 보였다(「내소 홀로 돌아오며」는 프린스턴 대학교의 응원가였다). 남자 주인공의 시야 안에 아름답지만 온전히 '착실'하지는 않은 젊은 여성을 놓는 방법도 그가 좋아하는 것이었다. 이 여성들은 대부분 그의 아내인 젤다 피츠제럴드의 닮은꼴이었다. 피츠제럴드는 이 패러디에 아무런 반응을 남기지 않았지만, 만약 이 작품을 읽었다면 파커의 공격 중 일부가 과녁을 제대로 맞혔음을 분명히 알아보았을 것이다.

피츠제럴드가 여성을 대하는 태도가 파커의 시선을 끈 것 역시 우연한 일이 아니었다. 피츠제럴드의 많은 친구들과 마찬가지로, 파커도 젤다를 그리 좋아하지 않았다. “뭔가 마음에 들지 않으면 그녀는 부루퉁해졌다.” 파커는 젤다의 전기를 쓴 작가에게 이렇게 말했다. “내가 보기에 그건 매력적인 성격이 아니었다.”[34] 어쩌면 승부욕이 작용했던 건지도 모른다. 스콧과 파커가 성적인 관계였다는 소문이 있지만,[35] 남아 있는 증거는 전혀 없다. 파커 본인은 거부했던 역할을 젤다가 기꺼이 받아들여 언론이 원하는 궁극의 신여성이 되어준 것도 파커의 태도에 영향을 미쳤다. 『낙원의 이편』을 발표한 뒤 스콧이 갑자기 유명해졌을 때, 젤다는 보통 그와 한 세트로 다뤄졌다. 인터뷰에서 그녀는 자신을 모델로 한 인물인 로절린드를 사랑한다고 말하곤 했다. “나는 그런 여자가 좋아요. 그들의 용기, 무모함, 헤픈 씀씀이가 좋아요.”[36] 반면 파커는 그 모든 것이 거짓이라고 생각했으므로 젤다 같은 발언도 하지 못하고, 작품에 공감하지도 못했다.

그래도 파커와 스콧 피츠제럴드는 인생의 거의 대부분을 친구로 지냈다. 두 사람은 너무나 비슷했다. 거의 언제나 술에 취해 있고, 글이 제대로 써지지 않아 애를 먹는다는 점이 그랬다. 나중에는 피츠제럴드도 자신의 초기 작품이 지닌 약점과 재즈 시대의 방종 속에 깃든 공허함에 대한 파커의 의견에 동의하게 되었다. 『위대한 개츠비』(*The Great Gatsby*)를 발표한 1925년 무렵에 피츠제럴드는 더 이상 무심함을 숭배하지 않았다. 신여성과 부잣집 자식들은 이미 각자의 장미를 좀먹는 벌레 취급을 받았다. 그래도 사람들은 반짝이는 것이 모두 모조품에 불과한 현실보다는 신기루처럼 아른거리는 개츠비의 웨스트 에그 같은 곳에 훨씬 더

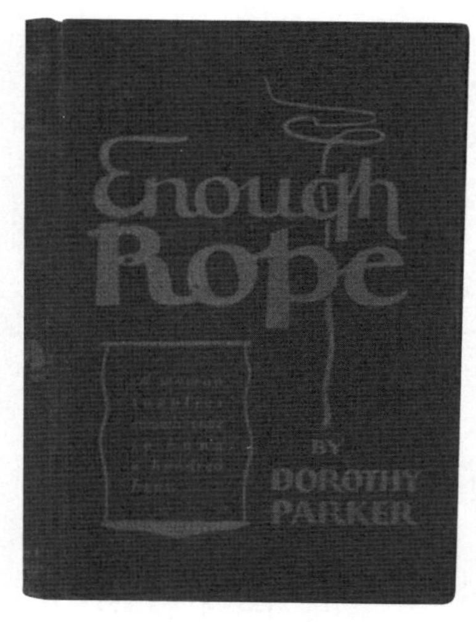

『사필귀정』 1926년 판본.

매력을 느꼈다. 상업적인 면에서 『위대한 개츠비』는 실패작이었다. 피츠제럴드가 살아 있는 동안 사람들은 그가 전하고자 한 메시지를 들을 준비가 아직 되어 있지 않았다. 이 작품이 인기를 얻은 것은 2차 세계대전 중에 군대가 이 작품을 되살려 병사들에게 무료로 배포한 다음부터였다.[37]

파커와 달리 피츠제럴드는 마흔네 살이라는 젊은 나이에 세상을 떠났다. 과음에 결핵 발병이 겹쳐 1940년에 그의 목숨을 앗아가고 말았다. 파커는 그보다 거의 30년을 더 살았다. 그녀는 관 속에 누워 있는 그를 보고 『위대한 개츠비』의 한 구절을 그에게 인용해주었다. "불쌍한 개자식." 그러나 아무도 이 말의 출처를 몰랐다. 1920년대 말에 파커는 자신의 구축된 이미지에서 벗어날 수 없게 되었다. 모든 신문, 모든 잡지에 그녀의 글이 실렸고, 모든 사람이 그녀의 시나 신랄한 말을 싣고 싶어 했다. 1927년에 파커는 『사필귀정』(*Enough Rope*)이라는 시집을 발표했다. 이 책이 곧바로 베스트셀러가 된 것은 그녀뿐만 아니라 모든 사람에게 놀라운 일이었다. 그녀의 시가 워낙 인기를 얻었기 때문에 사람들은 파티에서 재치 있는 사람으로 깊은 인상을 남기려고 흔히 그녀의 시를 인용해서 말하곤 했다. "거의 모든 사람이 그녀의 시를 적어도 10여 편 정도 인용하거나, 재인용하거나, 잘못 인용하고 있다." 1928년에 『시』(*Poetry*)에 글을 기고한 어떤 비평가가 뚱하니 늘어놓은 말이다. "마작게임과 십자말풀이의 자리를 그녀의 시가 대신 차지해버린 것 같다."[38]

그녀의 인기가 더욱 더 놀라운 것은, 그녀의 시가 딱히 읽기에 편안한 글이 아니라는 점 때문이었다. 사람들은 그녀가 안겨주는 충격을 무작정 좋아했다. 비록 같은 말이 반복되기는 해도, 그녀의 시는 매번 뭔가를 확실히 전달하는 것 같았다. 『배너티 페어』를 떠나 『뉴 리퍼블릭』(*New Republic*)에서 편집자로 일하고 있던 에드먼드 윌슨은 『사필귀정』을 비평한 글(문학적인 친구들이 서로의 글을 비평하는 것은 비교적 최근까지도 드문 일이 아니었다)에서 전형적인 파커의 시가 어떻게 작동하는지를 훌륭하게 요약했다.

> 해학적이고 감상적인 구절들이 끝까지 잡지의 전형적인 심심풀이 기사처럼 보였다. 평균적인 심심풀이 기사보다 좀 더 믿을 만하고 글솜씨가 더 나은 것 같기는 했지만. 그런데 마지막 행이 믿을 수 없을 만큼 맹렬한 기세로 다른 구절들을 모두 관통해버렸다.[39]

이 전략에도 결점은 있었다. 결정적인 대목에 이를 때까지 그녀의 시는 진부하고 지나치게 화려한 표현들을 자주 사용했다. 윌슨은 이런 기법을 가리켜 "평범한 유머 시"이자 "평범한 여성 시"라고 말했다. 비평가들은 파커의 기계적인 이미지에 자주 불만을 표하면서, 그녀가 독창적이지 못하다고 비판했다. 그러나 그들이 놓친 것이 있었다. 진부한 표현을 사용할 때 파커는 보통 그런 표현만으로는 충분하지 않다는 뜻을 드러냈다. 그런 표현에 알맹이가 없음을 드러내서 우스갯거리로 삼은 것이다. 그래도 그녀는 자신의 작품에 대한 비판을 받아들여, 그들의 말을 자주 직접 입에 담았다. "솔직해져야지요." 그녀는 『파리 리뷰』와 인터뷰를 하면서 이렇게 말했다. "내 시는 엄청나게 구식이에요. 한때 유행을 타던 것들이 모두 지금은 끔찍하기 짝이 없어요."[40]

윌슨을 비롯한 여러 사람이 당시 그녀의 작품을 이런 시각으로만 바라본 것이 아님을 언급해두어야겠다. 윌슨은 『사필귀정』에 대한 비평에서, 이 책에 실린 작품들에서 부적절한 부분들을 발견했지만, "매력적인 문학적 재능을 유능하게 사용했을 뿐만 아니라 글을 쓰고 싶다는 진정한 욕구도 있어서 발전하는 모습"이 보였다고 썼다. 그는 파커의 작품에서 시인 에드나 세인트 빈센트 밀레이와 닮은 점을 발견했지만, 두 사람의 철학은 거의 닮지 않았다고 보았다.

파커의 "날카롭고 신랄한 문체"[41]는 전적으로 그녀만의 것이라면서, 그는 그것만으로도 그녀의 시가 지닌 많은 약점들이 정당화된다고 주장했다. 그는 또한 그녀 목소리에 귀를 기울일 가치가 있음을 확신한다고 썼다.

파커의 목소리에는 자기혐오와 피학적인 성향이 내재해 있었지만, 그 공격이 겨냥하는 것은 그녀 자신만이 아니었다. 여성성의 구속, 또는 낭만적인 사랑이라는 허구, 또는 세계적으로 유명한 「이력서」(Résumé) 같은 작품에 신파극처럼 묘사된 자살을 겨냥했다고 볼 수 있다.

면도날은 아파
강물은 축축하고
산(酸)은 얼룩을 남기지
약을 먹으면 배가 아프고
총은 불법이고
밧줄은 풀리고
가스는 냄새가 지독해
그냥 사는 게 낫겠어.[42]

그녀의 시를 읽은 대다수 독자는 알지 못했지만, 이 시에는 자기풍자가 조금 포함되어 있었다. 파커는 1922년에 처음 자살을 시도했다. 그때 선택한 것이 면도날이었다. 당시 그녀는 찰스 맥아서와 헤어진 여파로 낙담하고 있었다. 신문기자인 맥아서는 나중에 「프런트 페이지」(The Front Page)라는 희곡을 썼는데, 1940년대에 이 희곡을 바탕으로 만들어진 영화 「연인 프라이데이」(His Girl Friday)가 큰 성공을 거뒀다. 사랑의 힘겨운 끝에서 낙태를 한 파커는 그 뒤로 기운을 차리지 못하고 여러 사람에게 그 이야기를 자꾸만 늘어놓은 것 같다. 그녀의 이야기를 들은 사람들 중 일부는 공감할 수 없다는 반응을 보이기도 했다. 그런 사람들 중 한 명이 아주 젊은 초보 작가 어니스트 헤밍웨이였다.

헤밍웨이도 파커처럼 이제 워낙 유명해져서, 처음부터 뛰어난 재능을 인정을 받아 글을 한 줄 쓰자마자 명성을 얻은 것처럼 보인다. 하지만 1926년 2월에 파커와 처음 만났을 때 그는 '보니와 리버라이트'라는 아주 작은 출판사를 통해 발표한 『우리 시대』(*In Our Time*)라는 단편집 외에는 작품이 없는 작가였다. 이 단편집은 뉴욕에서 커다란 반향을 불러일으키지 못했다. 나중에 파커는 그 책이 "부자동네에서 벌어졌으나 결말을 보지 못한 난투극"[43] 같은 반응을 얻었다고 묘사했다. 헤밍웨이에게 자신의 책을 출판한 출판사, 즉 '보니와 리버라이트'보다 더 돈이 많고 명성이 높은 스크리브너스를 권한 사람은 피츠제럴드였다. 헤밍웨이가 1926년 봄에 뉴욕으로 온 것은, 진정한 의미에서 그가 처음으로 내놓을 주요 작품의 출판 조건을 논의하기 위해서였다. 이 협상의 결과, 스크리브너스는 헤밍웨이가 처음으로 진정한 성공을 거둔 작품인 『해는 또 떠오른다』(*The Sun Also Rises*)를 출판하게 되었다.

따라서 파커와 헤밍웨이는 처음 만났을 때 직업적으로 동등한 위치에 있지 않았다. 대중적인 관점에서 볼 때, 파커가 헤밍웨이보다 훨씬 유명했기 때문이다. 헤밍웨이는 이 점에 신경이 쓰였던 것 같다. 또한 그가 프랑스에서 이방인 작가로서 즐겁게 살아가는 이야기를 들은 파커가 헤밍웨이와 같은 배를 타고 유럽으로 가면서 그와 더 오래 시간을 보내기로 한 것도 헤밍웨이에게는 거슬리는 일이었음이 분명하다. 그 뒤로 몇 달 동안 파커는 프랑스는 물론 헤밍웨이가 사랑하는 스페인에서 헤밍웨이와 여러 차례 마주쳤다. 그리고 그것이 점차 헤밍웨이의 신경을 확실하게 긁어대기 시작했다.

항해 도중에, 그리고 스페인과 프랑스에서 파커와 헤밍웨이가 만났을 때 정확히 무슨 일이 있었는지는 알려져 있지 않다. 파커의 전기를 쓴 한 작가는 그녀가 스페인에서 어떤 장례 행렬을 놀리면서 스페인 사람들의 명예와 고통에 의문을 던진 것이 헤밍웨이에게는 모욕으로 받아들여진 것 같다고 말했다. 하지만 그녀는 맥아서와의 관계나 자신의 낙태 경험에 대해서도 헤밍웨이와 이야기를 나눴음이 분명하다. 그리고 헤밍웨이는 이런 고백에 분개했다고 알려져 있다. 「비극적인 여시인에게」(To a Tragic Poetess)라는 시로 자신의 분노에 대한 기록을 남길 정도였다.

찰리가 떠났어도 그리 비참해지지 않은 당신이
찰리에게 느끼던 괴로움과 고통을
남에게서 빌려온 운율로 찬양하다니
게다가 그 일이 너무 늦어서 그 작은 손이
그 작은 손이 예쁘게 만들어져 있었지
작은 발도 있고
고환도 내려와 있던가?[44]

헤밍웨이는 확실히 통렬하다고 생각했음이 분명한 구절로 이 시를 끝맺는다. "그렇게 비극적인 여시인은/남의 시선으로 만들어진다."

파커는 「비극적인 여시인에게」를 한 번도 들어보지 못했을 가능성이 있다. 그녀는 이 시의 존재를 알았는지 암시하는 힌트를 전혀 남기지 않았다. 하지만 그녀의 친구들은 이 시를 알고 있었다. 헤밍웨이는 파리에서 아치볼드 매클리시의 아파트에서 열린 디너파티에 참석해 이 시를 소리 내서 읽었다. 그 자리에는 원탁모임의 일원인 도널드 오그덴 스튜어트와 그의 아내도 있었다. 그 자리에 있던 사람들은 모두 경악했다고 한다. 스튜어트는 심지어 한때 파커를 사랑한 적이 있기 때문에, 그 시를 듣고 분노한 나머지 헤밍웨이와 즉시 절교해버렸다. 그래도 헤밍웨이는 이 시를 쓴 것을 전혀 후회하지 않았다. 그는 타자기로 작성한 이 시의 원고를 계속 보관해두었다.

파커는 이 시에 대해 듣지 못했다 하더라도, 헤밍웨이가 자신을 경멸한다는 사실은 알아차렸다. 그녀로서는 헤밍웨이의 태도를 가볍게 넘길 수 없었다. 비록 아직 유명작가는 아니었지만, 헤밍웨이는 그녀 또한 인정받고 싶어 하는 문단의 인정을 받고 있었다. 그녀의 포부는 다른 사람들의 생각만큼 작지 않았다. 헤밍웨이는 그녀에게 일종의 발화점이 되었다. 그녀는 자신과 헤밍웨이를 모두 아는 친구들에게 그가 자신을 좋아하는 것 같으냐고 습관처럼 물어봤던 것 같다. 그러고는 그의 책에 대한 서평 한 편과 그의 프로필 한 편을 썼다. 당시 걸음마 단계이던 『뉴요커』에 실린 이 두 편의 글은 헤밍웨이에게 찬사를 보내면서도, 불안감을 생생히 드러내고 있다.

"모든 독자가 알다시피, 그는 털털하게 보인다." 그녀는 서평에서 이렇게 썼다. "그의 소박한 행동은 아주 쉬워 보인다. 하지만 실제로 그런 행동을 시도하는 남자들을 보라."[45] 그녀는 보통 대놓고 남을 칭찬하는 솜씨가 그리 좋지 않았다. 그래서 이 프로필에도 아마도 고의는 아니었을 어색한 가시들이 가득했다. 파커는 헤밍웨이가 여자들에게 유혹적인 인물이라는 점을 계속 언급하면서, 그의 저자 사진을 탓했다. 그가 비판에 지나치게 민감하다고 말해놓고는, "그의 작품은 반드시 알코올로 보존해두어야 할 표본들을 몇 가지 만들어냈다"면서 그의 태도를 정당화했다. 마지막으로 그녀는 그가 뛰어난 용기를 지니고 있다면서, 그것을 "배짱"이라고 부르는 그에게 찬사를 보냈다. 글 전체가 지나치게 길어진 사과문 같아서, 이 글의 대상이 용서하는 마음보다는 불편한 마음을 먼저 느끼게 될 것 같다.

언제나 그렇듯이, 파커는 다른 사람들의 비판을 내재화하는 솜씨가 뛰어났다. 도러시 파커를 그녀 자신만큼 싫어하는 사람은 없었다. 헤밍웨이는 이 점을 이해하지 못했다. 당시 『뉴요커』의 조종간을 쥐고 있던 해럴드 로스는 원탁모임의 일원이자, 1925년에 이 잡지를 창간한 인물이었다. 『뉴요커』는 세련된 대도시 취향에 맞춰, "더뷰크의 노부인" 이상의 독자들을 찾아나선 잡지였으나, 로스 본인은 결코 세련된 인물이 아니었다. 『뉴요커』의 직원들이 나중에는 그에게 헌신적인 태도를 보이긴 했어도, 그는 여러 모로 그리 다듬어지지 않은 사람이었다. 여성에 대해서도 어떤 태도를 갖고 있는지 분명하지 않았다. 그의 아내인 제인 그랜트는 페미니스트를 자처하는 인물이었으므로, 『뉴요커』 창간 초기에 기사에서 남녀의 비중이 대략 비슷했던 데에 영향을 미쳤을 가능성이 높다.[46] 반면 1927년에 이 잡지사에 들어온 제임스 서버는 로스가 남자들이 무능해진 것은 "망할 놈의 여교사들" 때문이라고 끊임없이 투덜거렸다고 말한다.[47] 파커는 로스가 전적으로 신뢰하는 인물이었지만, 사실 『뉴요커』에서 일하기 전에 이미 상당한 명성을 쌓은 상태였다. 따라서 그녀가 『뉴요커』를 통해 명성을 쌓았다기보다는, 『뉴요커』의 명성을 높이는 데 그녀의 역할이 훨씬 더 중요했다.

『뉴요커』가 창간 초기 힘든 시절을 보낼 때 파커는 가끔 단편이나 시를 기고하는 정도에 그쳤다. 이 잡지에서 서평을 맡고 있던 로버트 벤츨리가 한동안 물러날 수밖에 없는 사정이 생겨서 파커가 그 자리를 채우게 되었을 때에야 이 잡지는 그녀에게 유명한 분출구가 되었다. 그녀는 벤츨리가 사용하던 별명인 콘스턴트 리더(Constant Reader)를 그대로 사용했다.

서평에서 파커는 기억에 남는 한마디를 뽑아내는 솜씨가 발군이었다. 그녀가 A. A. 밀른의 혀가 꼬일 정도로 달콤한 문장을 공격하면서 던진 말은 지금도 유명하다. "톤스턴트 워더는 인상을 치푸려따.” 그러나 파커가 가장 기억에 남을 독설을 던진 대상 중 많은 사람(“마곳 애스퀴스[1864-1945. 영국의 사교계 명사이자 작가 — 옮긴이]와 마곳 애스퀴스의 사랑은 모든 문학을 통틀어 가장 예쁜 사랑이야기로 남을 것이다”)[48]은 이제 대중에게 잊힌 존재가 되었기 때문에 파커가 관심을 가질 만한 인물이 아니었던 것으로 여겨질 때가 많다. 이런 측면에서 존 애코셀라는 파커와 에드먼드 윌슨을 비교하며, 그녀에게 그리 좋지 않은 평가를 내린다. 윌슨은 당시 인기는 좀 떨어졌지만 궁극적으로 더 중요한 위치에 서게 된 작가들을 다뤘기 때문이다. “콘스턴트 리더 칼럼은 사실 서평이 아니다.” 애코셀라는 이렇게 썼다. “상투적인 스탠드업 코미디 연기와 같다.”[49] 잡지마다 겨냥하는 바가 다르기 때문에 애코셀라의 말은 조금 불공평한 감이 있다. 『뉴욕커』는 단 한 번도 진지하고 지적인 비평의 본거지가 되겠다는 포부를 품은 적이 없다. 그저 좋은 글을 싣겠다고 생각했을 뿐이다. 그리고 좋은 글을 쓰려면 부정적인 비평을 쓰는 편이 더 쉬웠다. 그런 글에서는 우스갯소리를 수단 삼아 힘차게 밀고 나갈 수 있었다.

파커의 코미디는 사람들이 일반적으로 생각하는 것보다 더 재치 있고 자의식이 더 강한 독설이었다. 파커의 콘스턴트 리더 칼럼 중 내가 가장 좋아하는 글은 사실 서평이 아니라 그냥 칼럼이다. 1928년 2월에 실린 이 글에서 파커는 이른바 “문단의 로터리클럽 회원”[50]에 대해 이야기한다. 그녀의 분노가 향한 곳은 뉴욕의 문인들 주변을 어른거리며 파티에 참석하고, 출판사들에 대해 잘 안다는 듯이 말하는 사람들이었다. 이들 중에는 심지어 일종의 작가라고 할 수 있는 사람들도 포함되어 있었다. 파커는 그들이 ‘책을 좋아하는 사람들과 놀기’라든가 ‘책벌레와 함께 돌기’ 같은 이름으로 칼럼을 쓴다고 밝혔다. 다시 말해서, 가치를 따져보지도 않고 무조건 글을 장식처럼 몸에 걸치려 드는 허세꾼들이라는 뜻이다. “문단의 로터리클럽 회원들은 무슨 글을 쓰든 전혀 중요하지 않고, 모든 작가가 동등하게 대접받는 무대에 자신과 다른 사람들을 올려놓는 데 일조했다."

파커처럼 예리한 사람이 문단의 로터리클럽 회원들에게 분노를 느낀 것은 전혀 놀랄 일이 아니다. 하지만 파커는 글을 제대로 평가해야 한다는 주장보다 더 복잡하고 덜 추상적인 일을 시도하고 있었다. 파커가 쓴 글은 콘스턴트 리더라는 칼럼으로 발표될 예정이었고, 파커 본인은 세련된 도시여성으로 알려져 있었다. 또한 잘 알려진 장르의 시를 쓰는 사람이기도 했다. 그녀가 이 글에서 공격한 사람 중에 원탁모임의 구성원들이 포함되었을 수도 있다. 멋들어진 이름의 칼럼을 쓰는 사람이 적지 않았기 때문이다. 그러나 파커의 이 글은 무엇보다도 그녀가 나중에 자신을 돌아보며 걱정하게 된 특징을 다루고 있었다. 즉, 대다수의 친구들과 자신이 그냥 가벼운 글만 쓰고 있다는 것.

"나는 멋지게 보이고 싶었다." 파커는 1957년에 『파리 리뷰』와의 인터뷰에서 이렇게 말했다. "끔찍한 일이다. 좀 더 분별력을 발휘했어야 하는 건데."[51] 파커는 성공을 거둘수록 이런 생각에 시달렸다. 그녀가 휘두르던 칼이 안으로 향했지만, 그녀에게 점점 더 좋은 글을 쓰라고 재촉하는 역할을 하는 대신 좋은 글을 쓰려는 그녀의 의지를 갈기갈기 찢어버리고 말았다. 1920년대의 '세련된'(sophisticated) 미학을 나중에 증오하게 된 사람은 파커뿐만이 아니었다. 예를 들어 1930년 10월에 나온 『하퍼스』의 한 기사는 '세련됨에 안녕'을 고하고, 파커를 알맹이 없고 쓸모없는 "세련된 담론"의 가장 중요한 지도자로 꼽아 간접적인 비난을 가했다.[52]

파커가 환멸을 본격적으로 드러내기 시작한 것은 1929년부터였다. 그해가 그녀에게는 직업적인 성공과 함께 시작된 것이 역설적이다. 파커가 이때 발표한 단편은 나중에 오 헨리 상을 수상했으며, 그녀가 소설에도 재능이 있음을 증명해주었다. 그러나 이 작품은 파커에게 우화처럼 작용해서, 그녀가 자신에게 실망하는 계기가 되었다. 「대단한 금발」(Big Blonde)이라는 제목의 이 작품에서 주인공 헤이즐 모스의 머리카락 색깔에 대해 파커는 "남의 손을 빌린 금색"이라고 묘사했다. 사실 헤이즐의 거의 모든 것이 인위적인 연기인 것처럼 보인다. 소설 속에서 헤이즐은 남자들을 즐겁게 해주는 '좋은 스포츠'로 성공적인 청춘을 보낸 중년 여성이다. "남자는 좋은 스포츠를 좋아한다."[53] 화자의 이 말은 불길하다. 하지만 헤이즐은 거짓 연기를 하는 삶에 지쳐버린다. "이제는 연기가 자연스럽게 나오지 않고 더 공을 들여야 했다." 또한 나이를 먹어서 부유한 남자들의 시선을 끌거나 '좋은 스포츠'를 위한 외모를 유지하기가 힘들어지자 베로날(진통제 겸 수면제 — 옮긴이)을 많이 사서 어설프게 자살을 시도한다.

「대단한 금발」에는 자전적인 요소가 뚜렷이 드러나 있다. 파커도 같은 방식으로 자살을 시도(했다가 실패)한 적이 있으며, 그녀와 에디가 헤어질 때도 헤이즐의 결혼이 파탄에 이를 때처럼 양면적인 감정이 존재했다. 그러나 파커는 단순히 에디 파커나 남자들 전체에 대해서만 깊은 고뇌를 느낀 것이 아니다.

파커도 헤이즐도 전통적인 방식으로 남자에게 집착하는 여성이 아니었다. 굳이 따지자면, 두 사람 모두 남자에 대해서는 그냥 관망하는 편이었다. 그들은 충족감이 무엇인지 알고 있었으며, 남자가 그중의 일부를 차지할 것이라고 생각했다. 그러나 현실 속의 남자들은 실망스러웠다. 그들은 겉으로만 성실한 척하며, 자기만의 욕망과 포부와 욕구를 지닌 온전한 인간이 아니라 '좋은 스포츠'만 찾아다녔다. 그렇다면 이 작품의 자전적 측면은 소설의 세세한 내용, 헤이즐이 먹은 베로날의 개수, 위스키를 구원으로 보는 헤이즐의 태도, 파커가 에디와 헤어질 때의 경험에서 따온 듯한 이혼 묘사 등에 있는 것이 아니다. 남자들뿐만 아니라 이 세상과 자신에 대한 압도적인 실망감이 바로 파커 본인의 인생과 공명하는 부분이다.

그해에 파커는 또한 할리우드에서 영화대본의 대사를 섬세하게 다듬어달라는 요청을 처음으로 받았다. 그녀가 재치 있는 사람으로 유명했기 때문에, 할리우드에서는 일반적인 수준보다 더 높은 보수를 제시했다. 파커는 3개월 동안 주급 300달러를 주겠다는 제안을 받아들였다. 물론 돈이 필요했기 때문이지만, 그녀는 탈출구를 갈망하고 있었다. 파커는 동시대의 다른 인물들과 마찬가지로 할리우드는 멍청한 곳이라며 대체로 반감을 드러내면서도, 그곳에서 그럭저럭 성공을 거뒀다. 그녀는 성공을 거둔 많은 영화의 대본을 공동집필했으며, 1934년에 재닛 게이너 주연으로 제작된 오리지널 버전의 「스타탄생」(Star Is Born) 작가로도 인정받았다. 그리고 이 영화로 오스카상을 받았을 뿐만 아니라, 돈도 많이 벌었다. 그녀는 그 돈으로 대량의 진과 많은 개를 사들였다. 그 개들 중 한 마리인 푸들에게는 '클리셰'라는 이름도 지어주었다. 파커는 이 돈이 가져다준 것들을 확실히 편안하게 즐겼다. 그 돈이 모두 떨어질 때까지.

문제는 할리우드 일이 워낙 수입이 좋아서 그녀의 시간을 대부분 잡아먹고 있다는 점이었다. 그녀는 시에서 거의 손을 놓은 상태였다. 단편은 돈이 풍족해지면 한 편씩 발표했다. 처음에는 이 방식이 훌륭하게 잘 돌아갔기 때문에 파커는 1931년, 1932년, 1933년에 몇 달마다 한 편씩 작품을 발표할 수 있었다. 그러다 작품이 점점 줄어들더니 나중에는 1년 내내 작품을 한 편도 쓰지 못하는 시기가 이어졌다. 그녀는 소설을 써주기로 하고 계약금을 받은 적이 적어도 한 번 있었지만, 소설을 끝내지 못해 돈을 반환해야 했다. 출판사와의 연락이라는 것이 주로 그녀가 사과하는 내용으로 채워지는 작가가 되어버린 것이다. 파커는 "개가 내 원고를 먹어버렸다"는 말을 누구보다 매력적인 편지로 포장해서 쓸 수 있었다. 그녀가 1945년에 당시 바이킹 출판사의 편집자이던 파스칼 코비치와 함께 추진하던 프로젝트(어떤 프로젝트인지 지금은 알려져 있지 않다)에 대해 보낸 다음의 전신이 좋은 예이다.

> 내가 전화를 거는 대신 이렇게 전신을 보내는 것은 차마 당신의 목소리를 들을 수 없기 때문입니다. 도저히 그 일을 끝낼 수 없었습니다. 밤낮을 가리지 않고 이렇게 열심히 일한 적이 없고, 좋은 결과를 내고 싶은 마음이 이렇게 강했던 적이 없는데, 남은 것은 이상한 단어들로 가득한 종이 더미뿐입니다. 일을 계속하면서 완성할 수 있기를 하늘에 바라는 수밖에 없습니다. 왜 이렇게 힘든지, 내가 이렇게나 무능한 건지 잘 모르겠습니다.[54]

실망한 그녀를 위로해주는 요인이 몇 가지 있기는 했다. 첫째, 그녀의 두 번째 남편인 앨런 캠벨. 키가 크고 날씬하고 영화배우처럼 잘생긴 그는 1934년에 파커와 결혼한 뒤, 그녀를 돌보는 역할을 자임하고 나서서 그녀의 식단을 관리했다. 그녀의 옷차림에도 워낙 신경을 썼기 때문에 어떤 사람들은 그의 성적인 취향에 대해 다른 생각을 하기도 했다(하지만 주위에서 두 사람을 지켜본 친구들과 지인들은 두 사람이 처음 사귀기 시작할 때 서로 분명히 육체적인 매력을 느끼고 있었다고 항상 말했다). 두 사람의 관계가 항상 평탄하지만은 않았다. 파커와 캠벨은 나중에 이혼했다가 재혼했다가 다시 이혼했다. 그리고 마지막에는 별거할 때도 이혼한 뒤에도 두 사람이 공유했던 웨스트 할리우드의 작은 집에서 캠벨이 스스로 목숨을 끊었다. 하지만 관계가 좋을 때는 아주 좋았다.

파커는 정치에도 참여했다. 비록 그녀에게 찬사를 보내는 많은 사람들조차 그녀가 정치에서 실패를 맛보았다고 말하지만. 그녀에게 정치의 불꽃을 당긴 것은 1920년대 말에 이탈리아인 무정부주의자 니콜라 사코와 바르톨로메오 반제티가 처형된 것에 반발해서 벌어진 시위였다. 무정부주의 활동으로 보스턴 경찰들에게 이미 익숙한 인물이던 사코와 반제티는 살인과 무장강도 혐의로 체포되었다. 그러나 미국의 문단과 정계의 많은 엘리트들은 두 사람이 이 두 가지 혐의에 대해 완전히 무죄라고 주장했다. 소설가 존 도스 패소스나 대법관 펠릭스 프랭크퍼터 같은 사람들과 함께 파커는 사코와 반제티의 석방을 열렬히 주장했다. 그러나 정부는 작가들과 정치가들의 호소를 무시하고 두 사람을 처형해버렸다. 처형이 이루어지기 전인 1927년에 파커는 시위행진을 벌이다가 체포되어 몇 시간 뒤 석방된 일로 여러 신문의 헤드라인을 장식했다. 그녀는 "일부러 느릿느릿 움직인" 혐의를 인정하고 벌금 5달러를 냈다. 기자들이 죄책감을 느끼냐고 묻자 파커는 이렇게 대답했다. "뭐, 내가 느릿느릿 걸은 건 사실이니까요."[55]

이렇게 처음 시위의 맛을 본 뒤 파커는 이 맛을 더 많이 원하게 되었다. 그래서 그 뒤로 오랫동안 수많은 정치, 사회 문제에 몸을 던졌다. 노조를 만들지 못한 노동자들에게 진심으로 공감해서 월도프-아스토리아 호텔의 서비스 노동자들을 대변하는 시위에 참가했다. 할리우드에서 새로 만들어지는 정치단체의 대표인물로도 계속 모습을 보였다. 할리우드 반(反)나치 연맹, 스페인 공화주의자를 돕기 위한 영화 예술가 위원회 등이었다. 나중에는 시나리오작가 길드에도 합류했다.

어떤 사람들은 파커가 화려하고 부유한 사람들과 자주 어울린 것을 생각하며, 이렇게 평등주의에 새로이 헌신하게 된 경위에 의문을 품기도 했다. 하지만 파커는 자신이 지금 누리고 있는 생활과는 상관없이, 물질적인 풍요가 갑자기 사라졌을 때의 느낌이 어떤지를 잘 알고 있었다. 궁지에 몰린 다른 사람들에게 공감하면서, 경제사정에 대해 가끔 가슴이 덜컹 내려앉을 만큼 걱정하곤 하는 자신의 처지를 생각하기도 했을 것이다. 또한 부자들과 보내는 시간이 아무리 많더라도, 오래전 프랭크 크라운인실드 덕분에 우스꽝스러운 부분을 알아보는 안목을 기른 터라 그들에게 온전히 공감하지는 못했다.

게다가 정치활동은 파커에게 자기비판의 새로운 길을 제공해주었다. 파커는 자신이 동조하는 사회, 정치적 주장을 이용해서 전에 자신이 했던 활동을 후려치곤 했다. 예를 들어, 1937년에 미국 공산당 기관지 『뉴 매시즈』(*New Masses*)에 기고한 글을 살펴보자.

> 나는 어느 정당에도 소속되어 있지 않다. 내가 관계를 맺은 유일한 집단은 유머감각이라는 시대에 뒤떨어진 옷 속에 벌거벗은 심장과 정신을 숨기고 있는, 특별히 용감하다고는 할 수 없는 작은 무리다. 누군가에게서 들은 말을 그대로 옮기자면, 조롱은 가장 효과적인 무기다. 내가 이 말을 진심으로 믿었던 것 같지는 않지만, 편안하고 위안이 되는 말이므로 그대로 따라 했다. 하지만 이제는 나도 안다. 이런 문제는 과거에도 앞으로도 결코 웃음의 대상이 아니라는 것. 그리고 조롱은 방패가 될 수는 있어도 무기는 아니라는 것.[56]

대공황이 차츰 물러가고 미국이 2차 세계대전을 향해 다가가고 있을 때, 파커의 자아비판은 더욱 강화되었다. 1939년에 파커는 노골적인 공산주의 단체인 미국 작가회의에서 행한 연설에서 자신이 느낀 환멸을 자세히 설명했다.

‘세련된’(sophisticate)이라는 단어만큼 끔찍한 함의를 지닌 단어는 없을 겁니다. 이 단어는 ‘사교계 명사’(socialite)와 거의 같은 반열이죠. 사전에 나와 있는 뜻도 전혀 매력적이지 않습니다. 동사로서 이 단어의 뜻은 현혹시키다, 순수함을 빼앗다, 인위적으로 만들다, 자기 뜻에 맞춰 함부로 고치다, 불순물을 섞다 등입니다. 이 정도만 해도 충분하다 싶겠지만, 여기서 끝이 아닙니다. 요즘은 이 단어가 ‘지식인이면서 감정적인 고립주의자가 되다,’ ‘동료와 세상을 위해 최선을 다하는 사람들을 조롱하다,’ ‘항상 아래만 보고 주위를 둘러보지 않다,’ ‘재미없는 일에만 웃음을 터뜨리다’라는 뜻으로 쓰이는 것 같습니다.[57]

어느 정도 일리 있는 말이었다. ‘세련됨’은 별로 중요하지 않은 겉모습에만 집착한다는 결점을 지니고 있었다. 그러나 파커의 말과 글은 결코 덧없이 사라지는 것이 아니었다. 사람들은 지금도 파커의 시 「이력서」를 주고받고, A. A. 밀른과 캐서린 헵번에 대한 파커의 비판을 인용한다. 파커가 작가로서 쥐어짜이고 있다는 생각을 한 지 오래이던 1957년에 한 말도 사람들의 기억 속에 여전히 남아 있다. “나는 돈을 좀 벌고 싶다. 좋은 글도 쓰고 싶다. 이 둘을 다 해내는 것은 가능한 일이다. 정말로 그렇게 되기를 바란다. 하지만 그것이 지나친 바람이라면, 나는 돈을 버는 쪽을 택할 것 같다.”[58]

그러나 할리우드와 정치활동 이후의 파커에 대해 그녀를 아는 사람들은 거의 모두 그녀가 실패했다고 보았던 것 같다. 그녀가 작업했던 영화들은 그녀의 수준에 미치지 못한다고 평가되었고, 그녀가 참여한 정치 슬로건은 모든 것을 우스갯거리로 삼는 데 특별한 솜씨를 지닌 사람의 작품으로 보기에는 치명적일 만큼 진지하게 보였다. 훌륭한 단편작가가 되겠다는 그녀의 포부도 시들해진 것 같았다. 「대단한 금발」만큼 성공을 거둔 작품을 다시 만들어내지 못했기 때문이다. 하지만 무엇보다 나쁜 것은, 이런 비판들이 파커의 자기평가에 스며들었다는 점일 것이다. 파커는 어떤 기준으로 봐도 성공한 작가였으며, 심지어 '훌륭한' 작가였다. 하지만 파커 본인은 이 사실을 한 번도 충분히 받아들인 적이 없었다. 1930년대 중반에 파커는 자신이 다른 사람들과 마찬가지로 이미 가망이 없는 상태라고 생각했던 것 같다. 소설을 쓸 때도 전력을 기울이지 않았고, 시는 아예 손대지 않았다.

그러나 자신을 벌하는 독백을 늘어놓은 파커 본인과 달리, 다른 사람들은 좀 더 쉽게 그녀에게 찬사를 보냈다. 리베카 웨스트라는 작가는 1928년에 러시아의 신비주의자 라스푸틴을 다룬, 엄청나게 엉뚱한 신간서적에 대한 서평에서 틀림없이 미국의 유머작가가 쓴 것 같다고 말했다. 그 책에서 자신이 "최고의 예술가"라고 생각하는 "도러시 파커의 독특한 천재성의 흔적"이 보인다는 것이었다.[59] 웨스트는 파커가 몇 달 전 『뉴요커』에 발표한 단편소설 「작은 것 하나」(Just a Little One)를 특히 좋아했다. 어떤 여자가 술집에서 술에 완전히 취한 나머지 영업용 마차의 말 한 마리를 자기 집으로 데려가 함께 사는 꿈을 꾼다는 내용의 단편이다. 웨스트는 남자로 인한 절망과 그 절망을 글로 옮기는 법을 조금 아는 사람이었다.

도러시 파커, 1937년. 벅스 컨트리 농가에서 작업 중인 모습.
창가에서 신문을 보고 있는 사람은 남편 앨런 캠벨.

West

웨스트

1892.12.21. 1983.3.15.

2

"그녀의 혀는 예리하고,
그녀는 순진함 때문에
고생하지 않는다."

리베카 웨스트는 당대에 대단한 찬사를 받은 여성 작가라는 점에서 영국판 파커 같은 사람이었다. 하지만 젊었을 때 웨스트는 페이비언 사회주의에 심취했다. 블룸즈베리 그룹의 버지니아 울프와 바네사 벨 자매처럼 예술가와 작가의 실험적인 정신에도 푹 빠져 있었다. 웨스트는 처음부터 자기 세계의 '진지한 사람들' 사이에서 편안히 자리를 잡고 있었다. 파커는 한 번도 느껴본 적이 없는 확실한 소속감이었다. 따라서 웨스트는 자신감 부족으로 고생한 적이 별로 없었다. 오히려 자신감 때문에 아슬아슬한 수준까지 포부를 키운 적이 많았다.

웨스트는 『자유여성』(*Freewoman*)이라는 회보에서 소설가 H. G. 웰스를 공격함으로써 그에게 자신을 소개하며 이름을 알렸다. 이 일화는 아마도 훗날 연인이 된 사람들이 한쪽의 지독하기 짝이 없는 서평 때문에 서로 만나게 된 유일한 사례일 것이다. 아주 젊은 나이의 웨스트는 지금은 잊힌 웰스의 소설 『결혼』(*Marriage*)을 읽고 마음에 들지 않았다. 웰스는 당시 가장 존경받는 작가 중 한 명이었지만, 웨스트는 그런 것에 겁먹지 않았다. "물론 그는 소설가들 사이에서 깐깐한 노처녀 같은 사람이다."[1] 웨스트는 성적인 급진주의를 표방하는 웰스의 자랑스러운 주장을 이렇게 직접적으로 겨냥했다.

[그의 소설에] 차갑게 식은 화이트소스처럼 엉켜 있는 성적인

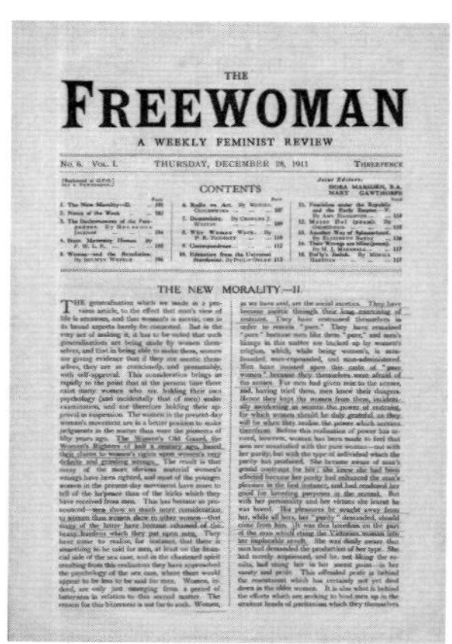

THE

FREEWOMAN

A WEEKLY FEMINIST REVIEW

No. 6. Vol. I. THURSDAY, DECEMBER 28, 1911 THREEPENCE

CONTENTS

THE NEW MORALITY.—II.

『자유여성』 1911년 12월 28일자.
『자유여성』은 도라 마스덴과 메리 고소프가 창간해 1911년 11월 23일부터 1912년 10월 10일까지 매주 발행한 페미니스트 회보이다.
여성의 임노동, 가사노동, 참정권 운동뿐 아니라 문학 비평 등 다양한 내용을 다루었다. 1913년에 『새로운 자유여성』으로 개편했고, 다시 1년 뒤 『에고이스트』로 이름을 바꾸었다.

> 집착조차 노처녀의 광증에 불과했다. 비행선과 콜로이드에 너무 오랫동안 몰두하던 사람이 육체에 대해 보이는 반응일 뿐이다.

현재 웰스의 이름은 『우주전쟁』(*The War of the Worlds*)이나 『타임머신』(*The Time Machine*)처럼 비행선 등이 등장하는 과학소설로 가장 잘 알려져 있다. 그러나 웨스트와 그가 처음 만났을 무렵, 그는 주로 『결혼』처럼 자전적인 이야기임을 별로 감추지 않은 채 사랑과 섹스에 대해 고백하는 작품들을 발표한 작가였다. 『결혼』 이전의 작품인 『앤 베로니카』(*Ann Veronica*)는 웰스 본인이 바로 얼마 전에 대단한 스캔들을 일으키며 벌였던 연애와 비슷한 이야기를 다뤘다. 이런 작품들은 플롯보다는 결혼에 대한 어두운 시각으로 더 기억에 남아 있다. 결혼생활의 행복이라는 것이 웰스에게는 일종의 감옥이었다. 따라서 그의 작품은 모두 결혼이 영원한 편안함과 행복을 준다는 주장을 조금씩 무너뜨리기 위한 것이었다.

웰스의 이런 시각만 놓고 보면, 그와 웨스트는 서로에게 타고난 동맹이었다. 웰스는 분명히 자신을 양성평등의 옹호자로 생각했다. 그는 『자유여성』의 지지자이자 성실한 독자였다. 결혼제도를 비판할 때는 여성뿐만 아니라 남성의 해방 또한 염두에 두려고 주의를 기울였으며, 여성들이 결혼으로 인해 가장 큰 충족감을 안겨주는 중요한 일들을 빼앗긴다고 보았다. 그러나 여성이 동등한 인격체라는 주장과 달리, 그는 대부분의 여성들이 실내장식과 패션에만 관심이 있다고 믿는 듯한 태도를 보여주었다. 웨스트는 그의 이러한 태도를 비난했다.

> 사랑할 가치가 있는 남자를 한 번도 만나지 못한 여자(웰스 씨가 지하철을 타고 가면서 주위를 둘러본다면, 대부분의 남성 승객들이 사랑받기에 얼마나 구제불능인지 생각해볼 수 있을

것이다), 네덜란드산 시계의 유혹에 반응하지 않고 대다수 사람과 마찬가지로 식당 벽지 색깔에 무심한 여자, 머리가 좋기 때문에 5분 만에 적당한 드레스를 디자인한 뒤 더 이상 그 문제에 대해서는 생각할 필요가 없는 여자는 과연 어떨까. 그런 여자들이 시간을 어떻게 보낼지 궁금하다. 아마 브리지 파티(카드놀이의 일종 — 옮긴이)를 할 것이다. 어쩌면 국가가 도와주는 안락사에 시간을 쏟을지도 모르겠다.[2]

웰스가 이 글에 대해 화를 내지 않은 것은 평가해줄 만하다. 그는 편집자에게 짐짓 호의를 베푸는 척하면서 무섭게 노려보는 듯한 편지를 써 보내지 않았다. 대신 그는 아내 제인과 함께 살고 있는 목사관으로 웨스트를 초대했다. 심한 비판 앞에서 성숙한 사람이 보여줄 수 있는 훌륭한 태도를 철저하게 보여준 것이었다. 웨스트는 앞의 글을 쓴 그 달 말에 웰스의 집으로 차를 마시러 왔다. 그리고 좋은 인상을 남겼다. 어쩌면 그녀가 의도했던 것보다 더 좋은 인상을 남겼던 것 같다. 웨스트는 누군가와 의견차이가 있을 때면 항상 왠지 가장 매력적인 모습을 보이는 사람이었다.

웨스트는 전투적인 기질을 솔직하게 드러냈다. 여기에는 어렸을 때의 환경이 어느 정도 영향을 미쳤다. 20세기 초의 런던은 뉴욕보다 더 호전적인 곳이었다. 영국은 세계 문화의 중심이 아니었지만(문화 중심은 프랑스였다. 또는 독일을 꼽을 수도 있을 것이다), 정치와 경제 면에서는 세계의 중심이었다. 영국의 사상가들과 작가들은 투표와 돈이라는 어려운 주제에 사로잡혀 있었으므로, 뉴욕에서 파커를 몹시 짜증나게 했던 태평한 농담 같은 문장과는 잘 맞지 않았다. 사회주의 지식인 단체, 여성참정권 시위, 이런 것들이 1910년대 무렵 영국 작가들의 일상적인 풍경이었다.

그러나 낭만적인 구석이 있는 웨스트는 정치나 작가의 길로 곧장 나아가지 않았다. 처음에는 배우가 되면 어떨까 하고 생각했다. 십 대 시절 에든버러의 한 극단과 몇 달 동안 어울렸던 경험이 여기에 영향을 미쳤다. 그러나 안타깝게도 운명은 그녀에게 다른 길을 예비하고 있었다. 1910년에 왕립 연극아카데미 오디션을 받으러 가던 길에 웨스트는 지하철 승강장에서 기절해버리고 말았다. 그때 그녀를 부축해서 일으켜 세워준 세 여성 중 한 명이 그만 참지 못하고 동정하는 말을 던졌다. 웨스트는 자신의 선택을 마뜩잖게 생각하는 언니에게 보낸 편지에 그 여자의 말을 옮겨 적었다. "가엾기도 하지. … 여배우라니! 브랜디 값은 내가 낼게요."[3]

그것은 나쁜 징조였다. 웨스트는 결국 그 학교에 입학하기는 했으나, 간신히 1년을 채웠을 뿐이다. 섬세한 성격 탓에 그녀는 자꾸만 기절했다. 그 시기에 찍은 사진에서 웨스트는 감정이 풍부한 커다란 눈과 숱 많고 윤기 흐르는 머리카락을 지닌 젊은 여성의 모습이지만, 자신이 여배우가 되기에는 미모가 부족하다는 평가가 있다고 항상 말했다. 그 세계에서 자리를 얻기 위해서는, 그녀가 직접 글을 써서 자신의 자리를 마련해야 할 것이라는 점이 일찌감치 분명해졌다.

당시 그녀는 시슬리 이자벨 페어필드라는 긴 본명을 그대로 쓰고 있었다. 부르기에 거추장스러운 이 이름은 얌전하고 순종적인 사람을 연상시켰으나, 웨스트는 평생 그런 사람과는 거리가 멀었다. 파커처럼 웨스트도 초라한 귀족 집안 출신이라서, 반사적으로 방어적인 태도를 취하는 경향이 있었다. 그녀의 불안정한 아버지 찰스 페어필드는 프랜시스 호지슨 버넷(1849-1924. 미국 소설가. 대표작은 『소공자』, 『소공녀』, 『비밀의 화원』 등 — 옮긴이)의 작품에 등장하는 아버지들처럼 대담하고, 재미있고, 자식들에게 많은 사랑을 받는 사람이었다. 하지만 그건 그가 자녀들 옆에 있어줄 때의 이야기였다. 웨스트는 자신의 유년 시절을 바탕으로 한 소설에서 아버지를 가리켜 "자신의 섬에서조차 쫓겨났지만 여전히 마법사인

추레한 프로스페로(셰익스피어의 희곡 「템페스트」의 등장인물 — 옮긴이)"라고 묘사했다.[4] 이것은 그녀가 생각했던 것보다 훨씬 더 잘 어울리는 표현이었다. 그녀의 아버지는 교묘한 속임수에 정말로 뛰어났다. 또한 거의 대하소설 규모의 비밀도 지니고 있었다. 웨스트의 전기를 쓴 한 작가가 최근 그가 결혼 전 수감된 적이 있다는 기록을 발굴해냈는데, 그의 아내와 딸들은 그 사실에 대해 전혀 몰랐던 것 같다.[5]

페어필드가 가족을 잘 부양했다면, 그의 성격적 결함은 쉽게 잊혔을지 모른다. 그러나 그는 무슨 일이든 제대로 손에 익을 때까지 집중하지 못했던 것 같다. 처음에는 제멋대로 돌아다니는 기자로 출발했으나, 곧 사업가로 변신했다. 그리고 얼마 되지도 않는 소득을 도박으로 날려버렸다. 마지막 시도로 그는 제약업으로 큰돈을 벌겠다며 시에라리온으로 갔다. 하지만 1년도 안 돼서 무일푼으로 영국에 돌아왔다. 그는 너무 민망해서 차마 집으로 돌아가지 못하고 평생 혼자 살다가 리버풀의 지저분한 하숙집에서 세상을 떠났다. 그의 세 딸이 청소년기를 넘기기도 전이었다.

어른이 된 뒤 웨스트는 아버지를 신랄하게 평가했다. "아버지가 개처럼 살았다고는 말할 수 없다. 개에게는 그래도 확실한 부분이 있기 때문이다."[6] 웨스트는 또한 어머니를 대신해서 화를 냈다. 그녀의 어머니 이자벨라 페어필드는 결혼 전 재능 있는 피아니스트이자 훌륭한 신붓감이었으나, 찰스의 무모한 행동 때문에 스트레스를 받아 사실상 인생이 망가졌다. 그래서 초췌하고 지친 여자가 되고 말았다. "그런 어머니와 사는 것은 기묘한 훈련이었다." 웨스트는 이렇게 글을 이어갔다. "어머니를 부끄러워한 적은 한 번도 없지만, 항상 화가 났다." 이 모든 상황이 그녀로 하여금 결혼은 비극이라는 신념을 갖게 했다. 최소한 가련한 운명 정도는 된다는 것이 그녀의 생각이었다.

하지만 다른 시각에서 바라보면, 아버지의 파멸이 딸에게 최선의 영향을 미쳤다고 할 수 있다. 사람은 반드시 자급자족의 능력이 있어야 한다는 잊지 못할 교훈을 주었기 때문이다. 남자는 의지할 만한 존재가 아니고, 로맨스 소설은 온통 거짓투성이였다. '해방된 여성'이라는 이상이 제대로 나타나기도 전에, 웨스트는 여성이 스스로 생활비를 벌어야 할 때가 많다는 사실을 알고 있었다. 자신 역시 스스로 길을 개척해야 한다는 생각에 전혀 의문을 품지 않았던 것 같다.

따라서 웨스트가 여성참정권 운동에 매력을 느낀 것은 당연한 일이었다. 그녀는 이 운동이 중요하며, 자신의 경험과도 부합한다고 보았다. 운동가들이 소리를 높여 거칠게 투쟁하는 모습도 매력적이었다. 웨스트는 두 자매와 항상 말다툼을 벌이며 투사로 자라났다. 그녀의 타고난 카리스마 또한 정치활동에 유용했다. 웨스트는 당시 여성참정권 운동에서 가장 두드러진 인물이던 에멀라인 팽크허스트와 그녀의 딸 크리스타벨이 펼치는 주장에 금방 공감했다. 그들이 조직한 여성사회정치연맹은 이미 여성참정권 운동의 기수가 되어 있었다. 팽크허스트 모녀는 당시의 기준으로 최고 유명인사였다. "영국 전역을 뒤흔든 십자군: 예쁜 아가씨 사령관." 미국 신문에 실린 대표적인 헤드라인 중 하나다. "크리스타벨 팽크허스트, 젊음과 미모와 부를 지닌 그녀가 여성참정권을 위한 운동의 창시자이자 최고의 기획자."[7]

웨스트는 자주 두 사람과 함께 시위행진에 나섰으며, 그들의 활동에 찬사를 보냈다. 그러나 그들의 세계에 잘 적응하지는 못했다. 팽크허스트 모녀, 특히 크리스타벨은 여성참정권을 열정적이고 사납게 외쳐대는 선동가였다. 웨스트는 에멀라인의 비슷한 부분에 자주 찬사를 보냈다.

> 그녀가 연단에서 감미롭게 갈라진 목소리를 높였을 때, 그녀의 몸이 갈대처럼 떨리는 것이 느껴졌다. 그러나 그 갈대는 강철로 만들어진 엄청난 존재였다.[8]

십 대 때도 웨스트는 문학적인 기질이 강했다. 언제나 소설을 읽었으며, 여러 예술가 집단에서 자라난 성적인 자유에 대한 주장에 관심이 있었다. 그러나 비교적 정숙한 편인 팽크허스트 모녀는 이런 예술가 집단을 그리 반기지 않았다.

또 다른 여성참정권 운동가인 도라 마스덴은 이보다 더 중요한 영향을 미쳤다. 마스덴은 웨스트와 달리 대학 교육을 받았다. 맨체스터에 있는 오언스 칼리지라는 프롤레타리아 분위기의 대학이었다. 그녀는 팽크허스트 모녀와 함께 활동했으나 겨우 2년밖에 버티지 못했다. 그녀는 두 사람에게서 탈출하기 위해, 웨스트를 비롯한 몇몇 친구에게 함께 신문을 하나 창간하자고 제의했다. 그것이 『자유여성』이었다(나중에 개편을 거친 뒤에는 『신자유여성』[*New Freewoman*]이 되었다). 페미니스트들의 일반적인 회보보다 훨씬 더 큰 포부를 지닌 이 신문은 당대의 이슈들을 폭넓게 다뤘다. 여성참정권 운동에 참여한 진정한 작가들이 선전을 위해 진부한 양식을 따라야 한다는 족쇄에서 자유로이 풀려날 수 있기를 마스덴이 바랐기 때문이다. 웨스트는 비교적 자유로운 『자유여성』의 분위기 덕분에, 섹스와 결혼에 대해 스코틀랜드 출신의 장로교인인 어머니가 경악할 만한 견해들을 발표할 수 있게 된 것에 전율을 느꼈다. 그러나 집안의 이름을 보호하기 위해서, 필명을 지어 평생 사용했다.

그녀는 리베카 웨스트라는 필명을 그냥 아무렇게나 골랐다고 주장했다. 단지 "금발의 예쁜 여자"[9]라는 이미지, 즉 자신의 옛 이름이 풍기는 '메리 픽포드'(무성영화 시대의 유명한 여배우 —

옮긴이) 같은 이미지에서 벗어나고 싶다는 생각뿐이었다는 것이다. 사실 그녀가 선택한 가명이 더 단단한 느낌을 주기는 했다. 이 이름의 출처는 「로스메르 저택」(Rosmersholm)이라는 입센의 희곡인데, 바람을 피운 남자와 그의 애인이 남자의 아내가 죽은 이후 그녀가 겪은 고통을 되새기며 죄책감의 황홀경 속으로 빠져든다는 내용이다. 남자의 애인은 죽은 아내의 고통을 자신이 일부러 악화시켰음을 시인한다. 그리고 극의 마지막 장면에서 두 사람은 함께 자살한다. 이 애인의 이름이 바로 리베카 웨스트다.

이 이름에 내포되어 있을 여러 무의식적인 의미만으로도 책 한 권을 채울 수 있을 것이다. 예를 들면, 가족의 옆을 지키지 못한 아버지와의 절연, 비록 양면적인 감정이 있기는 해도 일찍부터 드러난 연극에 대한 포부(실제로 리베카 웨스트는 입센의 극에 등장하는 인물이 아닌가) 등이 있다. 나중에 웨스트 역시 유명한 연애를 했다는 점에서 이 이름에 선견지명 또한 포함되어 있었다고 볼 수도 있다. 그러나 그녀가 사회의 주류에서 배척당한 아웃사이더이자 궁극적으로 죄책감 때문에 자살하는 인물의 이름을 선택했다는 사실에 주목할 필요가 있다.

웨스트는 서슴지 않고 글에 감정을 드러낸 여성으로 유명했다. 그녀는 글에서 말을 얼버무린 적이 별로 없으며, 언제나 일인칭을 이용해서 독자가 주관적인 세계에 발을 들였음을 일깨워주었다. 그러나 웨스트의 한 친구는 『뉴요커』의 기자에게 그녀가 "다른 사람들에 비해 피부가 몇 층이나 더 얇은, 일종의 심리적 혈우병 환자"[10]였다고 말했다. 그녀의 글은 그녀가 생각하는 것, 원하는 것, 느끼는 것과 매우 직접적으로 닿아 있었다. 그녀는 파커처럼 자신을 비난하지 않고, 다른 방식으로 자신을 보호했다. 자신의 성격을 압도적으로 드러내는 방식을 쓴 것이다. 그녀의 글은 가끔 경제적인 궁핍이 구두점처럼 드러나는, 길고 긴 한 문장처럼 읽힌다. 언뜻 자신감 넘치는 태도처럼 보이지만, 사실은 아주 정교한 가면이었다. 웨스트는 모든 것을 걱정했다. 돈을 걱정하고, 사랑을 걱정하고, 자신이 그토록 확신하는 척 주장을 내놓은 거의 모든 주제에 대해서도 걱정했다.

그러나 그녀의 주장은 사실 처음부터 확실했다. 그녀가 과녁을 제대로 고르는 솜씨가 뛰어났기 때문이다. 웨스트는 필명으로 내놓은 첫 번째 글에서, 엄청난 인기를 누리는 로맨스 소설가 메리 오거스타 워드(험프리 워드 부인)를 겨냥했다. 젊은 웨스트의 눈에 그녀는 "명예가 부족한" 여성이었다. 어떤 남자가 웨스트를 향해 산업주의를 옹호하고 있다고 다소 엉뚱하게 비난하는 분노의 편지를 『자유여성』에 보냈다. 웨스트는 상대를 우아하게 톡 건드리는 말로 답장을 시작했다. "정말이지 저를 낙담시키는 편지입니다."[11] 그녀의 대담한 태도는 언제나, 적어도 글을 통해서는, 상대의 웃음을 이끌어내곤 했다. 웨스트가 웰스에게 서평이라는 대포를 쏘아보낸 뒤 그와 차를 마시러 간 것도 이 무렵이었다. 웨스트는 웰스를 만난 첫인상을 몹시 모욕적으로 표현했다. 웰스가 이상하게 생겼으며, "목소리가 조금 높았다"[12]는 것이다. 웰스는 그날 나타난 젊은 여성이 "성숙함과 유아적인 면이 기묘하게 뒤섞인"[13] 모습을 하고 있었다고 나중에 회상했다. 두 사람 사이에 불꽃이 튄 것은 순전히 지적인 매력 덕분이었다. 웰스는 도전을 외면하고 물러서는 성격이 아니었으므로, 쉽게 손에 잡히지 않는 모습에 끌렸다. "그녀 같은 사람을 만난 적이 없었다. 애당초 그녀 같은 사람이 존재했을 것 같지도 않다." 웨스트는 자신이 그의 정신에 흥미를 느꼈다고 도라 마스덴에게 털어놓았다.

웨스트가 서평에서 웰스의 연애 스타일에 대해 내린 진단이 알고 보니 정확한 것이었다. 처음에 웰스는 깐깐한 노처녀처럼 그녀를 대했다. 그녀가 그의 작품에서 보았던 태도 그대로였다.

두 사람 사이의 유혹은 지적인 토론을 통해 이루어졌다. 그러나 그는 웨스트에게 손을 대려고 하지 않았다. 웨스트가 먼저 구애를 했는데도 그랬다. 아내 제인을 생각했기 때문이 아니었다. 웰스 부부는 개방적인 결혼생활을 하고 있었으므로, 그가 어떤 여자를 만나는지 제인도 모두 알고 있었다. 웰스는 당시 만나고 있던 다른 애인 때문에 현실적인 고려를 하게 된 것 같다. 아무리 해방된 남자라도, 애인을 둘이나 두는 것은 감당하기 벅찼을 것이다.

그러나 착하게 굴자는 그의 결심은 겨우 몇 달밖에 가지 않았다. 1912년 말의 어느 날 웰스와 웨스트는 그의 서재에서 우연히 입을 맞췄다. 두 사람이 평범한 인물들이었다면, 이미 연애로 향하고 있던 바늘이 조금 더 움직인 것에 불과했을 것이다. 그러나 각자 뛰어난 분석능력을 지닌 두 작가가 서로에게 느끼는 매력이 결실을 맺기 위해서는, 가슴을 쥐어짜는 갈등 같은 것이 필요할 것 같았다. 입을 맞춘 뒤에도 웰스가 또 뒤로 물러나자, 웨스트는 신경쇠약에 걸렸다.

그렇게 똑똑한 여성이 마음을 준 상대에게서 거절당했다는 이유로 그렇게 무너지는 모습이 오늘날의 페미니스트에게는 달갑지 않다. 그러나 당시 웨스트는 열아홉 살이었고, 웰스는 그녀가 처음으로 진정한 사랑을 느낀 상대였던 것 같다. 그녀는 언제나 그렇듯이, 자신의 괴로운 감정을 아름다운 글로 승화시키는 데 성공했지만 그 글을 발표하지는 않았다. 지금은 그녀가 웰스를 향해 썼지만 끝내 보내지는 못한 것으로 보이는 편지 초안 형태로만 남아 있을 뿐이다. 그 편지는 다음과 같이 시작된다.

> 앞으로 며칠 사이에 저는 머리에 총알을 박아 넣거나, 아니면 죽음보다 더 산산이 저를 부수는 짓을 저지를 겁니다.[14]

이 편지에서 웨스트는 웰스의 무정함을 비난한다. "당신은 타오르는 사람들이 아니라 강아지처럼 서로에게 걸려 넘어지는 사람들, 당신과 싸우고 함께 놀 사람들, 분노하고 고통스러워하는 사람들로 가득한 세상을 원합니다." 웨스트는 이런 취급을 견딜 수 없었다.

> "현명하지 못한 말을 하는군, 리베카"라고 말할 때 당신은 조금 밝은 태도였습니다. 정말로 제게 한 방 먹였다고 생각하신 겁니다. 하지만 잘못 생각하신 것 같습니다. 당신이 저를 당신의 응접실에서 쓸데없이 심장발작을 일으켜 파닥거린, 불안정한 젊은 여자로 생각하며 엄청난 만족감을 느끼시리라는 것을 저는 알고 있습니다.

웰스가 이 편지를 통해서든 다른 경로를 통해서든 그녀의 이런 생각을 알았는지는 모르겠지만, 어쨌든 그가 즉시 그녀에게 달려오는 일은 벌어지지 않았다. 그가 웨스트에게 답장을 쓴 것 같기는 하다. 그러나 너무 감정적이라고 그녀를 나무라는 내용이었다. 그는 그녀를 이해하지 못했다. 웨스트가 속이 상한 것은, 단순히 웰스가 아직 시작되지도 않은 연애를 막으려 했기 때문만은 아니었다. 웰스가 감정적으로 거리를 두며 그녀의 고뇌를 조롱했기 때문이기도 했다.

웨스트는 1913년 6월에 스페인에서 이 편지를 썼다. 그녀는 어머니와 함께 스페인에 한 달 동안 머무르며 이성을 회복하려고 했다. 이제 『신자유여성』으로 이름이 바뀐 신문에도 계속 글을 보냈다. 「바야돌리드에서」(At Valladolid)라는 글에서 웨스트는 자살에 대한 공상을 길게 늘어놓았다. 분위기, 어조, 테마 면에서 실비아 플라스의 『벨 자』(*Bell Jar*)의 전조가 된 작품이었다. 화자인 젊은 여성은 스스로 총을 쏘아 부상당한 상태로 병원에 도착한다. 그녀 역시 연애 때문에 고민하고 있다는 사실이 웰스와 웨스트 사이의 일을 연상시킨다. "나의 연인은 내 몸의 정결을 지켜주었으나 내 영혼을 유혹하였다. 그는 나와 하나가 되다 못해 나보다 더 나 자신이 되었으나, 나를 버렸다."[15]

웰스가 계속 『신자유여성』을 읽는다는 사실을 웨스트도 알고 있었음을 여기서 언급해야겠다. 그는 그녀의 글에 대해 정중한 흥미를 드러낸 편지를 보내곤 했다. "또 다시 눈부신 글을 썼군." 첫 번째 편지에는 이렇게 적혀 있었다. 우리가 아는 한, 웨스트는 이 편지에 답장을 보내지 않았다. 대신 그가 가장 최근에 발표한 소설 『열정적인 친구들』(*The Passionate Friends*)에 대한 서평을 썼다. 이 글에서 그녀는 섹스와 창의성 사이에 모종의 연관성이 있을지도 모른다는 그의 생각에 동의한다고 말했다.

> 아무리 시급하게 먼 바다로 나가는 증기선이라도 반드시 석탄 보급소에 들러야 하듯이, 남자들이 사랑을 나누는 문제에 대해 흔히 난잡하게 변하는 것이 사실이기 때문이다. 뭔가 위대한 일을 하기 위해, 그들에게는 완성된 열정이 주는 영감이 필요하다.[16]

이어 그녀는 웰스가 소설 속에서 상상한 것과는 달리, 이런 관계를 맺는 여자들이 이런 짧은 연애로 인해 온전히 망가지지는 않는다고 주장했다. 문제의 그 여성이 성생활과 연애에서 자율성을 누릴 필요가 있다는 점이 핵심적인 열쇠라는 데에는 그녀와 웰스의 의견이 같았다.

> 자기만의 야심적인 연극에서 주인공 역을 맡은 여성은 눈물을 흘릴 가능성이 희박하다. 야심을 잃어버린 어떤 남자의 연극에서 주인공 역할을 하는 것이 아니기 때문이다.

웨스트는 웰스와의 관계를 서평으로 시작했을 뿐만 아니라, 자신의 열정 또한, 어쩌면 자신도 모르는 사이에, 서평을 통해 연달아 주장했다.

이것이 결과를 이끌어냈다. 상대가 신호를 수신한 것이다. 1913년 가을에 이 서평을 발표하고 몇 주 되지 않아, 리베카는 웰스의 서재에서 데이트를 하기 시작했다. 서평을 통한 구애는 곧 멈추고, 두 사람의 편지에는 일종의 낭만적인 사투리가 쓰이기 시작했다. 두 사람은 서로를 고양잇과 동물의 이름으로 불렀다. 웰스를 부르는 이름은 보통 재규어였고, 웨스트를 부르는 이름은 표범(panther)이었다(그녀는 나중에 아기 앤서니의 중간이름을 이것으로 지었다). 아기 같은 말투로 주고받은 이 편지들을 두 작가의 최고의 작품이라고 보기는 힘들다.

오래지 않아 일종의 극적인 아이러니가 두 사람의 운명을 덮쳤다. 두 번째로 함께 시간을 보낼 때, 웰스가 콘돔 착용을 깜박 잊어버린 것이다. 웨스트는 이미 미혼모들이 처한 곤경에 대해 분노하는 글을 영국의 새로운 정기간행물 『클라리온』(*Clarion*)에 기고하고 있었다. 당시 영국 사회에서 미혼모는 대부분 출신 계층과 상관없이 최하층 천민 취급을 받았다. 그러니 웨스트 본인이 미혼모가 된 것을 기뻐할 수는 없었을 것이다.

실제로 앤서니 팬서 웨스트는 1914년 8월에 노퍽의 작은 오두막에서 태어난 순간부터 어머니에게 문제를 안겨주었다. 그는 모성에 대한 웨스트의 양면적인 태도가 자신에게 깊은 흔적을 남겼다고 나중에 주장했다. 웨스트는 아들에게 짜증을 숨기지 못했다. 아들 때문에 자신의 운신에 제약이 생긴 현실에 대해서도 마찬가지였다. 그녀는 집 안에 갇혀서 세상의 흐름을 따라가지 못하고 아기와 관련된 일로 법석을 떨어야 하는 생활을 그리 좋아하지 않았다.

> 나는 가정생활이 싫습니다. … 구속받지 않고 모험을 즐기는 삶을 살고 싶습니다. … 새끼양의 털로 만든 파란색 외투가 앤서니에게 아주 잘 어울립니다. 앤서니는 미래를 위한 나의 저축(예를 들어, 1936년에 칼튼에서 저녁식사를 하는 것)임을 확신하지만 내가 지금 원하는 것은 로맨스입니다. 얼굴이 하얗고, 검은 머리가 자연스럽게 살짝 구불거리고, 커다란 회색 자동차를 갖고 있는 사람.[17]

웰스는 이런 특징들을 (어쩌면 하얀 얼굴만 빼고) 갖고 있지 않았음을 언급해두어야겠다. 그는 웨스트와 아기에게 따로 집을 마련해주는 등 주어진 상황에서 최대한 훌륭하게 처신했지만, 웨스트가 만족할 만큼 옆에 있어주지는 않았다. 그는 여전히 그녀의 연인이자 지적인 스승이었지만, 사랑받는 정부의 화려한 생활은 그녀에게 딱히 어울리지 않았다. 그러기에는 그녀가 자기만의 인생을 원하는 마음이 너무 컸다.

그래서 웨스트는 계속 글을 썼다. 아기를 낳은 지 얼마 되지 않은 많은 여성이 부러워할 만한 속도였다. 그녀는 앤서니가 아직 젖먹이일 때 장편소설을 시작했다. 평소 글을 기고하던 모든 매체에 여전히 글을 써서 보냈고, 자신의 생각을 발표할 수 있는 새로운 지면도 얻었다. 웰스가 미국의 새로운 잡지와 함께 일을 하게 된 덕분이었다. 휘트니의 자금으로 창간된 이 잡지의 이름은 『뉴 리퍼블릭』이었다. 웰스는 웨스트에게 이 잡지에도 글을 써보라고 권유했고, 1914년 11월 창간호에 여성 필자로서는 유일하게 그녀의 글이 실렸다. 「가혹한 비판의 의무」(The Duty of Harsh Criticism)라는 글이었다.

이 글은 웨스트의 가장 유명한 작품 중 하나가 되었다. 『자유여성』에 실린 그녀의 글과는 사뭇 다른 엄숙한 분위기를 지닌 이 글은 학구적인 산상수훈에 더 가까웠다. 웨스트는 자신을 지칭할 때 'I'가 아니라 거리감이 있는 왕을 연상시키는 'we'(왕이 자신을 지칭할 때 사용하는 '짐'이 영어에서는 'we'다 — 옮긴이)를 사용했다. 그녀의 말투 또한 위에서 아래를 내려다보는 듯한 분위기를 풍겼다.

> 요즘 영국에는 비평이 존재하지 않는다. 미약한 환호의 합창, 경찰이 그 책을 억압하는 경우가 아니라면 잠잠해지지 않는 드높은 찬사, 열정으로 달아오르지도 않고 분노로 역전되는 법도 없는 온화한 상냥함이 있을 뿐이다.[18]

그녀가 부족하다고 질타하는 바로 이런 비평으로 성공의 길을 걸어왔음을 감안할 때, 이 글은 어쩌면 현실을 과장한 것일 수도 있었다. 여기서 웨스트가 추상적인 표현으로 도피한 것은 다소 예외적이다. 보통 그녀는 개인적인 일화를 기반으로 글을 쓰는 편인데, 이 글에는 그런 일화가 전혀 없었다. 그녀가 '가혹한 비판'을 요구한 것이 당시 자신이 처한 상황 때문에 느끼고 있던 좌절감에서 기인했을 가능성도 있다. 그녀는 꼼짝할 수 없는 상황에 몰려 있으면서도, 그 상황에 대한 글을 쓸 수 없었다. 결혼하지 않고 아이를 낳는 일이 금기시되었기 때문이다. 따라서 그 문제 대신 '영국의 비평'을 언급한 것은 자신의 문제를 직접 언급하지 않고도 자신이 맞닥뜨린 진부한 문제를 다루는 방법이었다. "자신의 정신을 잊어버린다면, 확실히 우리는 안전하지 못할 것이다." 그녀는 이렇게 썼다. 이 말 자체도 진실이지만, 또한 그녀의 상황에 비춰봤을 때 스스로를 일깨우는 역할을 하는 말이기도 했다.

그러나 좌절 속에서도 그녀의 명성은 점점 높아졌다. 『뉴 리퍼블릭』의 편집자들은 이 새로운 잡지의 광고에서 웨스트의 글을 언급하며 특히 그녀의 성별을 강조했다. "H. G. 웰스가 '영국 최고의 남자'라고 부른 여자."[19] 웨스트는 논란의 여지가 있는 이 찬사에 화답하지 않고, 오히려 「가혹한 비판의 의무」에서 겨냥한 작품 중에 그의 글도 포함시켰다. 그녀는 웰스가 "위대한 작가"라면서도, "그는 광신도의 터무니없는 황홀경으로 꿈꾸듯 빠져 들어가, 과거에 증오하던 것이나 미래의 평화나 세상의 지혜에 대해 생각한다. 그리고 그동안 그의 이야기는 그의 귓가에서 폐허가 되어 무너진다"고 썼다.[20]

이 시기에 두 사람의 관계는 좋은 편이었다. 그러나 웰스가 이 글을 읽고 여기에 내포된 또 하나의 의미, 즉 어떤 의미에서 "그의 이야기"에 리베카와 앤서니도 포함된다는 점을 알아차렸는지도 모르겠다. 앤서니는 평생 부모에게 싸움의 근원이 되었다. 처음에는 두 사람이 아이에게 자신들이 부모라는 사실을 분명하게 말해주지 않았다. 그들은 또한 웰스의 유언장에 앤서니를 정식으로 포함시킬 것인지 여부를 두고도 지독하게 싸워댔다. 웰스는 이 점에 대해 웨스트에게 확실한 대답을 해주지 않았고, 이것이 관계를 망가뜨렸다.

웨스트는 감상적인 분위기에 흠뻑 젖은 사랑의 편지를 연인에게 보내면서 다른 한편에서는 잡지의 지면을 통해 그의 작품을 계속 비평하는 것이 몹시 이상한 일임을 느꼈는지, 다른 작가들에게 주의를 돌리기 시작하더니 헨리 제임스에 대한 한 권 분량의 비평에 착수했다. 그녀는 『뉴 리퍼블릭』의 초창기 칼럼에서 이미 헨리 제임스에 대한 관심을 대략적으로 드러내며, 1차 세계대전 때 밤새 공습이 이어지던 어느 날, 시골에서 제임스의 에세이집인 『소설가들에 대한 단상』(*Notes on Novelists*)을 읽으며 밤을 새웠다고 쓴 적이 있었다. 머리 위에서는 사이렌이 울리는 가운데, 극도로 정밀한 제임스의 문체가 주는 위안이 점점 줄어들었다고 했다.

> 그는 더 이상 쪼갤 것이 남지 않을 때까지 사소한 것들을 쪼개고 또 쪼갠다. 그래서 나중에는 불안해 보일 정도로 민낯이 그대로

드러난 것들 위를 초조하게 오가는 꼴이 되어버린다.[21]

그러나 웨스트는 스스로를 이성적으로 설득하기라도 한 것처럼, 엄격하면서도 두서없는 제임스의 말투를 향해 다시 돌아선다. 열정을 문맥 속에서 갑자기 과대평가하기 시작한 듯하다. “살육을 위해 불이 모두 꺼진 도시의 위치를 파악하려고 머리 위에서 맴도는” 비행기들은 “십중팔구 그들이 품을 수 있는 가장 순수하고 고양된 열정으로 불타고 있었을 것”이라고 그녀는 썼다.

이 부분에 대한 그녀의 생각은 계속 바뀌었다. 저서에서 웨스트가 제임스를 비판한 핵심적인 이유는 “심지어 감정에서 우러나온 폭력조차 전혀 없는 삶을 원하는” 그의 “열정 없는 초연함”이었다. 이제 여러분은 그녀가 훌륭한 남성 작가들의 글에 대해 전형적으로 제기하는 문제 중 하나가 바로 이것임을 알아차렸을 것이다. 그러나 제임스의 모든 책이 이런 문제를 지니고 있는 것은 아니었다. 웨스트는 『유럽인들』(*The Europeans*), 『데이지 밀러』(*Daisy Miller*), 『워싱턴 스퀘어』(*Washington Square*)에는 찬사를 보냈다. 하지만 『여인의 초상』(*The Portrait of a Lady*)은 몹시 싫어했다. 이 소설의 주인공인 이사벨 아처가 “멍청이”라고 생각했기 때문이다. 웨스트는 특히 여성들을 묘사할 때 제임스의 초연함이 심하게 드러난다고 불평했다.

> 왁자지껄한 소란 속에서 우리는 여주인공의 신념이나 성격에 대해 전혀 알 수 없다. 그녀가 너무 늦게 나타나거나, 너무 일찍 나가버리거나, 용도가 의심스러운 샤프롱(chaperon, 과거 젊은 여성이 사교장에 나갈 때 따라가 보살펴주는 사람을 뜻하는 프랑스어 — 옮긴이)이라는 역할을 제대로 하지 않기 때문이다. 젊은 남자들의 유순한 태도를 보면 그녀가 아가씨를 보호하려고

그 자리에 있다는 생각을 하기 어렵고, 젊은 숙녀들의 부드러운 말씨를 보면 남녀 간에 심판인 샤프롱이 필요할 만큼 격렬한 싸움이 벌어질 것 같지 않다.[22]

제임스는 웨스트가 이 책을 영국에서 출판하기 한 달쯤 전에 세상을 떠났다. 그 덕분에 많은 사람이 웨스트의 책에 대해 비평을 쓰게 되었다. 일반적인 비평서에 대한 반응을 넘어서는 수준이었다고 해도 될 것이다. 책에 대한 반응은 대체로 긍정적이었다. 『옵저버』(*Observer*)는 "다소 금속성 광채"[23]가 있다고 평했다. 미국의 비평가들도 대부분 같은 의견인 듯했다. 그러나 『시카고 트리뷴』(*Chicago Tribune*)의 엘렌 피츠제럴드라는 여성 서평 칼럼니스트는 이 책이 "문학적인 명예를 침해"한 것에 심한 모욕감을 느꼈다고 말했다. "아주 젊은 여성들은 소설 비평도 쓰면 안 된다. 소설가에게 너무 가혹하기 때문이다."[24] 그녀는 이렇게 주장했다.

웨스트가 이런 비평에 상처를 입었을 것 같지는 않다. "아주 젊은 여성들"이 지켜야 할 규칙을 깨는 일이 이제는 그녀에게 진부하게 느껴질 정도였다. 웨스트는 자신이 중요한 사람들에게 제대로 인상을 남기고 있는지에 대해서도 신경 쓰지 않았다. 소설가가 본인과 작품에 대해 때로 경건하게 숭배하는 태도를 보이는 것에도 관심이 없었다.

어쨌든 웨스트는 소설가의 수고를 모르지 않았다. 그녀 본인도 많은 소설을 썼으며, 장편 열 편을 발표했다. 그리고 대체로 긍정적인 평을 얻었다. "엄격할 정도로 성실하고, 엄숙할 정도로 아름다우며, 영적으로 고양된 사실주의를 훌륭하게 표현했다."[25] 이것은 그녀가 1918년에 발표한 첫 작품 『병사의 귀환』(*The Return of the Soldier*)에 대한 여러 비평 중 대표적인 글이다. 그러나 비평가들은 웨스트의 작품에 찬사를 보내면서도 실망감을 표현했다. 그녀의 명성이 먼저 알려진 탓이었다. "미스 웨스트처럼 유능한 작가라면 쉽게 도달할 수 있었을 완벽함에 미치지 못한다."[26] 이것은 1920년에 출판된 『재판관』(*The Judge*)에 대한 『선데이 타임스』(*Sunday Times*)의 서평이다. 웨스트가 좋은 소설을 쓸 수 있다는 사실에 놀란 사람은 아무도 없지만, 비평가들은 그녀가 위대한 소설을 쓸 것이라고 기대했다. "복잡하고 속도가 느린 문체 속에 드러난 그녀의 재치와 따스한 아름다움이 없었다면, 책을 중간쯤 읽다가 좌초해서 얕은 개울 같은 심리적인 묘사와의 씨름을 포기해버리기 쉽다."[27] 소설가 V. S. 프릿쳇이 1929년에 발표된 『해리엇 흄』(*Harriet Hume*)에 대해 한 말이다.

이것은 대단한 평가를 받던 비평가가 비평가 이상의 존재가 되려고 할 때 지불해야 하는 대가였다. 비평가가 이미 작가로서 구축한 페르소나에 익숙한 사람들은 그가 작품을 발표할 때마다 그 페르소나를 기준으로 평가한다. 파커도 신랄한 경구와 시보다 소설로 유명해지고 싶었으나 이 문제와 씨름하다가 결국 원하는 것을 이루지 못했다. 산문에서 드러난 웨스트의 지성은 소설에서는 오히려 악마 같은 존재가 되었다. 소설 독자들은 본류를 벗어난 그녀의 이야기가 어디로 흘러가버렸는지 알 수 없었다.

잡지나 신문에 글을 쓰는 일이 생계를 해결하는 데 훨씬 더 도움이 된 것은 사실이다. 웰스는 생활비를 아주 일부만 도와주었다. 웨스트는 『뉴 리퍼블릭』 칼럼을 쓴 덕분에 『뉴 스테이츠먼』(*New Statesman*)에도 글을 쓸 수 있게 되었다. 『리빙 에이지』(*Living Age*)나 『사우스차이나 모닝포스트』(*South China Morning Post*)처럼 그보다 조금 아래에 위치한 잡지와 신문에서도 그녀를 찾았다. 웨스트는 글을 기고할 매체를 까다롭게 고르지 않았다. 돈은 부족하고 하고 싶은 말은 많았기 때문이다.

웨스트는 글의 주제에 대해서도 까다롭게 굴지 않았다. 대개 그녀는 어떤 책을 글의 출발점으로 삼은 뒤, 마지막에는 한참 떨어진 곳에 도달하는 식으로 글을 썼다. 그녀는 조지 버나드 쇼의 전쟁 연설에 대한 글을 썼다.[28] 야간열차를 타고 가다 만난 주정뱅이에게서 도스토옙스키와 닮은 점을 발견한 이야기도 글로 썼다.[29] 일찌감치 디킨스의 전기를 쓴 작가가 자꾸만 일기예보로 글의 흐름을 끊어놓은 것에 대해 불평하는 글도 썼다.[30] 가난한 시골 사람들의 삶을 소재로 삼은 소설들을 비판하는 글도 썼다. "그런 작품은 언제나 지루하고 현실과 거리가 멀다."[31] 여성들에 대한 글을 써달라는 의뢰도 자주 들어왔다. 1차 세계대전이 한창 벌어지던 때였으므로, 전쟁에서 여성의 역할에 대한 글을 써달라는 것이었다. 웨스트는 『애틀랜틱』(*Atlantic*)에 길고 열정적인 설교 같은 글을 썼다. 전쟁 중의 간호 업무가 평범한 여성들을 전쟁의 일부로 만들어, 페미니즘의 약속을 실현했다는 내용이었다. "페미니즘이 이런 용기를 만들어낸 것이 아니다. 용감한 여성들은 언제나 있었다." 웨스트는 이렇게 썼다. "그러나 페미니즘은 용기가 땅에 뿌리를 내릴 수 있게 해주었다."[32]

지면에서 웨스트는 자신감 있는 모습을 보였지만, 그녀의 현실은 점차 부스러지고 있었다. 웰스와의 관계 때문이었다. 그는 항상 새로운 애인을 만들었다. 그의 바람기는 전혀 새삼스러운 것이 아니었지만, 그래도 가끔 그로 인해 두 사람 사이에 불쾌한 말들이 오가곤 했다. 관계가 최악으로 치달은 것은, 웰스와 사귀던 젊은 오스트리아인 예술가(가텐리그라는 기억하기 쉬운 이름이었다)가 1923년 6월에 웨스트의 아파트를 찾아왔을 때였다. 그날 그 오스트리아인 여성은 웰스의 집에서 자살을 시도했다. 웰스는 언론 앞에서 침착한 모습을 유지하며, 한 지방지 기자에게 이렇게 말했다. "하지만 가텐리그 부인은 내게 험한 말을 하지도 않았고, 소란을 피우지도 않았다. 그녀는 정말로 아름다운 작업을 하는 아주 지적인 여성이기 때문에, 나도 몹시 안타깝다."[33]

그녀는 자신에 대해서도 상당히 안타까워하고 있었다. 친구들과 가족들에게 보내는 편지에서 그녀는 웰스가 "끊임없이 내 일을 방해"[34] 한다고 드러내놓고 불평하기 시작했다. 한때는 매력적이었던 그의 위풍당당한 존재감에 대해서도 이제는 "자기중심적"[35] 이라고 평가했다. 웨스트는 이제 스승 웰스에게 배울 수 있는 것을 모두 배웠다. 그녀는 웰스의 호의가 없으면 생활이 어려워질 것을 걱정했지만(사실 이때 웰스는 웨스트나 앤서니와 법적으로 아무런 관계가 아니었다), 두 사람의 관계를 계속 유지하기는 힘들었다.

웰스와의 로맨스는 그녀가 꿈꾸던 일을 할 수 있게 해주는 것으로 그녀의 인생에서 할 일을 다 했다. 이제 그녀는 웰스보다 더 유명하다고 해도 되는 위치에 있었다. 웰스의 작품이 점점 드물어지는 반면, 웨스트는 한창 나이로 많은 글을 써내고 있었기 때문이다. 이제 그는 그녀에게 꼭 필요한 존재가 아니었다.

깔끔하게 헤어질 기회를 제공해준 것은 미국 순회강연이었다. 웨스트는 1923년 10월에 앤서니를 어머니에게 맡기고 미국으로 떠났다. 미국에서 그녀는 뜨거운 관심을 받았다. 결혼하지 않은 여성으로서 하고 싶은 말을 자유로이 할 수 있는 상황도 그녀에게 아주 잘 맞았다. 적어도 대중적인 이미지로는 그랬다. 미국 언론은 확실히 그녀에게 반한 상태였다. 그녀는 독립적인 정신을 지닌 새로운 여성의 화신이었다. 게다가 그런 여성들과 관련된 질문에 그녀가 아주 기꺼이 대답해준다는 점이 기자에게는 더할 나위 없이 좋았다. 예를 들어, 『뉴욕 타임스』는 젊은 여성 소설가들이 갑자기 급격히 늘어나는 듯한데, 그 이유가 무엇이냐고 웨스트에게 물었다. "전쟁 때문일까요?" 웨스트는 고개를 저었다.

소설 분야에서 젊은 여성들이 "기운을 내고" 있는 것은 사실이지만, 반드시 전쟁 때문에 그들의 수가 늘어난 것은 아닙니다. 그들이 자신을 표현할 수 있는 문이 열리는 데에 전쟁은 꼭 필요한 것이 아니었어요. 전쟁의 열기나 전쟁으로 인해 느슨해진 분위기도 아니었고요. 영국 여성들이 오래전부터 쟁취하기 위해 싸웠던 것이 이런 변화를 만들어냈습니다. 말하자면, 자유의 정신, 페미니즘의 정신입니다. 단순히 투표권을 얻으려는 싸움이었다고만 할 수는 없어요. 이 점을 항상 명심해야 합니다. 그것은 햇빛 아래에 자리를 확보하려는 싸움, 예술과 학문과 정치와 문학에서 성장할 권리를 얻어내려는 싸움이었습니다.[36]

웨스트는 또한, 나이가 중요하지 않다, 오히려 나이를 먹으면서 자신이 더 나아진 것 같다고 덧붙이면서, 버지니아 울프, G. B. 스턴, 캐서린 맨스필드를 예로 들었다. “여자가 서른 살이 넘으면, 보다시피, 자기만의 삶을 살게 된다.” 웨스트는 이렇게 단언했다. “인생이 모종의 의미를 지니게 되고, 여자 본인도 그 의미를 이해할 수 있게 된다.”[37]

웨스트는 마치 자신의 이야기를 하고 있는 것 같았다. 이 말을 할 때 그녀의 나이가 이미 서른 살이었으며, 그녀는 확실히 양지에서 햇빛을 받는 위치에 있었다. 미국에서 그녀가 가는 곳마다 엄청난 대중의 관심이 뒤따랐다. 파커처럼 그녀는 유명 작가였다. 미국 전역의 여성클럽에서 그녀의 강연이 열렸고, 사교 약속도 넘칠 만큼 가득 잡혀 있었다. 그러나 그녀는 미국이 보여주는 관심만큼 미국을 믿지 않았다. 미국 여행에 대해 『뉴 리퍼블릭』에 4회에 걸쳐 기고한 글에서 그녀는 뉴욕의 “부유함은 눈이 부시”지만 “단조로움 때문에 눈이 피로해지기도” 한다고 썼다.[38] 그녀가 전폭적인 찬사를 보낸 부분도 있었다. 미국의 철도 시스템과 미시시피강 같은 것. 그러나 편지에서 웨스트는 특히 미국 여성이라는 주제에 대해 "도저히 믿을 수 없을 만큼 단정치 못하다", "불쾌한 패잔병", "저녁 모임을 위해 옷을 차려입어도 믿을 수 없을 만큼 눈길을 끌지 못한다"[39]고 통렬하게 비판하는 편이었다.

그녀는 유명했지만, 유명세 때문에 불편해지지는 않았다. 그녀의 이름과 웰스의 이름이 자주 언급되기는 했어도, 사생활에 대해 완곡한 태도를 취할 수 있는 여유를 그녀에게 남겨주었기 때문이다. 사실을 가리기 위해, 때로 그녀는 그의 '개인비서'로 불리기도 했다. 앤서니의 이름이나 그의 존재가 언급되는 일도 없었다. 그러나 그녀가 미국에서 만난 지식인들과 작가들 사이에서 두 사람의 관계와 아이의 존재는 공공연한 비밀이었다.

그들 중에는 알렉산더 울컷 등 원탁모임 참석자도 여러 명 있었다. 웨스트와 피츠제럴드 부부의 만남도 이루어졌다. 그녀가 파커를 직접 만났는지는 분명치 않다. 뉴욕의 언론인들과 재치 있는 지식인들이 런던에서 온 예리한 젊은 여성과 죽이 잘 맞을 것 같았지만, 웨스트는 그들의 분위기에 적응하지 못했다. 오직 울컷만이 그녀와 친구가 되었고, 다른 사람들에 대한 기억은 좋지 않았다. 여행 중에 웨스트를 위한 파티가 열린 적이 있었다. 파커는 참석하지 않은 듯하지만, 그녀의 친구이자 여성주의 작가 겸 활동가이자 원탁모임 참석자인 루스 헤일은 참석했다. 그녀는 전쟁 특파원으로 이름을 알린 뒤, 자주 예술에 대해 논평하는 사람이 되었다. 헤이우드 브라운과 결혼한 뒤에도 결혼 전의 성을 유지했기 때문에, 1921년에 여권에 남편의 성을 써야 하는지를 놓고 국무부와 한 판 싸움을 벌여 신문 헤드라인을 장식했다. 국무부가 요지부동 입장을 바꾸려 하지 않자, 헤일은 여권을 반납하고 유럽여행을 포기해버렸다. 그녀는 원칙을 지키는 여성이었다.

헤일은 또한 사적으로 장광설을 늘어놓는 데에도 주저함이 없었다. 웨스트가 어떤 전기작가에게 해준 말에 따르면, 헤일이 그 파티에서 자신에게 다가와 장광설을 쏟아내기 시작했다.

> 리베카 웨스트, 우리 모두 당신에게 실망했습니다. 위대한 환상에 당신이 종지부를 찍어버렸어요. 우리는 당신이 독립적인 여성인 줄 알았는데, 지금은 아주 우울해 보이는군요. 남자에게 의존해서 원하는 걸 모두 얻었는데, 이제는 혼자 알아서 해야 하는 처지가 됐기 때문에 투덜거리고 있어요. 웰스가 틀림없이 당신에게 아주 잘 해줬겠지요. 돈도 주고, 보석도 주고, 그밖에 원하는 걸 모두 줬을 겁니다. 그런 식으로 남자에게 의존하며 살아간다면, 남자가 당신에게 싫증이 났을 때 쫓겨날 각오도 당연히 해야 하는 겁니다.[40]

보통 원탁모임 참석자들은 서로를 모욕할 때 이보다 더 섬세한 말투를 사용했지만, 헤일은 다른 원탁모임 참석자들처럼 유머러스하지 않았다. 웨스트는 30년의 세월이 흐른 뒤에도 헤일의 말을 기억하고 있었다. 어쩌면 기억 속의 말을 다시 꺼내면서 실제보다 더 날카롭게 바꿔놓았을 가능성도 있다. 그러나 그녀에게 실망했다는 헤일의 말이 그녀에게 아프게 느껴진 것은 분명했다. 작가로서 모든 면에서 성공과 찬사를 안겨준 여행에서 헤일의 말은 몹시 나쁜 기억이었기 때문에 영원히 웨스트의 기억에 남았다.

웨스트에게 실망한 사람들은 많았다. 어머니, 언니 레티, 웰스, 그녀의 작품을 비판한 비평가들, 동료들… 그들 중에서도 특히 목소리를 높인 사람은 아들 앤서니였다. 개인적인 포부가 커서 아들의 성장에 온전히 관심을 쏟지 못하는 부모 사이를 오가면서 자란 앤서니는 부모에게 점점 분개하게 되었다. 그러나 유구한 전통을 따라 자신이 더 쉽게 접근할 수 있는 대상, 즉 어머니인 웨스트에게 모든 분노를 집중했다. 결국 그는 소설(『유산』[*Heritage*]이라는 교묘한 제목이었다)과 논픽션 작품에서 자신의 분노를 모두 쏟아 어머니를 통렬히 비난했다. 그의 분노가 거의 강박적이었기 때문에, 웨스트는 말년에 『파리 리뷰』와의 인터뷰에서 아들의 태도에 대해 그저 건조한 태도를 보일 수밖에 없었다. "그 아이가 자신이 사생아라는 사실보다 다른 문제에 마음을 쏟으면 좋을 텐데요. 애석한 일입니다."[41]

앤서니를 제외하면, 웨스트에게 실망한 다른 사람들은 대부분 그녀의 글을 문제 삼았다. 그들은 그녀의 산문에 드러난 작가의 모습을 보고 기대를 품었다가, 그녀를 실제로 만난 뒤 몹시 실망했다고 말했다. 루스 헤일은 웨스트의 글에서 강인하고 독립적인 여성이라는 이상을 꿈꿨지만, 파티에 나타난 사람이 완전히 다른 인물임을 알고 실망했다. 웨스트의 지성과 재능에 분명히 넋을 잃은 사람들조차 변덕스러운 웨스트의 모습을 보고 때로 혼란에 빠졌다. "리베카는 잡역부와 집시의 혼혈이지만, 테리어처럼 끈질기며, 반짝이는 눈, 몹시 추레하다 못해 다소 더러운 손톱, 엄청난 활기, 형편없는 취향, 지식인들에 대한 의심, 위대한 지성을 지니고 있다."[42] 버지니아 울프가 1934년에 자매에게 보낸 편지에 쓴 말이다. 여기에는 모욕과 찬사가 절반씩 섞여 있다.

웨스트는 서슴없이 남들을 비판하는 성격이면서도, 자신이 사람들을 만족시키지 못한다는 사실에는 혼란을 느꼈다. 그녀가 신문이나 잡지에 기고한 글은 가시 돋친 표현들로 장식되어 있다. 여자들은 "건초처럼 색이 옅고 뻣뻣하게 쭉 뻗은 머리카락"[43]을 지니고 있다고 묘사했고, 남자들은 "콧대가 날카롭다"[44]고 묘사했다. 그런데도 그녀는 그토록 많은 사람들이 자신에게 못마땅한 반응을 보이는 이유를 이해하지 못했다. "내가 엄청나게 많은 사람들에게서 적의를 샀다." 말년에 웨스트는 이렇게 말했다. "나는 지금도 그 이유를 모르겠다. 나는 무슨 일이 있어도 꿈쩍하지 않는 사람이 아니다."[45] 그녀는 연인, 찬미자, 친구를 원했다. 그리고 자신이 남들의 생각을 나 몰라라 하는 사람이 아니라고는 한 번도 생각한 적이 없었다. "나는 인정받고 싶다, 물론이다. … 인정받지 못하는 것은 싫다. 그런데 그런 경우가 좀 많았다." 자신 있어 보이는 그녀의 내면 중심에는 이런 근본적인 불안감이 있었다. 남들이 자신의 말을 들어주기를 바라는 욕망과 좋아해주기를 바라는 욕망의 충돌이었다.

웰스 이후에 웨스트는 자신에게 구애하는 많은 사람들과 만났다. 그중에 언론계의 거물인 비버브룩 경(윌리엄 맥스웰 에이트켄)도 있었다. 그녀는 다른 작가들과의 관계에는 질린 것 같았다. 아니면, 그저 대단히 극적이고 복잡한 문제를 일으킨 관계에만 질린 것일 수도 있었다. 웨스트는 주로 사업가들에게 호감을 사려고 했다. 어쩌면 그녀가 무엇보다 경제적인 안정을 중시한다는 루스 헤일의 의심을 증명해주는 대목인지도 모른다. 웨스트는 헨리 앤드루스라는 투자은행가를 처음 만났을 때를 나중에 떠올리면서 그가 "다정하고 친절하고 사랑스럽고 둔한 기린과 조금 비슷했다"[46]고 말했다. 그녀가 원하는 남자가 바로 이런 사람이었음이 분명하다. 두 사람은 그때로부터 1년이 채 되지 않은 1930년 11월에 결혼해서 그가 세상을 떠난 1968년까지 함께 했다. 두 사람 모두 바람을 피웠지만, 결혼생활에는 변화가 없었다. 대체로 웨스트는 친구들과 일에서 만족감을 구했다.

1930년대 웨스트의 친구들 중에 당시에는 아직 무명이던 프랑스 작가 아나이스 닌이 있었다. 웨스트가 닌을 알게 된 것은 닌의 첫 책을 통해서였다. '비전문가의 연구'라는 부제가 붙은, D. H. 로런스에 관한 이 얄팍한 책은 (흔히 여성혐오적이라고 일컬어지는) 로런스의 작품을 처음으로 여성의 관점에서 옹호한 글 중 하나였다. 웨스트는 로렌스와 아는 사이였을 뿐만 아니라, 그가 세상을 떠났을 때 "그와 같은 계급의 사람들조차 그를 제대로 인정해주지 않았다"[47]고 불평하는 글을 쓴 적이 있었다. 그녀는 닌을 만나기 위해, 남편과 함께 휴가를 즐기고 있던 파리로 그녀를 초대했다.

닌은 인간으로서도 작가로서도 웨스트와는 완전히 다른 사람이었다. 웨스트가 위압적이고 무모하다면, 닌은 우아한 장난꾸러기였다. 글에 드러난 닌의 이미지도 자신감 넘치는 전사의 이미지인 웨스트와는 정반대로 연약하고 아름답게 포장되어 있었다. 예술에 대해 닌은 순전히 개인적인 욕망을 분명히 표현하는 것이라는 생각을 갖고 있었으며, 그녀가 신문 지면보다는 일기를 통해 그러한 생각을 표현했다는 사실은 글과 인생을 바라보는 두 사람의 시각이 얼마나 달랐는지를 상당히 잘 보여준다.

따라서 1932년에 이루어진 두 사람의 첫 만남은 분명히 비슷한 생각을 지닌 동지들의 조우가 아니었다. 닌은 그 만남의 복합적인 결과를 일기에 다음과 같이 기록했다.

> 지성이 반짝거리는 사슴 같은 눈. 미모 대신 영국식 치아가 있고, 고뇌에 잠겨 있으며, 귀가 아플 정도로 톤이 높고 부자연스러운 목소리를 지닌 폴라 네그리(1897-1987. 무성영화 시대의 배우 — 옮긴이) 같았다. 우리는 지성과 인간애라는 두 측면에서만 공통점을 지녔을 뿐이다. 그녀의 어머니 같은 풍만한 몸매는 마음에 들지만, 어두운 것은 모두 배제되어 있다. 그녀는 깊은 불편을 느낀다. 내게 위협을 느끼고 있다. 그녀는 몸이 피곤하다면서 머리가 엉망이라 미안하다고 양해를 구한다.[48]

닌은 웨스트가 "독보적으로 빛나고 싶어 하면서도 마음속 깊이 소심함이 남아 있어서 불안한 기색이며, 글 솜씨에 비해 말솜씨가 현저히 떨어진다"[49]고 덧붙였다. 그러나 서로 어울릴 것 같지 않았던 두 사람은 시간이 흐르면서 점차 서로에게 호감을 갖게 되었다.

웨스트는 닌에게 찬사를 보내면서, 그녀의 글이 헨리 밀러보다 훨씬 더 나은 것 같다고 말했다. 닌은 웨스트에게서 아름답다는 칭찬을 듣고, 웨스트를 유혹할 생각을 했다(이 욕망이 결실을 맺었다는 증거는 없다). 닌은 심지어 자신이 웨스트와 꼭 닮은 사람이 되면 좋겠다고 바라기까지 했다. "그녀의 혀는 예리하고, 그녀는 순진함 때문에 고생하지 않는다." 닌은 일기에 이렇게 썼다. "그녀의 나이가 되면 나도 그렇게 예리해질까?" 서로 몹시 다른 사람들인데도, 이 두 여성은 상대에게서 감탄할 만한 부분들을 많이 찾아냈다.

1930년대에 웨스트의 삶은 점점 더 안정되었다. 은행업에 종사하는 헨리의 일에 문제가 생기기는 했지만, 그의 삼촌에게서 거액의 유산을 물려받은 덕분에 두 사람은 부자가 되었다. 어른이 된 앤서니는 어머니와 여전히 불화를 빚었지만, 어쨌든 그녀는 예전처럼 아이를 부양할 책임을 질 필요가 없었다. 그녀는 서평과 에세이를 꾸준히 발표했으나, 글쓰기와 관련된 일들에 점점 권태를 느끼고 있음이 분명히 드러났다. 파커가 뉴욕을 점차 지겨워한 것과 거의 같았다. 하지만 웨스트는 할리우드로 가지 않고, 대신 유고슬라비아로 갔다.

유고슬라비아는 1차 세계대전 말에 슬라브족에 속하는 여러 민족을 한 영토 안에 통일시키자는 움직임 때문에 만들어진 조각보 같은 나라였다. 연합국의 축복을 받은, 거대한 코스모폴리턴 실험이라고 할 만했다. 그러나 1930년대에는 이미 완전히 실패한 실험이 되어 있었다. 쿠데타가 일어나고, 민족별로 민족주의가 부상했으며, 독일과 이탈리아의 파시스트들이 양쪽에서 이 나라를 짓눌러댔다. 나중에 2차 세계대전에서 이 나라는 여러 차례 병합을 겪고도 살아남아 1990대까지 (권위주의적인 정권 덕분에) 어떻게든 나라의 형태를 유지할 수 있었다.

1936년에 영국 문화원은 웨스트를 유고슬라비아 순회강연에 파견했다. 그녀는 그곳에서 심하게 앓았지만, 또한 커다란 매력을 느끼기도 했다. 얼마 전부터 그녀는 자신이 살지 않는 나라에 대해 글을 써보고 싶다는 소망을 갖고 있었다. 유고슬라비아는 여러 민족이 공들여 접합된 나라라는 측면에서 그녀에게 매력적이었다. 그녀의 여행 가이드였던 스타니슬라브 비나베르도 매력적이었다. 그러나 그가 서로 느끼고 있는 애정을 성적인 관계로 발전시키려고 했을 때, 웨스트는 그를 거절했다. 그래도 서로 좋은 분위기에서 거절의 말이 오갔는지, 그녀는 이 나라를 다섯 번 더 여행하고 5년 동안 이 나라에 대한 책을 쓰면서 계속 그를 가이드로 고용했다. 그녀는 심지어 히틀러가 체코슬로바키아를 침략했을 때조차 유고슬라비아를 계속 방문했다. 그 결과물인 『검은 새끼 양과 회색 매』(*Black Lamb and Grey Falcon*)는 1940년 10월에 무려 1200페이지가 넘는 책으로 출간되었다.

최근 웨스트의 전기를 쓴 작가는 『검은 새끼 양과 회색 매』를 가리켜 "다소 산만하지만 뛰어난 작품"[50]이라고 말했다. 공정한 평가다. 그러나 산만함이 언제나 웨스트의 핵심적인 매력이며, 독자들이 그 방대한 분량을 계속 읽게 만드는 이유라는 점을 과소평가한 말인 것 같기도 하다. 1930년대에 웨스트는 서로 어울리지 않는 것들을 연결시키고, 자기만의 독특한 방식으로 한 생각에서 다른 생각으로 건너뛰는 데에 이미 대가가 되어 있었다. 사람들은 웨스트의 글을 읽으면서, 그녀의 두뇌가 어떻게 작동하는지 지켜볼 수 있었다.

지적인 측면에서 유고슬라비아에 대한 웨스트의 가설에는 나름대로 결점이 있었다. 그녀는 한 나라 전체에 정신분석 기법을 사용하는 것을 겁내지 않았다. 적어도 그녀처럼 절대적인 기준으로 이 방법을 사용하는 것에 대해서는, 지나치게 현실을 축소하는 행위라는 비판에 일리가 있는데도 말이다. 웨스트는 기차에서 만난 끈기 있고 순순한 독일인 네 명에 대해 "내가 아는 모든 아리아계 독일인들과 똑같다"면서, "유럽 한복판에 살고 있는 그들의 수가 6천 만 명"[51] 이라고 말한다. 웨스트는 민족이 곧 운명이며, 사람들 사이에 불가피하게 존재하는 차이점들을 반드시 이해하고 존중해주어야 한다고 믿었다. 이런 생각으로 인해 그녀는 결국 뻔뻔스러울 정도로 인종차별적인 말을 하기에 이른다. 미국에서 "검둥이 남자나 여자"가 "버찌 따기 춤"을 출 때는 즐거웠는데, 백인이 추는 모습은 "동물 같았다"는 말을 할 정도였다.

웨스트는 지정학적 요인에 대한 분석과 농담 사이를 쉽게 오갈 수 있었다. 예를 들어, 슬라브족의 땅 여러 곳을 이탈리아에 넘겨줄 뻔했던 1915년의 런던조약을 한창 설명하던 중에 웨스트는 잠시 멈췄다. 그녀는 이탈리아의 원조 파시스트 시인인 가브리엘레 단눈치오, 콧수염에 왁스를 발라 정리하고 다니던 대머리 남자인 그가 이탈리아가 피우메(지금은 크로아티아의 일부)를 잃어버리는 사태를 막기 위해 병사들을 이끌고 피우메 시내로 들어간 이야기를 막 설명한 참이었다. 이 일이 초래한 혼란과 이탈리아 민족주의자들에게 미친 영향을 생각하면서 웨스트는 다음과 같이 썼다.

> 머리가 완전히 벗어진 대머리 여성 작가에 대한 열정 때문에 어느 나라가 뒤집어져 전쟁 직전까지 갔다는 소식이 들려오는 날, 나는 페미니즘의 전투가 끝나고 여성이 남성과 동등한 위치에 도달했다고 믿게 될 것이다.[52]

한편 남편 헨리는 이 책에서 순수한 감상을 다루는 웨스트의 매력적인 주장을 장식해주는 현명한 존재로 등장한다. 웨스트 부부가 크로아티아 시인과 문학에 관한 토론을 벌이는 장면이 이를

『검은 새끼 양과 회색 매』 1945년 초판본.

잘 보여준다. 시인은 조지프 콘래드와 잭 런던이 쇼, 웰스, 페기, 지드처럼 더 전통적인 '문학가' 유형의 작가들보다 뛰어나다고 주장했다.

> 그들은 사람들이 카페에서 나누는 이야기를 글로 썼다. 만약 그 대화가 훌륭하면서도 진지하지 않은 내용이라면 그것을 글로 옮기는 건 상당히 좋은 일이다. 예를 들어 땀처럼 흔하고 재생이 가능한 소재를 다루는 대화라면. 하지만 순수한 서술은 대단히 중요한 양식이었다[크로아티아 시인의 생각]. 시적인 재능을 지닌 다른 사람들이 더 고상한 형태로 바꿔놓을 수 있는 경험들을 한데 모으는 양식이기 때문이었다.[53]

헨리는 이 주장에 대해 미약한 반대의견을 내놓았다("콘래드는 비극에 대한 감각이 전혀 없어요"). 하지만 웨스트는 시인의 의견을 계속 길게 인용했다. 어떻게 보면, 그의 주장을 아예 받아들인 것처럼 보일 정도다.

『애틀랜틱 먼슬리』에 처음 연재되었던 『검은 새끼 양과 회색 매』에 대한 평은 아무리 줄여서 말한다 해도 상당한 호평이었다. 『뉴욕 타임스』는 "눈부시게 객관적인 여행서"[54]라는 다소 묘한 찬사를 보냈다. 그러나 이 글을 쓴 사람은 "현대 영국 소설가와 비평가 중 뛰어난 재능과 엄정함을 갖춘 사람"이 집필한 덕분에 이 책이 천재적인 면모를 지니게 되었다고 구체적으로 지적하기도 했다. 『뉴욕 헤럴드 트리뷴』(*New York Harold Tribune*)에 서평을 쓴 사람은 "전쟁이 시작된 뒤로 내가 읽은 책 중에, 세계가 겪고 있는 위기와 비견될 만큼 장대한 규모로 현실을 다룬 유일한 책"[55]이라고 말했다.

이 마지막 말이 중요하다. 『검은 새끼 양과 회색 매』가 출판되었을 때는 진주만 공격이 일어나기 두어 달 전이었다. 즉, 미국은 소란스러운 유럽과 달리 아직 상당히 안전한 곳으로 여겨졌다는 뜻이다. 대부분의 유럽인에게 전쟁은 짜릿한 책과 비교할 수 있는 것이 아니었다. 『검은 새끼 양과 회색 매』가 출간되었을 무렵, 유럽인들에게 전쟁은 일상을 온통 자치한 현실이었다.

웨스트는 남편과 함께 영국에서 조용히 전쟁 기간을 보냈다. 헨리는 1939년 가을에 유럽에서 전쟁이 시작되었을 때부터 '경제전쟁부'(Ministry of Economic Welfare)에서 일하고 있었다. 웨스트 부부는 시골에 저택을 하나 구입했다. 최악의 상황이 닥쳤을 때 "이곳에서 직접 기른 작물로 어느 정도 먹고 살"[56] 수 있을지도 모른다는 생각 때문이었다. 영국에서 그녀는 해럴드 로스의 『뉴요커』로 두 번 글을 보냈다. 여기서 그녀는 자신을 거듭 주부로 지칭했다. 전쟁 중에 자신이 기번의 역사책에 실릴 만한 일을 하지 않았음을 인정한 것이다. 그러나 전쟁 중에 페인트 값이 그렇게 높지만 않았다면, 그녀가 새로 산 저택에 벽지를 직접 바르는 일은 없었을 것이다. 그녀가 사용하던 전등갓에 대해 품은 불만도 딱 하나뿐이었다. "우리 집이 언덕 꼭대기에 있어서 비행 중인 도르니에(독일의 정찰용 비행정 — 옮긴이)의 눈에 쉽게 띌 우려가 있는데, 거기서 새어나가는 빛 때문에 어쩌면 우리 목숨이 위험해질지도 모른다." 웨스트는 특히 전쟁이 고양이에게 미치는 영향에 신경을 썼다. 어떤 글의 첫머리에서 자신의 얼룩 고양이에 대해 다음과 같은 말을 할 정도였다.

> 이 위기 덕분에 고양이가 참으로 가엾은 존재라는 사실, 즉 글이나 말을 이해할 수 없는 지적인 생명체라는 사실이 드러났다. 고양이는 공습 때문에, 그리고 그로 인해 이동해야 하는 상황 때문에 고통스러워한다. 전쟁에 대한 지식이 없어서

전쟁의 본질을 미리 알지 못하고, 자신에게 집을 제공해주고 생활에 필요한 것을 베풀어주는 사람들이 바로 그런 고통을 야기한 장본인인지 아닌지 또한 확신하지 못하는 영리하고 민감한 사람들이 보일 법한 반응과 똑같다. 만약 파운스가 이 집에 혼자 남아 자유로이 움직일 수 있었다면, 십중팔구 숲으로 달아나, 위험한 인간들 곁으로는 다시 돌아오지 않았을 것이다.[57]

『검은 새끼 양과 회색 매』로 웨스트는 일급 기자의 자리를 굳혔다. 그리고 2차 세계대전의 승패가 갈린 뒤에는 전범재판을 취재하는 『뉴요커』의 선임 특파원으로 활동하며 언론인으로서 자신의 재주를 본격적으로 발휘했다. 웨스트에게 재판은 훌륭한 소재였다. 재판에서는 소송이 진행 중인 사건뿐만 아니라 법의 일반적인 원칙도 다루기 때문이다. 구체적인 이야기에서 일반적인 이야기로 옮겨간다는 점에서 재판은 웨스트가 에세이를 쓸 때 자신의 사고를 전개하는 방식과 다르지 않았다.

그녀가 가장 먼저 취재한 재판은 윌리엄 조이스의 것이었다. 웨스트는 영국에서 호호(Haw-Haw) 경으로 알려져 있던 조이스의 과거도 기사에서 다뤘다. 그는 미국에서 태어났지만 처음에는 아일랜드에서, 그 다음에는 영국에서 고집스러운 영국-아일랜드 민족주의자로 평생을 보냈다. 1930년대에 오스월드 모즐리 경의 파시스트 운동에 합류한 그는 어쩌다 보니 1939년 가을에 독일에 있게 되었다. 나치의 선전 방송요원이 된 그의 방송은 영국으로 전송되어 영국인들의 사기를 떨어뜨렸다. 호호 경이라는 별명은 그가 영국인들에게 욕을 먹는 인물이라는 점을 감안해서 영국 신문들이 지어준 것이다. 전쟁이 끝난 뒤 붙잡힌 조이스는 영국에서 반역 혐의로 재판에 회부되었다. 웨스트는 그가 사형선고를 받아

마땅하다고 굳게 믿는 쪽에 속했다. 실제로 조이스는 나중에 사형선고를 받았다. 웨스트는 조이스의 도덕적 편협성과 신체조건을 어떻게든 연결시키려고 했다. "그는 아주 자그마한 인물이었다. 몹시 못생긴 편은 아니었지만, 보는 사람의 기운을 빼놓을 정도는 되었다."[58] 그의 교수형이 집행될 때쯤 웨스트는 이미 그가 아니라 이른바 그의 희생자들에게로 관심이 옮겨가 있었다. "한 노인이 말하길, V-1(2차 세계대전 중 독일이 영국을 공격할 때 사용한 비행폭탄 — 옮긴이)이 폭발한 뒤 시체 안치소에서 손주들의 시체를 보고 돌아와 라디오를 틀었을 때 호호의 목소리가 흘러나왔기 때문에 그의 교수형을 보러 왔다고 했다."[59]

웨스트는 『뉴요커』의 특파원으로서 뉘른베르크 전범재판도 취재했다. 그런데 이 재판에서 그녀는 다소 까다로운 이슈에 직면했다. 나치를 딱히 좋아하는 편은 아니었지만, 그녀의 펜은 그들을 궁극적으로 그리 위협적이지 않은 존재로 그려냈다. 총통대리였던 루돌프 헤스를 보고 웨스트는 그가 "미쳤음이 너무나 분명히 드러나서 그를 재판정에 세운 것이 부끄러운 일처럼 보일 정도였다"[60]고 썼다. 히틀러의 후계자로 지명되었던 헤르만 괴링에 대해서는 "아주 부드러운 사람"이라고 썼다. 나중에 한나 아렌트가 내놓아 유명해진 주장, 즉 나치의 관리들 중 일부가 전통적인 의미의 악마는 아니라는 주장을 웨스트가 펼친 것은 아니다. 그녀는 그들이 분명히 죄를 저질렀다고 확신했으며, 오로지 명령을 따랐을 뿐이라는 주장을 받아들이지 않았다. 그리고 이런 생각을 상당히 분명하게 표현했다.

> 만약 노망이 난 수석 해군위원이 제독에게 장교식당에 갓난아기 구이를 메뉴로 내놓으라고 명령한다면, 제독이 반드시 불복해야 한다는 사실을 누구나 알 수 있다. 그런데 이 장군들과 제독들은

갓난아기 구이를 내놓으라는 말과 비슷한 히틀러의 지시를 수행하는 데 별로 꺼리는 기색이 없었음이 증명되었다.

나치의 만행은 20세기 후반에 도덕적으로나 정치적으로나 중요한 이슈가 되었다. 그러나 웨스트는 종전 직후에 쓴 이런 글에서 독일인들이 나치의 만행에 대해 느끼는 집단적인 죄책감이라는 문제에 별로 큰 관심을 보이지 않았다. 홀로코스트에 대해서도 그것이 벌을 받아 마땅한 행위라는 사실 외에 별다른 말을 하지 않았다. 나치가 전쟁 중에 저지른 전체적인 행위에 대해 벌을 받아 마땅하다고 믿고, "그들이 유대인에게 한 짓"을 나치의 범죄라는 일반적인 범주에 뭉뚱그려서 포함시켰을 뿐이다.

이것은 도덕적으로 심각한 주의태만이었다. 여기에 부분적으로 영향을 미친 것은, 재판이 지루하게 느릿느릿 이어지는 동안 웨스트가 소련에 관심을 갖게 되었다는 사실이었다. 그녀는 나치즘과 공산주의 사상 사이에 비슷한 부분이 있음을 알아차리고, 조이스 재판을 다룬 글에서 이미 경고를 울렸다.

> 나치 파시스트의 주장과 공산주의 파시스트의 주장 사이에 비슷한 점이 있다. 그들이 주장을 펼치는 방법에도 역시 비슷한 점이 있다. 그들의 주장은 특별한 재능을 지닌 사람이 보편적인 지혜 또한 손에 넣어, 사람들이 서로 의논해서 결정하는 민주주의라는 제도가 내놓는 것보다 더 뛰어난 지시를 국가에 내릴 수 있을 것이며, 그 사람은 다른 사람들의 일을 당사자보다 더 잘 알게 될 것이라는 근거 없는 가정을 바탕으로 하고 있다.[61]

그녀는 그 뒤로 40년 동안 대부분의 시간과 글을 공산주의에 할애했다. 그러나 오로지 공산주의만 다룬 것은 아니다. 왕의 장례식,

민주당 전당대회, 재판, 휘태커 체임버스(1901-1961. 미국의 작가 겸 편집자. 한때 소련의 스파이였으나 나중에 소련 첩보활동에 대해 증언했다 — 옮긴이), 남아프리카 등도 취재해서 글로 썼다. 1975년에 쓴 여성참정권 운동 회고담처럼 이미 세상에 없는 사람들을 기리는 글을 써달라는 의뢰도 받았다. 그녀는 여성참정권 운동가들이 "대단한 미인"[62] 이었다고 회고했다. 그러나 사람들이 그녀에게 보여주는 관심은 어느 수준에 멈춘 채로 움직이지 않았다. 좌파와 소원해진 데다가 변덕스러운 문체 때문에 그녀는 1940년대와 1950년대의 젊은 신진 작가들과 친해지지 못했다. 그들에게 그녀는 일종의 괴짜, 앞선 시대의 유물이었다.

말년에 웨스트는 이처럼 자신에 대한 관심이 줄어드는 것을 절감했다. 친구에게 보낸 편지에 그녀는 이렇게 썼다. "여성 작가가 반드시 해야 하는 일들이 있습니다. 첫째, 너무 착하게 굴면 안 된다. 둘째, 요절해야 한다. 캐서린 맨스필드가 우리 모두에게 어떤 존재인지 생각해보세요. 셋째, 버지니아 울프처럼 자살한다. 계속 글을 쓰는 것, 그것도 좋은 글을 쓰는 것은 결코 용서받을 수 없는 일입니다."[63] 웨스트는 죽는 날까지 화가 같고 수다를 떠는 것 같은 특유의 문체로 글을 썼다. 그녀의 책은 여전히 찬사를 받았으며, 그녀는 지식인 토크쇼에 자주 게스트로 출연했다. 국가적인 중대한 문제의 전문가로 대접받는 소수의 여성 중 한 명이기도 했다. 하지만 실수를 저지른 적도 있었다. 반공주의에 대한 집착도 실수 중 하나였다.

리베카 웨스트, 연도 미상.

West
and
Hurston

웨스트와 허스턴

3

1947년에 『뉴요커』는 사우스캐롤라이나 그린빌에서 열린 린치 사건의 재판에 웨스트를 파견했다. 이 사건을 취재하자는 아이디어를 낸 사람이 웨스트 본인이었다. 1947년 2월 16일 밤에 스물네 살의 윌리 얼이 피큰스 카운티 감옥에서 납치당했다. 그는 백인 택시기사를 찔러 죽인 혐의로 그곳에 구금되어 있었다. 그를 범인으로 지목한 것은 정황증거뿐이었다. 그런데 택시기사의 동료들이 무리를 지어 얼을 감옥에서 납치한 뒤, 구타하고, 칼로 찌르고, 총을 쏘아 죽였다.

미국에서 린치 사건은 결코 뿌리 뽑힌 적이 없지만, 1940년대에는 비교적 드문 편이었다. 얼의 사건은 미국 북동부 전역에서 헤드라인을 장식했다. 신문들은 얼의 시신 상태에 대한 처참한 증언들을 열심히 보도해서 독자에게 충격을 주었다. 기자에게 얼의 머리가 "총에 맞아 산산조각이 났다"[1]고 말한 사람도 있었다. 폭도들이 얼의 몸에서 심장을 뜯어냈다고 주장한 사람도 있었다.[2] 북부 사람들이 이런 잔혹한 증언들을 읽으며 마음의 위안을 느꼈는지도 모르겠다. 사건의 현장이 워낙 멀리 떨어져 있었기 때문에, 그들은 충격적인 기사를 읽으며 자화자찬을 할 수 있었다. 이런 야만적인 행동은 낙후된 남부 사람들이나 저지르는 것이라고 속으로 되뇌면서.

그러나 남부 사람들 또한 윌리 얼의 죽음으로 갈등하고 있음이 드러났다. 당시 사우스캐롤라이나의 주지사는 취임한 지 겨우 한 달밖에 안 된 스트롬 서먼드였다. 그는 그린빌 린치 사건으로 위기를 맞았다. 비록 FBI는 이 사건의 수사를 맡지 않겠다고 했지만, 트루먼 대통령의 시민권위원회가 재판을 주시하고 있다는 얘기가 있었다. 결국 서른한 명의 남자들이 재판에 회부되었다.

당시의 백인 지식인들이 대부분 그랬듯이, 웨스트도 이 사건에 경악했다. 그녀는 깊숙이 웅크리고 있던 인종차별주의가 이 사건을 낳았다고 보았다. "그 남자들이 누구든, 윌리 얼의 피부색이 그들의 행동에 영향을 미치지 않은 척하는 것은 당연히 말도 안 되는 짓이다."[3] 그녀는 이렇게 썼다. 그러나 자신에게 분명히 느껴지는 이 사건의 뉘앙스를 전달하는 데에는 애를 먹었다. 그녀는 흑인들의 고통 앞에서 백인들이 벌을 받지 않고 넘어가는 문화가 있는 것 같지는 않다고 썼다. 웨스트가 보기에 피고들은 유죄판결을 받을 것이라고 진심으로 두려워하고 있었다. 웨스트는 얼이 "백인들에 대해 커다란 적대감을 갖고 있었다"[4]고 진단했다. 얼에게 린치를 가한 백인 남자들이 그 일을 즐긴 것 같지는 않다는 말도 썼다. 웨스트는 피를 보고 싶다는 욕망보다는 죽은 택시기사에 대한 우정에서 기인한 분노가 그들을 움직였다고 말했다. 그녀가 길게 인용한 흑인은 딱 한 사람뿐인데, 이 흑인은 "흑인 차별정책이 연장되기를 호소"[5]했다.

> "내가 이보다 더 원하는 것은 없습니다." 그가 말했다. "검둥이들이 백인이 모는 택시를 타지 못하게 금지하는 법이 있어야 해요. 검둥이들은 모두 그런 택시를 타고 싶어 합니다. 우리 모두 정말 좋아하는 일이에요. 이유가 뭔지 아세요? 우리가 백인을 하인처럼 고용할 수 있는 유일한 기회이기 때문입니다."

웨스트는 주로 인간적인 측면과는 거리가 먼 제도적인 부분에서만

인종차별주의를 지적했다. 법정의 좌석은 인종별로 분리되어 있었다. 재판을 취재하러 온 흑인 기자들은 기자석에서 백인과 섞여 앉았다는 이유로 비판받았다. 비판이 워낙 거세서 그들은 결국 흑인 좌석으로 이동해야 했다. 웨스트는 린치 사건을 일으킨 폭도들이 백인을 죽였을 때보다는 흑인을 죽였을 때 기소될 위험이 낮다고 보았을 것이라고 추측했다.

그녀의 분노가 직접적으로 향한 곳은 따로 있었다. 피고 측 변호사가 윌리 얼 같은 사람들이 더 죽었으면 좋겠다면서 "개를 쏘는 것을 금지하는 법이 있기는 하지만, 만약 미친 개가 우리 동네를 돌아다닌다면 나는 그 개를 총으로 쏘고 기소되는 편을 택할 것"[6]이라고 덧붙이자 웨스트는 참을 수가 없었다. "시대를 막론하고 법정에서 일어난 일 중에 이보다 더 역겨운 일은 없을 것이다." 그녀는 인류의 한 사람으로서 분노하고 있었으므로, 그녀의 글에 '인종차별'이나 '편견'이라는 단어는 등장하지 않았다.

피고들이 결국 무죄로 풀려난 것이 부당하다는 점은 웨스트도 인정했다. 그녀는 평결을 듣고 피고들이 "구원을 받았다며 기뻐했지만 사실은 위험을 향해 풀려난 것"[7]이라고 썼다. 그녀는 이 평결로 인해 무법천지가 펼쳐질지도 모른다고 걱정하면서, 흑인들의 행동에 대한 불안감을 드러냈다. 그들이 "뭐가 뭔지도 모르고" 있다고 생각했기 때문이다. 그녀는 또한 그린빌의 이 재판이 남부의 린치 사건에 종지부를 찍었다고 생각했지만, 이 예측이 크게 틀린 것이었음을 우리는 알고 있다.

어쩌면 웨스트가 이런 주제에 대해 경험이 없었던 것이 문제였는지 모르겠다. 그린빌에서 웨스트는 다른 사람들, 특히 주로 흑인 작가들이 이미 훌륭하게 다뤘던 주제에 발을 담갔다. 린치를 막는 데 평생을 바친 흑인 기자 아이다 B. 웰스는 이미 반 세기 전에 활동하던 사람인데도 여전히 유명했다. 당대의 다른 흑인 작가들,

심지어 백인 신문에도 자주 등장하는 흑인 작가들도 있었다. 남부의 상황을 웨스트보다 잘 이해하고 있는 그들 중에 조라 닐 허스턴이 있었다.

허스턴은 인종차별이 심한 플로리다 주에서 흑인끼리 모여 살던 지역인 이턴빌에서 어린 시절을 보냈다. 반항기가 넘치고 활달한 성격인 그녀는 일찌감치 학교를 그만두고, 20대 때 18개월 동안 길버트와 설리번의 유랑극단에서 공연자의 시중을 드는 하녀로 일했다.[8] 그녀는 스물여섯 살에야 고등학교 졸업장을 받고 하워드 대학에 진학했다. 1925년에는 꿈 많고 똑똑한 많은 흑인 젊은이들과 마찬가지로 할렘에서 활동하며, 『오퍼튜니티』(*Opportunity*)나 『메신저』(*Messenger*) 같은 흑인잡지의 정규 기고가로 금방 자리를 잡았다.

그녀에게 획기적인 전기를 마련해준 글 「유색인종인 나에 대한 느낌」(How It Feels to Be Colored Me)을 발표한 것은 1928년이었다. 허스턴은 어린 나이로 이턴빌을 떠날 때까지 자신이 '유색인종'임을 알지 못했다고 썼다. 또한 자신이 유색인종이라는 사실이 비극을 의미한다고 생각하지 않았으므로 다른 흑인들이 인종 때문에 느끼는 슬픔에도 동참하지 못했다. "내 칼을 날카롭게 다듬느라 너무 바빠서 그럴 틈이 없었다."[9] 그러나 백인들의 세상에서 20년을 살다 보니 "순백색 환경 속에 던져졌을 때 누구보다 피부색을 느끼게" 되었다. 당시는 물론이고 그 뒤로도 오랫동안 미국의 지식인 세계는 몹시 하얀색이었다. 자유롭다는 북부에서조차 신문과 잡지가 사실상 인종을 기준으로 분리되어 있을 정도였다. 주요 백인 신문들이 허스턴의 작품을 다뤄주었지만(『뉴욕 타임스』는 그녀의 모든 저서에 대해 서평을 실었다), 그녀를 흑인 작가로 보는 시각이 무엇보다 앞에 자리잡고 있었다. 흑인 작가들이 『뉴 리퍼블릭』이나 『뉴요커』에서 원고청탁을 받는 일도 없었다. 따라서 그녀가 순전히 신문과 잡지에 글을 기고해서 벌어들이는 돈만으로 생계를 해결하는 것은 불가능했다.

그런 이유로 허스턴은 인류학자가 되기로 하고, 컬럼비아의 바너드 칼리지에서 박사학위를 받았다. 그리고 선구적인 인류학자 프란츠 보아스의 피후견인이 되었다. 보아스는 그녀에게 사람들의 두개골 크기를 측정하는 일을 맡겼다. 이렇게 해서 그녀의 글은 민족지라는 이름을 달고 이런저런 재단의 후원을 받을 수 있게 되었다. 그녀가 평생 발표한 여러 편의 민속연구는 대부분 이턴빌 같은 흑인 거주구역에서 흑인들이 쓰는 말을 보존하려는 노력이었다. 이런 흑인들의 목소리는 그녀의 가장 유명한 소설인 『그들의 눈은 신을 보고 있었다』(*Their Eyes Were Watching God*)에도 등장한다. 허스턴은 또한 자메이카와 아이티의 부두 전통을 연구해서 『내 말에게 얘기해』(*Tell My Horse*)라는 책을 썼다.

그러나 이렇게 싹을 피우던 인류학자의 경력에 급제동이 걸렸다. 1948년에 그녀가 살던 집주인의 아들이 그녀에게 추행을 당했다고 주장한 탓이었다. 여러 달에 걸친 재판 끝에 소년은 자신의 주장을 철회했지만, 이미 이 소식이 언론에 실린 뒤였고 허스턴은 스트레스로 인해 글을 쓸 수 없게 되었다. 흑인들의 삶을 글에서 다루고 싶어 하는 그녀와 달리, 잡지사와 출판사 편집자들은 이 주제를 반기지 않았던 것도 문제였다. "하인 계층 이상의 흑인들에 대한 예리하고 본격적인 글을 원하는 사람이 없다는 사실은 이 나라의 현실과 관련해서 엄청나게 중요한 점을 시사한다."[10] 허스턴은 1950년에 『니그로 다이제스트』(*Negro Digest*)에 실린 「백인 출판사들이 원하지 않는 것」(What White Publishers Won't Print)이라는 글에서 이렇게 썼다.

그러나 완전히 망각 속에 묻히기 전, 그녀에게 남은 이야기가 하나 있었다. 1953년에 흑인 신문인 『피츠버그 쿠리어』(*Pittsburgh*

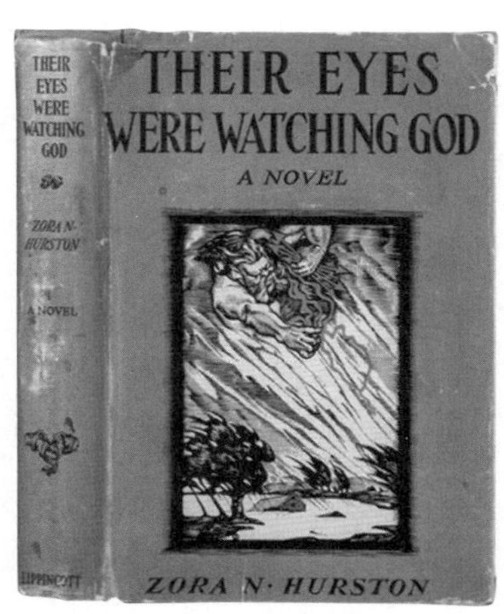

『그들의 눈은 신을 보고 있었다』 1937년 판본.

Courier)가 플로리다 주 라이브 오크에서 열린 루비 매컬럼의 재판을 취재하기 위해 허스턴을 파견했다. 그녀의 전기를 쓴 작가의 주장에 따르면, 허스턴은 무엇보다도 돈이 필요했기 때문에 이 일을 받아들였다. 그러나 이 범죄의 실상이 그녀의 마음을 사로잡은 것도 사실이었다.

흑인인 매컬럼은 백인인 C. 리로이 애덤스 박사를 살해한 혐의로 법정에 섰다. 그녀가 애덤스 박사를 살해했다는 사실에는 의심의 여지가 없었다. 매컬럼은 애덤스 박사의 병원에서 그의 환자 여러 명이 지켜보는 가운데 그에게 총을 쏘았다. 그러고는 집으로 돌아가 경찰이 체포하러 오기를 기다렸다. 법정에서 의문이 제기된 것은 그녀가 범죄를 저질렀는지 여부가 아니라 범행의 동기였다. 알고 보니 매컬럼의 남편이 운영하던 볼리타 제국(볼리타는 스페인의 복권 게임이다)과 애덤스 박사 사이에 모종의 관련이 있었다.

매컬럼의 네 자녀 중 한 명이 애덤스의 자식이라는 사실도 밝혀졌다. 법정에서 그녀는 애덤스가 자신을 상습적으로 강간했다고 주장했으나, 판사는 그 상황에 대한 상세한 설명을 허락하지 않았다. 1심에서 유죄판결을 받은 매컬럼은 2심에서 정신이상을 주장한 것이 받아들여져 정신병원에서 몇 년을 보내게 되었다.

허스턴이 참관할 수 있었던 것은 1심뿐이었다. 『피츠버그 쿠리어』의 편집자들은 그녀의 기사에 선정적인 제목을 붙여서 극적인 분위기를 짜냈지만, 그녀는 글에 뉘앙스와 예의를 담으려고 애썼다. 그녀는 기사에서 재판의 방청객들이 독수리 머리를 하고 "손에 불타는 칼을" 든 매컬럼의 영혼이 시내를 정처 없이 돌아다니는 환상을 보았다고 보도했다.[11] 매컬럼의 이야기를 할 때는 법정에서 오간 말들을 그대로 인용하면서 가끔 자신의 설명을 덧붙였다. 매컬럼이 진료비를 지불하기 싫어서 애덤스를 죽였다는 검사 측의 주장도 그대로 기사에 인용했다.

이런 방식으로는 독자의 흥미를 끌기가 힘들다. 하지만 허스턴은 때를 기다리고 있었던 것 같다. 재판이 끝난 뒤, 그녀는 매컬럼의 내면세계를 다룬 단편 같은 글을 썼다. 『피츠버그 쿠리어』에 10회에 걸쳐 연재된 이 글은 확실히 사실과 허구를 조합해서 용감하고 반항적인 매컬럼의 이야기를 들려주었다. 그녀는 궁극적으로 "백인 한 명과 유색인종 한 명, 도합 두 명의 강한 남자들의 삶과 운명을" 지배한 여성이었다. 이 이야기 속에서 매컬럼은 허스턴과 비슷하게 활기차고, 사랑을 갈망하고, 부정을 저지르는 남편 때문에 외로워하는 사람이었다. 허스턴은 이 재판에서 모종의 영향을 받아 사실과 허구를 하나로 조합하게 된 것 같다. 학자들은 허스턴이 예전에 『그들의 눈은 신을 보고 있었다』에 썼던 문장들을 이 글에 다시 쓰기도 했다고 지적한다.[12]

이 글이 허스턴의 글 중에서 최고의 작품은 아니지만, 확실히 활기가 넘친다. 그녀가 다른 환경에서 다른 삶을 살았다면, 나중에 뉴 저널리즘이라고 불리게 된 풍조, 즉 사실과 감정과 개인적인 경험을 모두 하나로 융합하는 풍조의 특징을 지닌 재판기사를 써낼 수 있었을 것이라고 짐작할 수 있다. 웨스트가 제대로 다루지 못한 그린빌 재판 같은 사건에도 허스턴이 같은 방식을 적용할 수 있었을 것이다. 그러나 『피츠버그 쿠리어』는 그녀에게 주기로 했던 원고료 800달러를 지불하지 않았다. 8년 뒤인 1961년에 익명의 존재로 세상을 떠난 그녀가 다시 살아난 것은 1980년대에 이르러서다. 허스턴의 글이 다시 널리 읽히게 된 데에는 흑인 페미니스트 작가인 앨리스 워커의 공이 크다. 그러나 오늘날 허스턴은 언론인보다 소설가로 여겨지고 있다.

북페어에 참석한 조라 닐 허스턴, 1937년 뉴욕.

Arendt

아렌트

1906.10.14. 1975.12.4.

4

"젊은 아렌트는
이미 무자비할 정도로
자신감이 넘치는 사람이었다."

한나 아렌트는 마흔 살을 넘긴 뒤에야 비로소 유명해졌다. 그녀를 대중적인 인물로 끌어올린 것은 전체주의 정치에 대한 정치이론을 담은 거의 500쪽 분량의 논문이었다. 위대한 사상을 담은 글이 대개 그렇듯이, 문장도 그리 쉽지 않았다. 따라서 그녀가 꿈 많은 젊은 여성으로서 글을 쓰기 시작했다는 사실을 잊어버리기 쉽다. 그녀는 수많은 시를 썼으며, 현란한 문장으로 자신을 묘사했다. "현실에 대한 두려움, 눈 먼 시선으로 모든 것을 무(無)로 돌려버리는, 무의미하고 근거 없고 공허한 두려움, 광기이자 무미함이자 고뇌이자 절멸인 두려움에 압도당했습니다."[1]

이것은 한나 아렌트가 자신의 스승이자 철학자인 마르틴 하이데거에게 보낸 편지에 실제로 나오는 문장이다. 1925년 봄에 대학을 떠나 집에 돌아와 있을 때의 일이었다. 두 사람은 함께 잠자리를 하는 사이였으며, 대단히 강렬했던 두 사람의 연애는 두 사람 모두에게 역사적인 결과를 낳았다. 그녀가 "자신을 보호하기 위한 3인칭"[2]으로 이 자전적인 글을 쓴 것은 두 사람의 관계가 채 1년도 되지 않았을 때였다. 아렌트는 이 글에 'Die Schatten', 즉 「그림자」라는 제목을 붙였는데, 이는 우울증을 노골적으로 암시하는 제목이었다. 20대 초반이던 한나 아렌트는 평생 아무것도 이룩하지 못할까 봐 몹시 걱정하고 있었다.

> 십중팔구 그녀는 올바른 해석이나 근거도 없이 한가로운 실험과 호기심으로 평생을 보내다가 마침내 오랫동안 열렬히 기다리던 죽음에 부지불식간에 붙잡힐 것입니다. 죽음은 그녀의 쓸모없는 활동에 멋대로 종지부를 찍겠지요.[3]

무의미한 삶과 갑작스러운 죽음은 아렌트의 삶에서 자주 등장하는 주제였다. 웨스트나 파커의 경우와 비슷하다. 아렌트는 프로이센의 도시인 쾨니히스베르크에서 부르주아 지식인 가정의 딸로 태어났다. 어머니는 의지가 강하고 피아노에 재능이 있는 주부였고, 아버지는 전기 기술자인 동시에 스스로 책에 코를 파묻고 그리스와 로마를 연구하는 아마추어 학자라고 자부했다.

아렌트는 아버지 파울 아렌트와 많은 시간을 보내지 못했다. 그가 결혼 전 젊은 시절에 매독에 걸린 탓이었다. 딸인 한나가 세 살이 되었을 때, 그의 상태는 이미 급격히 나빠지고 있었다. 그의 건강이 쇠약해진 과정을 자세히 살펴보면 기가 막힌다. 그는 가족들과 공원에 산책을 나갔다가 쓰러지곤 했다. 매독 말기에 나타나는 운동실조 증세 때문이었다. 한나가 다섯 살 때 파울은 병원 입원을 피할 수 없는 상태였다. 그는 2년 뒤인 1913년에 세상을 떠날 때까지 상태가 더욱 더 악화돼서 문병을 온 딸조차 알아보지 못했다. 그가 사망한 뒤, 아렌트는 아버지 이야기를 별로 입에 올리지 않았다. 그녀의 전기를 쓴 엘리자베스 영-브루엘에 따르면, 아렌트는 아버지가 아프다는 사실과 관련된 기억이라고는 어머니의 피아노 소리밖에 없다고 친구들에게 말했다고 한다. 어머니가 밤에 괴로워하는 아버지를 위로하려고 치는 피아노 소리였다.

아렌트의 어머니는 어떻게든 살아가는 수밖에 없었다. 그리고 아렌트가 십 대 소녀가 되었을 때 안정된 사업가와 재혼했다. 물질적인 면에서만 보면, 1차 세계대전 이후의 독일에서 혼자 몸이 된 유대인 여성이 딸과 함께 살아가기에 가장 좋은 환경이 마련된 셈이었다. 독일은 휘청거리며 바이마르 공화국 시대를 통과하고 있었다. 심각한 인플레이션, 예술적인 실험, 히틀러의 부상이 모두 이 시기에 일어났다. 하지만 아렌트의 삶은 힘들지 않았다. 아렌트는 반유대주의 분위기를 느끼지 못하게 어머니가 보호해주었다고 항상 주장했다. 교실에서 누군가가 반유대주의 발언을 하면, 어린 아렌트는 집에 돌아와 어머니 마르타에게 말했다. 그러면 마르타는 교사들에게 항의 편지를 써서 그런 일이 다시 발생하지 않게 했다. 아렌트가 『전체주의의 기원』(*Origins of Totalitarianism*)에 쓴 것처럼 반유대주의가 "영원하지" 않다고 믿은 이유는 이것이었음이 틀림없다.

「그림자」에서 하이데거에게 털어놓은 말과 달리, 다른 사람들이 보기에 젊은 아렌트는 이미 무자비할 정도로 자신감이 넘치는 사람이었다. 학교에서 그녀는 교사들과 말싸움을 피하지 않았다. 학교뿐만 아니라 집에서도 많은 공부를 할 수 있었기 때문에, 그것을 교사들에게 알리며 즐거워했다. 어느 날 어떤 교사의 말에 모욕감을 느낀(정확히 무슨 말이었는지는 역사 속으로 사라져버렸다) 아렌트는 그 교사에 대한 보이콧 운동을 주도하다가 학교에서 쫓겨나고 말았다. 그래서 주로 독학으로 대학입학 자격시험을 통과해야 했다.

청소년기가 끝나갈 무렵, 아렌트는 철학에 관심을 갖게 되었다. 특히 덴마크의 묵상적 실존주의자인 쇠렌 키르케고르의 글에 마음이 끌렸다. 키르케고르는 고뇌라는 개념, 즉 뭔가가 자신 및 세상과 심각하게 어긋나 있다는 감각을 처음으로 분명히 밝힌 사람 중 하나였다. 어쨌든 아렌트는 그의 글이 마음에 들었다. 그녀가 많은 시를 쓴 것도 이 시기다. 형편없는 시였지만, 나중에 그녀의 글을 주의 깊게 읽지 않은 사람들에게서 너무 차갑고 논리적이라고 비난받던 그녀의 가슴속에도 대단히 낭만적인 일면이 있었음을 증명해준다.

아, 죽음은 삶 속에 있어, 그래, 그래.
그러니 떠도는 나날이여, 내 도움을 받아주오.
난 사라지지 않아. 그대를 위한 증표로 내가
이 시와 불꽃을 남겨두리니.[4]

마르부르크 대학교의 하이데거 교수라는 사람이 엄청난 강의를 한다는 말을 예전 남자친구에게서 들은 아렌트는 그 대학에 들어가서 곧바로 하이데거의 수업에 수강신청을 했다. 1924년, 그녀가 열여덟 살 때의 일이었다. 하이데거는 아들이 둘 있는 서른다섯 살의 유부남이었다.

하이데거의 복잡한 철학사상을 짧게 설명하기는 힘들다. 아무튼 그는 차갑고 딱딱한 논리에 매진하던 선배 사상가들의 태도를 떨쳐버렸다. 대니얼 메이어-캐트킨이 쓴 것처럼, 하이데거는 "인간의 경험과 오성은 시에 내재된 감정과 기분의 영역에 가까이 놓여 있다"(아렌트의 마음에 강하게 와닿은 말이다)고 생각했다.[5] 하이데거는 강의에도 이런 태도를 적용했다. 누가 봐도 그의 강의는 단순한 정보 전달 이상의 것을 위해 설계된 독백이자 공연이었다. 캠퍼스를 떠돌아다니던 이야기에 대해 아렌트는 나중에 다음과 같이 썼다.

하이데거에 관한 소문은 그 점을 아주 단순하게 표현했다. 생각이 다시 살아났다는 것. 죽은 줄 알았던 과거의 문화적 보물들이 다시 목소리를 얻었고, 우리에게 이미 친숙하고 낡은 평범한 이야기를 하는 줄 알았던 그 보물들이 완전히 다른 제안을 내놓고 있음이 그 과정에서 밝혀졌다는 것. 가르쳐줄 사람이 있으니, 어쩌면 우리가 생각하는 법을 배울 수 있을지도 모르겠다.[6]

그녀가 여러 달 동안 이렇게 생각하는 법을 배운 뒤인 1925년 2월의 어느 날 수업이 끝나고 하이데거가 아렌트에게 다가와 무슨 책을 읽고 있느냐고 물었다. 이때 아렌트의 대답이 무척 귀엽고 매력적이었는지, 하이데거는 즉시 애정 어린 반응을 보였다. "난 영원히 널 내 사람이라 부를 수 없겠지만, 지금 이 순간부터 너는 내 삶에 속할 것이며 내 삶은 너와 함께 성장할 것이다."[7] 그렇게 시작되었다.

아렌트와 하이데거는 자신들의 관계를 보통 추상적으로 표현했다. 평생 생각을 업으로 삼은 사람들다웠다. 서로에 대한 사랑을 주제로 삼은 글에서 두 사람은 몹시 극적인 분위기뿐만 아니라, 아주 고상한 정신을 지닌 사람들 사이의 교류 같은 분위기까지 자아냈다. 웨스트와 웰스가 주고받은 연애편지와 달리, 이 두 사람의 편지에는 아기 같은 말투가 거의 등장하지 않았고, 애칭은 한 번도 사용되지 않았다. 대신 하이데거는(현재 그가 쓴 편지만 남아 있다) 다음과 같은 편지를 쓰곤 했다.

> 악마가 나를 공격했다. 네 사랑스러운 손과 빛나는 이마가 소리 없이 드리는 기도가 여자다운 모습으로 변해서 그것을 감쌌다. 내게는 처음 있는 일이었다.[8]

여자다운 변신이든 뭐든, 악마는 변덕스러웠다. 연애를 시작하고 3개월 뒤 하이데거는 뒷걸음쳤다. 그의 편지가 갑자기 냉담한 분위기를 띠었고, 그는 일이 몹시 바쁘다고 호소했다. 또한 언젠가 자신이 세상에 다시 관심을 가질 수 있게 될 때 그녀에게도 헌신하겠다는 미사여구를 곁들였다. 간단히 말해서, 그는 나이가 한참 어린 여자와 실수를 저질렀음을 깨달았지만 죄책감에 시달리면서도 나중에 그녀와 섹스를 할 수 있을지도 모른다는 가능성을 놓치고 싶지 않은 남자들의 행동을 그대로 하고 있었다.

하이데거를 지나치게 비난하지 않기 위해 밝히자면, 그의 말은 엄밀히 말해서 거짓이 아니었다. 아내가 시골 땅에 그를 위해 지어준 자그마한 작업실에서 그는 실제로 획기적인 걸작이 될 『존재와 시간』(*Being and Time*)을 쓰느라 땀을 흘리고 있었다. 그러나 그가 아렌트를 가볍게 털어버렸을 때는 집필을 마치기까지 아직 2년이 남아 있었고, 그는 그해 가을에도 여전히 강의를 할 계획이었다. 어쨌든 하이데거의 행동으로 아렌트는 그해 여름을 혼자 보냈다.

1925년 가을에 마르부르크로 돌아온 하이데거는 계속 아렌트를 피했다. 1926년 봄에는 대놓고 그녀를 멀리했다. 속이 상한 아렌트는 하이데거를 포기하는 길고 긴 작업을 시작했다. 평생 이어질 작업이었다. 그녀는 마르부르크를 떠나 카를 야스퍼스 밑에서 공부하기 시작했다. 하이데거와 계속 이야기를 나누기는 했으나, 주로 쓸쓸한 편지로 그와 연락할 수 있을 뿐이었다. 작은 마을의 기차역에서 몇 번 짧은 밀회를 갖기는 했다. 그러나 미리 정해둔 것보다 더 오랜 시간을 함께 보내는 일은 없었다.

이런 짧은 만남은 확실히 불만족스러웠는데도, 이 연애는 두 사람의 삶에서 모두 아주 중요한 사건이었다. 아렌트의 사상이 정립되는 데에 하이데거가 영향을 미쳤으니, 확실히 엄청난 의미였다고 할 수 있다. 그러나 아렌트가 그에게서 받아간 것은 직접적인 지시가 아니라 영감에 더 가까웠다. 그리고 이를 통해 그녀는 연구의 주제와 범위 면에서 자신의 길을 스스로 찾아나갔다. 하이데거는 철학자로 남았지만, 아렌트는 정치이론 쪽으로 넘어갔다. 하이데거는 독일에 남았지만, 아렌트는 떠났다. 2차 세계대전이 끝나고 두 사람이 마침내 다시 만났을 때, 아렌트는 막 유명한 사상가로 인정받기 직전이었다. 그리고 그녀에게 명성을 안겨준 연구, 특히 2차 세계대전 때 독일의 행동에 관한 연구는 하이데거의 논평이나 통제 없이 이루어진 것이었다.

독일에서 두 사람이 경험한 일은 서로 달라도 그렇게 다를 수가 없었다. 아렌트와의 연애가 끝나고 얼마 되지 않아 하이데거는 나치당에 들어갔다. 하이데거가 당원으로서 얼마나 진지했는지를 두고 지금까지 많은 논란이 이어지고 있지만, 그가 나치의 활동에 어느 정도 공감했음은 부인할 수 없다. 세상을 바라보는 나치의 시각에 깃든 낭만주의(서로 다른 민족들이 반드시 싸움을 벌여야 하는 상황이며, 선[善]은 독일민족에 속한다는 이념)가 그의 생각과 맞아 떨어진 것이 재앙이었다.

하이데거는 나치를 조용히 받아들이기만 한 것이 아니라 적극적으로 활동했다. 당에 들어간 직후 그는 대학에서 유대인들을 몰아내는 운동을 이끌기 시작했다. 심지어 자신의 스승인 에드문트 후설을 교수직에서 몰아내는 편지에 서명하기까지 했다(이와 관련해서 아렌트는 하이데거를 "잠재적인 살인자"[9]라고 불렀다). 이 덕분에 하이데거는 때로 '부역'으로 번역되는 나치의 글라이히샬퉁(Gleichschaltung)에서 선도적인 인물이 되었다. 이 단어는 시민단체 회원이든 지식인이든 가릴 것 없이 대부분의 독일인들이 나치의 방침을 따르게 만든 과정을 뜻한다.

나중에 아렌트는 글라이히샬퉁을 추상적으로 언급하면서 간단히 말했다. "적이 저지른 행동이 아니라 우리 편이 저지른 행동이 문제, 즉 인간적인 문제였다."[10] 그녀와 하이데거의 깊은 관계는 그녀가 세상을 떠난 뒤에야 세상에 널리 알려졌다. 그러나 그녀는 줄곧 그를 생각했음이 분명하다. 하이델베르크 대학에서 카를 야스퍼스의 지도로 아렌트는 「사랑과 성 아우구스티누스」(*Love and Saint Augustine*)라는 제목의 논문을 썼다. 그녀가 여기서 낭만적인 사랑이 아니라 이웃의 사랑에 관심을 보였다는 것은, 하이데거와의 관계에서 느낀 좌절감의 또 다른 표현일 수 있다. 아렌트는 치밀하고 어려운 이 논문을 1929년 초에 완성했다. 월스트리트의 주식시장이

붕괴하면서 대공황이 시작되고, 독일을 베르사유 조약에 얽매고 있던 전쟁배상 의무가 흔들리기 몇 달 전이었다. 히틀러는 나중에 이 경제적 재앙을 전리품으로 이용해 인기를 얻었으나, 아렌트가 박사학위를 받은 그 순간에는 아직 그렇게 높은 자리에 있지 않았다.

이때 아렌트는 베를린에 살고 있었다. 많은 사람들이 모욕으로 받아들이는 베르사유 조약 때문에 여전히 휘청거리고 있는 나라에서 미래를 설계하려고 애쓰는 젊은 졸업생들이 도시에 가득했다. 바이마르의 모든 사람과 마찬가지로 아렌트도 당시의 우울한 분위기와는 달리 반짝반짝 화려한 파티에 다녔다. 그중에서도 어느 날 베를린의 민족학 박물관에서 열린 모임이 운명적이었다. 가장무도회 형식을 띤 좌파 기금모금 모임인 이 자리에 아렌트는 "아랍의 하렘 여성"[11] 옷을 차려입고 참석했다. 1929년에 그런 의상이 어떤 모습이었을지 자세히 설명하고 싶지만, 어쨌든 그 의상이 효과가 있었던 것 같다. 아렌트는 이날 모임에서 오랫동안 연락이 끊겼던 과거의 동급생 군터 슈테른과 다시 만났다.

슈테른은 나중에 회고록에서 자신이 그녀를 유혹하기 위해 "후천적인 것, 즉 우연히 마주친 타인을 인생의 선험적인 것으로 바꿔놓는 행위가 바로 사랑"이라고 말했다고 썼다.[12] 상대가 다른 여자였다면 잘난 척하는 말로 들렸을지도 모른다. 아렌트에게는 자신과 슈테른의 관계에 감정뿐만 아니라 지적인 면도 포함되어 있다는 분명한 증거였다. 9월에 그녀는 슈테른과 결혼했다. 하지만 하이데거에게 결혼을 알리기 위해 쓴 편지에는 패배감이 드러나 있었다. 그녀는 아무리 불완전하더라도 안락한 가정을 갖고 싶어서 정착하기로 했다고 하이데거에게 말했다.

> 우리 사랑이 제 인생의 축복이 되었음을 제가 얼마나 마음 깊이 알고 있는지 잊지 마세요. 저의 이러한 생각은 흔들리지

않습니다. 심지어 오늘도.[13]

그녀가 이 편지를 쓴 것은, 하이데거가 나치를 지지한다는 사실을 아직 공개적으로 드러내기 전이었다.

결혼생활의 안락함은 확실히 효과가 있어서, 아렌트는 새로운 연구에 더욱 열성적으로 매달릴 수 있는 여유가 생겼다. 그녀가 당시 집필 중이던 책은 딱히 그녀의 내면을 다룬 것은 아니었지만, 그래도 그녀가 쓴 글 중에서 회고록과 가장 가까운 것이기는 했다. 어느 친구가 희귀본 서점에서 18세기 유대인 사교계 여성의 편지와 일기를 구해서 아렌트에게 주었다. 아렌트는 곧 이 일기의 주인인 라헬 판하겐에게 집착하기 시작했다. 이때 그녀가 쓰기 시작한 전기는 궁극적으로 그녀 본인의 철학을 서술한 책이자, 자신이 역할모델로 생각한 여성에게 경의를 바치는 책이었다. 그 시대의 의식 있는 여성들에 비해 독특하다고 할 만한 모습이다. 당시 대부분의 의식 있는 여성들은 자신이 같은 여성에게서 조금이라도 영향을 받았다는 사실을 잘 인정하지 않으려고 했다.

판하겐은 1771년에 베를린에서 부유한 상인의 딸로 태어났다. 정식 교육은 별로 많이 받지 않았지만 어렸을 때부터 다양한 생각에 관심이 많았던 그녀는 어른이 된 뒤 당대의 위대한 예술가들과 사상가들, 특히 주로 독일 낭만주의자들과 어울렸다. 살롱을 운영한 덕분에 독일의 지성사에서 중요 인물이 되기도 했다. 아렌트가 판하겐에게 그토록 열정적으로 끌린 것은, 판하겐 역시 유대인이지만 자신이 사는 사회에 깊이 동화되어 있었다는 점 때문이다. 하지만 판하겐은 자신이 유대인이라는 사실에 대해 다소 양면적인 태도를 보였다. 이런 측면에서 아렌트는 판하겐이 죽음을 앞두고 한 말이라고 남편이 기록해둔 말을 기억에 새겨두었다.

> 평생 내가 무엇보다 수치스럽게 생각했던 일, 내 인생의 불행이었던 일, 즉 유대인 여성으로 태어났다는 사실, 지금은 무슨 일이 있어도 이 일을 내 인생에서 빼버리고 싶은 생각이 없다.[14]

아렌트는 이 문장에 커다란 영향을 받은 나머지, 이것을 소재로 책을 쓰기 시작했다. 처음부터 영매를 연상시키는 책이었다. 아렌트는 판하겐을 "가장 친한 친구"라고 주저 없이 불렀으며, 약 25년 뒤인 1958년에 마침내 이 책을 출판하게 되었을 때 자신이 "전기치고는 보기 드문 각도"에서 이 책에 접근했다고 썼다. 사실 아렌트는 자신이 거의 형이상학적인 목적을 갖고 있었다고 말했다.

> 나는 라헬에 대한 책을 쓸 생각이 전혀 없었다. 저자가 외부에서 가져온 심리학적 기준과 범주에 따라 그녀의 성격은 다양하게 해석될 수 있었을 것이다. … 내가 관심을 가진 것은 라헬의 삶을 그녀 본인이 들려주듯이 서술하는 일뿐이었다.[15]

판하겐의 이야기를 "그녀 본인이 들려주듯이" 말할 수 있다는 주장은, 아렌트를 연구하는 학자인 세일라 벤하비브의 말처럼, "기가 막힌다".[16] 누군가의 서고에서 평생을 보내고도 그 사람의 내면을 끝내 이해하지 못할 수 있다. 아렌트도 이 점을 분명히 알았을 것이고, 라헬의 삶을 그녀의 시각에서 쓰려고 애쓰면서 직접 경험하기도 했을 것이다. 우선, 100년도 전에 죽은 사람의 목소리로 말하는 것은 완전히 불가능한 일이었다. 그러나 아렌트가 판하겐의 삶에 대해 느꼈던 감정적인 매력이 합리적인 생각을 가려버렸다. 그녀는 자신이 본받고 싶은 여성을 찾아냈다고 생각했고, 그녀의 이야기를 책으로 쓰는 것은 바로 그녀를 본받는 과정이었다.

아렌트가 판하겐에게 가장 흥미를 느낀 부분은, 판하겐이 남들과는 다르다는 점을 일종의 축복으로 만드는 방법을 찾아냈다는 점이었다. 아렌트는 특히 유대인이라는 정체성이 이 부분과 연결되어 있을 것이라고 보았다. 판하겐의 남편은 유대인이라는 신분을 넘어서고 싶어서 사회적으로 점점 높은 지위를 차지하려고 애썼다. 그러나 판하겐에게는 이 방법이 소용없었다. 아무래도 유대인이라는 사실을 지울 수 없을 것 같아서 그녀는 그 사실을 받아들이기로 했다. 만약 유대인이라는 이유로 그녀가 독일 사회에서 동떨어진 존재가 되었다 해도 그녀는 개성적인 시각을 얻었을 것이라고 아렌트는 결론지었다. 그리고 그 개성적인 시각은 궁극적으로 자기만의 가치를 지니고 있음을 증명했다. 다른 시각에서 세상을 바라보는 것은 단순히 시각의 문제가 아니었다. 때로는 세상을 더 또렷하게 보고 있다는 뜻이었다.

아렌트는 판하겐이 이렇게 해서 일종의 '주변인'(Pariah)이 되었다고 말한다. 하지만 지금 우리가 생각하는 부정적인 의미의 주변인이 아니었다. 아렌트가 나중에 다른 글에서 이 단어에 형용사를 붙여 "의식 있는 주변인"이라는 말을 쓴 것이 그 뜻을 더욱 분명히 밝혀주었다. 의식 있는 주변인이란 자신이 다른 사람들과 다르다는 사실을 알고, 적어도 다른 사람들이 보기에는 그 사실에서 결코 도망칠 수 없을 것처럼 보이리라는 점 또한 아는 사람이었다. 그러나 이 의식 있는 주변인은 자신만의 독특한 개성이 자신에게 무엇을 안겨주었는지도 잘 알고 있었다. 본능적인 공감능력, 직접 고통을 겪은 덕분에 타인의 고통 또한 예민하게 감지하는 능력 등이 그것이었다.

> 이러한 감수성은 모든 인간이 지닌 존엄성이 어둡게 과장된 모습, 특권층은 알지 못하는 열정적인 공감이다. 천민의 인간성을

구성하는 것이 바로 이 열정적인 공감이다. 특권, 타고난 신분의 자부심, 작위를 가진 자의 오만함을 바탕으로 삼은 사회에서 주변인은 이성이 깨어나 인간의 존엄성을 도덕의 기초로 놓기 훨씬 전에 본능적으로 일반적인 인간의 존엄성을 발견한다.[17]

아렌트는 대개 유대인의 독특함을 말할 때에만 '주변인'이라는 단어를 제한적으로 사용했지만, 이 모델이 폭넓게 적용될 수 있음을 알고 있다는 기색을 내비쳤다. 아렌트가 여기서 주변인의 역할 모델로 여성을 선택한 것은 우연이 아닌 듯하다. 그러나 아렌트 본인은 그 점이 많은 차이를 불러왔다는 지적을 부정하면서, 같은 여성이라는 사실보다는 판하겐 역시 유대인이었다는 사실이 훨씬 더 강력하게 유대감을 만들어냈다고 말했을 것이다. 그러나 아렌트가 판하겐과 관련해서 깨달은 많은 것이 비유를 통해 확장될 수 있었고, 아렌트 본인도 이 사실을 어느 정도는 알고 있었다. 1950년대에 마침내 출판된 판하겐의 전기 서문에서 아렌트는 다음과 같이 썼다.

현대의 독자들은 라헬이 아름답지도, 매력적이지도 않았으며, 그녀가 어떤 식으로든 연인관계를 맺었던 남자들이 모두 그녀보다 나이가 아래였고, 그녀에게는 뛰어난 지성과 열정적인 독창성을 발휘할 만한 재주가 전혀 없었으며, 그녀가 전형적인 '낭만적' 성격이었다는 사실을 거의 예외 없이 즉각 알아차릴 것이다. 여성문제, 즉 남성이 '일반적으로' 여성에게 기대하는 것과 여성이 남성에게 줄 수 있는 것이나 스스로 원하는 것 사이의 간극이 그 시대의 조건에 따라 이미 확립되어 사실상 결코 닫히지 않는 틈새의 형태로 나타난다는 점도 마찬가지다.[18]

한나 아렌트와 페미니즘의 관계를 생각하면 놀라운 문장들이다.

아렌트는 여성운동이나 페미니즘의 주장에 전혀 관심이 없었다. 그녀의 직업적인 동료들은 주로 남자였고, 그녀는 남성이 대부분인 지식인 동료들 사이에서 소속감을 놓고 고민한 적이 별로 없었다. 가부장제를 심각한 문제로 생각하지도 않았다. 사실 말년에 누군가가 여성해방에 관한 질문을 던지자 아렌트는 "여성문제"를 크게 생각한 적이 한 번도 없다고 말했다. "나는 여성에게 적절하지 않고 어울리지 않는 직업이 존재한다고 항상 생각했다."

> 여자가 지시를 내리는 것은 그 자체로서 보기 좋은 광경이 아니다. 여성적인 모습을 유지하고 싶다면, 그런 상황에 발을 들이지 않게 주의해야 한다. 이것이 옳은 생각인지 아닌지 나는 잘 모르겠다. … 그 문제 자체가 내 인생에서 아무런 역할도 하지 않았다. 간단히 말해서, 나는 항상 내가 좋아하는 일을 했다.[19]

이런 식의 자기모순적인 답변 때문에, 아렌트가 여성을 위해 조용히 애쓴 사람이었다거나 양성평등을 옹호한 사람이었다고 소급해서 인정해줄 여지가 별로 없다.

하지만 그녀는 사람이 하고 싶은 일을 하며 살아야 한다고 생각했다. 그녀 본인도 예를 들어 키르케고르의 전기를 쓰는 대신, 어떤 여성에 대한 집착을 계기로 첫 활동을 시작했다. "아름답지도, 매력적이지도" 않았지만, 그럼에도 "뛰어난 지성과 열정적인 독창성"을 지닌 여성이었다. 또한 사회에서 아웃사이더였지만, 그것이 극복하기 힘든 장애라기보다는 오히려 노력하면 힘을 얻을 수 있는 원천으로 작용한 사례이기도 했다. 일부 학자들의 추측처럼, 아렌트가 여성에 대한 차별을 전혀 보지 못한 것은 그녀의 시대에 유대인이라는 지위가 훨씬 더 노골적인 표적이 되었기 때문일 수 있다. 여성에 대한 적대감은 나치의 반유대주의보다 훨씬 더 옅게 널리 퍼져

PUBLICATIONS OF THE
LEO BAECK INSTITUTE
OF JEWS FROM GERMANY

RAHEL
VARNHAGEN

The Life of a Jewess

by

HANNAH ARENDT

Rahel Levin, the daughter of a Jewish merchant of Berlin, had a lasting influence on the Romantic movement in Germany. She knew Goethe and Heine, Schleiermacher and Fichte, Chamisso and Brentano, and many other great men of the period. Her fatal error was to believe that she could make a work of art of her own life. But her personality remains highly interesting and is here revealed with deep insight.

PUBLISHED FOR THE INSTITUTE BY THE
EAST AND WEST LIBRARY
LONDON

『라헬 판하겐』 1957년 초판본.

있었다.

아렌트가 여전히 판하겐의 전기에 매달려 있던 1933년에 독일 의회 의사당이 불에 타서 무너졌다. 방화로 인한 화재였으나, 범인이 누구인지는 지금도 논란거리다. 어쨌든 당시 젊은 공산주의자가 체포되어 재판을 받기는 했다. 그리고 그 뒤에 이어진 혼란 역시 독일 좌파의 책임이 되었다. 겨우 한 달쯤 전에 총리로 취임한 히틀러는 이 혼란을 핑계로 비상사태에 휘두를 수 있는 권한을 손에 넣었다. 아렌트의 남편인 군터 슈테른은 나치에 반대하는 세력에 깊이 뿌리를 두고 있었으므로 즉시 파리로 떠났다. 그러나 아렌트는 독일에 남았다.

그녀가 히틀러 정권의 위험을 몰랐던 것은 아니다. 사실 그녀는 의사당 화재가 "즉각적인 충격"[20]이었다고 말했다. 그 일로 인해 자신이 더 이상은 "구경꾼"으로 남아 있을 수 없을 것 같다는 생각이 들었다는 것이다. 옛 친구들과 지인들이 차츰 나치의 영향력 아래로 들어가고 있다는 사실은 그녀도 분명히 알고 있었을 것이다. 1932년 가을에 아렌트는 떠돌아다니는 소문을 듣고 하이데거에게 새로운 정치관에 대해 묻는 편지를 보냈다. 특히 남편과 그의 친구들에게서 들은, 그가 반유대주의자가 되었다는 소문이 관심의 대상이었다. 하이데거의 답장은, 아무리 좋게 말한다 해도, 까다롭게 화를 내는 어조였다. 그는 최근에 자신이 도와준 유대인 학생들을 모두 열거한 뒤 다음과 같은 말을 덧붙였다.

> 누구든 이것을 가리켜 '날뛰는 반유대주의'라고 말하고 싶다면 그러라지. 이것을 제외하면, 나는 대학 내의 문제들에서 반유대주의와 관련해 10년 전 마르부르크에 있을 때와 똑같은 태도를 취하고 있다. … 많은 유대인과 나의 개인적인 관계와는 아무 상관이 없어.

특히 무엇보다도 너와 나의 관계에는 결코 영향을 미칠 수 없을 것이다.[21]

하지만 실제로는 두 사람의 관계에 영향을 미쳤다. 이 편지를 마지막으로 두 사람은 10년이 넘도록 편지를 주고받지 않았다.

의사당 화재로부터 몇 달 뒤, 아렌트는 판하겐의 글이 소장되어 있는 도서관에서 반유대주의적인 내용이 들어간 소논문들을 은밀히 찾아달라는 요청을 받아들였다. 그녀가 찾아낸 반유대주의 주장들은 해외에서 시온주의 운동을 벌이고 있는 친구들이 사용할 예정이었다. 그러나 며칠도 되지 않아 아렌트의 행동이 발각되어 당국에 신고가 들어갔다. 그녀는 어머니와 함께 체포되어 며칠 동안 감옥에 있었으나, 그녀를 체포한 장교가 그녀에게 호감을 품다 못해 실제로 추파를 던지기까지 했다. "당신을 어떻게 해야 할까요?"[22] 결국 그 장교는 아렌트를 풀어주었다. 대단한 행운이었다. 심문 때 그녀는 거짓말로 둘러대며, 함께 일하는 사람들이 누군지 밝히지 않았다.

그러나 그 일 이후 이제는 독일에 머무를 수 없다는 사실을 분명히 깨달았다. 처음에 아렌트는 어머니 마르타와 함께 프라하로 갔다. 거기서 마르타는 쾨니히스베르크로 갔고, 아렌트는 파리로 갔다. 판하겐 전기의 원고도 짐 속에 들어 있었다. 하지만 먹구름이 그녀를 따라왔다. 나치가 얼마나 큰 재앙인지 그녀도 점차 확실히 알 수 있었다. 베를린에서 그녀가 알고 지내던 지식인들이 점차 나치 정권에 협력하기 시작했고, 하이데거는 대학 총장의 자리에 앉아 나치 기장을 달고 다녔다. 잠깐이나마 히틀러를 만나려고 애쓰기까지 했다. 아렌트는 이 모든 일을 알고 있었다.

그래서 아렌트는 속으로 이런 생각을 했다. "지식인들과 관련된 일에 다시는 발을 담그지 않겠다."[23] 모두 알다시피, 지식인들과 멀어지겠다는 그녀의 계획은 제대로 풀리지 않았지만, 배신감은 영원히 흔적을 남겼다. 이제는 정신적인 삶을 구원으로 볼 수 없었다. 위대한 정신을 지닌 사람들조차 형편없는 판단을 내리기 쉽다는 것을 알기 때문이었다. 그들도 순식간에 상식을 내동댕이칠 수 있었다.

"사람이 모든 것에 대해 이런저런 주장을 꾸며내는 것은 지식인의 정수에 속하는 일이라고 지금도 생각한다." 아렌트는 세상을 떠나기 2년쯤 전에 어떤 인터뷰에서 이렇게 말했다. 그것이 나쁜 일이라고 생각한다는 뜻이었다. "지금 보면, 그들은 자신의 생각에 발목이 붙들려 있었던 것 같다. 그렇게 된 것이다." 하이데거 같은 지식인들이 나치에 합류한 것은 적극적인 전략적 선택이 아니었다. 단순히 살아남기 위한 선택이 아니었다. 그들은 당의 주장과 자신을 일치시키며 자신의 행동을 합리화했다. 자신이 열렬히 신봉하지 않는 주장에 동조하는 것은 그들에게 저주와도 같은 일이었기 때문이다. 그렇게 합리화하다 보니 그들 자신도 나치가 되어버렸다.

1933년에 파리에 도착한 아렌트는 조국뿐만 아니라 철학자라는 직업에도 이별을 고했다. 프랑스에서 지내는 8년 동안 그녀는 글을 거의 한 자도 발표하지 않은 채 판하겐 원고만 마무리했다. 그것도 순전히 친구들이 옆에서 다그쳤기 때문이다. 아렌트는 글을 쓰는 대신 다른 일을 하기로 하고, 파리에서 점점 늘어나고 있는 유대인 이주민들을 돕는 여러 자선단체에서 행정 일을 맡았다. 펜대를 굴리며 비교적 관료적인 절차를 따르는 이 일은 편안했을 뿐만 아니라 그녀가 해낼 수 있는 일이었으며, 예전에 "정신적인 삶"을 추구할 때처럼 실망감을 느낄 염려도 없었다.

아렌트는 파리에서 군터 슈테른과 잠시 다시 만났지만, 그는 엄청나게 복잡한 소설(그는 끝내 이 작품을 발표하지 못했다)을 쓰는 일에 빠져 있었기 때문에 곧 결혼생활이 무너져내렸다. 1936년에 아렌트는 하인리히 블뤼허라는 남자를 만났다. 사교적인 독일 공산주의자인 그는 공산주의 운동에 깊숙이 뿌리를 내리고 있어서 파리에서는 가명을 사용하며 살고 있었다.

엄청나게 남성적으로 보였음이 분명한 블뤼허를 낭만적으로 포장하고 싶다는 유혹이 느껴진다. 아렌트의 전기를 쓴 많은 작가들은 실제로 이 유혹에 무릎을 꿇었다. 블뤼허는 슈테른이나 하이데거보다 몸집이 컸으며, 목소리도 크고 잘 웃는 사람이었다. 정치에 오래 관여한 탓에 처세에도 능했다. 그러면서도 아렌트가 파트너에게 바라는 대로, 그녀와 지적인 대결을 할 수 있는 능력을 갖추고 있었다. 그는 편지뿐만이 아니라 평범한 저녁식사 때의 대화에서도 철학과 역사에 관해 강력한 의견을 피력하곤 했다. 아렌트에게 보낸 편지 중 특히 기억에 남을 만한 편지에서 그는 먼저 어머니를 잃은 아렌트를 위로한 뒤, 철학자들이 추상적인 진리에 대해 갖고 있는 충성심을 본격적으로 논박하고 나섰다.

> 마르크스는 그저 존재의 천국을 온 지구상에 퍼뜨리고 싶어 했을 뿐입니다. 그보다 못한 이론가들이 모두 그러했던 것처럼. 그렇게 해서 우리는 모두 피와 연기의 구름에 잠겨 숨이 막혀 죽기 직전까지 왔습니다. … 키르케고르는 떨어진 벽돌을 주워 좁은 동굴을 짓고, 거기에 괴물 같은 본질을 지닌 신과 자신의 도덕적 자아를 함께 가둬버렸습니다. 이에 대해 우리가 할 수 있는 말은 이것뿐입니다. "뭐, 행운을 빕니다. 정말 고마워요."[24]

넉살 좋고 뻔뻔스러운 문체에 드러나 있듯이, 블뤼허는 하이데거나 슈테른 같은 학자가 아니었다. 독서는 많이 했지만, 따로 깊이 있는 교육을 받지는 않았다. 문학적인 포부가 있으면서도 직접 책을 쓰지도 않았다. 그는 평생 글이 잘 써지지 않는다고 투덜거렸지만, 편지에는 그 증상이 해당되지 않았던 것 같다. 그는 지적이고 점잖은 학자의 삶을 거부했는데, 이 점이 아렌트의 마음에 든 것으로 보인다. 블뤼허를 만난 지 10년 뒤 카를 야스퍼스에게 쓴 편지에서 아렌트는 남편(두 사람은 1940년에 결혼했다. 블뤼허가 유럽을 떠나기 위해 서류가 필요하다는 것이 결혼의 이유 중 하나였다) 덕분에 "정치적 시각과 역사적 관점"을 갖게 되었다고 인정했다. 그녀는 그가 현실 속에서 살고 일하는 사람이라는 점을 좋아했다. 하이데거는 확실히 현실에 별로 관심이 없는 사람이었다.

친구인 시인 랜덜 재럴은 두 사람을 "공동 국왕"[25]이라고 불렀다. 두 사람이 왕처럼 군다는 뜻이라기보다는(원한다면 그럴 수도 있었다) 블뤼허-아렌트의 관계가 토론을 통해 대단히 강해진다는 뜻이었다. 둘 중 누구도 상대를 지배하지 않는 것 같았지만, 미국에서 살 때 아렌트가 자주 생계를 책임지기는 했다. 두 사람의 결혼생활은 일종의 자연스러운 평등을 바탕으로 하고 있었으며, 블뤼허가 가끔 바람을 피웠는데도 이 균형은 대체로 흔들리지 않았다.

파리에서 여러 작가 및 사상가와 함께 시간을 보내는 것이 아렌트에게는 좋은 영향을 미쳤다. 여러 사람과 함께 생각하는 편이 더 편안하다는 것을 알게 되었기 때문이다. 그녀는 자신처럼 독일에서 도망쳐 온 발터 베냐민과 친구가 되었다. 베냐민은 당시 비평가로서 별 볼 일이 없는 편이었기 때문에 글을 발표할 지면을 구하지 못해 애를 먹고 있었다. 그는 편집자들과 싸움을 벌이다가 마지못해 간신히 그들의 요구를 받아들이곤 했다. 부유한 가문 출신인 베냐민은 고전적인 낭만주의자였으며, 직업적인 포부를 눈에 띄게 드러내는 것을 상당히 천박하다고 생각했다. 아버지가 지원을 대체로 끊어버렸는데도, 그는 결국 궁핍한 생활로 이어질 길을 고집스럽게 추구했다. 아렌트는 작가가 되겠다는 베냐민의 결정을 되돌아보며 다음과 같이 말했다.

> 그런 삶은 독일에서 잘 알려지지 않은 것이며, 베냐민이 단순히 먹고살아야 한다는 이유만으로 거기서 파생시킨 직업 또한 거의 그만큼이나 낯설었다. 자기 이름으로 된 두툼한 책을 정해진 기준만큼 여러 권 펴낸 역사 저술가 겸 학자라는 직업이 아니라, 비평가 겸 수필가의 삶이라니. 돈을 받고 글을 쓰는 처지가 아니라면, 에세이라는 형식조차 지나치게 천박할 정도로 광범위하다며 그보다는 금언을 더 선호할 사람이면서.[26]

베냐민은 아렌트에게 판하겐 원고를 끝까지 써야 한다고 주장한 친구들 중 한 명이었다. "그 책이 내게 깊은 인상을 남겼네."[27] 그는 1939년에 친구 게르숌 숄렘에게 쓴 편지에서 이 원고를 추천하며 이렇게 썼다. "뭔가를 가르치려는 태도와 사과하는 태도가 공존하는 유대학의 물결을 거스르며 강한 힘으로 헤엄치고 있어." 아렌트도 베냐민의 일을 돕고 싶은 마음이 있어서, 숄렘에게 보낸 편지에 다음과 같이 썼다. "벤지가 무척 걱정스럽습니다. 여기서 그를 위해 뭐든 마련해보려고 했는데 완전히 실패했습니다. 하지만 그가 장차 내놓을 작품을 위해 생계를 해결할 방편을 만들어주는 것이 아주 중요하다고 그 어느 때보다 확신하고 있습니다."[28]

베냐민은 언제나 아렌트보다 더 세속적이지 못한 사람이었다. 그와 현실을 연결해주는 끈은 가늘기 그지없었다. 그러나 아렌트는 나중에 쓴 글에서, 계속 지켜나갈 가치가 있는 정치적 원칙 같은 것이 그의 초연함 속에 숨어 있었다고 말했다. 그녀는 그의 '작가' 생활방식과 이제는 경멸하게 된 '지식인들'의 생활방식을 다음과 같이 구분했다.

> 전문가나 관리로서 국가에 자신의 지식을 제공하거나 유희와 교육을 위해 사회에 지식을 제공하는 지식인 계급과 달리,

작가는 국가와 사회에 대해 항상 초연한 태도를 유지하려고 애썼다.[29]

1930년대 말과 1940년대 초의 유럽에서 국가는 거리를 두어야 하는 대상이었다. 반유대주의 선전이 프랑스에서 열광적인 수준에 이르고, 동쪽에서 밀려오는 나치의 압박 때문에 프랑스 전체가 무너지기 시작했다. 1939년 말에 블뤼허는 프랑스 남부의 수용소에 갇혔다가, 영향력 있는 친구 덕분에 몇 달 뒤에야 간신히 석방되었다. 1940년에는 아렌트도 스페인과 프랑스 국경 근처 귀르에 있는 수용소에 갇혔다. 그녀는 프랑스가 독일에게 항복하고, 귀르 같은 유대인 수용소들이 해체될 때까지 한 달 동안 그곳에 있었다. 그녀는 마침내 블뤼허를 다시 만나 함께 미국 비자를 받고 1941년 5월에 뉴욕에 도착했다.

한편 발터 베냐민도 불길한 분위기를 감지하고, 1940년 가을에 미국으로 가는 배를 타기 위해 먼저 리스본으로 갈 계획을 세웠다. 리스본에 가기 위해서는 스페인을 통과해야 했으나, 마르세유에 살고 있던 다른 피난민 몇 명과 함께 스페인 국경에 도착했을 때 바로 그 날 그들처럼 "국적이 없는" 사람들이 국경을 넘을 수 없게 되었다는 소식을 들었다. 결국은 그들이 수용소에 갇히게 될 가능성이 높아졌다는 뜻이었다. 그날 밤 베냐민은 모르핀을 대량으로 섭취하고, 의식을 잃기 전에 일행에게 유서를 전했다. 이 길밖에는 탈출구가 보이지 않는다는 말이 거기에 적혀 있었다.

아렌트는 그 뒤에 일어난 일들을 비교적 일찍 알게 되었다. 그리고 나중에 슬픔이 담긴 긴 글에서 그의 '불운'에 대해 이야기했다.

하루만 빨랐다면 베냐민은 아무 문제 없이 국경을 통과했을 것이다. 하루만 늦었다면 마르세유 사람들이 당분간은 스페인으로 넘어갈 수 없다는 사실을 미리 알았을 것이다. 그런 재앙이 가능했던 것은 딱 그날뿐이었다.[30]

이것은 베냐민의 운명을 지적으로 한탄한 글이었다. 그 비극을 이성적으로 분석하며, 감정적으로 어느 정도 거리를 둔 것처럼 보이는 글. 그러나 아렌트는 베냐민이 겪은 일에 대해 그렇게 초연하지 않았다. 프랑스를 벗어나는 길에 아렌트는 친구의 무덤을 찾아보기 위해 일부러 도중에 걸음을 멈췄다. 하지만 그녀가 찾아낸 것은 공동묘지뿐이었다. 그녀는 숄렘에게 다음과 같이 썼다.

> 지중해를 직접 굽어보는 작은 만에 면해 있습니다. 계단 모양의 언덕에 바위를 깎아 만든 묘지인데, 관을 암벽 안으로 밀어 넣는 형태입니다. 그렇게 환상적이고 아름다운 곳은 처음 보았습니다.[31]

베냐민은 마르세유를 떠나기 직전에 아렌트와 블뤼허에게 자신의 원고 뭉치를 주었다. 만약 자신이 무사히 뉴욕에 도착하지 못하는 경우, 그녀가 뉴욕의 친구들에게 원고를 대신 전해주었으면 하는 마음에서였다. 아렌트와 블뤼허 부부는 미국으로 가는 배에서 그 원고 뭉치 중 「역사의 개념에 관하여」(Theses on the Philosophy of History)를 서로에게 소리 내어 읽어주었다. "잘 생각해보면, 우리 삶의 행로가 우리에게 할당해준 시대의 색으로 행복의 이미지가 철저히 채색되어 있음을 알 수 있다." 이 글은 다음과 같이 계속 이어졌다.

> 우리에게 시기심을 불러일으킬 수 있는 행복은 우리가 호흡한 공기, 우리가 이야기할 수 있었던 사람, 우리에게 자신을 내어줄

> 수도 있었던 여자들 속에만 존재한다. 다시 말해서, 행복의 이미지는 구원의 이미지와 불가분의 관계로 묶여 있다.[32]

그러나 두 사람이 미국행 배에 올랐을 때는, 유럽 전역에서 날뛰고 있는 전쟁이 구원의 여지를 거의 남겨두지 않을 것임을 이미 분명히 알 수 있었다. 그들에게 친숙하던 과거의 독일을 포함해서, 그들을 지금의 모습으로 만들어준 것들이 거의 모두 사라져버린 뒤였다.

뉴욕에서의 삶은 쉽지 않았다. 아렌트와 블뤼허(나중에 아렌트의 어머니도 합류했다)는 하숙집의 낡아빠진 방 두 개를 빌려 함께 살았다. 주방은 다른 하숙인들과 공동으로 사용했다. 블뤼허는 여러 임시직들을 전전했는데, 가장 먼저 취직한 공장에서는 한 번도 해본 적이 없는 일을 했다. 아렌트는 먼저 매사추세츠의 어떤 집에서 영어를 배운 뒤 다시 글을 써서 돈을 벌기 시작했다. 『아우프바우』(*Aufbau*)라는 소규모 독일어 신문과 미국으로 이주해 온 유대인들을 대상으로 하는 정기간행물이 그녀의 주요 무대였다. 베냐민의 원고는 그의 친구인 테오도어 아도르노에게 보냈다. 그도 뉴욕에 와 있었다. 하지만 즉각 어떤 결과가 나오지는 않았다. 그 원고들을 출판할 계획이 전혀 없는 것 같았다.

당시 아렌트가 쓴 글들은 학술논문과 현대적인 신문 사설의 중간쯤 된다. 대부분 문체가 뻣뻣하고, 같은 테마가 지겨울 정도로 반복되었다. 이 글들을 순서대로 읽다 보면, 감동을 느끼기보다는 장광설을 듣고 있는 것 같은 느낌이 든다. 하지만 그중에도 눈에 띄는 글이 하나 있다. 1943년에 『메노라 저널』(*Menorah Journal*)에 기고한 「우리 피난민들」(We Refugees)이라는 글이다. 이 글은 처음부터 영어로 발표되었다. 어쩌면 그래서 문체가 단순했던 것인지도 모른다. 이때 아렌트는 영어를 배운 지 겨우 2년째였다.

그러나 영어가 서투른 탓에 어쩔 수 없이 장식을 모두

제거해버린 문체는 애잔하면서도 논쟁적인 글을 쓰려는 그녀의 목적에 잘 맞았다. "애당초 우리는 '피난민'이라고 불리는 것이 싫다."[33] 아렌트는 그들이 유럽에서 겪은 일들 때문에 너무나 기가 죽어서 이런 생각을 억누르고 있다고 설명했다. 이곳의 분위기로 인해 피난민들은 멍한 상태로 돌아다니며, 자신의 고민거리에 대해 솔직하게 말하지 못한다. 그들이 겪은 '지옥'에 대해 듣고 싶어 하는 사람이 없기 때문이다.

> 현대 역사가 새로운 종류의 인간들을 만들어냈다는 사실을 아무도 알고 싶어 하지 않는 것 같다. 이 새로운 인간들은 적의 손에 강제수용소에 갇히고, 친구의 손에 수용소에 억류된다.

불편한 주제를 과감히 다루는 것을 두려워하는 법이 없는 아렌트는 피난민 사이의 높은 자살률에 대해서도 비판적이었으나, 자살을 선택한 사람들에게는 그리 비판적으로 굴지 않았다. "그들은 조용하고 조심스러운 방식으로 사라졌다. 자신의 개인적인 고민을 해결하는 방법으로 폭력적인 수단을 택한 것에 대해 미안하다고 사과하는 것 같다."[34] 그녀는 그럴 필요가 없다고 보았다. 나치가 불러온 정치적 재앙은 물론 심지어 미국의 반유대주의도 그들에게 자살의 논리를 제공해주었기 때문이다. "파리에서는 8시 이후에 집 밖으로 나갈 수 없었다. 우리가 유대인이기 때문에. 그러나 로스앤젤레스에서는 우리가 '적대적인 외국인'이기 때문에 행동에 제약을 받는다."

아렌트가 서른일곱 살 때 쓴 이 글은 그녀가 솔직한 논쟁에 재능이 있음을 처음으로 보여주었다. 대중을 위한 글이 유용하다는 생각을 받아들이는 데에 이만큼 오랜 시간이 걸린 것이다. 그녀는 유대인들에게 "의식 있는 주변인"이 되라고 촉구하는 말로 글을 마무리한다. 라헬 판하겐이 생각나는 말이다. 아렌트는 나중에 쓴 다른 에세이에서도 하이네, 숄렘 알라이헴, 베르나르 라자르, 프란츠 카프카, "또는 심지어 찰리 채플린" 등 여러 사례를 들었다. 그들의 상황을 부정해서 자살로 이끄는 이 상황에서 벗어나는 길이 그것뿐이었기 때문이다.

> 진실을 말해야 한다고, 심지어 '꼴사나움'을 무릅쓰고라도 그렇게 해야 한다고 주장하는 소수의 피난민은 사람들에게 환영받지 못하는 대신에 가치를 헤아릴 수 없는 이점을 하나 얻는다. 그들에게 이제 역사는 끝난 일이 아니고, 정치는 이제 비(非)유대인들의 특권이 아니라는 것.

이런 글들 덕분에 아렌트는 뉴욕의 좌파 성향 출판인들의 주목을 받게 되었다. 나중에 그녀의 활동에 가장 핵심적인 역할을 한 것은 『파티전 리뷰』(*Partisan Review*)라는 간행물을 중심으로 모인, 소수의 겉늙은 전직 공산주의자들과 비평가들이었다.

대부분의 사람들은 이 잡지를 잘 모를 것이다. 이 잡지가 미친 영향도 잘 알려져 있지 않다. 그러나 20세기 중반에 살았거나 태어난 소수의 영향력 있는 미국인들에게 『파티전 리뷰』는 뉴욕의 지식인 세계에서 벌어지는 바람직하고 화려한 모든 일의 상징 같은 존재였다. 원래 공산주의자인 존 리드 및 그의 주변인물들과 함께 연상되던 잡지가 탈바꿈해서 새로 태어난 『파티전 리뷰』의 조종간은 그 원래 잡지에서 반란을 일으킨 편집자 필립 라브와 윌리엄 필립스가 잡았다.

당시 미국 공산당은 여러 파벌로 쪼개지고 있었다. 한 파벌은 공산주의 실험의 성공을 위해 무슨 대가를 치르더라도 소련에 대한 신의를 지켜야 한다고 믿었다. 또 다른 파벌은 소련에 대해, 특히 스탈린과 그의 개인숭배에 대해 회의적인 태도를 취했다. 라브와 필립스는 후자에 속했다. 그들이 좌파의 원칙을 버린 것은 아니었다. 당의 교조적인 방침을 따르기가 내키지 않을 뿐이었다. 이를테면 공산주의 운동의 의식 있는 주변인인 셈이었다. 아렌트는 이미 파시즘과 그 뿌리의 분석에 관심이 있었으므로, 그들과 곧장 죽이 맞았다.

그러나 『파티전 리뷰』는 점차 발전하면서 정치잡지라기보다는 문예잡지로 더 유명해졌다. 1944년 가을에 발표된 아렌트의 첫 기고문은 카프카에 관한 에세이였다. 이 잡지가 앞에 내세운 여성필자는 아렌트 외에도 더 있었다. 단편작가 진 스태포드, 시인 엘리자베스 비숍이 필진에 합류했다. 그러나 어렵고 지적인 글을 쓰는 사람은 그녀가 유일했다.

그녀가 초창기에 쓴 글에는 외국어로 글을 쓸 때 나타나는 실수들이 모두 드러나 있다. 블뤼허는 그녀에게 보낸 편지에서 "스트라디바리우스"(보통 명장 안토니오 스트라디바라가 만든 현악기를 말한다 — 편집자)를 버리고 "술집 바이올린"을 잡았다고 표현했다.[35] 그녀가 당시 미국 좌파의 선도적인 잡지 중 하나인 『네이션』(*Nation*)에 쓴 글을 보면 이 점이 더욱 더 또렷이 드러난다. 이 잡지의 편집자이자 친구인 랜덜 재럴은 아렌트가 미국인에게 쉽게 읽히는 글을 쓸 수 있게 도와주었다. 그의 도움이 미친 영향은 글에 즉시 드러났다. 1946년에 아렌트는 『네이션』과 『파티전 리뷰』에 모두 실존주의에 관한 글을 썼다. 그러나 재럴이 편집한 글만이 독자의 시선을 끄는 문장으로 시작되었다. "철학 강의 하나가 난리를 일으켰다. 수백 명이 강의실을 가득 채우고, 수천 명이 발길을 돌려야 했다."[36] 그는 그녀가 글을 '영어화'할 때 가장 자주 의지하는 친구가 되었다.

한편 실존주의와 관련해서, 아렌트는 파리에 있을 때 장-폴 사르트르와 조금 아는 사이였다. 그녀는 사르트르의 『구토』(*La nausee*)와 알베르 카뮈의 『이방인』(*L'étranger*)에 깊은 인상을 받았다고 분명히 밝혔다. 그러나 다른 모든 지식인에 대해 약간 회의를 품고 있는 것과 마찬가지로, 이 두 사람에 대해서도, 그리고 "상징적으로 말해서, 호텔 방과 카페를 벗어나려 하지 않는" 그들의 성향에 대해서도 다소 회의적인 태도를 취했다. 그들이 아무것도 하지 않고 세상에서 물러나다 못해 부조리한 지경까지 나아가는 것도 걱정스럽게 바라보았다. 그녀는 두 사람이 세상으로 나와 행동하지 않으면, 다음과 같이 될 것 같다고 썼다.

> 말로는 아니라고 하는데도 분명히 드러나는 허무주의적 요소들은 새로운 통찰력에서 우러나온 것이 아니라 몹시 오래된 관념에서 나온 것이다.

이때 아렌트는 자신의 '새로운 통찰력'을 모은 책을 준비하고 있었다. 나중에 『전체주의의 기원』으로 출판된 책이 이것이다. 그녀는 1940년대 내내 『파티전 리뷰』와 미국의 다른 좌파 간행물들에 반유대주의에 대한 분석과 나라 없는 민족의 곤궁함을 다룬 글을 발표했다. 1945년에 이미 그녀는 이 분석 글들을 모두 책 한 권으로 모아 펴낼 만하다고 휴턴 미플린의 한 편집자를 설득하는 데 성공했으나, 모든 작업이 끝나 책이 나오는 데에는 5년이 더 걸렸다.

3부로 이루어진 이 어려운 책을 간결하게 설명하기는 힘들다. 그녀의 전기를 쓴 엘리자베스 영-브루엘의 말처럼, 독자에게 방향을 일러줄 친절한 서론 같은 것은 이 책에 없다. 1판 서문에서 아렌트는 지나치게 단순한 역사해석에 대한 맹렬한 공격으로 글을 시작한다. "지상에서 일어나는 모든 일을 반드시 인간이 이해할 수 있어야 한다는 확신 때문에 진부한 문구로 역사를 해석하는 일이 벌어질 수 있다."[37] 아렌트는 또한 선과 악의 차이를 쉽고 태평하게 정의하는 것에도 반대한다. 그러나 전체주의는 당연히 어느 모로 보나 사악하다는 믿음을 갖고 있었다.

> 전체주의의 최종 단계에 절대악(인간이 이해할 수 있는 동기를 바탕으로 추론해낼 수 있는 단계를 넘어섰기 때문에 절대적이다)이 나타난다는 말이 사실이라면, 우리가 절대악 없이 '악'의 진정 근본적인 본성을 결코 알 수 없을지 모른다는 말 또한 사실이다.

이 책이 이처럼 광범위하고 두서없는 책이 된 것은 잉태기간이 길었기 때문이다. 경험과 연구 외에, 하인리히 블뤼허와 늦은 밤에 수없이 나눈 산만한 대화가 이 책을 만들어냈다. 이 책을 쓰는 동안 그는 우울한 실업자였다. 사무직으로 취직하기에는 영어실력이 모자랐고, 박사학위가 없어서 교단에도 설 수 없었다. 그래서 낮에 아렌트가 쇼큰 출판사의 편집자로 출근해 일하는 동안 그는 뉴욕 공립도서관 열람실에서 많은 시간을 보냈다. 쇼큰 출판사는 나치 독일에서 도망쳐 온 피난민들이 세운 회사였다. 두 사람은 이런 과정을 통해 얻은 것들, 즉 역사에 대한 블뤼허의 지식과 아렌트의 분석을 놓고 밤늦게까지 머리를 맞댔다. 『전체주의의 기원』이라는 책과 그 안에 들어 있는 통찰력은 궁극적으로 아렌트의 것이지만, 블뤼허도 가치를 헤아릴 수 없는 도움을 주었다.

전체주의에 대한 아렌트의 분석에서 가장 중요한 위치를 차지한 것은 강제수용소였다. 그녀는 이것이 전체주의라는 '근본적인 악'이 사용하는 궁극의 도구라고 보았다. 강제수용소는 인류의 총체적 지배라는 나치의 중요한 실험이 이루어지는 장소였다. 강제수용소의 공포 분위기는 사람을 '반응만 하는 존재'로 격하시켰다. 이렇게 변한 사람들은 서로 자리를 바꿔 상대방의 역할을 맡아도 전혀 달라질 것이 없었다. 아렌트는 많은 사람이 스스로를 어떤 의미에서 '잉여적 존재'로 느끼는 현실과 이 사실을 연결시켰다. 그들의 삶과 죽음은 중요하지 않았다. 적어도 정치 이데올로기에 비하면 가치가 없었다.

이데올로기는 아렌트가 통찰력을 발휘한 또 하나의 개념이다. 전체주의는 이데올로기의 단순한 약속에 많은 것을 의지하고 있다고 그녀는 썼다. 단순한 법칙들로 과거와 미래를 설명할 수 있다는, 정체 모를 느낌을 안정시켜주는 이데올로기의 능력에 기대고 있다는 것이다. 전체주의가 그토록 강력해질 수 있는 것은 사실상 이데올로기의 단순한 약속(심지어 결코 지킬 수 없는 약속까지도) 덕분이었다. 아렌트의 분석에 따르면, 문제를 해결해주겠다는 이데올로기의 약속 때문에 전체주의 정치는 지속적인 위협이 될 터였다.

> 전체주의 해법은 전체주의 정권이 무너진 뒤에도 정치, 사회, 경제적 고통을 인간에게 걸맞은 방법으로 완화하기가 불가능해 보일 때마다 항상 등장하는 강렬한 유혹의 형태로 살아남을 수 있다.[38]

이 책이 1951년에 마침내 출간되었을 때 받은 평은 격렬했다. 사람들은 아렌트의 분석뿐만 아니라 그 분석을 박학다식하게 전달하는 방식에도 찬사를 보냈다(이 책의 원고는 비평가 앨프리드 케이진과 또 다른 친구 로즈 파이텔슨의 도움으로 '영어화' 과정을 거쳤다[39]). 아렌트가 나치의 전체주의 전략과 소련을 연결시킨 방식에 많은 서평 필자들이 초점을 맞췄다. 『로스앤젤레스 타임스』(*Los Angeles Times*)의 서평에는 "나치와 볼셰비키 변종들을 '근본적으로 동일한 체제'로 평가"라는 부제가 붙었다. 사실 아렌트는 『전체주의의 기원』에 이런 말을 쓴 적이 없었다.

운동에 참여한 엘리트들의 전략이 어떻게 비슷한지 강조했을 뿐이다. 아렌트의 남편은 한때 공산주의자였다. 뉴욕에서 새로 사귄 많은 친구들도 현재 공산주의자이거나 과거에 공산주의자였다. 아렌트는 전체주의적인 소련 체제와 스탈린주의를 걱정했을 뿐, 공산주의 자체를 걱정하지는 않았다.

찬사를 보내는 목소리들이 커지고 커지다 못해 아렌트는 누구나 아는 이름이 되었고 책도 아주 잘 팔렸다. 심지어 지식인들의 이야기를 잘 싣지 않는 잡지인 『보그』조차 1951년 중반에 그녀를 "지금 회자되는 이야기"에 선정할 정도였다.

> 한나 아렌트는 기념비적이면서도 놀라울 정도로 읽기 쉬운 신간 『전체주의의 기원』에서 다음과 같이 썼다. "전체주의 조직의 놀라운 점은, 그들이 자신의 목적을 비밀로 하려는 수고조차 없이 여러 비밀 조직들의 수많은 장치를 받아들여 사용할 수 있다는 것이다."[40]

좀 아무렇게나 고른 것처럼 보이는 이 인용문은 『전체주의의 기원』이 주장하는 바를 결코 간결하게 보여주지 못하지만, 이런 인용문이 사용되었다는 사실 자체는 아렌트의 미래를 보여주는 훌륭한 전조였다. 그녀는 나중에 많은 추종자들에게 사상보다는 대중적인 이미지로 먼저 인식되는 아이콘이 되었다. 비슷한 처지의 여성들에게 그녀는 믿을 수 없는 일을 해낸 사람이었다. 대중적인 지식인으로 스스로를 다듬어낸 남자들과 동등한 위치에 서는 쾌거를 이룩했을 뿐만 아니라, 오히려 그 남자들을 제치고 나아가 전쟁에 대한 그들의 주장(인류 역사의 기능에 대해 그들이 힘들게 쓴 어려운 글들)을 높은 탑처럼 우뚝 솟은 그녀 자신의 분석으로 가려버렸으니 말이다. 그녀는 당시 뉴욕에 정착한 지식인 세계에 들어가, 다른 사람들의 중심이 되는 북극성 같은 존재가 되었다. 『전체주의의 기원』이 출간되고 약 40년 뒤, 재닛 맬컴이라는 기자는 다른 사람이 자신에 대해 쓴 글에 대해 말하면서 그가 "1950년대에 내가 있었다면 한나 아렌트의 파티에 초대되었을 것이라는 착각으로 나를 띄워주었다"[41]고 썼다.

아렌트의 새로운 지위를 모두가 좋아한 것은 아니었다. 특히 많은 남자들이 형편없는 반응을 보였다. 아렌트는 이른바 뉴욕 지식인에 속했는데, 이 이름은 거기에 속하는 지식인들 중 많은 사람이 세상을 떠나고 한참 뒤에야 비로소 사용되기 시작했다. 이 이름은 1930년대와 1940년대에 맨해튼으로 모여든 작가들과 사상가들을 일컫는다. 그들은 서로 친구가 되고, 데이트를 하고, 결혼도 했다. 그리고 그들 중 대다수가 구제불능의 떠버리였다. 그들은 서로에게, 또는 서로에 대해 끊임없이 써댄 글을 통해 자기들만의 전설을 구축했다.

그런데도 그들이 처음 아렌트를 보고 정확히 어떤 인상을 받았는지 알려주는 기록은 하나도 없다. 뉴욕 지식인들의 세계 주위를 어른거리던 시인 델모어 슈워츠가 아렌트를 "바이마르 공화국의 신여성"[42]이라고 불렀다는 사실은 알려져 있다. 비평가 라이오넬 에이블은 뒤에서 그녀를 "거만한 한나"[43]라고 불렀다고 한다. 심지어 그녀가 "내 인생에 없어서는 안 되는" 사람이라고 쓴 앨프리드 케이진조차도 "오만함에서 우러나온 지적인 고독에 천천히 무릎을 꿇었다"[44]고 덧붙였다.

이 남자들은 결코 소심한 사람들이 아니었다. 모두 침착하고 냉정했으며, 웅대한 계획을 세우기 일쑤였다. 그들이 이미 세상을 떠났으므로, 지성과 오만함을 얼마나 혼동했는지 분석하기는 불가능하다. 그러나 아렌트 본인에게는 이것이 확실히 문제가 되었다. 전쟁, 역사, 정치 같은 진지한 주제를 결코 다루지 않고,

1930년대 이후에는 어쨌든 비평을 별로 쓰지 않았던 도러시 파커의 경우와도 또 달랐다. 뉴욕 지식인들이 즐겼던 자아도취적 경쟁에 아마도 아렌트만큼 가까이 다가가지 않았던 웨스트의 경우와도 달랐다. 세상을 아우르는 눈부신 생각을 지닌 남자들이 아렌트처럼 자기중심적이라고 비난받는 경우는 없는 것 같다.

적어도 초창기에는 아렌트의 눈부신 지성에 반감을 느낀 사람이 소수에 불과했다. 그런 반감을 기꺼이 글로 표현하는 사람은 더 적었다. 그보다는 광신도로 불러야 마땅한 남자들이 더 눈에 띄었다. 문학비평가 드와이트 맥도널드는 『뉴 리더』(*New Leader*)라는 작은 좌파 잡지에 쓴 『전체주의의 기원』의 서평에서 분명히 정중한 태도를 보여주었다. 처음에는 종교와 정치에 관한 금언 같은 글을 남긴 철학자 겸 신비주의자 시몬 베유에 아렌트를 비유하기도 했다. 그러나 아렌트가 베유보다 더 세속적이라는 사실을 감지했는지, 더욱 더 야심찬 비교를 내놓았다.

> 전체주의에 대한 이론적인 분석은 내가 처음 마르크스를 접한 해인 1935년 이후로 읽은 그 어떤 정치이론보다 더 인상적이다. 이 책에서 나는 자본주의에 대한 마르크스의 설명을 읽었을 때와 똑같이 모순적인 친숙함("그래, 이게 바로 내가 몇 년 전부터 생각하던 거야")을 느끼고 충격적인 발견("설마 이게 사실이라고?")을 했다.[45]

그리 터무니없는 이야기는 아니었다. 이제 『전체주의의 기원』은 고전의 반열에 올라서서, 역사가와 정치학자가 반드시 읽어야 하는 책이 되었다. 비록 분량이 워낙 많고 다소 난해한 글이기는 해도, 대중의 불만을 업고 파시즘이 부상하는 과정에 대한 아렌트의 설명은 현재 대체로 진리로 받아들여지고 있다. 자신이 지적한 문제의 해결책으로 혁명을 내세우지 않는다는 점에서 그녀는 마르크스와 달랐다. 나이를 먹어 과거보다 훨씬 더 현명하고 근거가 탄탄해지고 지친 그녀는 수많은 친구들이 어리석음과 폭력의 흐름에 희생되는 것을 보았으므로 단순한 해결책을 꺼렸다. 믿을 사람은 자신과 친구들뿐이라는 사실을 터득했기 때문이다.

『전체주의의 기원』을 발표한 덕분에 아렌트가 새로 사귄 친구들도 있었다. 『파티전 리뷰』 측의 한 사람은 이 책이 출간된 지 얼마 안 되었을 때 아렌트에게 보낸 편지에서 돈벌이만 노리는 조잡한 글의 문체를 빌려 이 책을 묘사했다.

> 지난 2주 동안 욕조에서, 차 안에서, 식품점에서 줄을 서 기다리면서 당신의 책에 정신없이 빠져들었습니다. 제가 보기에는 정말로 대단한 역작입니다. 인류의 사고를 적어도 10년쯤 앞당겨주고, 그와 동시에 소설만큼이나 매혹적으로 마음을 빼앗는 책입니다.[46]

아마도 아렌트를 존중하는 의미에서였는지, 이 편지를 쓴 사람이 "한 가지 크게 비판할 것"이 있다고 지적한 점이 흥미롭다. 아렌트가 자신의 생각에 열정적으로 몰두한 나머지, 전체주의 체제가 구축되는 데에 운이나 행운이 어떤 역할을 하는지 충분히 살펴보지 않았다는 것이 그 내용이었다. "내가 표현을 잘할 수 있을 것 같지 않습니다. 게다가 당신의 책을 이미 누구에게 빌려줬기 때문에 그 책을 참고할 수도 없네요." 이 편지를 쓴 사람은 계속 가볍게 수다를 떨 듯이 이야기를 이어가면서 먼저 우둔한 평을 쓴 사람들을 "끔찍하게 멍청하다"고 비판하더니, 추신에서는 아렌트와 블뤼허에게 점심을 먹으러 오라고 초대하면서 D. H. 로런스, 에즈라 파운드, 도스토옙스키의 작품에 나타난 반유대주의에 대해 질문을 던졌다.

이렇게 불안하면서도 동시에 자신감에 찬 편지를 쓴 사람은 비평가인 메리 매카시였다. 아렌트와 매카시는 한 번 시작했다 하면 끝날 줄을 모르는 『파티전 리뷰』의 파티에서 1944년에 처음 만나 싸움을 벌인 뒤 계속 알고 지내던 사이였다.

한나 아렌트, 1935년 파리.

McCarthy
매카시

1912.6.21. – 1989.10.25.

5

"그녀는 언제나 무분별한 정도로
자신을 솔직하게 열어 보였다.
여러 면에서
'활짝 펼쳐진 책' 같은 사람이었다."

메리 매카시는 아렌트에게 보낸 편지의 말투와 똑같이 재잘거리며 대화의 전문가로 인정받았다. 그녀는 이야기와 파티에 재능이 있다는 점에서 파커와 비슷했다. 매카시를 추억하는 사람들, 특히 여성들은 항상 여왕처럼 사람들을 거느린 매카시를 멀리서 지켜보는 시각으로 이야기한다. 예를 들어, 시인 에일린 심슨은 한나 아렌트와 비슷한 시기에 매카시를 처음 만났던 일을 다음과 같이 회고했다.

> 그녀가 서 있던 자세가 그녀 특유의 것임을 나는 나중에야 알았다. 오른발을 앞으로 내밀고, 하이힐로 균형을 잡고 선 자세. 한 손에는 담배, 다른 손에는 마티니가 들려 있었다.[1]

하지만 그녀가 항상 그렇게 당당했던 것은 아니다. 아렌트와의 우정도 실수 같은 것이었다. 처음에는. 당시 대화의 주제는 전쟁이었다. 매카시는 대충 "히틀러가 안됐다"는 뜻의 말을 지나가는 말처럼 던졌다. 그녀가 보기에는 독재자 히틀러가 사람들을 괴롭히면서도, 그 사람들에게 사랑받고 싶어 하는 것처럼 보였기 때문이다. 아렌트는 즉시 이성을 잃었다. "어떻게 히틀러의 피해자인 내 앞에서 그런 말을 할 수 있어요? 난 강제수용소에 갇혔던 사람이에요."[2] 그녀는 이렇게 소리치고는 그대로 나가버렸다. 하지만 중간에 걸음을 멈추고 『파티전 리뷰』의 편집자인 필립 라브에게 장광설을 퍼부었다. 그가

"유대인이면서 당신 집에서 이런 대화를" 허락했다는 것이 이유였다. 보통 사교적인 자리에서 우아함 그 자체인 매카시는 수치스러울 정도까지는 아니어도 당황스러웠다. 두 여성의 직업은 물론 지적인 면에서도 순식간에 중심이 되어버린 우정의 시작치고는 불길한 상황이었다.

사람들은 오래전부터 매카시를 "미국 문학계의 검은 부인"으로 분류하곤 했다. 한없이 냉정하고 침착해서 심지어 무정하게까지 보이는 팜므파탈 유형이 연상되는 표현이다. 하지만 매카시는 그런 사람이 아니었다. 파커가 재치 있는 말을 잘하는 사람으로 알려질 때처럼, 매카시가 자신의 이미지를 유지하는 데에도 교묘한 재주가 동원되었다. 그녀의 친구 엘리자베스 하드윅은 매카시가 세상을 떠난 뒤 이 점에 대해 다음과 같이 슬쩍 말했다.

> 그녀는 언제나 무분별할 정도로 자신을 솔직하게 열어보였다. 여러 면에서 "활짝 펼쳐진 책" 같은 사람이었다고 할 수 있을 것이다. 물론 어떤 책이 펼쳐져 있는가에 따라 재미가 달라진다.[3]

어느 페이지부터 시작하는지도 중요하다. 매카시는 호레이쇼 앨저를 거쳐 기묘한 디킨스를 연상시키는 자신의 유년 시절 이야기를 자주 들려주었다. 1912년에 시애틀에서 부유하고 존경받는 두 가문의 후손으로 태어난 매카시는 어렸을 때 부잣집 아이들이 즐기는 안락함을 모두 누렸다. 그러나 이러한 한가로운 삶의 경제적 기반은 튼튼하지 않았다. 매카시의 할아버지가 대부분을 지탱하고 있었기 때문이다. 그녀의 아버지인 로이 매카시는 알코올중독 상태를 드나들었기 때문에 항상 몸이 아팠으며, 일을 할 때가 드물었다. 결국 할아버지는 로이 대신 돈을 내주는 데 지쳐서 그를 고향인 미니애폴리스로 불러들였다.

메리 일가족은 전국에 인플루엔자가 유행하던 1918년 늦가을에 국토를 횡단하는 기차에 올랐다. 그리고 기차를 타고 달리는 동안 모든 식구가 인플루엔자에 걸려 차례로 착란 증세를 일으켰다. 그들이 미니애폴리스에 어떻게든 도착했다는 사실 자체가 기적이었다. 병 때문에 머릿속이 안개처럼 흐릿해진 가운데, 기차 차장이 노스다코타 인근의 어딘가에서 병에 걸린 메리 일가족을 억지로 기차에서 쫓아내려 했다는 이야기가 만들어졌다. 흐릿한 기억을 몇 번이나 되풀이 이야기하다 보니, 매카시의 아버지는 총을 휘두른 것으로 되어 있었다. 그가 정말로 총을 휘둘렀는지는 확실치 않다. 어쨌든 그렇게 버틴 보람도 없이, 미니애폴리스에 도착한 지 며칠도 되지 않아 매카시의 부모가 모두 세상을 떠났다.

조부모는 아이들에게 신경을 쓰지 않았으므로, 매카시 4남매를 매일 돌보는 일은 다른 친척들의 몫이 되었다. 그러나 불행히도 그들을 키워줄 여유가 있는 사람들은 그 상황을 그리 반기지 않았다. 할머니 뻘 되는 나이 많은 친척과 그녀의 금욕적인 남편은 19세기에 고아원을 운영했던 관리들에게서 양육에 관한 의견을 빌려온 것 같다. 매카시 4남매는 이 할머니 집에서 주로 뿌리채소와 말린 자두로 이루어진 음식을 먹었으며, 밤에는 "입으로 호흡하는 것"을 막기 위해 입이 테이프로 봉해졌다. 부부는 한겨울에 나가 놀라면서 얼어붙을 듯한 미네소타의 추위 속으로 아이들을 내보내기도 했다. 재미있는 일은 별로 없었고, 때로는 기괴하기까지 했다.

> 교과서를 빼고 독서는 금지되었다. 이유는 잘 모르겠지만, 허스트 집안이 발행하는 신문들의 일요일자에 실리는 재미있는 기사도 예외였다. 그런 기사에서 우리는 나병, 보니 드 카스틀란 백작의 연애, 사람을 발에서부터 차츰 돌로 바꿔놓는 이상한 병에 대한 이야기를 읽었다.[4]

심한 처벌을 받는 일도 잦았다. 머리빗이나 면도칼 숫돌로 때리는 벌은 육체적으로나 감정적으로나 모두 잔인했다. 할머니 부부는 수치심을 처벌의 도구로 이용하는 재능이 대단했다. 언젠가 매카시가 안경을 부러뜨렸을 때, 부부는 새것을 사주지 않겠다고 통보했다. 이런 식의 방치와 학대가 5년이나 이어진 뒤, 결국 매카시의 외할아버지가 나서서 열한 살이던 메리를 다시 시애틀로 데려왔다. 그녀의 남동생들은 기숙학교에 맡겨졌다.

매카시는 정신의학, 특히 정신분석의 통찰력에 대해 회의적인 태도를 내보이는 것을 좋아했다. 첫 번째 저서인 『그녀의 친구들』(*The Company She Keeps*)에서 주인공은 정신분석학자의 소파에 누워 있다가 갑자기 이런 생각을 한다. "바꿔친 아이, 고아, 의붓자식의 비애를 거부한다."[5] 그러나 그녀는 "자신의 인생사를 뒤떨어진 소설처럼 취급하며 타박하는 말로 무시해버릴 수는 없다"[6]는 것도 알고 있다. 중요한 사실은, 매카시의 부모가 세상을 떠났을 때, 그녀의 미래 가능성 하나가 통째로 사라졌다는 것이고 그녀 자신도 그 점을 알고 있었다. "아일랜드인 변호사와 결혼해서 골프나 브리지 게임을 즐기며, 가끔 피정을 가고, 가톨릭 북클럽에 가입하는 내 모습을 그려볼 수 있다. 그런 생활을 했다면 난 조금 살이 쪘을 것 같다."[7]

매카시가 그런 미래를 잃은 대신 손에 넣은 것은 그녀가 쓴 글의 특징으로 유명해진, 초연한 호기심이었다. 회고록에서 그녀는 블랙 코미디 같은 가벼운 태도를 고수했다. 테이프로 입이 봉해졌다는 이야기를 할 때도 마찬가지였다. 한바탕 신파적인 삶을 경험한 그녀는 자신의 감정을 모조리 드러내는 일을 다소 꺼리게 되었다. 모두 정말 터무니없는 일이었다는 식으로 생각해버리는 편이 아마 더 편안했을 것이다. 『그녀의 친구들』의 등장인물은 "젠체하는 아내처럼 자신의 한심한 과거사를 계속 문 밖으로 쫓아내는 예술적 예의"[8]를 아는 사람들에게 연민을 느낀다고 말한다.

다른 아이였다면, 외할아버지 손에 이끌려 입학한 시애틀의 가톨릭 학교를 아마 엄격하다고 생각했을 것이다. 매카시는 그곳이 오래전부터 확립된 절차를 지키는 곳이었다면서, 수녀들은 "권위에 대한 정확한 순종에 익숙한"[9] 사람들이었다고 썼다. 매카시는 그 학교의 몇몇 학생처럼 인기 있고 자신감 있는 사람이 되고 싶었지만, 착하게 구는 것만으로는 친구를 많이 사귀지 못했던 것 같다. 그래서 그녀는 전략을 바꿨다.

"착한 행동으로 명성을 얻을 수 없다면, 못된 행동으로 목적을 달성할 각오가 되어 있었다."[10] 매카시는 나중에 이렇게 썼다. 그녀는 즉시 가톨릭 신앙을 잃어버린 척하면서 학교 전체를 들쑤셔 놓았다. 애당초 그녀가 자연스러운 신앙을 갖고 있었는지도 확실치 않다. 그녀의 과거사에는 무심한 개신교 신앙과 주로 형식에 집중하는 가톨릭 신앙이 뒤범벅으로 섞여 있었다. 또한 외할머니는 유대인이었다. 회고록에서 밝힌 것처럼, 어린 매카시는 새로운 전략의 수행을 위해 시간을 정밀하게 계산했다.

> 만약 예를 들어 일요일에 신앙을 잃는다면, 사흘 동안의 피정 동안 신앙을 되찾을 수 있었다. 수요일 고해 시간에 딱 맞춰서. 따라서 만약 내가 갑자기 죽는 바람에 영혼이 위험에 빠질 가능성이 있는 날은 일주일에 나흘뿐이었다.

매카시는 이런 식의 소동을 일으키는 것, 일부러 반항하는 척해서 다른 사람들의 인정을 받는 것이 몹시 즐겁다는 사실을 깨달았다. 이런 행동 덕분에 수녀들은 그녀에게 온전히 관심을 집중했고, 그녀는 친구들 사이에서 자신이 원하던 지위를 얻었다. 누구라도 그녀를 금방 알아볼 수 있게 해주는 특징이 생긴 것이다. "예수회도 마음을 돌려놓지 못한 애가 저기 있네."[11]

이 과정에서 매카시는 또한 다른 사람들의 반응을 계산해서 자신의 목적에 맞게 이용하는 재주가 자신에게 있다는 사실도 깨달았다. 어른이 된 뒤 매카시는 그런 의미에서 자신이 남들을 얼마나 마음대로 조종할 수 있는지 잘 알고 있었다. 『가톨릭 소녀 시절의 추억』(*Memories of a Catholic Girlhood*)에서 그녀는 어린 자신이 어떤 일을 준비하면서 "정치가와 청소년이 공통적으로 갖고 있는, 차갑고 공허한 도박꾼의 모습"으로 수녀원을 살피고 다녔다고 말했다.[12] 그녀는 사람들이 어떻게 행동하는지, 무엇을 원하는지 알아차렸으며, 규칙을 이해한 뒤 자신에게 이로운 방향으로 이용하는 방법을 알아내는 데 진심으로 노력을 쏟았다.

이런 재능이 사람들과의 관계에서 항상 그녀에게 이롭게 작용하기만 한 것은 아니었다. 다른 사람들을 무서울 정도로 잘 파악하는 능력은 상대를 가혹하게 평가하는 것으로 보일 때가 많았다. 엘리자베스 하드윅은 다음과 같이 썼다.

> 도덕적인 면에서 메리에게는 신학생 같은 데가 있었다. 내가 보기에 그것은 그녀가 지닌 독창성의 일부인 동시에, 당황스러운 매력 중 하나였다. 즉흥적인 일은 거의 없었다. 습관, 편견, 아주 짧은 순간들까지 모두 설명하고 살펴보고 장부에 잘 기록해두어야 했다.[13]

이렇게 평가하고 계산하는 습관이 비평가에게는 커다란 축복이었다. 그녀는 나중에 자신의 열정과 평가 결과를 훌륭한 연극처럼 제시하는 비평가가 되고 싶어 했다. 하지만 확실히 모두가 그것을 좋아한 것은 아니었다. 사람들을 평가하는 매카시의 모습이 오만하게 비칠 때가 많았기 때문이다. "그녀는 세상 사람들 앞에서 누구보다 책임감이 강한 사람 행세를 했지만, 사실은 무책임한 사람이었다."[14] 다이애나 트릴링은 매카시의 전기를 쓴 한 작가에게 이렇게 자신의 생각을 밝혔다.

『파티전 리뷰』의 파티에 단골로 참석하던 여성들 중 한 명인 트릴링은 일종의 적대적인 목격자였다. 매카시는 트릴링을 좋아하지 않았을 뿐만 아니라, 그 사실을 숨기려 하지도 않았다. 트릴링은 『파티전 리뷰』 사람들 사이에서 항상 보잘것없는 '아내'처럼 따돌림을 당한다는 느낌을 받았다. 자신보다 훨씬 더 유명한 비평가인 라이오넬 트릴링의 아내인 그녀는 비평가로 우뚝 서 있는 남편의 명성이 자신의 서평과 기사를 가려버리는 것에 신경을 쓰지 않는다고 몇 번이나 계속 말하는 수밖에 없었다. "사람들은 한 집에서 한 명에게만 찬사를 보내지, 두 명에게는 보내지 않는다." 그녀는 회고록에 이렇게 썼다. "식구 중 두 명에게 찬사를 보내려면, 너그러움을 두 배로 힘들게 가동해야 한다."[15] 틀린 말은 아니었으나, 매카시, 엘리자베스 하드윅, 한나 아렌트는 누군가의 '아내'인데도 자신의 힘으로 이 지식인들의 일원으로 대접받는 방법을 찾아냈다.

어쨌든 매카시는 자신에게 남을 판단하는 성향이 있음을 알고 있었다. "당신은 못된 년처럼 행동하는 핑계로 당신 자신의 그 놀라운 도덕관념을 이용하지." 『그녀의 친구들』에서 주인공의 남편은 이렇게 말한다. 주인공은 자신이 그렇게 굴지 않으려고 노력 중이라고 말하지만, 남편은 그 말을 믿지 못하고 계속 이렇게 다그친다. "왜 다른 사람들처럼 하지 못해?"[16] 하지만 매카시는 결코 다른 사람들과 비슷해질 운명이 아니었다.

시애틀에서 청소년기를 보내는 동안 매카시는 항상 남다른 친구들을 고집스레 사귀었다. 수녀원 학교에서 나와 공립 고등학교에 들어간 그녀는 거기서 만난 친구 덕분에 문학을 알게 되었다. 조끼와 투박한 신을 좋아하는 검은 머리의 젊은 여성 에설 로젠버그(유명한 범죄자 에설 로젠버그가 아니다)가 그 친구였다. 그녀는 자신의 이름을 에설 대신 테드라고 말하고 다녔다. "내가 알기로 나중에 그녀는 레즈비언이라는 사실을 별로 숨기려 하지 않았다."[17] 매카시는 회고록에서 이렇게 말했다. 테드는 추천해줄 책을 잔뜩 알고 있었고, 그중에는 매카시가 이미 읽은 책이 상당히 많았다. 하지만 추잡한 살인과 강간 이야기를 나열해놓고 『진정한 고백』(*True Confessions*)이라는 제목을 붙인 싸구려 소설과 잡지가 그 목록에서 대다수를 차지했다. 딱히 카프카의 작품 같은 것이 들어 있는 목록은 아니었다.

진지한 문학작품에도 섹스가 등장한다는 사실을 매카시에게 알려준 사람도 테드였다. 테드가 미학적이고 퇴폐적인 작품들을 좋아한다는 점이 도움이 되었다. 관능을 작품 속에 잘 녹여낸 오브리 비어즐리나 아나톨 프랑스의 작품이 거기 속했다. 어떤 남학생은 매카시에게 멜빌이나 드라이저처럼 더 묵직한 작가들의 작품을 소개해주려고 했지만, 이쪽은 별로 재미가 없었다. 그녀는 이렇게 썼다. "『모비딕』(*Moby-Dick*)은 내 머리로 결코 이해할 수 없었다. 존 배리모어가 나온 영화 「바다 괴물」(The Sea Beast)을 봤다는 사실은 도움보다는 오히려 방해가 되었다."[18] 매카시를 처음으로 진정한 지식인 모임에 데려간 사람도 테드였다. 서점 주인인 파트너와 살고 있는 시애틀의 레즈비언이 연 살롱이었다.

1년도 안 돼서 매카시는 좀 더 점잖은 분위기인 기숙학교로 다시 학교를 옮겼다. 하지만 보헤미안 기질이 이미 드러난 뒤였다. 매카시는 계속 테드에게 편지를 썼다. 수업시간에 과제로 제출해야 하는 글로는 매춘부와 자살이 등장하는 소설과 에세이를 썼다. 또한 여러 남자친구들을 실험하듯 만난 뒤 뜻밖의 인물인 해럴드 존스러드를 꾸준히 만나기 시작했다. 그는 매카시보다 나이가 몇 살이나 위고, 머리가 벗어진 배우였다. 그는 그녀의 첫 남자가 아니었다. 이미 오래전에 다른 남자친구가 매카시의 처녀성을 가져갔다("속에 뭔가를 밀어 넣어 갑갑한 것 같은 느낌"[19]이 들었다고 그녀는 회고록에 썼다). 하지만 존스러드는 그녀가 1929년에 배서 대학에 입학할 때까지 오랫동안 그녀와 사귀었다.

배서 대학이 매카시를 '키웠다'고 항상 과장하는 이유는 분명하다(베스트셀러 소설은 그만큼 긴 그림자를 남긴다). 때로는 매카시 본인이 이런 주장을 부추기기도 했다. 1951년에 잡지에 쓴 에세이에서 그녀는 한 교사 덕분에 북동부의 대학으로 도망칠 마음을 먹게 되었다고 말했다. 이 전설적인 여교사(실존하는 인물이지만, 현실은 이보다 좀 더 복잡했다)는 "밝고, 정확하고, 예리한 목소리"를 지니고 있었으며, 매카시는 "학생들의 가식, 단정치 못한 말, 꾸며낸 이야기를 꾸짖는"[20] 그녀의 모습에 매혹되었다. 배서 대학에 가면 자신도 그 선생님만큼 멋진 사람이 될 것 같았다.

하지만 만약 친구들이 지적인 삶의 주 엔진이라면, 배서 대학의 환경에는 문제가 있었다. 기름통에 기름이 다 떨어진 격이었기 때문이다. 있는 그대로 표현하자면, 배서 대학 학생들은 매카시를 그리 좋아하지 않았다. 한두 명쯤 예외가 있기는 했지만, 대학에서 사귄 친구들은 대부분 오래가지 못했다. 그래도 매카시는 이 대학에 들어온 것이 자랑스러웠다. 그녀는 그 대학 여학생들의 쌀쌀맞은 모습을 일부러 자기 것으로 만들었다. "배서의 여학생들은 대부분 세상 사람들에게서 호감을 얻는 편이 아니라는 사실을 그녀도 알고 있었다." 『그룹』(*The Group*)에서 한 등장인물은 이런 생각을 한다. "그들은 우월성의 상징 같은 존재가 되었다."[21]

하지만 그런 기준에 비춰 봐도, 매카시는 학교 친구들의 눈에 속물처럼 보였다. 나중에 그들은 매카시를 떠올리면서 그녀의 똑똑한 머리를 지적했지만, 곧 그 점을 이용해 그녀를 공격했다. "메리 매카시와 함께 대학 1학년 영어 수업을 듣는 것이야말로 세상에서 가장 기운 빠지는 일이었다."[22] 이것은 매카시의 전기에 인용된 대학 동창생의 말이다. 또 다른 동창생은 이렇게 말했다. "내가 보기에 그녀는 놀라운 동시에 위협적이었다. 사람의 자아를 완전히 파괴해버리는 사람. 메리가 남의 면전에서 무례하게 군 것은 아니다. 다만 남들보다 우월하다는 분위기를 풍겼다."[23] 그들이 그저 매카시가 나중에 거둔 성공을 질투해서 이런 신랄한 말을 한 것으로 치부해버리고 싶은 생각이 들 것이다. 하지만 매카시 본인도 자신이 그들과 잘 맞지 않는다는 사실을 알고 있었다. "대학은… 뭐, 괜찮아. 어쨌든 [워싱턴 대학교]보다는 나아."[24] 매카시는 테드 로젠버그에게 보낸 편지에 이렇게 썼다. "하지만 세련된 얘기가 너무 많고, 사방에 꼬리표를 붙이는 것도 많고, 가짜로 영리한 척하는 애들도 너무 많아."

나중에 '세련된 대화'를 즐기는 것으로 유명해진 사람이 한 말이라기에는 좀 이상하다. 어쩌면 동북부 사람들의 엄격한 위계의식이 문제였는지도 모른다. 1930년대 상류사회 여성들은 감상적인 존재로 다뤄지기 쉽다. 대공황 시기인데도 집에서 보호받으며, 대부분 직업을 갖기보다는 결혼을 당연한 운명으로 받아들이는 사람들. 하지만 이것은 여성들 사이의 경쟁을 몰라서 하는 말이다. 매카시의 시대에 배서 대학에 다닌 여성들은 기민한 사람들이었다. 그들은 지위 변화에 민감했으며, 출세를 위해 애쓰는 것처럼 보이는 사람을 재빨리 골라냈다. 부유층과 부르주아가 섞인 집단이었지만, 개중 일부는 아버지가 대공황으로 재산을 잃으면서 가정형편이 나빠지는 것을 경험했다. 북동부 사람들이 행동하는 방식을 제대로 배우지 못한 채 서부에서 이곳으로 온 매카시가 마찰을 일으킨 것은 당연한 일이었다. 하지만 교수들과의 관계는 좀 더 나았다. 매카시는 교수들 중에서도 미스 키첼과 미스 샌디슨에 대해, 『빨강머리 앤』의 앤이 '가슴을 나눈 친구'를 말할 때와 비슷한 어조로 글을 썼다. 자신의 회고록도 동년배 친구들이 아니라 이 두 교수에게 바쳤다.

사실 이 교수들은 그녀가 아직도 사귀고 있던 존스러드보다 훨씬 더 깊숙이 그녀의 지적인 열정과 문학적 열정에 관여하고 있었다. 존스러드는 배서 대학 시절 내내 그녀의 곁에 나타났다가 사라지기를 반복했는데, 어느 해 여름에는 한 달 동안 그녀와 함께 살기도 했다. 그 결과는 재앙이었다. 이렇게 두 사람은 만났다가 헤어지기를 반복했다. 매카시의 연애는 이렇게 남자들이 전면에 나오지 못하고 주로 배경인물로 머문다는 점에서 파커의 연애와 많이 흡사하다.

배서 대학이 매카시의 삶에 미친 영향은 그녀가 어느 '작은 잡지'의 일에 처음으로 참여하는 형태로 나타났다. 그녀와 함께 이 잡지를 만든 여러 문학적인 젊은 여성 중에는 시인 엘리자베스 비숍도 포함되어 있다. 원래 『배틀액스』(*Battleaxe*)라는 이름으로 불릴 예정이던 이 잡지는 결국 『콘 스피리토』(*Con Spirito*)라는 이름을 달게 되었다. 매카시는 여기에 처음으로 서평을 썼다. 올더스 헉슬리의 『멋진 신세계』(*Brave New World*)와 지금은 잊힌 작품이 된 해럴드 니콜슨의 『남들 앞의 얼굴』(*Public Faces*)을 비교하며 비판한 글이었다. 그녀는 모더니스트들에게 한 방을 먹여주기 위해 우회로를 택했다.

> 1920년대 문학의 반신(半神)들이 하나씩 차례로 쓰러지고 있었다. … 버지니아 울프는 새로이 나타난, 치열한 사고의 부족 현상, 즉 나중에 『이상한 엘리자베스 시대 사람들: 보통의 독자 2』(*The Second Common Reader*)의 소박하고 '예쁜' 여성성 속에 있는 그대로 드러난 그 현상을 가리기 위해 예리한 감각과 "새로운 형식 실험"을 가장하고 있었다.[25]

나중에 매카시는 이런 비난이 자신 "특유의 심술"을 증명한다고 말했다. 하지만 그녀는 이 글을 상당히 자랑스럽게 생각했기 때문에

CON SPIRITO

Editorial

REMARK TO OURSELVES

Two Crystal-Gazing Novelists

The Flood

Tiddle-dee winks in Chess

『콘 스피리토』 창간호.

『콘 스피리토』는 1933년 엘리자베스 비숍, 마거릿 밀러, 메리 매카시, 프래니 블러가 배서 대학의 다소 보수적인 신문 『배서 리뷰』에 대응해 만든 문학 신문이다.

졸업 직전에 뉴욕으로 가지고 갔다. 당시 『뉴 리퍼블릭』의 편집자이던 맬컴 코울리라는 남자에게 자신을 소개할 때도 이 원고를 손에 들고 있었다. 코울리는 말하자면 좌절한 예술가였다. 1920년대에 헤밍웨이를 비롯한 여러 사람들과 함께 파리에 있었지만, 그들만큼 크게 성공하지 못했다. 그래서 글을 쓰는 것만으로는 생계를 해결할 수 없음이 명백해지자 편집 쪽으로 눈을 돌렸다. 결국 그는 사회경력 중 절반에 해당하는 기간을 성공한 다른 작가들의 연대기를 정리하며 보내게 되었다.

코울리는 매카시에게 이렇다 할 인상을 받지 못했다. 그는 그녀가 천재이거나 굶어 죽을 지경이 아닌 한 서평을 맡길 수 없다고 말했다.

> "난 굶주리지 않았어요." 내가 재빨리 말했다. 내가 천재가 아니라는 사실 또한 분명히 알고 있었다. 내가 다른 사람의 입에 들어갈 빵을 빼앗는 꼴이 될 것이라는 암시가 좋게 들리지 않았다.[26]

코울리는 이런 지적에 아주 조금만 흔들렸을 뿐이었다. 매카시는 몹시 짧은 서평 몇 편을 써낸 뒤 마침내 지금은 기억 속에 묻혀버린 르포 형식의 회고록 『나는 갱도 대학에 다녔다』(*I Went to Pit College*)의 서평을 맡았다. 스미스 대학의 졸업생인 이 책의 저자는 펜실베이니아의 광산촌에서 2년 동안 신분을 위장하고 살았던 경험을 이 책에 담았는데, 미국 공산당이 이 책에 호감을 보이고 있었다. 코울리는 스스로 공산주의자임을 분명히 드러냈으며, 그가 맡은 지면은 "공산당의 메가폰"[27]으로 널리 간주되었다. 따라서 매카시는 일을 위해 이 책에 호감을 품고 글도 그런 쪽으로 써야 할 것 같다고 생각했다. 나중에 그녀는 이렇게 회고했다. "처음이자 마지막으로, 주문에 맞춰 쓴 글이었다."[28] 그러나 그녀가 글을 제출한 뒤, 코울리가 약속을 어겼다. 그녀가 글에 최선을 다하지 않았다는 평가를 내리고, 다른 사람에게 그 책의 서평을 다시 맡긴 것이다. 굴욕적인 일이었다. "이 책은 흥미로운 사회적 기록은 물론이고, 자연스러우며 인간적인 몸짓으로도 받아들여져서는 안 된다."[29] 『뉴 리퍼블릭』의 영화비평가이던 두 번째 서평 필자는 이렇게 썼다. 그 뒤로 몇 년 동안 『뉴 리퍼블릭』에는 매카시의 이름이 등장하지 않았다.

『네이션』은 매카시의 글에 좀 더 호의적이었다. 그녀는 이 잡지가 자신에게 서평을 맡긴 책들이 대부분 마음에 들지 않았으므로, 퉁명스럽고 감정적으로 비판하는 글을 썼다. 지금은 잊혔지만 당시에는 유명하던 한 언론인의 단편집에 대해서는 다음과 같이 썼다. "이 단편들이 버넷 씨가 이룬 성취의 최고봉으로 간주된다는 사실을 믿을 수가 없다. 그가 오래된 트렁크 속에서 발견한 작품들이 대다수를 차지한다고 생각해주는 편이 더 친절할 것 같다."[30] 다섯 권의 책을 한꺼번에 다룬 서평에는 이렇게 썼다. "이들 사이의 공통적인 특징은 두 가지밖에 없다. 첫째, 장하다 못해 속이 느글거리는 평범함."[31] 이 서평들에는 항상 약간의 심술이 들어 있었다. 필자가 서평의 관습적인 예의를 의도적으로 시험하는 듯한 느낌이었다. 이런 무례한 태도가 나중에는 그녀의 상징 같은 특징이 되었다. 이런 글이 가치를 인정받은 것은 그녀가 대체로 누구보다 솔직하게 글을 쓴다는 태도를 취했기 때문이다. 기존의 평판에 비굴하게 고개를 조아리지 않는 태도 덕분에 그녀의 비평은 특유의 생기를 얻었다. 도러시 파커의 콘스턴트 리더 칼럼이 그랬듯이, 반드시 그 책을 직접 읽지 않아도 책에 깃든 정신을 제대로 느끼게 해주는 글이었다.

『네이션』은 매카시의 이런 건방진 태도를 확실히 기꺼워했다.

3년이 채 안 돼서, 『네이션』은 좀 더 야심찬 계획을 그녀에게 맡기기로 했다. 미국 내 모든 잡지와 신문에 서평을 기고하는 비평가들을 평가하는 프로젝트였다. 서평의 연두교서라 할 만했다. 이 프로젝트의 이름으로 실린 글 중 많은 것이 매카시가 직접 쓴 글이었다. 그러나 『네이션』의 편집자인 프리다 커치웨이라는 여성은 이 잡지의 문학담당 차장이자 조금 나이가 많은 편인 마거릿 마셜의 이름을 공동필자로 넣어야 한다고 고집을 피웠다. 마셜의 나이와 경험이 이 시리즈에 신뢰성을 더해줄 것이라는 생각 때문이었다. 이것이 맞는 생각이었는지는 판단하기 힘들다. 어쨌든 이 시리즈는 성공이었다. '우리 비평가들, 맞거나 틀리거나'라는 제목의 이 시리즈는 2주에 한 번씩 다섯 번에 걸쳐 연재되었다. 논조는 논쟁적이었다. 미국의 비평가들에게 "전체적으로 작품에 대한 오해와 예술적 취향의 질적 저하를 초래한"[32] 비평을 쓴 책임을 묻는 글이었기 때문이다.

미국 서평의 역사에서 이런 옴니버스식 비평은 가끔 한 번씩 등장했다. 비평가들은 서로의 글을 비평하기를 좋아하며, 일반 대중의 눈에는 아무리 무의미하게 보일지라도 고집스럽게 그런 토론을 계속 이어간다. '우리 비평가들, 맞거나 틀리거나'는 같은 장르의 다른 글들에 비해 포괄성이 특히 두드러진다. 이 시리즈는 서평에 대해 일관성 있는 이론을 내세운다기보다는 당시 미국에서 활동하던 모든 비평가의 이름을 열거하고 재치 있는 말로 망신을 주는 식이었다. 예를 들어, 『새터데이 리뷰 오브 리트러처』(*Saturday Review of Literature*)의 편집자는 문학을 대하는 태도가 비실비실하다면서 다음과 같은 조롱을 당했다.

> 그의 머릿속에서 문학은 모호하고 근거 없는 관념적인 일련의 사고 과정으로 꿈틀거리고 있을 뿐이다. 그는 낯선 거리를 정처

> 없이 걸으면서 행인들의 얼굴이 세상을 떠난 매형이나 이미 잊은 지 오래인 육촌 형제의 얼굴과 닮았다고 생각하는 노신사 같다.[33]

이런 방식은 당연히 매카시에게 과거의 원한을 갚을 기회를 제공해주었다. 그녀는 지금은 잊힌 간행물인 『북스』(*Books*)에 절친한 친구의 책에 대한 서평을 쓴 맬컴 코울리를 에둘러서 비난했다. 『뉴 매시즈』의 마르크스주의 비평이 형편없다는 내용으로 글 한 편을 다 채워 간접적인 공격을 하기도 했다. 이 글에서 그녀는 "마르크스와 유미주의 사이의 신기한 내분으로 인해 형편없는 프롤레타리아 서적들에 대한 좌파 서평들이 뒤죽박죽 섞인 당의 노선을 따를 수밖에 없다"[34]고 조롱했다.

'우리 비평가들, 맞거나 틀리거나'는 기획 의도대로 반향을 일으켰다. 반드시 부정적인 반응만 있었던 것은 아니다. 여자들이 그렇게 예리한 글을 썼다는 사실이 놀랍다는 반응이 많았다. 심한 공격의 대상이었던 『뉴욕 타임스』의 서평 필자는 매카시와 마셜에 대한 이야기만으로 글 한 편을 다 채우기도 했다. 그는 심지어 일부러 시간을 들여 두 사람을 너그럽게 내려다보는 듯한 시를 짓기까지 했다.

> 오, 메리 매카시와 마거릿 마셜
> 몹시 공평하고 똑똑한 여자들이로다.[35]

그러면서 그는 매카시와 마셜이 글을 쓰는 데 정식 수련이 필요하다는 주장을 지나치게 강조한 것이 아쉬운 점이라며, 두 사람을 지칭할 때마다 단 한 번도 '여자들'이라는 말을 빠뜨리지 않았다. 다른 사람들은 싫은 감정을 이보다 더 직접적으로 드러냈다. 파커의 초창기

팬 중 한 명인 프랭클린 P. 애덤스는 이렇게 투덜거렸다. "이 여자들을 보니, 늙은 암탉 슈트라우스가 지금은 이름조차 잊힌 어떤 남자에 대해 하던 말이 생각난다. '그 사람은 시카고에서 가장 침착한 남자야. 항상 제정신이 아니거든.'"[36]

매카시가 호감을 표시한 비평가도 몇 명 있었다. "출판사가 고용한 박수부대의 브라보 소리에 그들의 희미한 야유가 묻혀버렸"지만 "통찰력이 있는" 사람들이라는 것이 그녀의 평이었다.[37] 이런 호평을 받은 사람 중에 리베카 웨스트가 있었다. 그 밖의 사람들은 대부분 남자였는데, 특히 한 남자에 대해서는 "현대 문학의 중요하고 가치 있는 부분을 과거의 문학과 연결시키는" 능력이 있다면서 특별히 찬사를 보냈다. 이런 칭찬에 기분이 좋아진 남자는 바로 도러시 파커의 오랜 친구인 에드먼드 윌슨이었다. 이때 그는 『배너티 페어』를 떠나 유명한 작가로 활동하고 있었다. 나이는 마흔 살, 두 번 결혼한 전력이 있고, 몸은 뚱뚱해졌고, 머리는 벗어졌다. 첫 번째 결혼은 딸 하나를 얻고 이혼으로 끝났다. 두 번째 결혼에서는 결혼식을 올린 지 겨우 2년 만인 1932년에 아내가 세상을 떠나버렸다. 그리고 매카시의 칭찬을 받은 지 얼마 되지 않아 그녀를 세 번째 아내로 맞이했다.

매카시는 1933년에 배서 대학을 졸업한 뒤 해럴드 존스러드와 결혼했다. 그리고 항상 이 결혼을 이상하게 남의 일처럼 묘사했다. "사랑하지 않는 남자와 결혼하는 일, 내가 방금 알아차리지도 못한 채 저지른 그 일은 못된 짓이었다."[38] 그녀가 쓴 이 문장에서 당혹감이 생생히 묻어난다. 존스러드는 스스로 극작가라고 생각했지만, 결혼생활 내내 자기만의 세상에서 살았던 것처럼 보인다. 매카시는 그에 대해 많은 말을 하지 않았다. 그리고 두 사람 모두 서로에게 정절을 지키지 않았다. 1936년에 두 사람은 결혼생활을 끝내기로 했다. 그 뒤로 매카시는 연달아 연애를 했지만(명목상 그녀의 결혼생활을 파탄에 이르게 한 연애는 이혼 뒤 광채를 잃었다), 어느 연애도 길게 가지 못했다.

공산당 활동에 대해서도 매카시는 비슷하게 양면적인 태도를 보였다. 그녀가 맬컴 코울리 같은 사람과 불화를 빚은 데에는 이것이 반쯤 이유가 되었다. 대학 시절 만난 좌파 인물들에 대해 그녀는 "키가 크고, 수척하고, 소화불량에 시달리고, 바지를 입은 여자들이 하는 정치적 하키 같은"[39] 활동을 한다고 생각했다. 화려하지는 않아도 확실히 예쁜 편이었던 매카시는 자신이 그들과 다르다고 생각했다. 종류를 막론하고 정당에 합류해서 사회적인 이상을 위해 봉사하겠다는 개인적인 욕망도 없었다. 그러나 1930년대 중반에는 문학가 모임과 좌파 모임이 서로 겹치는 경우가 아주 많았다. 칵테일 모임은 곧 카프카와 당과 당의 노고에 대해 이야기하는 자리였다. 시간이 흐르면서 매카시도 이런 주제에 대해 열변을 토하는 사람들에게 깊은 인상을 받았다. "그 사람들을 보고 있으면 내가 쩨쩨하고 피상적인 사람인 것 같았다. 그들의 삶에는 매일같이, 뭐랄까, 추악한 것들이 있어서 나의 예쁜 삶이 겉만 번지르르하게 보였다."[40] 그녀는 이렇게 썼다.

이 말에는 그녀의 반골기질이 드러나 있다. 매카시는 사람들이 자신의 행동을 싫어하는 것 같으면, 그 이유를 알고 싶어 했다. 그리고 이런 호기심이 그녀를 확신으로 이끌었다. "역사는 아주 무심하게 사람을 들어 트렌드 속에 밀어 넣는 특징을 지니고 있다."[41] 매카시는 「나의 고백」(My Confession)이라는 에세이에서 이렇게 썼다. 이 글에서 그녀는 공산주의자가 될 것 같지 않았던 자신이 공산주의자로 활동한 역사를 설명했다. 그러나 모든 사람이 트렌드를 가슴에 끌어안고 성큼성큼 나아가는 것은 아니다. 얌전히 평정을 유지하는 것은 결코 매카시의 방식이 아니었다. 적어도 글에서는 그랬다.

매카시는 스탈린주의와 트로츠키주의 사이의 논쟁에서 정말 우연히 편을 정하게 되었다. 소설가인 친구가 그녀에게 제대로 설명해주지도 않고 레온 트로츠키를 옹호하는 위원회의 후원자 명단에 그녀의 이름을 올려버린 것이다. 그것으로 그녀는 비주류가 되었다. 처음에는 당황해서 그 문제에 대해 생각해보다가 제대로 된 정치적 입장을 취하기로 스스로를 설득했다고 그녀는 글에서 밝혔다. 그리고 이로 인해 그녀는 사람들 사이에서 특정한 이미지를 얻게 되었다.

> 내가 어느 모임 장소에 들어서면 보석을 걸친 여성 작가들이 하얗게 질려서 팔찌를 찬 팔을 성난 사람처럼 흔들어댔다. 출판계나 광고계에서 새로이 주목 받고 있는 젊은 남자들은 내가 직접 한 번 살펴보고 판단을 내리라고 다그치면 미심쩍은 표정으로 넥타이를 조였다. 나이트클럽에 춤추러 온, 키가 크고 젊은 대학생 당원들은 셔츠만 입은 가슴에 나를 꼭 끌어안고 어리석게 굴지 말라고 말하곤 했다.[42]

다이애나 트릴링이 정치를 대하는 매카시의 태도가 "무책임하다"고 말한 것은 바로 이런 뜻이었다. 매카시를 비판하는 사람들은 모두 그녀가 확실히 마음을 정하지 않는 것은 진지하지 않기 때문이라고 확신했다. 심지어 매카시를 우러러본다고 주장하는 이사야 벌린 같은 사람조차 전기작가에게 "그녀는 추상적인 주제를 다루는 데에는 재주가 없습니다. 일반적인 삶을 다루는 솜씨는 좋지요. 사람들, 사회, 사람들의 반응 같은 것"[43]이라고 말했다.

그러나 추상적인 주제보다 사람들에 대해 통찰력이 있다는 점은 곧 정치적 통찰력의 일부이기도 하다. 매카시는 존 스튜어트 밀이나 벌린 같은 사상가는 아니었다. 권리를 체계적으로 정리하거나 정의의 본질을 상세히 설명하는 데 시간을 쏟지 않았다. 그래도 인간에 대한 통찰력은 정치적 분석에서 소중한 역할을 한다. 그녀가 나중에 "대중의 의견의 정통성과 독립성에 대한 의심"[44]이라고 표현한 것도 마찬가지다. 이것은 20세기 중반의 정치를 분석하는 데 특히 유용했다. 이때는 거대한 추상적 사상체계들, 즉 국가사회주의, 공산주의, 자본주의 등이 인류를 자주 재앙으로 이끈 시기다. 어쨌든 이런 통찰력 덕분에 매카시는 1930년대에 좌파 내부에서 벌어진 전쟁을 이겨낼 수 있었다. 각각 다른 생각을 지닌 사람들이 서로의 목을 노리고 달려들 때는, 어느 편을 들지 않고 선 밖에 서 있는 것에 나름대로 가치가 있었다.

트로츠키 옹호위원회 일에 본의 아니게 휩쓸렸을 무렵 매카시는 『파티전 리뷰』의 공동 편집자 중 한 명이자 편집위원인 필립 라브와 함께 살고 있었다. 라브는 전통적인 미남은 아니었지만, 어두운 폭풍 같은 매력이 있었다. 그는 "러시아식 발음이 아주 심한 말씨로 신랄하고, 호되고, 맹렬하게"[45] 말했다. 또한 대공황 때 뉴욕으로 와서 무료급식을 위해 줄을 서본 경험이 있으므로 마르크스주의에 깊이 빠져 있었다. 매카시가 미처 진지하게 생각하지 못하는 부분을 라브는 충분하고도 남을 정도로 보충해주었으며, 자신의 신념을 널리 알리는 과정에서 남을 모욕하는 것도 주저하지 않았다. "특별히 친절한 남자는 아니었다."[46] 이사야 벌린은 이렇게 말했다. 『파티전 리뷰』의 또 다른 멤버인 드와이트 맥도널드에 따르면, 그는 "여러 면에서 상당히 가차 없는 사람"[47]이었다. 그러나 매카시의 생각은 달랐다. 그에게 바친 찬사에서 그녀는 그가 『데일리 워커』(*Daily Worker*)에 쓴 『밤은 부드러워라』(*Tender Is the Night*)의 서평을 보고 매력을 느꼈다고 말했다. 대체로 부정적인 서평이었지만, 매카시는 부자들의 연대기작가인 피츠제럴드에게 "교감하는 통찰력"에 충격을 받았다는 것이다. 그녀는 그 책을 다루는 라브의 태도가 "다정한 것"이 전혀 예상 밖이었다고 말했다.[48]

나중에 쓴 다른 글에서 매카시는 라브가 자신을 『파티전 리뷰』의 편집위원으로 만들기 위해 "[그녀를] 대신해서 우카스(Указ)"[49]를 발표해야 했다고 말했다('우카스'는 소비에트 체제가 들어서기 이전의 러시아에서 차르의 칙령을 뜻했다). 어떤 일에 여자를 참여시키려면 그 정도 대가는 치러야 했다. 1934년 초에 발간된 첫 호에서 매카시는 발행인란에 이름이 올라간 유일한 여성이자, 기고가 중에서도 유일한 여성이었다. 세월이 흐른 뒤 그녀가 조금 재미있다는 듯이 밝힌 바에 따르면, 그녀는 이런 식으로 지식인 세계에 진입한 것이 불안했다고 한다. 서평을 기고하는 다른 남성 필자들은 모두 정치 토론에 목소리를 높여 소란스럽게 외쳐대는 편이었다. 매카시는 그런 토론에 그들만큼 열성적이지 않았고, 남성 필자들이 매카시를 바라보는 시각도 비슷했다. 공산당 규율도 『파티전 리뷰』를 온갖 종류의 정통성을 놓고 벌어지는 내분에서 구해주지 못했다. 이념적 순수성에 대한 집착이 사방에 퍼져 있었다.

> 뉴욕의 유서 깊은 가문 출신이며 젊은 추상화가로 활동하는 후원자는 정치적으로 너무나 '혼란'에 빠진 나머지 어느 날 노동자 서점(스탈린파)에 들어가 트로츠키의 『배반당한 혁명』(*The Revolution Betrayed*)을 사러 왔다고 말했다. 그날 그는 각반을 차고 지팡이도 들고 있었는데, 그 모습이 어떻게 보였을지 생각한 우리는 모두 얼굴이 하얗게 질렸다. "혹시 당신을 알아본 사람은 없어요? 당신이 누군지 그 사람들이 알았을까요?" 우리 모두 다짜고짜 이렇게 물어보았다.

이 일화를 통해 알 수 있듯이, 『파티전 리뷰』와 함께 일하는 작가들과 편집자들은 모두 20대와 30대로 비교적 젊은 편이었다. 그들은 자기들의 '작은 잡지'가 세상에서 한자리를 차지할 가치가 있음을 증명하려고 열심이었다. 이런 초조감이 지면에서 오만함으로 나타날 때가 많았는데, 사실 그들 중 누구도 그렇게 거만을 떨 만큼 제대로 된 수련을 거친 적이 없었다. 나중에 매카시가 표현했듯이 "오로지 미국에서만, 아니" 1930년대 "뉴욕의 아주 작은 일부에서만 그렇게 보잘것없는 경력으로 그토록 권위적인 태도를 취할 수 있었다."

매카시에게 연극비평이 맡겨진 것은 남자들이 그녀의 능력을 믿지 못했기 때문이다. 정통성을 신봉하는 젊은 그들의 눈에 연극은 부르주아의 예술이었으므로, 별로 관심이 가지 않았다. "내가 실수를 저지른다 한들 무슨 상관인가? 이런 주장이 승리를 거뒀다." 결과적으로 이런 배치는 좋은 성과를 거뒀다. 매카시에게 간섭하는 사람이 별로 없었으므로, 그녀는 혼자서 글 쓰는 법을 깨우칠 수 있었다. 매카시가 파커와 마찬가지로, 다른 비평가들이 모두 좋아하는 것을 싫어하는 성향을 지녔다는 점도 도움이 되었다.

처음부터 마르크스주의에 대한 자신의 진심을 증명하고 싶어서 지나치게 안달이 난 매카시는 먼저 연극을 평가할 때 정치를 기준으로 삼았다. 때로는 그 과정에서 클리셰에 의존하기도 했다. "교조적인 시기였다. 모두들 예술작품에 잠복해 있는 성향들을 찾아내서 폭로하려고 했다. 마치 FBI 수사관들 같았다." 매카시는 이렇게 썼다. 그녀는 오슨 웰스가 제작한 조지 버나드 쇼의 「슬픔의 집」(*Heartbreak House*)을 평한 글에서, 배우로서 그가 "맡은 역할의 거친 표면에 점성이 있는 신성한 기름 같은 것을 뿌리는" 성향이 있다고 지적했다.[50] 클리퍼드 오데츠와 존 스타인벡은 "들릴락 말락한 박수갈채가 쏟아질 지점에 잠깐 쉬는 틈을 둔다"는 점에서 "자가중독증"에 시달리고 있다고 평했다.[51] 단 하나의 예외, 즉 매카시가 실제로 호감을 보인 연극은 손튼 와일더의 「우리 읍내」(*Our Town*)로, "의식 있는 연극 그 자체, 적어도 예술에서 경험을 포착하고 가둬서 관찰하는 것이 가능하다는 사실을 보여주는

증거"라는 평을 받았다.[52]

한번은 연극비평을 쓰다가 자신의 전임자를 평해야 하는 일이 벌어졌다. 여배우 루스 고든이 「스물한 살 넘어」(Over Twenty One)라는 희곡을 무대에 올렸을 때, 이 연극은 극작가들이 도러시 파커 같은 인물을 무대에 등장시키려고 수없이 시도한 작품들 중 하나였다. 매카시는 이렇게 말했다. "도러시 파커의 캐릭터가 사디스(브로드웨이 연극인들이 자주 드나들며 교류하던 식당—옮긴이)에 드나드는 사람들만큼 연극에 철저히 어울린다."[53] 그녀는 파커의 재치를 희미하게 담은 것이 관객이 이 연극을 즐길 수 있는 유일한 이유 같다고 생각했다.

매카시는 파커를 제대로 만난 적이 없었다. 가까이에서 파커를 본 것은 딱 한 번, 뉴욕에서 열린 공산당 행사 때였다. "그녀의 땅딸막한 외모가 실망스러웠다." 그녀는 이렇게 썼다. "요즘 같으면 텔레비전 토크쇼를 보고 미리 각오했을 텐데."[54] 나중에 나이를 먹은 뒤에는 매카시도 사람들에게서 뚱뚱하다는 모욕적인 말을 들었다.

매카시가 에드먼드 윌슨을 처음 만난 것은 1931년, 그가 배서 대학에 강연을 하러 왔을 때였다. 그녀의 반응은 그리 열광적이지 않았다. "그는 뚱뚱하고, 신경질적이고, 강연도 형편없었다. 내가 들은 강연 중 최악이었다. 세월이 흐른 뒤, 뉴욕에서 내가 주재한 모임에서 말을 더듬느라 '전체주의'라는 단어를 무려 21음절로 발음한 것까지 포함해서 평가한 것이다. 누군가가 그 음절을 일일이 세어보았다."[55] 1937년에 그는 『파티전 리뷰』의 모든 편집자에게 인기가 높았다. 그들은 젊은 지식인 특유의 헌신적인 태도로 그와 그의 비평을 숭배하다시피 했다. 그때 윌슨은 뉴욕의 거의 모든 주요 간행물에 글을 쓰고 있었다. 주로 서평을 썼지만, 가끔은 기자로도 활동했다. 상징주의에 대해 그가 쓴 연구서 『악셀의 성』(그가 배서 대학에서 강연하게 된 것도 이 책 덕분이었다)은 그를 진정 대중적인 지식인으로 만들어주었다. 『파티전 리뷰』는 자신의 문화적 지위를 높여줄 문학적 인정을 원했다. 윌슨이 그것을 제공해줄 수 있었다.

『파티전 리뷰』 집단 내에서 언제나 반대파에 속했던 매카시는 동료들만큼 윌슨을 대단하게 우러러보지 않았다. 그런데도 윌슨과 함께 점심식사를 할 사람으로 뽑혔다. 다른 편집자 다섯 명도 같이 가기로 했다. 윌슨은 '우리 비평가들' 시리즈의 공동 집필자인 마거릿 마셜도 그 자리에 나와주기를 요청했다. 압박을 느낀 매카시는 불안해져서 다른 편집위원 한 명과 함께 식전에 다이키리(럼주를 기반으로 한 쿠바의 칵테일 — 옮긴이)를 한 잔 하러 갔다. 그러고는 맨해튼 칵테일과 적포도주가 물처럼 흐르는 저녁식사 자리에 나타났다. 매카시는 너무 취한 나머지 윌슨, 마셜과 함께 호텔 스위트룸에서 잠이 들었고, 다음 날 아침까지 필립 라브에게 사정을 알려주는 연락을 하지 않았다.

그리 좋은 경험은 아니었다. 그런데도 어찌 된 일인지 그녀는 몇 주 뒤 윌슨의 데이트 요청을 받아들였다. 그리고 어쩌다 보니 코네티컷에 있는 그의 집 소파에서 그의 구애에 무릎을 꿇고 말았다. 매카시는 순식간에 라브와 헤어지고 윌슨과 결혼했다. 이때의 일을 그녀 자신도 언제나 잘 설명하지 못했다. "그와 이야기하는 것이 몹시 좋았지만 성적인 매력은 느끼지 않았다."[56] 그녀는 회고록에 이렇게 썼다.

나쁜 결혼생활이라도 나중에 되돌아볼 때는 신화처럼 미화될 때가 많다. 윌슨과 매카시의 결혼생활을 특징적으로 표현한 말로 자주 인용되는 것은 그것이 "두 폭군"[57]의 결합이었다는 말이다. 어쩌면 이것은 과장된 표현인지도 모른다. 두 사람이 서로 잘 지내지 못한 원인은 복잡했다. 1938년에 태어난 두 사람의 아들 류얼은 두 사람의 이야기를 다룬 책에서 다음과 같이 썼다.

> 윌슨이 내면에 자리 잡은 악마의 꼬드김으로 야비하고 잔인한 행동을 할 수 있었으며, 때로는 폭력까지 휘둘렀다고 말하면 충분할 것이다. 어린 시절의 트라우마, 즉 보호자들에게 잔인하게 이용당한 어린 고아의 기억을 낙인처럼 지니고 있던 매카시는 남편의 잦은 괴롭힘과 비판에 감정적으로 반응했다.[58]

매카시를 만나기 전 윌슨은 연애나 성생활과 관련해서 다소 혼돈의 세월을 보내고 있었다. 그는 대단히 지적인 여성들을 좋아했으므로, 처음 열정적으로 사귄 여성이 바로 에드나 세인트 빈센트 밀레이였다. 비록 나중에 그녀에게 차이고 말았지만. 그는 자신의 자녀들을 포함해서 사람들과의 관계를 유지하는 데 재주가 없었다. 자유기고가로 벌어들이는 돈이 전부였으므로 경제적으로 불안했고, 그 때문에 끊임없이 스트레스를 받았다. 설상가상으로 술도 너무 많이 마셨다.

매카시와 결혼하면서 윌슨은 도시와 떨어진 곳에서 조용히 살게 해주겠다고 약속했다. 그리고 결혼생활 동안 윌슨 부부는 뉴욕 주 북부, 웰플릿, 시카고에서 살았다. 그러나 이 세 곳에서의 삶이 아무리 매력적이어도 뭔가가 부족했다. 매카시는 행복하지 않았다. 그래서 가끔 히스테리처럼 벌컥 화를 내곤 했다. 당시 십 대이던 윌슨의 다른 자식은 그것을 '발작'이라고 표현했다. 1938년 6월에 또 이런 발작을 일으킨 매카시는 결국 페인 휘트니 정신병동에 입원하게 되었다. 의사들은 그녀에게 불안장애가 있다고 진단했다. 회고록 두 번째 권인 『나는 어떻게 자랐나』(*How I Grew*)에서 매카시는 술에 취한 윌슨이 자신에게 주먹을 휘두른 것이 발작의 방아쇠가 되었다고 주장했다. 당시 그녀는 임신한 지 2개월 보름째였다.

충격적인 일이다. 실제로 이 일을 자세히 파헤치려 애쓴 많은 사람이 움찔할 정도였다. 윌슨의 친척이며 매카시의 친구로서 최악의 상황들을 많이 본 어떤 사람은 윌슨의 전기를 쓴 루이스 대브니에게 두 사람에게서 결혼생활에 대한 이야기를 듣다 보면 "「라쇼몽」(Rashomon)의 등장인물들처럼 서로 완전히 다른 시각으로 바라본 현실을" 듣는 것 같았다고 말했다. 「라쇼몽」처럼 서로 다른 이야기들을 조화시킬 방법은 궁극적으로 없는 것인지도 모른다. 이혼소송에서 윌슨은 자신이 아내에게 한 번도 손을 올린 적이 없다고 주장했다. "딱 한 번만 빼고." 그가 말한 이 한 번의 예외가 결국 매카시를 페인 휘트니 병원으로 보낸 그 사건인지도 모른다. 어쨌든 그 사건으로부터 7년 뒤인 1945년에 열린 이혼재판에서 친구들은 매카시의 편을 들었다.

그러나 이 결혼은 의문의 여지 없이 훌륭한 결과 두 가지를 낳았다. 하나는 아들인 류얼이고, 다른 하나는 매카시가 소설 쪽으로 넘어가게 된 것이다. 그녀는 자신에게 소설을 써보라고 강력히 권한 사람이 윌슨이라고 평생 사람들에게 말하고 다녔다. 윌슨은 매카시가 『파티전 리뷰』 등 여러 곳에 쓴 글들이 그녀의 재능을 모두 담지 못했다고 생각했다. 그래서 매카시가 아직 어린 자식을 키우면서도 글을 쓸 수 있도록 살림을 도와줄 사람을 고용하는 등, 물질적인 지원도 해주었다.

매카시가 윌슨과의 결혼생활 중에 쓴 단편소설들은 그가 찬사를 보냈던 파커의 작품과도 비견될 만했다. 두 사람 모두 "글을 쓰고 싶다는 절박한 욕망"을 느끼고 있다는 점이 공통적이었다. 매카시가 처음으로 발표한 단편소설의 제목은 「브룩스 브라더스 양복을 입은 남자」(The Man in the Brooks Brothers Suit)였다. 매카시의 분신인 메그 사전트가 등장하는 첫 작품이었는데, 여기서 메그는 첫 번째 남편과 이혼하기 위해 기차를 타고 리노로 가던 중에 중서부 출신의 지루한 유부남을 만난다. 결국 그녀는 그와 잠자리를 갖지만, 양면적인 감정을 느끼다 못해 후회까지 하게 된다. 그 남자와 함께 하는 동안 내내 메그 사전트는 자신을 관찰하며 자신의 행동을 평가한다. "그녀가 항상 짜릿하고 낭만적인 일이 생기기를 바란 것은 사실이었다."[59] 소설 첫 머리에서 그녀는 이런 생각을 한다. "하지만 술을 마실 수 있는 휴게실 칸에 앉아 남자와 어울리는 것은 그리 낭만적인 일이 아니었다." 그래도 그녀가 이런 행동을 하는 이유 중 하나는, 자신의 성적인 힘을 이런 식으로 한 번 휘둘러보고 싶다는 욕망이다. 메그는 예쁜 외모를 지니고 있으면서도, 딱히 대단한 환상을 품지는 않는다. 특정한 종류의 미국 남자들만이 자신을 예쁘게 본다는 사실을 알기 때문이다.

> 자신을 완벽한 여성으로 보는 남자들을 무시하고 깔보는 마음이 그녀의 머릿속 가장 깊숙한 곳에 있었다. 만약 그녀가 사우샘프턴에서 수영복 차림을 하고 있었다면, 남자들의 심사기준을 통과하는 일은 결코 없었을 것이다. 비록 그녀는 그런 잔인한 시험에 자신을 내놓은 적이 한 번도 없지만, 그런 시험에서 느끼는 위협은 그녀의 머릿속에 살아 있었다. 미용실에서 들춰본 잡지 『보그』나 그녀의 수준으로 감당할 수 없는 식당에서 먹는 점심식사만으로도 그녀는 충분히 위험을 느낄 사람이었다. 지금까지 그녀가 사랑했던 여러 남자들을 위험하게 여기지 않은 것은, 그들 모두가 어떤 식으로든 무능한 인간이었기 때문이다(그녀는 이제 그것을 알 수 있었다). … 그들 각자는 어떤 식으로든 미국식 생활을 하는 데에 장애가 있는 사람이라서 모두 사랑에 겸손했다. 그럼 그녀 역시 자격이 모자랐을까? 이런 무능한 인간들의 대열이 그녀가 속한 곳일까? 그녀는 평생 자청해서 망명생활을 하던 건전하고 정상적인 여성, 트롤 무리 속의 공주님이 아니었을까?[60]

그녀가 말한 '트롤' 중 하나는 아마도 라브인 듯하다. 그러나 그는 별로 기분이 상한 것 같지 않았다. 이 소설이 어느 정도 스캔들 거리가 될 것임을 그들은 알고 있었다. 당시의 분위기에서 이런 노골적인 이야기는 완전히 이례적이었다. 그러나 이런 사실은 오히려 작품을 발표하고 싶다는 두 사람의 욕망을 부추기기만 했고, 작품의 성공은 두 사람이 위험을 무릅쓸 가치가 있었음을 증명했다. 조지 플림턴은 매카시의 전기를 쓴 작가에게 이렇게 말했다. "당시 엑시터에서 그 소설은 거의 진주만 소식만큼이나 커다란 인상을 남겼다."[61] 남자들은 매카시가 소설에서 자기들을 너무 가혹하게 묘사한다고 자주 투덜거렸다. 그러나 윌슨의 친구인 블라디미르 나보코프는 나중에 책으로 묶여 나온 메리의 작품들을 좋아했다. "멋진 작품. 시적이고, 영리하고, 새롭다."[62] 매우 젊고 포부가 큰 작가이자 아직 하버드 학생이던 노먼 메일러도 그녀의 작품을 좋아했다.

여성들은 메그의 독립적인 사고방식, 자신 있는 모습은 물론 그녀가 저지르는 실수에도 공감할 수 있기 때문에 대체로 메리의 작품을 좋아했다. "그녀는 강하고 어리석은 페미니스트 여주인공이다."[63] 폴린 케일은 당시 서해안 지방에서 시나리오 작가로 힘겹게 살아가며 이 작품을 읽었을 때 이런 생각을 했다고 밝혔다. "그녀는 어리석었지만 약하지 않았다." 그녀의 말에 담긴 뉘앙스를 포착하기가 쉽지 않았다. 그러나 메그의 특징들, 즉 항상 옳은 행동만 하는 것도 아니면서 자신감이 있고 고집스러운 모습은 전형적인 여성 등장인물에게서 찾아보기 힘든 조합이었다. 영화에서도 책에서도 무모한 동시에 취약한 여성의 모습은 아주 드물게만 허락될 뿐이었다.

이 소설이 워낙 커다란 성공을 거뒀기 때문에, 발표한 지 1년도 안 돼서 매카시는 메그가 주인공인 단편소설들을 모아 『그녀의 친구들』이라는 책을 펴냈다. 그녀의 첫 저서인 이 책에 열광적인 반응을 보인 일부 서평들은 거의 모두 매카시를 일종의 살인자, 즉 글을 흉기로 사용하는 살인자처럼 묘사했다. "고양이가 쥐에게 죽음을 주듯이, 이 작품은 부드러운 살기로 풍자를 구사한다."[64] 『뉴욕 타임스』에 실린 서평이다. 『뉴욕 헤럴드 트리뷴』의 (남성) 서평 필자는 매카시가 "섬세한 악의를 표현하는 재능"을 지니고 있다고 선언하면서도, 메그를 "버릇없는 귀염둥이"라고 불렀다.[65] 『뉴 리퍼블릭』에서는 맬컴 코울리가 직접 서평을 맡아, 이 책의 맨 앞 네 작품의 어조가 마음에 들지 않는 듯한 반응을 보였다.

> 영리하고 심술궂지만, 심술궂게 영리하지는 않다. 심리적으로 예리하지만, 표면 아래로 깊이 파고들지는 못하는 것 같다. … 이렇게 형편없는 사람들과 어울리는 여주인공이 어쩌면 그들 중에서 최악의 인물인지도 모르겠다. 누구보다 속물적이고 젠체하고 앙심을 품은 그녀는 자신에게 성격이라는 것이 있는지, 아니 자신이 계속 고쳐 쓰고 있는 이 책 바깥에 자신이 존재하고 있는지 누구보다 확신하지 못한다.[66]

메그가 속물적인지 젠체하는지 앙심을 품었는지 아니면 그저 너무 젊을 뿐인지에 대해 합리적인 사람들이 저마다 다른 의견을 내놓을 수 있을 것이다. 메그는 정신분석을 받으러 갔다가, 자신의 혼란과 가식이 대부분 끔찍한 어린 시절과 관련되어 있음을 알게 된다. 자신이 항상 밖으로 쫓아내려고 하는 "나쁜 과거"[67]가 문제라는 것이다. 그녀는 "자신의 기만을 잡아내기로"[68] 각오를 다지며 그곳을 나온다. 코울리는 다른 평론가들과 달리, 이것이 이 책 전체를 완전히 뒤집어버린다는 점을 알아차렸다.

> 미스 매카시는 자신을 보호하기 위한 거짓말은 단 한 줄도 없이, 모든 것을 어쩌면 현실이 되었을지도 모르는 모습으로 묘사하는

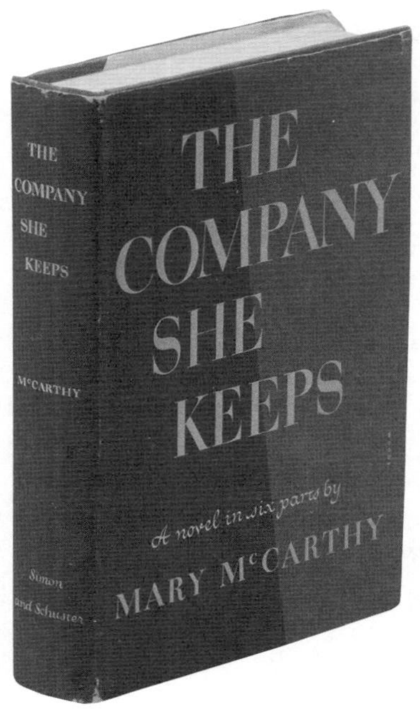

『그녀의 친구들』 1942년 초판본.

어려운 기술을 터득했다. … 『그녀의 친구들』은 호감이 가는 책도 아니고, 아주 잘 짜인 책도 아니지만, 생생한 경험이라는 보기 드문 장점을 지니고 있다.[69]

코울리가 알았는지 몰랐는지는 알 수 없지만, 이 책은 실제로 경험을 담은 것이었다. 이 단편소설들이 자전적인 성격을 띠고 있다는 사실에는 이론의 여지가 없다. 세세한 부분들을 애매하게 얼버무리기는 했어도, 기본은 살아 있다. 메그도 매카시처럼 서부 출신 여성이다. 그녀의 부모 중 한 명도 세상을 떠났고, 그녀의 어린 시절도 힘들었으며, 그녀는 뉴욕에서 작가로서 이름을 알리려고 애쓰고 있다. 메그의 결혼생활이 무너진 과정도 매카시의 첫 번째 결혼이 무너진 과정과 똑같다. 메그에게 다른 남자가 생겼다는 것. 그녀가 처음 잡은 직장도 매카시와 같고, 친구들과 연인들도 모두 매카시가 젊은 시절에 사귄 사람들과 비슷하다. "그녀가 마치 고백록처럼 진실한 얘기 외에 다른 것을 쓴 것 같지는 않다."[70] 비평가 라이오넬 에이블은 매카시를 좋아하는 편이 아닌데도 이런 말을 했다.

매카시의 작업은 어쨌든 남들의 것과 조금 달랐다. 파커처럼 자신을 긁어대는 방식과는 거리가 멀어도, 매카시의 소설 역시 비판적인 성향을 띠었다. 자신의 경험을 작품에 반영한 만큼, 그녀는 그 경험들에서 확실히 떨어져나와 그 경험들과 자신을 평가한 뒤, 적절한 가공을 거쳐 소설화했다. 이 소설 속의 자기인식은 일반적인 고백록과 완전히 달랐다. 짓궂고 무심하고 정직하면서도 가차 없다는 점에서.

더 최근의 사건들에도 적용할 수 있을 만큼 이런 기법이 매카시에게 잘 맞았음이 분명하다. 그녀가 윌슨과 함께 살 때 써서 『뉴요커』에 발표한 또 다른 단편소설 「잡초」(The Weeds)는 결혼생활의 고통스러운 부분들을 억지로 열어젖혔다. 이 소설은 이름이 밝혀지지 않은 여자가 자기 집 정원에서 남편과 언제 어떻게 헤어질지 곰곰이 생각하는 장면으로 시작한다. 결국 그녀는 뉴욕으로 달아나는데, 역시 이름이 밝혀지지 않은 남편이 거기까지 따라와 그녀를 데려간다. 그러자 여자는 발작을 일으키고, 화자는 그 장면을 묘사하면서 여자의 저의를 냉혹하게 분석한다.

> 그녀는 자신이 기괴하다 못해 혐오스러운 꼴이며, 남편이 그녀의 모습과 그녀가 내는 소리에 충격을 받았다는 사실을 인식했다. 그러나 헉헉 숨을 몰아쉬며 흐느끼는 소리가 기쁨을 주었다. 자신이 그에게 줄 수 있는 벌이 이것밖에 없음을 깨달았기 때문이다. 그녀의 외모가 마녀처럼 변하고 그녀의 영혼이 눈에 띄게 쇠약해지는 것이 결국 그녀의 복수가 될 것이다.[71]

매카시가 이 소설의 초고를 윌슨에게 보여주었을 때, 그는 소설 속에 묘사된 자신의 모습에 대해 아무런 불평도 하지 않았다. 그러나 이 작품이 『뉴요커』에 발표된 뒤 그는 생각을 바꿨다. "그는 몹시 화를 냈다. 내가 '미리 원고를 보여줬잖아'라고 말했더니 그는 '당신이 그 뒤로 퇴고를 했잖아!'라고 말했다."[72]

이토록 뛰어난 단편소설들의 토대가 된 부부싸움의 세월을 7년 동안 이어가던 매카시는 1944년에 마침내 윌슨과 헤어졌다. 두 사람은 이혼을 둘러싸고 격렬하게 싸우다가 결국 법정까지 가게 되었다. 각자가 정확히 어떤 상처를 얼마나 많이 받았는지를 놓고 많은 말다툼이 벌어졌다. 두 사람의 결혼생활은 행복하지 않았지만, 감정적인 면에서는 심지어 재앙이라고 불러도 될 정도였지만, 매카시가 최고의 작품을 써내는 데 산파 역할을 한 것도 사실이다. 그것이 '보상'이 될 수는 없어도, 매카시의 작품 중에 가장 오랫동안 기억에 남은 것은 소설이었다. 이미 오래전에 막을 내린 연극이나 사람들이 잊어버린 소설에 대한 비평과는 달랐다.

이제 1944년에 필립 라브의 집에서 열린 파티 얘기로 다시 돌아가야겠다. 매카시가 한나 아렌트를 화나게 한 문제의 발언을 한 그 파티 말이다. 어쩌면 그녀는 결혼생활의 파탄으로 인한 스트레스 때문에 히틀러에 대해 그렇게 경박한 발언을 했는지도 모른다. 노련하게 손님들을 대접할 줄 아는 매카시에게서는 보기 드문 실수였다. 「잡초」에서 아내는 뉴욕에 도착한 뒤 이곳의 상황이 예전 같지 않음을 깨닫는다. 그녀의 부름에 화답해주는 친구가 거의 없다. 현실 속의 매카시는 뉴욕에 돌아왔을 때 어느 정도 힘 있는 위치를 확보하고 있었다. 비평가들에게 찬사를 받은 단편소설 덕분에 제대로 작가 대접을 받았고, 과거 좌파 잡지에 연극비평과 서평을 쓸 때보다 훨씬 더 많은 선망의 시선을 받았다. 그때나 지금이나 소설은 문학적 성취의 정점으로 간주된다. 갑자기 매카시를 찾는 사람이 많아지고, 교단에 서보라는 요청도 들어오기 시작했다. 매카시는 그런 요청을 받아들여 바드와 새라 로런스 대학에서 교편을 잡았다. 또한 윌슨보다 훨씬 더 차분하고 훨씬 덜 오만한 남편도 재빨리 찾아냈다. 『뉴요커』의 필자로 활동하는 날씬하고 단정한 남자 보우덴 브로드워터와 그녀는 1946년 12월에 결혼했다.

이때 매카시는 아주 특별한 종류의 유명인이 되어 있었다. 문학잡지와 평범한 교양잡지를 열심히 읽는 사람에게는 이름이 잘 알려져 있었지만, 그녀의 책들을 딱히 베스트셀러라고 하기는 힘들었다. 그래도 사람들이 갑자기 그녀의 머리모양이나 옷차림에 관심을 보이기 시작했다. "한동안 … 그녀가 마치 조지 엘리엇처럼 평범한 옷차림에 몰두한 듯 보이던 시기가 있었다."[73] 당시 그녀를 지켜보았던 사람의 회고다. 게다가 특정한 부류의 사람이 아닌 더 많은 사람에게도 그녀의 명성이 점점 퍼지고 있었다. 『보그』의

'지금 회자되는 이야기' 칼럼에 『그녀의 친구들』이 등장하기도 했다. 사람들은 매카시가 "그냥 재미로 여기저기 작살을 찔러대는 눈부신 하르퓌아처럼" 글을 쓴다고 단언했다.[74]

이처럼 매카시의 문장이 순수한 악의를 담고 있다는 주장이 사방에서 들려왔다. 서평 필자들은 그녀가 감수성과 정련된 문체를 갖고 있음을 항상 인정했다. 그러나 세상을 바라보는 그녀의 시각은 좋아하지 않았다. 적어도 그녀가 자신의 시각을 글로 기록한 것은 다소 무례한 행동이라고 생각했다. 그들은 그녀의 지성이 남에게 상처를 주고 파괴적이며 어쩌면 악의도 품고 있는 것 같다고 암시하는 이미지들을 골랐다. 매카시를 개인적으로 아는 사람이나 모르는 사람이나 다를 것이 없었다. 그녀의 친구인 앨프리드 카진은 나중에 『그녀의 친구들』을 가리켜 "몹시 진지하다"면서도 "코러스걸들이 서로를 논평하는 말처럼 여성적인 악의"를 담고 있다고 말했다.[75]

어쩌면 "여성적"이라는 말은 전혀 상관이 없는 것인지도 모른다. "악의"라는 말도 전혀 해당하지 않는 것일 수 있다. 이 단어의 전통적인 의미를 따진다면. 매카시의 소설에는 날카로운 풍자가 있었다. 그리고 그녀는 자신을 바탕으로 한 등장인물이든 다른 사람들을 바탕으로 한 인물이든 가리지 않고 쉽사리 조롱하거나 평가했다. 그녀의 작품들은 예리했다. 그러나 반드시 악의적이거나 거부감을 불러일으키지는 않았다.

이 법칙을 증명해주는 예외가 하나 있다. 매카시는 브로드워터와 결혼한 뒤 장편소설을 쓰기 시작했다. 뉴욕의 좌파 지식인 세계를 무대로 삼은 작품으로, 제목은 『오아시스』(*Oasis*)였다. 사회주의 성향의 지식인들이 펜실베이니아의 시골로 가서 유토피아를 건설한다는, 다소 판타지 같은 내용이었는데 그들의 노력은 당연히 실패한다. 그리고 그들의 정착지에 사는 사람들의 가식이 여기에 적잖은 영향을 미친다. 매카시가 정확히 어떤 동기에서 『오아시스』를 쓰게 되었는지는 알 수 없지만, 그녀는 겨우 몇 달 만에 이 작품을 서둘러 끝내버렸다. 당시는 오웰의 『동물농장』(*Animal Farm*) 덕분에 정치풍자가 유행하던 시기였다. 매카시도 어쩌면 여기에서 영감을 얻었는지 모른다. 현실 속에서 매카시는 미국의 좌파 지식인들을 모아 외국 작가들을 지원하는 조직을 만들려다가 재앙 같은 실패를 막 겪은 뒤였다. 그녀의 노력을 무너뜨린 것은 내분이었다. 어쩌면 『오아시스』는 복수를 위해 쓴 작품인지도 모른다.

"그 이야기는 완전한 허구다."[76] 세월이 흐른 뒤 매카시는 이렇게 주장했다. 이 작품의 플롯에 대한 이야기였다. 그러나 등장인물들은 현실 속에서 가져왔다고 그녀 본인도 인정했다. "나는 적어도 사람의 정수를 최대한 정확히 표현하려고, 현실과 소설 속에서 모두 그 사람을 움직이는 열쇠를 찾아내려고 애쓴다." 필립 라브의 정수가 담긴 인물은 윌 토브였다. 그는 소설 속 지식인 무리의 지도자이지만, 그의 허세는 심하게 불안한 내면을 가리기 위한 가면이다. 특히 그는 자신이 유대인이라는 사실을 과도하게 의식하고 있다. 그는 자신을 말없이 도와주는 아내에게도 "무뚝뚝하고 퉁명스러웠다. … 그녀가 사회문제에 대해 생각해보려고 했을 때."[77] (이때 라브는 매카시의 바사 대학 동급생과 이미 결혼한 뒤였다. 내털리 스윈이라는 이름의 이 여성은 소설 속 묘사와 어느 정도 일치했다.)

추상적인 면에서는 재미있는 소설이었다. 사교적인 면에서는 자기파괴적이었다. 매카시는 이 작품에서 많은 친구들을 사실상 직접적으로 겨냥했다. 오랫동안 『파티전 리뷰』와 관계를 맺고 있던 모든 사람이 이 작품을 가리켜 고약한 소설이라고 뒤에서 험담을 해대기 시작했다. "그 여자는 불한당이야."[78] 다이애나 트릴링은 이렇게 투덜거렸다고 한다. 소설 속 패러디에 등장한 많은 사람이 느낀 깊은 배신감을 가볍게 취급할 수는 없다. 특히 라브는 많은 상처를 받았다. 그는 대책을 논의하기 위한 회의를 열었다. 그 자리에서 많은 사람들이 그의 기분을 풀어주려고 애썼지만, 그는 이미 마음을 정했는지 소송을 언급했다. 그리고 변호사를 통해 『오아시스』의 미국 출판사에 편지를 보냈다. 그 책이 "전혀 사실이 아니고, 불쾌하고, 명예를 훼손하는 내용으로 사생활에 대한 그의 권리를 크게 침해했다"[79]는 내용의 편지였다. 그러나 나중에 그는 뒤로 물러났다. 명예훼손 주장이 성립하려면, 라브가 곧 매카시의 소설에 등장하는 어리석은 인물이라고 많은 사람들이 생각한다는 사실을 그가 입증해야 한다고 친구들이 일깨워준 것이 어느 정도 영향을 미쳤다.

그러나 이런 반응보다 더 안 좋은 것은 이 작품이 그다지 성공을 거두지 못했다는 점이었다. 비교적 일반 사회와 동떨어진 사람들의 세계를 다룬 작품인 만큼, 평범한 독자들은 작품을 잘 이해하지 못했다. "미스 매카시의 몹시 정확한 묘사가 그녀의 독자들에게는 장애가 되었다." 『뉴욕 타임스』의 서평 필자는 이렇게 썼다.

> 그 내용에 친숙한 사람들이 너무 적다. 자그마한 잡지의 편집자는 영국 재무장관과 다르다. 그런 종류의 사람을 접하지 못하는 독자들은 작가가 누군가를 눈부시게 욕하고 있다는 막연한 느낌이나 훌륭한 장면 몇 개를 제외하고는 『오아시스』를 거의 이해하지 못한다.[80]

이 책에 등장하는 사람들과 잘 아는 사이인데도 이 책을 읽고 아주 좋은 반응을 보인 사람을 한 명 꼽는다면 한나 아렌트가 있다. 얼마 전 그녀와 매카시는 지하철 역 플랫폼에서 서로 화해했다. "우리는 생각하는 것이 아주 비슷해요."[81] 아렌트는 파티에서 싸운 지 5년이 지난 이때 매카시에게 이렇게 말했다. 그리고 어떤 편지에서는 다른 사람들이 모두 그토록 싫어하는 『오아시스』에 찬사를 보냈다.

> 정말 기쁨 그 자체였다고 당신에게 꼭 말해야겠습니다. 당신의 작품은 진정한 걸작이에요. 그것이 단순히 『그녀의 친구들』보다 더 나은 수준이 아니라, 아예 차원이 다른 작품이라고 말한다면, 기분이 나쁘실까요.

그렇다면 이 책이 "기질적으로 배배꼬인" 매카시와 의식 있는 천민 아렌트를 더 가깝게 만들어주는 역할을 한 셈이다.

알고 보니 지적인 면에서 두 사람은 천생연분이었다. 두 사람은 아렌트가 세상을 떠날 때까지 내내 우정을 유지했다. 비슷한 기질을 지닌 두 여성이 오랫동안 우정을 쌓은 일이 그 자체로서 놀랍지는 않다. 그러나 매카시와 아렌트의 결합은 확실히 끈기를 자랑했다. 두 사람이 동시에 같은 장소에 있었던 적이 드물기 때문에, 우정을 이어주는 역할은 대부분 편지가 맡았다. 가벼운 잡담을 나누는 편지였지만, 그 잡담에 항상 두 사람이 다루고 있던 지적인 문제들, 친구들이 펴낸 책이나 상대방이 펴낸 책에 대한 견해 등이 뒤섞였다. 이상은 좋지만, 그들도 현실 세계 속에서 사는 사람들이었으므로 그 이상의 소유자인 사람들과의 관계에 매여 있었다.

1950년대에 매카시는 주로 뉴잉글랜드의 여러 소도시에서 아들, 보우덴 브로드워터와 함께 살았다. 아렌트에게 보낸 편지에서 그녀는 라브가 찾아왔던 일을 설명하며(그는 『오아시스』 때문에 금방 달아올라 화를 낸 만큼, 용서도 빨랐다), "공산주의에 대한 그의 확신이 아주 고루하게 보였습니다"[82]라고 평했다. 그러고는 "마치 우리가 바벨탑에서 서로에게 고함을 지르고 있는 것 같아서 나는 무서울 정도로 불안해졌습니다. 적대적으로 굴지는 않았지만, 낯설게 느껴져서 서로를 계속 경계했지요. 십중팔구 내 잘못 때문일 겁니다"라고 말을 이었다. 파티나 강연장에서 매카시 자신의 말을 중간에 끊어버린 사람들에 대한 불평도 늘어놓았다. 한편 아렌트는 뉴욕 어퍼웨스트사이드에 있는 아파트에서 "어릿광대 철학자들"[83]에 대해 공감하는 긴 논문 같은 답장을 썼다. 그리고 소크라테스, 데카르트, 홉스, 칸트, 파스칼에 대한 의견을 덧붙였다. 물론 하이데거에 대한 의견도 빠뜨리지 않았다.

두 사람은 바다를 건너 서로를 만나러 가기도 했다. 매카시가 피렌체와 베네치아에 대한 책을 쓰고 있을 때 아렌트는 유럽으로 매카시를 만나러 가곤 했다. 과거의 다른 친구들에게 그랬던 것처럼 매카시에게 자신의 글을 '영어화'해달라고 부탁하기도 했다. 아렌트가 주로 유럽에서 살게 된 뒤, 매카시는 항상 뉴욕에 있는 아렌트의 아파트에서 지냈다. 두 사람은 정신적으로 떼려야 뗄 수 없는 사이였다.

매카시와 동시대에 활동했던 많은 사람들은 아렌트가 매카시의 어떤 면을 보고 친해졌는지 모르겠다고 넌지시 암시했다. 아예 대놓고 인정한 사람들도 있었다. 사람들이 보기에 두 사람의 글은 너무나 달랐다. 아렌트의 글에는 복잡한 생각이 가득했고, 매카시의 글은 우아하고 공격적이었다. 그녀의 글을 적어도 최대한 부드럽게 표현하자면 그랬다. 많은 사람들은 매카시가 아렌트 같은 사상가는 아니지 않느냐고 생각했다. 그러나 아렌트는 친구의 지성이 그렇게 확연히 뒤떨어진다고 생각하지 않았다. 그녀는 매카시에게 자신의 원고를 보내며 '영어화'뿐만 아니라, 검토와 편집을 부탁했다. 두 사람의 편지에는 가벼운 잡담과 집안일에 대한 이야기 외에, 소설의 구성요소, 파시즘의 영역, 개인의 도덕성과 상식 등에 관한 주장들이 가득하다.

매카시와 아렌트는 모든 것을 설명하려 드는 남자들의 사회에 속해 있었지만 현실은 그보다 더 복잡했다. 두 사람은 '그 남자들 중의 한 명'으로 인정받지 못했다. 남자들은 두 사람의 작품에 경탄하면서도, 두 사람이 자신들을 비판하면 적대적이고 방어적인 태도를 보였다. 두 사람 모두 주변의 남자들 대부분에 대해 그리 좋은 말을 많이 하지 않은 것이 사실이기는 하다. 예를 들어 매카시는 아렌트에게 쓴 편지에서 솔 벨로에 대해 다음과 같이 말했다.

> 솔이 또 상태가 나빠져서 이른바 미국의 기득권세력을 공격하고 있다고 들었습니다. 기득권세력이란 곧 그를 비판하는 사람들을 말하죠. 솔은 런던에서 강연하면서 청중에게 강연이 끝난 뒤에도 10분 동안(5분이었나?) 자리에 남아 있으라고 요구했답니다. 그가 도망치기 위해 대기시켜둔 차까지 가는 동안 누구도 사인을 요청하며 다가오지 못하게 하려고요.[84]

매카시를 공격하는 글을 썼던 카진에 대해 아렌트는 다음과 같이 썼다.

> 이런 사람들은 나이를 먹으면서 더 심해집니다. 이 사람의 경우에는 순전히 시기심 때문이죠. 시기심이 괴물입니다.[85]

물론 이런 말을 주고받은 것이 오로지 여성들의 연대감 때문은 아니었다. 매카시도 아렌트도 누가 자신들의 우정을 '페미니즘'으로 정의했다면 받아들이지 않았을 것이다. 그들은 같은 세계에 속한 다른 여성들을 싫어했다. 여성으로서 이야기하는 데에는 열성적이었으나, 자신의 성별이 자신을 규정한다고 말할 생각은 결코 없었다. 두 사람이 이런 생각을 갖게 된 데에는 두 사람이 살던 시대도 어느 정도 영향을 미쳤다. 두 사람 모두 다른 사람들과는 잘 지내지 못했다는 점도 역시 영향을 미쳤다. 두 사람의 유대감은 전통적인 자매애를 바탕으로 한 것이 아니었다. 그들은 아렌트가 처음 매카시와 우정을 쌓기 시작하면서 말했던 것처럼, 생각이

“몹시 흡사한” 동맹이었다. 그리고 이렇게 비슷한 사고방식이 점점 단단해져서, 언제든 세상이 두 사람을 공격할 때마다 두 사람이 함께 사용할 수 있는 갑주가 되었다.

메리 매카시, 1944년 미국.

Parker

and

Arendt

파커와 아렌트

6

1950년대 중반까지 거의 20년 동안 도러시 파커는 주로 시나리오 작업에 몰두하느라 다른 글은 아주 간간이 발표하는 데 그쳤다. 그러나 이때부터 다시 진지하게 글을 쓰려는 시도를 하기 시작했다. 그녀가 글을 쓰는 이유는 언제나 같았다. 돈이 다 떨어졌다는 것. 하지만 이때는 웬일인지 글을 발표할 지면을 얻기가 더 힘들었다.

정치가 문제였다. 파커의 이름이 자꾸만 공산주의와 함께 언급되었다. 파커가 공산당원이었는지 여부는 지금도 논란의 대상이다. 그러나 그녀는 공산당 기관지에 글을 썼고, 공산당 행사에 모습을 드러냈다. 따라서 미국의 분위기가 막 반공주의로 흐르던 1950년대에 그녀의 이름이 자꾸만 정부 수사망에 잡혔다. 1951년에 FBI가 처음으로 그녀를 찾아왔을 때에는 그녀의 개가 요원들을 향해 계속 뛰어올랐다. "이보세요, 이렇게 내 개 하나 얌전히 다스리지 못하는 사람이 정부를 전복할 수 있을 것 같아요?"[1] 도러시 파커는 이렇게 말했다고 한다.

요원들이 그 말에 넘어갔는지, 아니면 파커가 감당하기 벅찬 대상이었는지는 알 수 없지만 어쨌든 FBI는 한 번도 파커를 체포하지 않았다. 매카시 상원의원 역시 비미국적인 활동 위원회에 파커를 소환하겠다고 위협했지만, 실제로 그녀를 부른 적은 없었다. 뉴욕주 위원회가 파커를 소환하기는 했다. 그녀는 정중하게 증언에 임하면서, 공산당원이냐는 질문에는 묵비권을 행사했다. 결국 파커는 어떤 식으로든 공식적인 처벌을 받지 않았다. 그런데도 오점은 지워지지 않았다. 파커는 대중과의 관계보다는 할리우드에서 그로 인해 고생했다. 거의 20년 동안 꾸준히 상당한 수입을 보장해주던 일자리를 갑자기 잃어버린 것이다. 사생활도 불안정해졌다. 술을 엄청나게 마셨고, 1947년에 앨런 캠벨과 이혼했다가 1950년에 다시 결혼했다. 그리고 1952년에 그와 다시 헤어졌다. 그녀는 1961년에 그와 화해했다.

이 기간에 일정한 직업이 없이 지내던 파커는 뉴욕으로 돌아와, 볼니라는 이름으로 부르곤 하던 호텔에 방을 잡았다. 그리고 자신처럼 점점 나이를 먹어가는 고독한 여자들에 대한 희곡인 「복도의 여자들」(The Ladies of the Corridor)을 다른 사람과 공동집필했다. 『뉴요커』에도 다시 단편을 기고하기 시작했다. 그러나 과거 그녀의 작품만큼 뛰어난 글은 하나도 없었다.

그녀가 그나마 남아 있던 재능을 전부 잃어버리고 있었음을 암시하는 증거들이 있다. 그녀 본인도 그 사실을 알고 있었음을 암시하는 증거도 있다. 1955년 8월에 『뉴요커』에 실린 단편소설 「롤리타」(Lolita)[2]는 나보코프가 쓴 같은 제목의 소설에서 영감을 얻은 것으로 보이지만, 발표 시기는 나보코프의 소설이 프랑스에서 처음 출판된 때보다 몇 주 더 빨랐다. 파커의 「롤리타」도 외로운 독신여성의 삶을 따라가는데, 그녀의 딸이 존 마블이라는 남자 하숙인의 유혹을 받는다. 이 소설이 왜 곧 나올 예정이던 나보코프의 소설과 이토록 닮았는지는 분명히 알 수 없다. 학자들이 내놓은 최선의 가설은, 『롤리타』를 이미 읽고 좋지 않은 반응을 보였던 에드먼드 윌슨에게서 파커가 나보코프의 원고에 대해 들었으리라는 것이다.[3] 파커가 나보코프의 원고에 대해 미리 들은 것을 까맣게 잊어버리고 이 소설을 썼다거나, 아니면 새로이 두각을 나타내고 있던 러시아 출신의 지적인 소설가에게 경쟁심을 느꼈다는 등, 이 일을 설명하려는 여러 시도 중에 파커가 이 소설을 쓸 때 훌륭한 실력을 발휘했다고 암시하는 설명은 없다.

어쨌든 이때 파커가 쓴 글은 모두 대중적으로 성공을 거뒀던 그녀의 과거 작품에 비해 아주 희미한 촛불 하나만큼도 안 되는 수준이었다. 대중은 도러시 파커에게서 여전히 신랄하고 재치 있는 글을 기대했지만, 그녀는 이제 그런 글에 흥미가 없거나 그런 글을 쓸 능력이 없었다. 간단히 말해서, 그녀는 우울증에 시달리고 있었다. 벤츨리는 1945년에 심장마비로 세상을 떠났다. 알렉산더 울컷도 그보다 2년 전인 1943년에 역시 심장마비로 사망했다. 뉴욕은 1920년대나 1930년대와 다른 곳이 되어 있었다. 이제 파커는 새로이 두각을 나타내는 신인들의 자리에 앉는 똑똑한 젊은이가 아니라, 막후에서 막강한 힘을 발휘하는 흑막에 더 가까웠다. 그녀는 이 역할을 몹시 불편해했던 것 같다.

결국 그녀가 확보한 꾸준한 수입원은 새로이 회춘한 남성잡지 『에스콰이어』(*Esquire*)와의 계약뿐이었다. 그 잡지의 주필인 해럴드 헤이즈가 그녀를 좋아해서, 책에 대한 글을 써달라는 계약을 제의한 덕분이었다. 그녀의 인생에서 마지막으로 그럭저럭 꾸준히 글을 쓴 시기가 이때였다. 가끔 마감을 어기기도 했지만, 적어도 1년에 몇 차례 글을 써서 보낼 수 있었다. 이때의 서평들은 과거 콘스턴트 리더 칼럼 시절의 간결함과는 거리가 멀다. 과거의 서평이 반짝거리는 총알이었다면, 이 글들은 나이를 먹어 방황하는 사람이 자신의 명상을 옮긴 글에 더 가까웠다. 그러나 유머감각은 아직 그 흔적을 간직하고 있었다. 파커는 때로 친구들을 추억하며 유머를 동원했다.

> 세상을 떠난 로버트 벤츨리, 그의 영혼이 편안히 쉬기를, 그는 서점에 들어가는 것을 참지 못했다. 그의 폐소공포증 증세는 그리 자주 볼 수 있는 종류가 아니었다. 지나친 다정함이 문제의

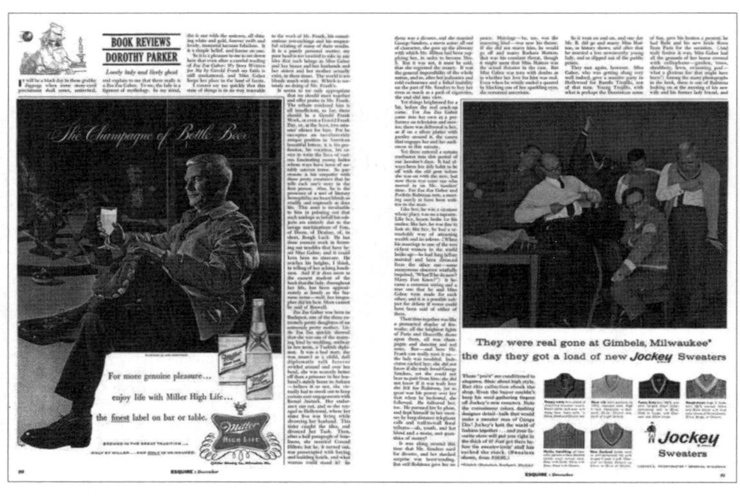

BOOK REVIEWS
DOROTHY PARKER

Lovely lady and lively ghost

파커의 서평이 실린 『에스콰이어』 1960년 12월호.
1933년 데이비드 스마트, 헨리 잭슨, 아널드 깅리치가 창간해
그해 10월에 첫 호를 낸 『에스콰이어』는 1934년 1월에 발행한
두 번째 호부터 인기가 치솟았다. 당시 피츠제럴드, 헤밍웨이, 알베르토 모라비아 등이
기고자로 참여했다. 대공황과 2차 세계대전의 여파에도 건재했으며,
1960년대엔 '뉴저널리즘' 운동을 선도했다.

원인이었기 때문이다. 반짝거리는 책들이 줄줄이 꽂혀 있는 광경이 그에게는 전혀 즐겁지 않았다. 서가를 바라보고 있으면, 그 수많은 책의 모든 저자들이 자신의 작품을 끝내며 혼잣말을 하는 환상이 거대한 파도처럼 그를 덮치곤 했기 때문이다. "그래, 해냈어! 내가 책을 썼다고. 이제 이 책과 나는 영원히 유명해질 거야."[4]

그녀가 글을 보내는 주기가 일정하지 않아서, 편집자들은 억지로 글을 뽑아내야 할 것 같다고 가끔 투덜거렸다. 그러나 어찌어찌 글을 쓸 때면 그녀는 즐거워하는 것 같았다. 에드먼드 윌슨 같은 오랜 친구에게는 찬사를 보내고, 에드나 퍼버 같은 오랜 적에게는 공격을 퍼부었다. 편집자가 몇 년 전에 출간된 제임스 서버의 『로스와 함께 한 세월』(*The Years with Ross*)을 한 번 살펴보라고 했을 때, 그녀는 과거에 상사였던 로스를 떠올리며 오랜만에 최고의 문장을 써냈다. "그의 길쭉한 몸은 간단히 시침질만 해놓은 것 같고, 머리카락은 성마른 호저의 가시 같고, 치아는 스톤헨지 같고, 옷은 누구 다른 사람이 가져온 것 같았다."[5]

가끔 파커는 자신이 평을 쓴 논픽션의 저자들과 경쟁하고 싶은 것처럼 보였다. 현장으로 달려 나가 아직 확실치 않은 것들을 다시 기록하고 싶다는 열정이 느껴지는 글도 있었다. 레이틀리 토머스가 에이미 셈플 맥퍼슨(캐나다 출신의 복음교회 설립자 — 옮긴이)에 대해 쓴 책의 서평이 한 예였다. 파커는 이 책에 훨씬 더 활기를 불어넣지 못한 것이 아쉽다고 보았다.

(출판사 측은 '레이틀리 토머스'가 서해안에서 활동하는 기자 겸 작가의 가명이라고 인정했다. 그가 고려했다가 폐기한 필명들이 과연 무엇이었을지 생각하다 보면, 매혹적인 경이의 미로에 발을

들여놓게 된다.) 이름이 무엇이든 그는 언제든 그를 걷잡을 수 없이 웃게 만들 수 있는 인물로 전국적으로, 아니 국제적으로 유명한 사람의 이야기를 완전히 진지한 얼굴로 정직하게 써놓았다.[6]

그녀는 또한 케루악을 비롯한 비트 세대(Beat Generation) 문학가들의 자아도취를 길게 조롱했다. 그러나 그녀는 반짝이는 세상에서 확실히 발을 디딜 자리를 다시 한번 확보할 수 있었다. 노먼 메일러와 트루먼 커포티가 나오는 텔레비전 프로그램에 초대되어 젊은 신인 시인들에 대해 토론할 기회가 생긴 것이다. 파커는 비트 세대 시인들이 "죽을 것처럼 단조로운 밤과 낮만 자꾸 되풀이한다"[7]고 불평했다. 또한 자신은 비평가가 아니라고 단언하면서 『에스콰이어』에서 "내 생각을 글로 쓰고 있는데, 명예훼손 소송에 걸리지 않기를 하늘에 바라고 있다"고 말했다. 『뉴 리퍼블릭』의 젊은 필자인 재닛 윈(나중에 재닛 맬컴이 되었다)은 이 프로그램을 보고 글을 썼다.

들려오는 이야기처럼 '신랄한 재치'를 더 이상 찾아볼 수 없는(사실 그런 적이 있었는지 모르겠다) 미스 파커는 토론에 별로 기여하지 못했지만, 호감이 가는 인상이어서 가끔 엘리노어 루스벨트가 생생히 떠올랐다.[8]

파커는 1962년까지 『에스콰이어』에 계속 칼럼을 썼다. 그녀가 마지막으로 서평을 쓴 책은 셜리 잭슨의 『우리는 항상 성에서 살았다』(*We Have Always Lived in the Castle*)였다. 파커는 이 책을 좋아했다. "공포와 죽음에 대한 나의 모든 믿음을 되살린다. 이 책과 저자에 대해 이 이상 높이 평가할 말이 없다."[9] 서평 필자로서 파커가 남긴 마지막 말이었다. 파커의 남편 앨런 캠벨은 두 사람이 마지막으로 화해한 지 꼭 1년 만에 갑자기 세상을 떠났다. 그리고 파커는 심각하게 쇠약해지기 시작했다. 그녀는 『에스콰이어』에 마지막으로 기고한 글에서 화가 존 코치를 다뤘다.

> 지금 예술에 대해 글을 쓰려니 깊은 당혹감이 느껴진다. 오래전에는 "오늘 저 여자가 또 까다롭게 구는 날인가봅니다. 고함을 지르고 침을 뱉고 그 밖에 저로서는 알 수 없는 온갖 짓을 하면서요"라는 말로 표현되는 행동 속에 그 당혹감을 계속 숨겨두었는데.[10]

파커는 그 뒤로 3년 동안 더 고생하다가 1967년 6월에 뉴욕의 어느 호텔 방에서 숨을 거뒀다. 어느 모로 보나 그녀의 경력은 화려했다. 그녀가 세상을 떠난 지 오래인 지금도 어떤 산문이나 시에서 그녀의 목소리를 쉽게 알아볼 수 있다. 파커는 어떤 경우에도 정확히 자신다운 목소리를 내는 작가였다. 유언장에서 그녀는 자신의 문학적 자산을 전미유색인지위향상협회(National Association for the Advancement of Colored People, 미국에서 가장 오래된 흑인 인권단체 — 옮긴이)에 기부한다고 밝혔다. 그러나 흔히 그녀의 유산으로 일컬어지는 것은 바로 그 "깊은 당혹감"이었다.

1957년 9월에 한 장의 사진이 대부분의 신문을 크게 장식했다. 아칸소 주 리틀록에서 학교까지 걸어가는 열다섯 살 흑인 소녀의 사진이었다. 하얀 원피스를 입고 선글라스를 쓴 소녀는 공책을 가슴에 꼭 끌어안고 결연한 표정을 짓고 있었다. 그녀의 뒤에는 군중이 따라왔다. 화를 내며 야유하듯 입술을 움직이는 백인 소녀도 보였다. 뭔가 모욕적인 말을 한창 외치고 있는 것 같았다.

이 흑인 소녀의 이름은 엘리자베스 엑포드. '브라운 대 교육위원회' 사건의 판결이 내려진 뒤 아칸소주지사가 인종차별 철폐 움직임을 막겠다고 위협하면서 시작된 전국적인 위기 속에서, 리틀록 중앙 고등학교의 인종차별 조치를 없애기 위해 파견된 리틀록 9인(Little Rock 9) 중 한 명이었다. 엑포드의 집에는 전화가 없었으므로, 다른 학생들이 그날 한곳에 모여서 호위를 받으며 학교까지 함께 걸어갈 예정이라는 연락을 받지 못했다. 그래서 엑포드는 혼자서 군중을 뚫고 등교했다.[11]

한나 아렌트는 이 사진을 보고 감동했다. "수 세대에 걸친 어른들이 해결할 수 없다고 고백한 문제를 해결하는 짐을 흑백을 막론하고 아이들에게 지우는 일이라는 사실을 알아차리는 데에는 상상력이 그리 많이 필요하지 않았다."[12] 그녀는 나중에 이렇게 썼다. 그러나 사진 속 아이를 걱정하는 마음에, 학교의 인종차별 철폐에 반대하는 논리를 만들어냈다. 그리고 당시 좌파 성향이던 유대인 잡지 『코멘터리』(*Commentary*)의 젊은 편집자 노먼 포드호리츠가 원고를 청탁하자, 이 주장을 글로 옮겼다.

그녀가 글에서 펼친 주장이 너무나 거슬렸기 때문에 편집자들은 이 글을 잡지에 실을 것인지를 놓고 서로 갈등을 빚었다. 먼저 그들은 역사가인 시드니 후크에게 이 글에 대한 답신 형식의 글을 받아 아렌트의 글과 나란히 게재하는 방식으로, 논란의 여지가 있는 그녀의 글이 주는 충격을 완화하고자 했다. 그러나 후크의 초고를 받은 뒤 그들은 또 결정을 내리기 힘든 처지가 되어 글의 게재를 보류해버렸다. 아렌트는 화를 내며 원고를 회수해갔다. 나중에 시드니 후크는 그녀가 자신의 비판을 두려워했다고 주장했다. 그러나 학교의 인종차별 조치를 둘러싼 싸움이 1958년까지 지루하게 이어지자 아렌트는 자신의 글을 『디센트』(*Dissent*)에 보냈고, 『디센트』는 1959년 초에 이 원고를 게재했다.

아렌트가 학교의 인종차별 철폐에 반대한 논리를 이해하려면, 1959년에 그녀가 세상을 셋으로 나눠서 바라보는 정치적 시각을 갖고 있었음을 먼저 이해해야 한다. 가장 위에 있는 것은 정치, 중간에는 사회, 바닥에는 사적인 영역이 있다는 것이 그녀의 이론이었다. 그리고 정치적인 영역에서는 차별에 반대하는 입법이 단순히 허용가능한 일이 아니라 반드시 해야 하는 일이었다. 그러나 사적인 영역은 정부가 결코 침범하지 못하게 무슨 수를 써서라도 보호해야 한다고 아렌트는 확신했다. 사회 영역도 비교적 정부가 간섭하지 않아야 사람들이 서로 관계를 맺고 살아갈 수 있다는 믿음도 그만큼 확고했다.

현대적인 시각에서 보면 다소 믿을 수 없는 일이지만, 하여튼 아렌트는 이런 이유로 차별은 제대로 기능하는 사회에 내재되어 있다고 주장했다. 사회적인 영역에서 사람들이 차별하는 것(장을 보거나 일하거나 학교에 다닐 때 자기만의 영역을 고수하는 것)은 단순히 교제의 자유를 약간 수정해서 실천하는 행동일 뿐이었다. "어쨌든 평등이 정치적 권리인 것처럼, 차별도 반드시 필요한 사회적 권리다."[13] 그녀는 이렇게 썼다.

기가 막히는 소리지만, 사실은 일종의 근시안적인 상냥함에서 우러나온 말이었다. 이 글에서 아렌트가 '의식 있는 주변인'이라는 용어를 사용하지는 않았으나, 그 개념을 이 글과 연결시켜볼 수 있다. 엑포드의 사진을 보고 아렌트가 느낀 것은 자신을 원하지 않는다는 사실을 너무나 뚜렷이 드러내는 무리와 합류하기 위해 혼자 걸어가는 소녀의 애잔함이었다. 아렌트가 보기에 이것은 잘못된 전략이었다. 라헬 판하겐이라면 이런 식으로 학교까지 걸어가는 일에 자신을 바치지 않았을 것이다. 판하겐이라면 그녀에게 동화할 것을 요구하는 사회의 명령과 조금 거리를 두면서도 불편해하지 않았을 것이다. 아렌트는 아이에게 이렇게 숙명적인 일을 강요한 부모에게 분명한

리틀록 9인 중 한 명인 엘리자베스 엑포드가 군중의 방해 속에 등교하는 모습.
1952년 전미유색인지위향상협회가 백인과 흑인의 학교 분리 정책에 항의하며 진행한 '브라운 대 교육위원회' 소송 이후 리틀록 공립고등학교에 흑인 학생 아홉 명이 등록했다. 이들은 1년간 등교했고 공립학교 최초의 흑인 졸업생을 배출했다. 이는 미국 흑인인권운동의 대표 사례로 전해진다.

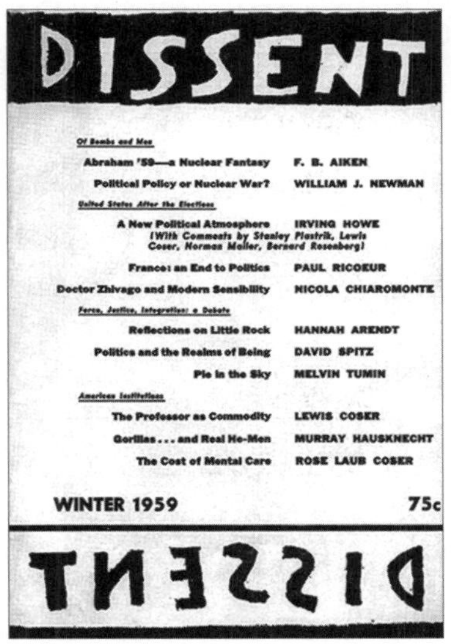

DISSENT

Of Bombs and Men

Abraham '59—a Nuclear Fantasy — F. B. AIKEN

Political Policy or Nuclear War? — WILLIAM J. NEWMAN

United States After the Elections

A New Political Atmosphere — IRVING HOWE
(With Comments by Stanley Plastrik, Lewis Coser, Norman Mailer, Bernard Rosenberg)

France: an End to Politics — PAUL RICOEUR

Doctor Zhivago and Modern Sensibility — NICOLA CHIAROMONTE

Force, Justice, Integration: a Debate

Reflections on Little Rock — HANNAH ARENDT

Politics and the Realms of Being — DAVID SPITZ

Pie in the Sky — MELVIN TUMIN

American Institutions

The Professor as Commodity — LEWIS COSER

Gorillas . . . and Real He-Men — MURRAY HAUSKNECHT

The Cost of Mental Care — ROSE LAUB COSER

WINTER 1959 75c

한나 아렌트가 쓴 「리틀록에 대한 단상」이 실린 『디센트』 1959년 겨울호 표지.
『디센트』는 1954년 루이스 코저, 노먼 메일러 등이 포함된
뉴욕 지식인 그룹이 창간한 좌파 성향 잡지로,
서구 자유주의와 동구 공산주의 사이에서 제3의 시각을 추구했다.

분노를 드러냈다.

이것은 인종차별 철폐라는 문제를 근시안적인 시각에서 바라본 결과였다. 또한 아렌트의 주장은 당시에 이미 반박을 받았다. 사실 아렌트의 글이 워낙 거슬리는 내용을 담고 있었기 때문에, 편집자는 이 글이 실린 페이지에 박스 기사로 편집자의 말을 함께 실었다.

> 우리가 [이 글을] 실은 것은 그 주장에 동의하기 때문이 아니라(절대 아니다!), 우리가 보기에 완전히 잘못된 견해라 해도 표현의 자유가 있다고 믿기 때문이다. 아렌트 씨의 지적인 위상, 그녀가 고른 주제의 중요성, 그리고 전에 한 번 이 글을 발표할 기회가 있었으나 취소되었다는 사실 때문에 우리는 그녀의 의견과 그에 대한 반박이 자유로이 발표될 수 있게 하는 것이 도움이 되리라 생각한다.[14]

아렌트의 글을 반박한 두 편의 글은 거의 이름이 잊힌 학자들이 쓴 것이었다. 먼저 정치학 교수가 쓴 글은 아렌트를 점잖게 비판했으나, 그녀의 의견에 철저히 반대했다. 사회학자인 멜빈 터민(필립 로스가 자신의 후기 작품인 『휴먼 스테인』[*The Human Stain*]의 등장인물 콜먼 실크의 모델이 되었다고 누차 말한 인물)은 강력한 항의로 글을 열었다. "처음에는 이것이 끔찍한 농담인가 싶다."[15] 터민은 내내 이렇게 경악한 어조를 유지하며, 아렌트처럼 훌륭한 정신세계를 지닌 사람이 인종차별 철폐에 반대하는 주장을 펼 수 있다는 사실에 놀라움을 금치 못한다. 그의 주장은 잊어버려도 상관없는 수준이지만, 아렌트 본인이 말의 내용보다 어조를 탓하는 공격과 맞닥뜨린 적이 얼마나 많았는지 감안하면 터민의 글에 심하게 짜증을 낸 것이 놀랍다. "내게 반박한 두 사람 중 터민 씨는 글에서 사용한 어조를 수단으로 삼아, 토론과 담론의 범위 밖으로 빠져나갔다."

아렌트는 『디센트』가 반박 글에 답할 지면을 제공해주었을 때 이렇게 말문을 열었다.

아니, 어쩌면, 사과하는 일이 거의 없다는 평판과 반대로 아렌트가 이미 생각을 차츰 바꾸고 있었던 것일 수도 있다. 결국 그녀는 귀를 기울일 수밖에 없는 상대와 맞닥뜨리게 되었다. 『보이지 않는 인간』(*Invisible Man*)의 저자로 가장 유명하며 에세이 작가 겸 비평가인 랠프 엘리슨이었다. 그는 먼저 당시 『디센트』의 편집자로 일하던 어빙 하우가 쓴 글에 응수하는 형태로 아렌트에게 도전장을 내밀었다. 하우도 아렌트처럼 일종의 "올림픽 선수 같은 권위"[16]를 지닌 사람이었다. 엘리슨은 백인인 아렌트와 호 모두 이런 권위를 자신의 힘으로 얻지 않았음을 분명히 보여주겠다고 말했다. 그리고 로버트 펜 워런과 인터뷰할 때, 아렌트의 주장에서 자신이 문제라고 생각한 부분을 자세히 설명했다.

> [미국 흑인의] 경험이 지닌 의미를 이해하는 중요한 단서 중 하나는, 희생이라는 개념, 희생이라는 이상에 있다고 봅니다. 한나 아렌트는 남부 흑인들 사이에서 이 이상이 지닌 중요성을 파악하지 못했기 때문에 잡지 『디센트』에 실린 글 「리틀록에 대한 단상」(Reflections on Little Rock)에서 의외의 영역으로 한참 멀리 날아가버렸습니다. 이 글에서 아렌트는 학교의 인종차별 철폐를 위해 투쟁하는 과정에서 흑인 부모들이 자녀를 이용하고 있다고 비난했습니다. 그러나 아렌트는 적대적인 사람들의 대열 속으로 자녀를 보내는 흑인 부모의 심정을 조금도 모릅니다. 흑인 부모들은 그런 일이 자식에게 일종의 통과의례가 될 수 있다는 점을 알고 있습니다. 신비롭게 가려져 있던 부분들이 모두 떨어져나간 채 본연의 모습을 드러낸 사회생활의 공포와 맞닥뜨리는 경험이니까요. (그런 문제가 처음부터

> 존재하지 않았으면 좋을 것이라고 생각하는) 많은 흑인 부모는 자녀가 그 공포와 대면했을 때 두려움과 분노를 자제해주기를 기대합니다. 바로 그 자녀가 미국 흑인이니까요. 따라서 자녀는 자신의 인종 때문에 겪게 된 내적인 긴장을 휘어잡아야 합니다. 혹시 상처를 입는다면, 그것은 또 하나의 희생이 됩니다. 가혹한 조건이지만, 만약 자녀가 이 기본적인 시험에 실패한다면 훨씬 더 가혹한 삶을 살게 될 겁니다.[17]

사회에서 물러나 살아갈 수 있는 주변인이라는 이상이 남부의 인종차별에 맞선 흑인에게는 해당하지 않았다. 자기만의 것을 지키면서, 자신과 남이 다르다는 사실에서 힘을 얻는 방식이 미국 흑인들이 처한 상황에서는 그리 가능하지 않았기 때문이다.

엘리슨의 주장이 상당히 설득력 있었기 때문에 아렌트가 직접 그에게 편지를 쓸 정도였다. 그녀는 엘리슨의 주장에 일리가 있다고 인정했다. "내가 보기에 당신의 주장이 전적으로 옳은 것 같습니다. 그래서 내가 상황의 복잡성을 전혀 이해하지 못했음을 이제 알게 되었습니다."[18] 수전 손택이 나중에 완전히 다른 맥락에서 이런 아이러니에 대해 글로 쓴 것처럼, 이때 아렌트는 사진을 보는 사람들이 저지르는 고전적인 실수를 저질렀다. 엑포드의 사진이 시민권운동에 대해 많은 사실을 알려준다고 가정하고, 그 운동의 전술 전체를 비판하고 나선 것이다.

「리틀록에 대한 단상」과 비슷한 주장을 펼친 두 번째 글 「교육의 위기」(Crisis in Education)를 쓴 뒤 아렌트는 하다못해 조금이라도 물러서야 한다는 사실을 알아차린 듯했다. 하지만 그와 동시에 그녀는 주제를 다시 조사해보는 작업도 계속했다. 엘리슨에게 앞에서 말한 편지도 썼고, 제임스 볼드윈에게도 편지를 보냈다. 그의 저서인 『단지 흑인이라서, 다른 이유는 없다』(*The Fire Next Time*)에 실린 에세이 중 한 편이 『뉴요커』를 통해 발표된 뒤,[19] 정치의 본질에 대해 그와 논쟁하기 위해서였다(그녀는 그의 "사랑의 복음"에 "겁을 먹었다"고 썼지만, 또한 "진심으로 감탄하는 마음으로" 그 편지를 썼다는 말도 했다)[20]. 적어도 흑인 학자 한 명은 아렌트의 호기심조차 "온정주의적"이었다고 지금도 주장한다.[21] 아렌트에게 흑인 친구가 있었던 것 같지는 않다. 시민권 투쟁에 특히 깊이 빠졌던 것 같지도 않다. 당시 지식인으로서 그녀는 워낙 높은 자리에 올라가 있었기 때문에, 의견을 발표할 때마다 올림픽 출전선수 수준의 권위를 발휘했다. 이런 권위는 아렌트가 세상을 떠날 때까지 계속 유지되었다. 위에서 내려다보며 선언하는 듯한 태도도 변하지 않았다. 그러나 이 일로 그녀의 갑옷에 틈새가 났고, 그 틈새는 곧 더 커졌다.

Arendt *and* McCarthy

아렌트와 매카시

7

1960년에 아렌트는 옛 스승 카를 야스퍼스에게 편지를 썼다. 강연 약속 때문에 계속 여기저기 돌아다니느라 친구들을 만날 시간도 없을 만큼 바삐 살고 있다 해도, 어떻게든 시간을 내서 이스라엘에 가 지켜보고 싶은 재판이 있다는 내용이었다. "이 걸어다니는 재앙의 괴상하고 공허한 모습을 인쇄된 글자라는 매개를 통하지 않고 직접 보기 위해 그곳에 가지 않는다면 저는 평생 저 자신을 용서하지 못할 겁니다." 그녀는 이렇게 썼다. "제가 워낙 일찍 독일을 떠났기 때문에 그런 일들을 직접 경험한 적이 거의 없다는 점을 기억해주세요."[1]

"이 걸어다니는 재앙"은 바로 아돌프 아이히만이라는 남자였다. 그해 5월에 그는 아르헨티나에서 이스라엘 첩보부인 모사드에 의해 이스라엘로 납치되어 심문과 재판을 받았다. 아이히만은 나치의 전범 중에서도 워낙 중요한 인물이었으므로, 당시 이스라엘 총리이던 다비드 벤-구리온은 정상적인 범인 인도절차를 밟지 않고 그냥 그를 데려오기로 결정했다. 아이히만은 나치 친위대 SS의 고위 간부로서 '최종 해결책'(나치의 유대인 말살 계획을 일컫는 말 — 옮긴이)을 실행한 부서를 맡고 있었다. 그러나 전쟁이 끝난 뒤 그가 사라져버렸다. 위조 신분증을 이용해서 오스트리아로 도망친 뒤, 다시 그 신분증을 이용해 적십자사로부터 여권을 발급받은 그는 아르헨티나에 살고 있었다. 위조 신분증에 적힌 가명을 쓰면서 1950년부터.

아이히만의 체포는 처음부터 세계 언론매체에 대대적으로 보도되었다. 납치라는 극적인 사건이 극적인 헤드라인을 제공해주었기 때문이다. 그러나 이 사건은 또한 서구가 마침내 '최종 해결책'에 대한 조치를 취하기 시작한 시점과 맞물려 있었다. 뉘른베르크의 전범재판에서 이미 '최종 해결책'이 거듭 언급되었고, 아이히만의 이름도 자주 등장했다. 그러나 나치가 유대인을 상대로 저지른 만행을 뉘른베르크 재판이 제대로 처벌하지 못했다는 정서가 남아 있었다. 특히 이스라엘에서 그런 분위기가 강했다. 아이히만이 이스라엘의 나치와 나치 부역자 (처벌)법에 따라 열다섯 개 혐의로 기소되었을 때, 사람들은 잘못된 것을 바로잡을 기회가 왔다고 생각했다. 사방에서 화려한 수사들이 넘쳐났다. 검사는 자리에서 일어나 모두발언을 하면서, 죽은 사람들을 대신해 발언하겠다고 말했다. "나는 그들의 대변인이 될 것입니다. 그리고 그들의 이름으로 이 무서운 고발을 진행하겠습니다." 그는 이렇게 약속했다.

아이히만의 전쟁범죄가 최소한 이스라엘인들이 주장하는 만큼은 된다는 데에는 별로 의심의 여지가 없었다. 이스라엘은 재판에 앞서 몇 달 동안 그를 심문했다. 그 기록이 수백 쪽에 이르렀다. 그런데도 아이히만은 "기소된 혐의에 대해 무죄"라고 주장했다. 수백만 명을 살해한 계획을 실행한 것은 어디까지나 명령에 따른 행위였다는 것이 그 근거였다. 증언대에서 그는 "나는 유대인도, 아니 정확히 말해서 유대인이 아닌 사람도 죽인 적이 없습니다. 나는 단 한 번도 사람을 죽이지 않았습니다"[2]라고 주장했다. 간단히 말해서, 실제 살육이 저질러진 피투성이 현장과 관료인 자신이 일하던 곳의 거리가 아주 멀었으므로 자신은 죄가 없다는 주장이었다.

그의 재판은 5개월 동안 계속되었다. 아렌트는 1961년 4월 재판 첫날에 재판을 방청했다. 파커의 옛 친구인 해럴드 로스는 세상을 떠나고, 은퇴를 앞둔 윌리엄 숀이라는 사람이 후임으로 『뉴요커』의 편집을 맡고 있을 때였다. 아렌트는 그를 찾아가 이 재판에 대한 기사를 쓰게 해달라고 요청했다. 야스퍼스에게 편지로 말할 때보다는 훨씬 간단한 대화였다. 아렌트는 재판을 "몸시" 보러 가고 싶다면서 혹시 기사를 한두 편 써도 되겠느냐고만 물어보았다.[3] 피고가 "괴상하고 공허한" 모습을 갖고 있다는 생각을 미리 품고 재판을 보러 간 것 같다. 그리고 재판을 방청할 때도, 나중에 자신이 놓친 재판의 속기록을 읽을 때도, 아렌트의 이런 의견은 더욱 굳어지기만 했다. 아이히만의 텅 빈 모습이 그녀를 사로잡았다. 그녀의 주장 중 아마도 가장 유명한 동시에 논란의 여지가 많은 논제, 즉 '악의 평범성'이라는 개념으로 그녀를 이끈 것도 바로 이 공허한 모습이었다.

'악의 평범성'이라는 표현을 이해하는 최선의 방법은 먼저 아렌트가 바라본 아이히만의 모습, 그의 몸짓과 행동에 대한 해석을 받아들이는 것인 듯하다. 이 해석은 나중에 논란을 낳았으나, 아렌트에게 아이히만은 수수께끼 같은 인물이었다. 거만함과 무지가 결합해 치명적인 결과를 낳은 인물. 아렌트는 독일 신문에 실린 아이히만의 회고록 발췌문에 사로잡혔다. 여기서 아이히만은 자의식이라고는 전혀 없는 사람 같다는 말 외에는 표현할 길이 없는 태도로 자신의 행동을 설명했다. 대표적인 구절을 하나 인용해보자. "나 자신은 유대인을 전혀 싫어하지 않았다. 어머니와 아버지가 엄격한 기독교 교육으로 나를 기르셨기 때문이다. 어머니는 유대인 친척들 때문에 SS 내부의 흐름과는 다른 의견을 갖고 있었다."[4] 이런 어조를 보고 아렌트는 당혹감과 흥미를 동시에 느꼈다. 그녀는 아이히만의 글이 웃기고 터무니없다 못해 경악스러울 정도라고 투덜거렸다. "이것은 잘못된 신념과 자기기만이 기가 막힌 어리석음과 결합한 교과서적인 사례인가?" 그녀는 이렇게 물었다. "아니면 영원히 회개할 줄 모르는 범죄자일 뿐인가. … 자신의 범죄가

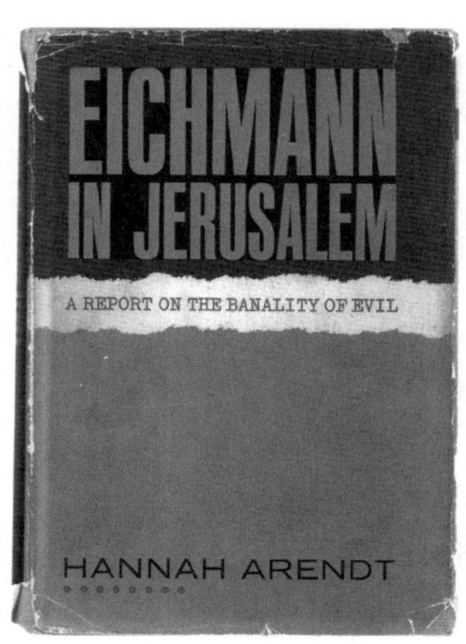

『예루살렘의 아이히만』 1936년 초판본.

현실의 핵심이 되었기 때문에 차마 현실을 똑바로 바라보지 못하는 자인가?"[5]

이런 당혹감 속에서도 아렌트는 1962년에 『뉴요커』에 실린 글 「예루살렘의 아이히만」(Eichmann in Jerusalem)과 그 뒤에 나온 같은 제목의 책에서 모두 자신은 아이히만을 틀림없는 괴물로 본다는 점을 분명히 했다. 또한 아이히만식의 자기기만이 나치 독일에 전체적으로 퍼져 있었으며, 전체주의 체제를 그토록 강력하게 만들어준 집단망상의 한 요소라는 주장도 펼쳤다. 그녀에게 충격을 안겨준 것은 거대한 악과 자그마한 개인의 대비였다.

> 이런 것에도 불구하고, 우리는 반드시 그를 진지하게 바라보아야 했지만, 말할 수 없이 끔찍한 행동과 그런 짓을 저지른 사람의 부정할 수 없는 멍청함이라는 딜레마에서 벗어날 가장 쉬운 길을 발견해서 그를 영리하고 계산적인 거짓말쟁이로 단언하지 않는 한 그렇게 하기가 몹시 어려웠다. 그는 확실히 그런 거짓말쟁이가 아니었다.

아렌트가 뭔가를 깨달은 것은 분명했다. 아이히만의 성격에 관해 조리 있는 가설을 세운다는 어려운 작업에 관한 한 그렇게 말할 수 있었다. 『예루살렘의 아이히만』이 출간된 뒤 지난 반 세기 동안 그의 성격과 개인사에 대해 도서관의 서가 하나를 채울 만큼 많은 주장이 나왔다. 그 모두가 그에 대한 아렌트의 주장을 반박한다는 명분을 달고 있다. 역사기록을 참고해서 아이히만에 대한 아렌트의 주장이 틀렸음을 증명하는 일은 많은 사람에게 일종의 십자군운동이 되었다. 그러나 명확한 정답이 존재하지 않기 때문에 이 분야에서 그토록 많은 글이 생산될 수밖에 없었다. 어리석음이란 보는 사람의 눈에 달린 것이다. 그러나 사람들이 아렌트를 비판하고 나서게 된 것은 언제나 아렌트의 주장만큼이나 강력한 힘을 발휘하는 의문 때문이었다. 혹시 아렌트는 아이히만이 영리하거나 계산적이지 않았다고 암시함으로써 홀로코스트에 대한 그의 책임을 어떻게든 줄여보려 한 것인가?

아렌트를 비판하는 사람들은 대부분 이 의문에 대해 '그렇다'고 답했다. 그녀가 아이히만의 책임을 줄여주었다고. 『뉴욕 타임스』의 편집자들은 아이히만의 재판을 목격한 마이클 머스마노 판사에게 『예루살렘의 아이히만』 서평을 부탁했다. 머스마노 판사는 아렌트가 "아이히만을 동정하고 있다"고 비난했다.[6] 그녀가 아이히만의 무죄를 주장하고 있다고 본 것이다. "아렌트는 아이히만을 처벌하는 것이 엄청나게 잘못된 일이라고 말한다!" 그러나 아렌트는 아이히만을 동정하지도 않았고, 머스마노가 말한 것 같은 주장을 펴지도 않았다. 이 책을 읽은 사람들 대부분이 같은 생각일 것이다. 아렌트의 친구들이 그녀를 돕기 위해 서둘러 독자의 편지를 써서 보냈다. 그중에 시인 로버트 로웰은 자기보다 훨씬 더 훌륭하게 "조목조목 반박"할 수 있는 사람이 틀림없이 있겠지만, "단지 그 책을 읽고 내가 느낀 것은 [머스마노의 주장과] 거의 정반대라는 말을 하고" 싶다고 썼다.[7]

지식인들은 다른 근거로 그 책을 공격하는 편이었다. 아렌트는 책에서 "진실을 말하자면, 만약 유대인이 정말로 지도자도 없고 조직화되지 않은 집단이었다면 엄청난 불행과 혼란이 있었겠지만, 총 희생자 수가 450만에서 600만 명 수준이 아니었을 것이라는 점"[8]이라고 썼다. 여기서 아렌트가 말한 조직은 유덴래테(Judenräte), 즉 나치가 유대인들을 억지로 게토에 몰아넣은 뒤 그곳에 만든 유대인 위원회이다. 이 위원회의 구조와 책무는 게토마다 다양했지만, 나치를 위해 유대인 명단을 작성하는 일이 그들의 책무에 포함되어 있었다. 때로는 심지어 강제수용소로 데려갈

유대인들을 어떻게 잡아갈 수 있는지 경찰에게 알려주기까지 했다.

1960년대 초는 학자들이 홀로코스트의 역사를 이제 막 제대로 쓰기 시작한 때였다. 지금도 널리 교과서처럼 읽히고 있는 라울 힐베르크의 『홀로코스트: 유럽 유대인의 파괴』(*The Destruction of the European Jews*)도 1961년에야 출간되었다. 힐베르크는 '최종 해결책'의 실행을 도운 행정조직에 초점을 맞췄으므로, 그의 책에는 유덴래테가 자세히 설명되어 있었다. 이 책에서 아이히만은 매우 평범한 관료로 그려졌다. 아렌트는 재판을 취재하면서 이 책을 읽었고, 그 내용에서 많은 영향을 받았다.[9] 피해자의 수가 "~ 수준이 아니었을 것"이라는 문장을 쓸 때 아렌트의 머릿속에는 힐베르크의 책이 들어 있었다.

그러나 모든 사람이 힐베르크의 책을 읽은 것은 아니므로, 그 책의 내용을 요약한 아렌트의 글에 많은 독자들, 특히 유대인 독자들이 충격을 받았다. 그들은 그녀의 태도가 너무 무심하고 잔인하다고 생각했다. 요즘이라면, '피해자를 비난하는' 태도라는 말을 들었을지도 모르겠다. 아렌트의 주장은 당연히 글에 나타난 것보다 더 복잡했다. 『예루살렘의 아이히만』에서도 그녀는 이 주제에 대해 오락가락했다. "유대인 지도자들이 동포들의 말살에 한 역할을 한 것"이 "그때의 어두운 전체 역사 중에서도 틀림없이 가장 어두운 장"이라는 말을 하기는 했다.[10] 그러나 최종 해결책에 대해 그들도 책임이 있는지에 대한 의문은 "잔인하고 어리석다"[11]는 말도 썼다. 그녀는 이 두 가지 견해를 조화시킨 결론을 향해 손을 뻗고 있었지만, 그렇다고 이 둘을 명확하게 연결시키지는 않았다.

그래서 문제가 생겼다. 아렌트가 책임의 문제를 언급한 것은, 아이히만의 재판에서 그 문제가 제기되었기 때문이다. 그러나 이 문제에 대한 그녀의 의견이 법정에서 오간 어떤 말보다도 훨씬 더 폭발적으로 논란을 불러일으켰다. 아렌트를 비판하는 사람들은 그녀가 완전히 저울의 추를 바꿔놓고 있으며, 유대인들에게는 너무 엄격한 반면 아이히만에게는 너무 상냥하다고 주장했다. 신생 잡지 『코멘터리』의 편집자인 노먼 포드호리츠는 서평에서 천둥처럼 일갈했다.

> 이렇게 해서 아렌트는 괴물 같은 나치 대신 '평범한' 나치를 우리 앞에 제시한다. 착한 순교자 유대인 대신 악의 공범자 유대인을 제시한다. 죄와 무고함의 대결 대신 범죄자와 피해자의 '합작'을 제시한다.[12]

포드호리츠의 말은 과장이었다. 그러나 아렌트가 유대인 위원회 문제로 인해 도덕적으로 산만해졌다는 그의 견해에 많은 사람이 공감했다. 언제나 변함없이 아렌트를 비판하던 사람 중 하나인 라이오넬 에이블은 『파티전 리뷰』에 쓴 글에서 역시 이 주장에 주의를 기울였다. 에이블의 주장에 따르면, 아렌트가 아이히만을 "미학적으로" 흥미로운 존재로, 유대인 위원회는 그보다 훨씬 덜 흥미로운 존재로 본 것이 문제였다(사실 아렌트는 유대인 위원회 이야기에 원고의 많은 부분을 할애했다). "한 사람이 다른 사람의 머리에 총구를 대고 친구를 죽이라고 강요한다면, 죽음이 무서워서 친구를 죽이고도 아마 결국 목숨을 잃었을 사람보다 총을 든 사람이 미학적으로 덜 추하긴 할 것이다."[13] 에이블은 이렇게 썼다. 그는 아렌트가 아이히만에게 보이는 관심 때문에 책에서 그가 더 흥미롭고 생생하게 묘사되었다고 주장했다. 그리고 이것이 그녀의 주장을 약화시켰다고 말했다.

줄곧 아렌트를 적대시하던 사람들만 이런 생각을 한 것은 아니었다. 에이블과 포드호리츠의 주장은 얼마 뒤 아렌트의 오랜 친구 게르숌 숄렘이 노골적으로 제기한 어조의 문제와 닿아 있었다.

숄렘은 베를린에서부터 아렌트, 발터 베냐민과 아는 사이였으나, 헌신적인 시온주의자가 되어 1923년에 이스라엘로 이주했다. 그리고 유대교 신비주의, 특히 카발라를 연구하는 학자가 된 그는 아렌트와 간혹 사이좋게 편지를 주고받았으나, 1963년에는 극도로 실망해서 편지를 써 보냈다. 그는 어조가 큰 문제라고 보았다. 아이히만을 다룬 책의 분위기가 너무 가볍다는 것이었다. "당신이 말하는 주제를 생각하면, 상상조차 할 수 없을 만큼 부적절합니다."[14] 숄렘의 편지는 원래 개인서신이었다. 여기서 그가 한 말을 요약하자면, 인정을 잃지 말고 유대인들에게 조금이라도 의리를 지키라는 내용이었다.

아렌트는 답장에서 거의 뒤로 물러서지 않았다. 자신에게 기본적인 연민이 부족하다는 그의 비판을 받아들일 수 없었기 때문이다. 그녀는 숄렘이나 다른 사람들에게 보내는 편지에서 연민이 없는 것은 곧 "영혼"이 없는 것이라고 자주 말하곤 했다.[15] 아렌트는 또한 유대인으로서 그녀가 동포들을 위해 반드시 수행해야 하는 의무가 있다는 숄렘의 전제도 받아들일 수 없었다. 숄렘은 아렌트에게 이 의무를 받아들이라고 간청했지만, 그녀는 이렇게 주장했다. "내가 내 친구들'만' 사랑하는 것은 사실입니다. 내가 알고 믿는 사랑이 사람들의 사랑인 것도 맞습니다. 나 자신을 이루는 중요한 부분들이나 나 자신을 사랑할 수는 없습니다."[16]

이 편지를 발표해도 되느냐고 아렌트에게 물었던 숄렘이 편지를 『인카운터』(*Encounter*)에 넘기자 그녀는 깜짝 놀랐다. 그녀는 그가 이 편지를 이스라엘에서 발표할 것이라고 짐작하고 있었으나, 미국의 앵글로계 지식인들이 많이 읽는 잡지에 편지가 실렸기 때문이다. 『인카운터』는 상당한 자금지원을 받고 있었는데, 그 출처를 거슬러 올라가면 CIA의 반공활동에까지 닿는다는 사실이 나중에 밝혀졌다. 따라서 아렌트가 다시 연락이 이어진 카를 야스퍼스에게 말했듯이, 숄렘의 편지는 "거짓말이라는 유행병의 습격을 아직 받지 않은 사람들을 감염"[17] 시켰다고 할 수 있다.

아렌트는 쉽게 상처받는 사람이 아니었다. 눈사태처럼 휘몰아치는 비판을 흥미로운 시선으로, 심지어는 초연하기까지 한 시선으로 바라볼 수 있는 사람이었다. 그녀는 메리 매카시에게 보낸 편지에서 에이블의 서평에 대해 이렇게 썼다. "이 글은 정치 캠페인의 일부예요. 비평도 아니고, 솔직히 내 책과 관련된 글도 아닙니다."[18] 매카시도 동의했다. 그러나 그녀는 정치적인 연대가 필요한 상황이라고 보고, 아렌트의 책을 아직 제대로 읽어보지 않았는데도 의리 있게 반박 글을 쓰겠다고 즉시 자진해서 나섰다.

이 일에 개인적인 요소가 얽혀 있음을 외면하기 힘들었다. "내게 무엇보다 놀랍고 충격적이었던 것은, 기회만 기다리며 도사리고 있던 증오와 적의가 그렇게 엄청난 수준이었다는 점입니다."[19] 아렌트는 매카시에게 이렇게 말했다. 실제로 아렌트의 편지를 보면, 주변사람들 중 일부가 그녀를 오만한 사람으로 보았으며, 에이블을 비롯한 몇몇 사람이 뒤에서 그녀를 '거만한 한나'라고 불렀고, 솔 벨로가 자신의 반감을 표현하기 위해 아렌트를 가리켜 "디즈레일리(1874-1880년 영국 총리. 유대인 출신으로 성공회 개종 후 보수당 정치인으로 활동했다 — 옮긴이) 역할을 맡은 조지 알리스(1868-1946. 영국의 남자배우. 연극에서 두 번, 영화에서 한 번 디즈레일리 역을 맡았으며, 이 영화로 아카데미 남우주연상을 수상한 최초의 영국 남자배우가 되었다 — 옮긴이)"[20] 같다고 고집스럽게 말했다는 사실을 잘 모르고 있었던 것 같다. 그러나 아렌트는 기민했다. 그녀의 글과 이론은 모두 추상적인 논리보다는 개인적인 관찰을 기반으로 하고 있었다. 특히 질투, 쩨쩨함, 잔인함 같은 인간의 어두운 면에 대해서는 그녀가 놓치는 부분이 거의 없었다. 이런 불안한 감정들이 지적인 정직성을 마구 짓밟는 경우가 있다는 사실은, 『전체주의의 기원』이라는 책을 쓴 아렌트에게 그리 놀라운 일이 될 수 없었다.

한편 매카시도 의기양양하게 1963년을 시작했으나 그 분위기가 급속히 시들어버렸다. 그녀는 성격상 고집스러운 아렌트보다 훨씬 더 심하게 영향을 받았다. 1950년대부터 매카시는 장편소설을 쓰고 있었으나 계속 방해를 받아 집필을 중단하기를 반복했다. 그러다 1962년 말에 갑자기 출판사의 윌리엄 재노비치가 그녀의 책에 거의 집착에 가까운 관심을 보이더니 원고를 끝내는 조건으로 거액의 계약금을 제의했다. 매카시는 이 기회를 놓치지 않았고, 그녀의 장편소설은 1963년 9월에 출간되었다. 데이지 꽃이 사슬처럼 연달아 이어져 있는 표지가 달린 이 책은 출판사의 기대대로 곧장 베스트셀러가 되었다.

제목이 『그룹』인 이 장편소설은 여덟 명의 여성이 1930년대에 뉴욕에서 아내나 직장여성으로 살아가는 과정을 따라간다. 1930년대는 교육을 많이 받았지만 아직 그렇게 해방되지는 않은 이런 여성들에게 멋진 신세계였다. 뉴욕에서 일하는 젊은 여성들의 거주지로 유명했던 바비즌 호텔은 1927년에 세워졌다. 이 도시의 사무직 일자리를 갑자기 채우기 시작한 젊은 여성들을 수용하자는 것이 건립 이유 중 하나였다. 이 여성들에게 직장은 여전히 학교와 비슷했다. 결혼할 때까지 기다리는 장소였다는 뜻이다. 매카시는 이런 여성 여덟 명의 삶을 세속적이고 세련되지 못한 방식으로 그려냈다. 이런 주제를 다룬 초창기 서적 중 하나였다. 『그룹』의 등장인물들은 각각 특정 유형에 속했다. 도티 렌프루는 평범한 여자. 레이키 이스트레이크는 세련된 여자. 포키 프로세로는 '부유하고 게으른' 여자. 소설은 그들의 불행한 연애, 출산, 성공, 실패를 1940년까지 따라간다. 그리고 1940년에 이 여성들 중 한 명인 케이 스트롱이 자살한다. 그녀는 매카시와 몇 가지 공통점을 지닌 인물이었다. 다른 등장인물들 중에는 매카시의 배서 대학 시절 동급생들을 닮은 사람이 많았다.

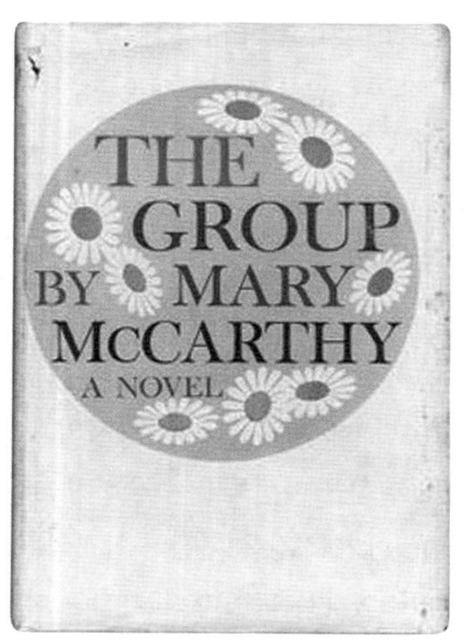

『그룹』 1963년 초판본.

『그룹』은 소설로서는 그리 훌륭하지 않다. 어조는 짓궂지만 비판적이지 않고, 화자의 총명함과 등장인물의 심리를 바라보는 단순한 시각은 서로 매끄럽게 결합되지 않는다. 『그녀의 친구들』과 초창기 단편소설에서 볼 수 있었던 예리한 자기분석은 사라지고 없었다. 매카시를 유명하게 만들어준 날선 풍자도 없었다. 매카시의 지식인과 문인 친구들 거의 모두가 이 작품의 신파적인 면과 그에 비해 착실한 태도를 받아들이지 못했다. 로버트 로웰은 엘리자베스 비숍에게 쓴 편지에서 예언적인 말을 했다. "알 만큼 아는 사람들은 누구도 이 책을 좋아하지 않습니다. 『뉴욕 북리뷰』에서 이 책을 어떻게 다룰지 무섭습니다."[21]

로웰이 말한 것은 『뉴욕타임스 북리뷰』(*New York Times Book Review*)가 아니라, 당시 신생이던 『뉴욕 리뷰 오브 북스』(*New York Review of Books*)였다. 1963년 1월, 로웰은 아내 엘리자베스 하드윅, 친구이자 편집자인 제이슨 엡스타인, 그의 아내 바바라와 함께 이 잡지를 만들었다. 문학잡지를 시작하기에는 자본이 거의 없었지만, 당시 뉴욕에서는 신문사들이 파업을 벌이고 있어서 『뉴욕 타임스』, 『뉴욕 데일리뉴스』(*New York Daily News*), 『뉴욕 포스트』(*New York Post*)를 비롯한 수많은 신문이 몇 달 동안 활동하지 못했다. 따라서 이들 신문의 서평도 함께 사라졌다. 『뉴욕 리뷰 오브 북스』가 등장한 것은 이 빈틈을 메우기에 딱 좋은 시기였다.

뉴욕의 지식인들 중 누구도 어차피 『뉴욕 타임스』가 쏟아내는 책 관련 기사들을 그리 좋아하지 않았다. 몇 년 전의 매카시, 그리고 그 전의 리베카 웨스트처럼 엘리자베스 하드윅도 서평을 비판하는 글을 길게 쓴 적이 있었다. 1959년에 『하퍼스』에 실린 이 글은 흔히 『뉴욕 리뷰 오브 북스』의 선언문으로 읽힌다.

단조로운 칭찬과 흐릿한 반대, 미니멀한 문체와 가벼운 글,

> 열정과 특징과 엉뚱함의 부재, 그리고 마지막으로 문학적인 어조 그 자체의 부재가 『뉴욕 타임스』를 지역 문학지로 만들었다. 길고 두껍기는 해도, 결국은 소도시의 일요일자 서평 페이지와 별로 다를 것이 없다.[22]

매카시는 이 의견에 동의했다. 20여 년 전 그녀도 『네이션』의 '우리 비평가들, 맞거나 틀리거나'에서 비슷한 생각을 토로했다. 따라서 하드윅과 로웰의 요청을 받은 매카시는 1963년 초 이 신생 잡지를 돕겠다고 자진해서 나서서, 창간호에 윌리엄 S. 버로우즈의 『네이키드 런치』(*Naked Lunch*)에 관한 글을 무료로 기고했다. 매카시가 이 작품의 팬이었던 것이 조금 뜻밖이지만, 그녀는 이 작품을 가리켜 "최초의 진지한 SF 작품"[23]이라고 말했다.

그러나 그 뒤로 몇 년 동안 매카시는 이 잡지에 글을 쓰지 않았다. 『그룹』이 발표되었을 때 『뉴욕 리뷰 오브 북스』가 게재한 두 편의 서평 탓이었다. 한 편은 노먼 메일러가 쓴 비교적 정석적인 서평이었으나, 다른 한 편은 자비에 프린이라는 필명을 쓰는 사람이 쓴 패러디였다.

이 시기에 노먼 메일러가 작가로서 어떤 자리를 차지하고 있었는지 상상하기가 어려울지 모르겠다. 메일러는 상업적으로 엄청난 성공을 거둔 소설을 하나 갖고 있었다. 1948년에 나온 첫 작품 『벌거벗은 자와 죽은 자』(*The Naked and the Dead*)가 그것이다. 그 뒤 몇 년 동안 비평가와 대중 모두에게서 미움을 받는 작품들을 내놓으며 시들어가다가, 일종의 에세이집 같은 자서전을 발표했다. 풍자를 할 생각은 눈곱만큼도 없이, 『나를 위한 광고』(*Advertisements for Myself*)라는 제목을 붙인 책이었다. 이 책은 더 많은 독자와 명성을 얻고 싶어 하는 메일러의 개인적인 욕망에 대해 장황하게 설명했다. 고어 비달은 『네이션』에 기고한 글에 이렇게 썼다. "메일러의 신작에서 내가 경계심을 품은 것이 하나 있다면, 그것은 대중적인 성공을 향한 그의 집착이다."[24] 1963년의 노먼 메일러는 사실 어느 정도 유명했다. 그러나 사람들에게 그의 이름을 가장 널리 알린 사건은 아마도 1960년 가을에 그가 어느 파티에서 아내를 찌른 일일 것이다. 그는 아내를 공격한 혐의에 대해 유죄를 인정했다.

그는 1962년에 매카시와도 개인적인 싸움을 벌였다. 엄밀히 말해서 그는 매카시의 팬이었다. 대학 시절 읽은 『그녀의 친구들』은 종이 위에서 작가가 보여야 하는 행동에 대한 그의 생각과 잘 맞아떨어졌다. "그녀가 그런 식으로 자신을 드러낸 적은 두 번 다시 없었다."[25] 말년에 그는 매카시의 전기를 쓴 작가 중 한 명에게 이렇게 말했다. "그녀는 자신을 남들이 발견하게 하고 있었다." 그러나 그는 또한 1962년 8월에 에든버러 작가축제에 함께 참가한 뒤에야 비로소 그녀와 가까워진 느낌이 들었다고 말했다. 그해의 작가축제는 유난히 소란스러웠다. "가장 충격적인 사실은 연단 위와 관중들 속에 모두 미친놈이 많다는 점이었습니다." 매카시는 아렌트에게 보낸 편지에 이렇게 썼다. "솔직히 엄청나게 즐거웠어요."[26] 이런 광기의 한복판에서 메일러는 시합에 나서는 권투선수 같은 각오로 매카시에게 BBC에서 토론하자는 도전장을 던졌다. 그런데 그녀가 거절하자 메일러는 분노했다.

따라서 『뉴욕 리뷰 오브 북스』 편집자들은 메일러에게 『그룹』의 서평을 부탁하면서 어떤 글이 나올지 분명 알고 있었을 것이다.

> 매카시는 간단히 말해서 장편소설을 쓰기에 충분한 실력이 없다. 아직은 그렇다. 그녀는 실패했다. 중심에서부터 실패했고, 허세 때문에 실패했다. 지난 세월 동안 별로 한 일도 없으면서 지나치게 찬사를 받고, 별로 한 일도 없으면서 자신을

> 흡족해하며 쌓인 허세다. 그녀는 심각한 수줍음 때문에 실패했다. 훌륭한 가톨릭 집안의 여자가 모두 그렇듯이, 매카시도 악마를 풀어놓는 것을 두려워한다. 그녀는 속물근성 때문에 실패했다. 이 책에서 마침내 등장인물들에게 조금 연민을 느끼게 되는 것은, 그녀가 작은 일이라도 뛰어나게 해내지 못하는 모든 사람을 여전히 인정하지 못하기 때문이다. 그녀는 상상력 때문에 실패했다. 그러니까 매카시는 조금 덜떨어진 계집이다. 그녀의 시야에는 조금 비뚤어진 부분이 있고, 그녀의 요구에는 자기만족적인 측면이 있는데, 이것이 문체의 실패에 한몫을 한다.[27]

매카시는 메일러가 자신의 책을 싫어하는 것에 놀라지 않았다. 그보다는 엘리자베스 하드윅과 『뉴욕 리뷰 오브 북스』의 편집자 로버트 실버스가 정확히 무슨 생각을 하고 있는지에 훨씬 더 신경을 썼다. 이 두 사람이 메일러에게 서평을 의뢰했다는 사실을 매카시도 알고 있었기 때문이다. 사실 메일러의 서평이 실리기 전 주에 『뉴욕 리뷰 오브 북스』는 『그룹』을 패러디한 자비에 프린의 글을 실었다. 매카시가 메일러와 똑같은 죄를 저질렀다며 꾸짖는 글이었다. 이 패러디에 대한 자세한 설명은 『그룹』을 샅샅이 파헤치며 읽은 독자들에게 맡겨두는 것이 최선이다. 프린도 그렇게 『그룹』을 읽었음이 분명하다. 중요한 것은 매카시가 결국 발견한 사실, 즉 자비에 프린이 바로 엘리자베스 하드윅이었다는 사실이다.

하드윅은 매카시보다 나이가 조금 아래였다. 원래 켄터키 주 렉싱턴 출신인 그녀는 1939년에 대학원생의 신분으로 뉴욕에 왔다. 매카시처럼 그녀도 지극히 정중한 태도 속에 파괴적인 악의를 지닌 사람으로 유명했다. 두 사람의 공통점은 이것뿐만이 아니었다. 하드윅이 『파티전 리뷰』 사람들과 어울리기 시작한 지 얼마 되지 않아서 정신을 차리고 보니 필립 라브의 연인이 되어 있었다. 하드윅이 성취한 것들 중 많은 부분이 이런 식이었다. 매카시가 먼저 해낸 일에 나중에 도달하는 식. 그러나 적어도 이 자비에 프린 사건 때까지는 매카시가 하드윅을 전혀 라이벌로 보지 않았던 것 같다. 두 사람은 그 일이 있기 직전까지도 길고, 다정하고, 행복한 편지를 주고받았다.

작가들이 우정을 쌓으면서도 서로의 글을 비판하는 것은 흔히 있는 평범한 일이다. 지금껏 출간된 서간집 중에 절친한 문인들이 어떤 소설이나 시 때문에 불화를 빚은 기록이 없는 책은 한 권도 없다. 그럼에도 20세기 문단의 역사에서 하드윅과 비슷한 행동을 한 사람은 거의 없었다. 하드윅이 비록 조금 신중한 어조이긴 했어도, 이미 매카시의 책을 찬양하는 개인적인 편지를 보냈다는 점을 생각하면, 더욱 더 이상하기만 하다.

> 축하한다는 말씀을 드리고 싶습니다. 이렇게 훌륭한 책을 완성하신 것이 기쁘고, "그럴 줄 알았어!"라는 찬사를 받을 뿐만 아니라 돈도 벌게 되실 것 같아 기쁩니다. … 정말 대단한 성과입니다, 메리.[28]

이 편지를 쓸 때 하드윅은 자신이 곧 어떤 행동을 할 생각인지 틀림없이 알고 있었을 것이다. 문제의 패러디가 발표된 것은 이로부터 채 두 달도 되지 않았을 때의 일이었다. "내 친구인 줄 알았던 사람들이 내 적이라고 공언한 사람에게 서평을 요청하는 것이 이상합니다."[29] 매카시는 아렌트에게 이런 편지를 보냈다. "그 패러디에 대해 그 사람들은 오늘까지 한마디도 하지 않았습니다. 어쩌면 내가 알아차리지 못하고 넘어가기를 바랐나 봅니다." 이 시기에 『뉴욕 리뷰 오브 북스』의 편집자들이 그녀에게 원고를 졸랐다는 점이 특히 그녀를 괴롭혔다. 만약 그녀가 그들의 요구를 받아들였다면, 그녀의 글이 자신의 책을 비난한 그 글과 나란히 실렸을지도 모른다. 하드윅은 사과하려고 시도했다. "그런 패러디를 써서 정말 죄송합니다."[30] 하드윅은 몇 주 뒤 이런 편지를 보냈다. "이런 말씀을 드리고 싶었습니다. 그 일을 저지른 때로 돌아갈 수는 없지만, 원래 그 글은 그저 가벼운 장난이었을 뿐입니다." 이런 편지로는 충분하지 않았다. 그 뒤로 4년 동안 매카시는 하드윅과 대화를 나누지도, 『뉴욕 리뷰 오브 북스』에 글을 쓰지도 않았다.

여기서 누구나 뻔히 떠올릴 만한 의문이 든다. 매카시는 자신이 다른 사람들에게 하던 짓을 받아들일 수 없었던 건가? 당시 『뉴욕 리뷰 오브 북스』 쪽 인물이었지만 지금은 거의 잊힌 비평가 프레드 더피와 관련된 일화가 매카시의 여러 전기에 나온다. 어느 날 파티에서 그를 만난 매카시는 그에게 자기 책을 싫어한다는 말을 들었다고 말했다. 고어 비달은 이 일화를 다음과 같이 전했다.

> 흠 잡을 데 없이 정중하고, 예의 바르고, 전혀 호전적이지 않은 프레드는 이렇게 말했다. "네, 메리, 저는 그 책을 좋아하지 않습니다." 그러자 그녀는 또 실수를 저질렀다. "왜 안 좋아하는 거예요?" 프레드는 이렇게 말했다. "말하자면 너무 깊은 이야기가 될 것 같네요. 하지만 다른 사람들에게 그토록 견딜 수 없을 정도로 높은 기준을 적용하신 분이니 그 기준이 자신에게도 적용되는 것을 받아들일 각오가 되어 있으실 텐데요." 이 말을 들은 그녀는 눈물을 터뜨렸다.[31]

매카시는 자신의 책에 대한 비평 중 적어도 일부는 의연하게 받아들였다. 『뉴요커』의 편집자에게 『그룹』에 대한 비판으로 가득한 편지를 보고 오히려 기뻤다고 말할 정도였다. "내게 사실대로 말해주려고 수고를 아끼지 않은 당신에게 감사합니다."[32] 『그룹』은 또한 엄청난 베스트셀러이기도 했다. 겨우 몇 년 뒤 할리우드가 이 책을 영화로 만들 정도였다. 그 덕분에 매카시는 진정한 유명작가가 되었고, 오랫동안 한숨이 나올 지경이던 경제적인 문제도 해결했다.

그러나 매카시는 친구들에게 그 책이 자신을 망가뜨렸으며, 그 책을 쓴 것이 후회된다는 말도 했다. 책이 잘 팔린 탓에 고군분투하던 논객들과 주변 시인들의 시기심을 샀다는 사실을 알았기 때문이다. 그녀는 또한 만만찮게 보이는 지면 위의 모습과 달리, 남들의 말에 상처를 입을 수 있는 인간이었다. 시인 엘리자베스 비숍이 『그룹』의 앞부분과 랜덜 재럴의 풍자적인 캠퍼스 소설 『어느 학교의 풍경들』(*Pictures from an Institution*)의 일부를 읽은 뒤 한 말이 옳았던 것 같다. 재럴의 작품에는 매카시를 모델로 한 인물이 나온다.

> 아, 가엾은 여자 같으니. 내 생각에 그녀는 한 번도 현실을 제대로 느끼지 못했던 것 같습니다. 그것이 그녀의 문제였어요. 그녀는 언제나 이런저런 흉내를 냈지만 자신도 다른 사람들도 제대로 납득시키지 못했습니다. 그녀와 친하게 지낼 때 나는 그녀에게 불같이 화를 내야 할지 깊은 감동을 받아야 할지 항상 갈피를 잡지 못했습니다. 당시에는 그녀의 가장(假裝)이 몹시 낭만적이고 슬펐기 때문입니다.[33]

1963년 가을에 다른 여성 작가의 소설이 발표되어, 결국 매카시에게 익숙했던 지식인들의 갈채를 모두 가져가버렸다. 플롯과 인물 성격의 전개에 관한 관습에 저항했다는 점에서 『그룹』과 정반대의 자리를 차지한, 전위적인 작품 『은인』(*The Benefactor*)이었다. 이 소설의 저자는 뉴욕에 도착한 지 얼마 되지 않은 수전 손택이라는 여성이었다.

Sontag

손택

1933.1.16. — 2004.12.28

8

"예리한 여자,
현대문화를 발톱으로 찢어발기며
자신의 길을
찾아 나아가고 있는 사람."

몹시 진지하고 젊은 수전 손택은 작가로서 누구보다도 특이한 데뷔를 했다. 『뉴욕 타임스』 서평은 『은인』을 가리켜 "피카레스크식 반(反)소설"[1]이라고 불렀다. 칭찬의 의미로 한 말이었지만, 판매에는 도움이 되지 않았다. 이 소설은 예순 살 남성 화자인 히폴리트가 파리에서 보헤미안처럼 살아가는 모습을 죽 따라가며 묘사한다. 그의 이야기는 옆길로 새기 일쑤고, 자기도취적이다. 나중에 손택은 "삶에 대한 미학적 접근의 귀류법, 즉 유아론(唯我論)적인 의식"[2]을 묘사하려 했다고 밝혔다. 그러나 유아론을 묘사하려다가 그저 자신의 머릿속으로 너무 깊이 들어가버린 것 같기도 하다.

모든 독자가 이런 정신 속으로 길을 찾아 들어갈 수 있는 것은 아니다. 『은인』이 상업적으로 성공을 거두지 못한 것도 십중팔구 이 때문이었을 것이다. 그래도 출판사가 아렌트에게 책을 보내 감상을 들려달라고 했을 때, 아렌트는 크게 찬사하는 글을 썼다.

> 미스 손택의 소설을 방금 다 읽었는데, 대단히 훌륭한 작품이라고 생각합니다. 진심으로 축하합니다. 어쩌면 귀사가 중요한 작가를 발굴한 것인지도 모르겠습니다. 미스 손택은 몹시 독창적이며, 프랑스 학교에서 그 독창성을 이용하는 법을 배웠습니다. 좋은 일입니다. 나는 특히 그녀의 엄격한 일관성이 감탄스럽습니다. 자신의 상상력이 마구 뻗어나가게 내버려두는

> 경우가 단 한 번도 없더군요. 꿈과 생각으로 진짜 이야기를 만들어낼 수 있다는 점도 놀랍습니다. … 정말 기쁩니다! 출판기념 파티에 기꺼이 가겠습니다.[3]

손택이 그때까지 아렌트의 글을 얼마나 읽었는지는 분명하지 않다. 『전체주의의 기원』은 물론, 아렌트의 어떤 저작도 손택이 공책에 적어둔 읽을 책 목록에 들어 있지 않았다. 그래도 손택이 UCLA에 기부한 문서와 책 중에는 『라헬 판하겐』(*Rahel Varnhagen*)이 포함되어 있다. 여백에는 연필로 쓴 "하!"라는 감탄사도 가득하다(아렌트가 산문에서 내보이는 페르소나를 재미있게 생각한 사람은 역사상 손택이 유일할 것이다). 아렌트를 직접 만났을 무렵, 손택은 이미 아렌트에게 감탄하는 사람이 되어 있었다. 1967년에 메리 매카시가 아렌트와 어떻게든 친구가 되고 싶어 하는 손택의 모습과 관련해서 아렌트를 놀릴 정도였다.

> 지난번 로웰의 집에서 손택을 지켜봤는데, 분명히 당신을 정복할 방법을 찾고 있었습니다. 아니면 당신과 사랑에 빠졌을 수도 있고요. 다 같은 얘깁니다만. 어쨌든, 정말 그런가요?[4]

장난스러운 묘사였지만, 매카시와 손택은 서로 라이벌로 규정될 운명이었다. 자주 회자되는 이야기에 따르면, 매카시가 손택을 가리켜 "내 모조품"[5]이라고 말했다고 한다. 이런 이야기를 가장 극적으로 각색한 버전에서는, 1960년대 초에 어느 파티에서 매카시가 손택에게 다가가 "네가 새로 등장한 나라고 하던데"[6]라고 말한다. 이런 일이 실제로 있었는지는 확실하지 않다. 손택은 자신도 이런 이야기를 들었다고 썼으나, 매카시가 자신에게 그런 말을 직접 한 기억은 나지 않는다고 말했다. 매카시의 전기를 쓰려고 자료조사를 하던 사람들에게 손택은 언제 어디서 매카시가 그런 말을 했다는 건지 도저히 콕 집어서 말할 수 없다고 밝혔다.

1964년의 어느 날 일기에서 손택은 자신보다 나이가 많은 매카시를 간단히 중립적으로 스케치하듯 묘사해놓았다. 적어도 처음에는 진정한 적대감 같은 것이 엿보이지 않는다.

> 메리 매카시의 환한 웃음, 회색 머리, 유행과 거리가 있는 빨간색+파란색의 프린트 정장. 클럽의 여자 회원들이 쑥덕거린다. 그녀는 『그룹』 그 자체다. 남편에게 잘한다.[7]

나중에 손택이 말한 바에 따르면, 이 첫 만남이 이루어진 장소는 로웰의 집이었던 것 같다. 이 만남에 대해 그녀가 기억하는 것은 간단하게 주고받은 대화 한 토막뿐이었다. 칭찬도 아니고 모욕도 아닌 대화. 매카시는 손택에게 아무래도 뉴욕 출신이 아닌 것 같다고 말했다.

"사실 그 말이 맞아요. 저는 옛날부터 줄곧 여기서 살고 싶어 했지만, 제가 여기 출신이 아니라는 사실을 절감하고 있습니다. 그런데 어떻게 아셨어요?" 손택은 자신이 이렇게 대답했다고 밝혔다.

"너무 자주 웃어서요." 매카시가 말했다.[8]

이 말이 이 주제에 대한 대화에 종지부를 찍었을 것이라고 우리는 상상만 할 수 있을 뿐이다. "메리 매카시는 그 미소로 하지 못할 일이 없었다." 손택은 자신의 공책에 이렇게 썼다. "심지어 미소로 미소를 지을 수도 있었다."[9] 하지만 적어도 처음에는 매카시가 손택에게 어느 정도 친절을 베풀었다. 1964년에 매카시는 소니아 오웰을 비롯한 여러 친구들에게 편지를 보냈다. 유럽의 지식인들에게 손택을 소개하기 위해서였다. 뉴욕에서 손택을 자주 저녁식사에 초대하기도 했다. 사교적으로 친절을 베푸는 것은 매카시에게 지극히 자연스러운 일이었을 것이다. 그러나 어느 날 그런 저녁식사가 끝난 뒤 보낸 편지에 매카시는 추신을 적었다. 손택은 이 추신으로 인해 자신이 오래전부터 합류하고 싶어 했던 뉴욕 지식인들의 세계에서 아직 벼락부자 같은 존재에 불과하다는 사실을 가볍게 되새겼을 것이다.

> 추신. 생각해보니 내가 소니아 [오웰]에게 보낸 편지에서 당신 이름을 잘못 썼습니다. n을 두 번 썼어요. 그러니 아메리칸 익스프레스에 문의할 때 Sonntag이라는 이름도 물어보세요.[10]

사실 손택의 출신지에 대한 매카시의 생각에는 조금 틀린 부분이 있었다. 손택은 1933년에 뉴욕에서 태어나 어린 시절에 한동안 롱아일랜드에서 조부모와 함께 살았다. 어머니 밀드레드 로젠블랫은 남편 잭 로젠블랫이 일하던 중국에서 아이를 낳고 싶지 않았기 때문에 친정으로 돌아와 손택을 낳았다.

도러시 파커의 아버지처럼 잭 로젠블랫도 모피업계에서 일했다. 상하이에서 어느 정도 성공을 거둔 모피 제작회사의 동업자였다. 그러나 젊은 나이에 결핵에 걸려, 손택이 다섯 살이 되기 전에 세상을 떠났다. 밀드레드는 1년 동안 마음을 추스른 후에야 손택과 주디스 자매에게 아버지가 돌아가셨다고 말할 수 있었다. 따라서 아버지는 손택에게 몹시 애잔한 대상이 되었다. 어느 단편소설에서 이렇게 고백할 정도였다. "영화에서 아버지가 절박한 상황에서 오랫동안 집을 비웠다가 돌아와 아이를 끌어안는 장면이 나올 때마다 나는 지금도 눈물을 흘린다."[11] 반면 밀드레드는 굳이 말하자면 숨통을 틀어막는 존재였다. 어느 순간부터 그녀는 알코올중독자가 되어, 장녀에게 심하게 의존하며 딸의 인정과 도움을 원했다. 손택이 어린 나이에 쓴 일기를 보면, 열다섯 살의 그녀가 터무니없을 정도로 어머니의 행복에 집착하고 있었음을 알 수 있다. "내가 생각할 수 있는 것은 어머니뿐이다. 어머니가 얼마나 예쁜지, 피부가 얼마나 매끈한지, 날 얼마나 사랑하는지."[12]

그때 어머니는 네이선 손택이라는 육군 조종사와 재혼해서 살고 있었다. 그가 수전과 주디스 자매를 공식적으로 입양하지 않았는데도, 둘 다 그의 성(姓)을 받아들였다. 가족들은 처음에는 투산에서 살다가 나중에 로스앤젤레스로 이주했으며, 손택은 로스앤젤레스의 노스할리우드 고등학교에 다녔다. 수전 손택이 청소년기에도 서부의 광활한 풍경과 한가로운 삶에 잘 맞지 않았다고 말해둬야 할 것 같다. 발표가 되었든 되지 않았든 자전적인 면이 드러나는 모든 글에는 잠시도 가만히 있지 못하는 손택의 성격이 드러나 있다. "내 인생의 빈민굴을 찾아다녔던 것 같다."[13] 그녀는 그곳의 분위기와 맞지 않았다.

로스앤젤레스의 할리우드 대로에서 손택은 괜찮은 서점을 하나 찾아냈다. 피크위크 서점이라는 곳이었다. 독서는 그녀가 처음으로 찾은 탈출구였다. 산문에서 손택은 독서를 자주 여행처럼 묘사한다. 어떤 때는 책을 '우주선'이라고 부르기도 했다. 독서에서 얻는 위안은 곧 자부심으로 꽃을 피웠고, 그 다음에는 자멸을 부르는 우월감이 되었다. 독서 때문에 학교 친구들은 물론 가족에 이르기까지 매일 만나는 사람들로부터 점차 소외되기 시작한 것이다. 솔직한 자전적 글인 「순례」(Pilgrimage)에서 손택은 네이선 손택이 자주 이런 말을 했다고 밝혔다. "수, 책을 너무 많이 읽으면 결혼을 못 할 거야."

> 나는 속으로 생각했다. '이 멍청이는 세상에 지적인 남자가 있다는 걸 몰라서 이러지. 남자들이 다 자기 같은 줄 아나.' 비록 나는 고립되어 있었지만, 세상 어딘가에 나 같은 사람이 많은 곳이 없으리라는 생각은 해본 적이 없었다.

그러나 넓은 세상에도 실망은 존재했다. 「순례」에서 손택은 자신이 깊이 우러러보던 토마스 만이 당시 로스앤젤레스의 퍼시픽 팰리세이드에 살고 있었는데, 그 위대한 사람을 찾아가 만났을 때조차 "속이 상하는 부분"이 있었다고 말했다. 그녀가 도저히 좋아할 수 없는 작가인 헤밍웨이를 만이 좋아했던 것이다. 그의 "말투가 마치 서평 같았다." 손택은 항상 더 높은 경지를 찾아 헤맸지만 쉽게 찾지 못했다. 이것이 나중에는 손택에게 일종의 테마가 되었다.

사람들이 사상과 고급스러운 예술에 관한 대화만 나누는 성지를 찾아 헤매던 손택은 『파티전 리뷰』를 읽기 시작했다. 부모는 그런 주제에 별로 관심이 없는 사람들이었으므로, 손택은 마치 새로운 언어를 배우듯이 공부를 해야 했다. 손택의 한 친구는 그녀가 처음 『파티전 리뷰』를 샀을 때 거기 실린 글을 하나도 이해하지 못했다고 말했다.[14] 말년에 손택은 자주 위협적인 인물로 그려졌다. 어떤 사람들은 우쭐거린다고 표현하기도 했다(손택의 친구이자 학자인 테리 캐슬은 그녀가 "잘 알려지지 않은 헨델의 오페라"[15]를 좋아한다고 자랑을 늘어놓기 일쑤였다는 기록을 남겼다). 그러나 손택이 나중에 전위예술에 그토록 능숙해진 것은 그만큼 열심히 노력했기 때문이다. 전위예술은 그녀에게 자연스럽게 다가오지 않았다. 아마 그래서 손택이 전위예술을 그토록 높이 떠받들었을 것이다. 그녀는 경험상 누구든 책을 많이 읽으면 계몽될 수 있다는 생각을 갖고 있었다.

나중에 지금과 같은 작가가 되는 데 영향을 미친 작가가 누구냐는 질문에 손택은 언제나 라이오넬 트릴링을 언급했다. 발터 베냐민, 엘리아스 카네티, 롤랑 바르트 같은 사람들의 영향은 나중에 그 위에 쌓인 것이다. 손택이 좋아한 작가들은 모두 비유와 관련 자료에 관한 언급이 잔뜩 들어 있는 산문을 썼다. 그들이 그 글을 쓰기에 앞서 얼마나 연구를 했는지 보여주는 증거들이 모든 글에 가득했다. 그들의 문체에도 학자 같은 분위기가 배어 있었다.

이런 점들을 감안하면, 손택이 자신에게 전혀 영향을 끼치지 못한 유일한 인물로 항상 고집스럽게 메리 매카시를 꼽은 것은 그리 놀라운 일이 아닌지도 모른다. 이 점에 대해 손택은 단호했다. 매카시는 "내게 한 번도 중요했던 적이 없는 작가"[16]라는 것이었다. 그 이유는 상상이 간다. 매카시의 글은 높은 경지를 다룬 적이 드물었다. 보통 사회적인 현실과 연결되어 있었는데, 손택은 그런 사회적 현실을 경험하며 사는 것도 그것에 대해 글을 쓰는 일도 별로 편안하지 않았다. 또한 딱히 직접적으로 말하지는 않았지만, 자신이 들어가고 싶어 하는 남성 지식인들의 세계에서 자신이 여자라는 사실을 특별히 걱정하지 않는다는 뜻도 내비쳤다. 사실 손택은 초창기에 진지한 남성 지식인들이 자신을 어떻게 받아들일지 별로 걱정하지 않았던 것 같다. 그러기에는 이미 먼 길을 왔기 때문이었다.

대학은 그녀가 '인생의 빈민굴을 찾아다니는' 방식에서 벗어날 수 있는 첫 번째 기회가 될 터였다. 손택은 최대한 빨리 벗어나기 위해 세심하게 계획을 짜서 고등학교를 일찍 졸업했다. 그녀는 어렸을 때부터 시카고 대학에 들어가고 싶어 했다. 그 학교의 '훌륭한 책' 프로그램이 지식인으로서 이제 막 싹을 틔우던 그녀의 자아 이미지에 잘 맞았기 때문이다. 그러나 손택의 어머니는 아직 자식에게서 벗어날 준비가 되지 않았는지, 버클리에서 임시로 한 학기를 경험해보라고 고집을 부렸다. 열여섯 살의 손택은 1949년에 UCLA 캠퍼스에 도착했다. 그리고 학생들끼리 중고 교과서를 사고파는 행사에서 키가 큰 젊은 여성을 만났다. 해리엇 소머스라는 이 여성은 나중에 손택의 젊은 시절에 핵심적인 인물이 되었다. 소머스가 손택의 마음을 사로잡은 말은 똑똑하다고 자부하는 젊은 여성이라면 누구에게나 통할 만한 것이었다. "『나이트우드』(*Nightwood*) 읽어봤어?"[17]

고등학교를 졸업하기 직전에 손택은 자신이 여자에게 매력을 느끼는 것 같다고 걱정하기 시작했다. 이 충동을 억누르려고 애쓰면서 남자들과 데이트를 하고, 마음이 끌리지도 않는 사람에게 마음을 고백해보았으나, 소머스는 버클리에서 보낸 고작 몇 달 동안 샌프란시스코에서 활발하게 활동하는 레즈비언들의 세계를 그녀에게 소개해주었다. 소머스는 또한 손택이 정말로 잠자리를 함께 한 최초의 여성이기도 했다. 그녀는 그 경험이 해방 그 자체였다고 기록했다.

> 성에 대한 내 생각이 크게 바뀌었다. 천만 다행이다! 양성애는 개인의 완전함을 표현하는 방식이며, 자신에게 '딱 맞는 사람'이 나타날 때까지 정조를 이상화하는 방식, 즉 사랑이 없는 순수한 육체적 감각과 문란함을 모두 금지하는 방식을 통해 성적인 경험을 제한하고 육체와 분리하려고 시도하는 도착, 그래, 도착을 정직하게 거부하는 행동이다.[18]

관능을 향해 마음을 연 손택은 소머스와 오래 사귀었으며, 그 다음에도 다른 여성과 또 오랜 관계를 맺었다. 그녀는 일기장에 다시 태어난 기분이라고 적었다. 버클리에 가보라는 어머니의 제안에 망설였던 자신을 꾸짖으며, 만약 샌프란시스코에 오지 않았다면 이런 경험을 하지 못했을 것이라고 생각했다.

그 뒤로 평생 손택은 여자는 물론 남자와도 데이트를 하면서 때로는 자신의 성에 대해 정확히 정의하기를 꺼렸다. 그러나 그녀의 중요한 연인들은 대부분 여성이었다. 이것은 개인적인 해방이었다. 손택은 언제나 자기 이야기를 잘 밝히지 않는 사람이었기 때문에 회고록도 거의 쓰지 않았다. 그녀의 작품에 나오는 '나', 그녀 자신임이 드러나는 목소리조차도 리베카 웨스트의 작품에서처럼 살과 뼈가 있는 사람의 형태를 띠지 않았다. 그녀의 목소리는 자연스러운 힘을 발휘했지만, 구체적이고 개인적인 경험에 대해서는 전혀 이야기하지 않았다. 양성애자 또는 레즈비언임을 끝내 공개적으로 밝히지 않은 손택에게 실망한 사람도 많았다. 그러나 그녀의 그런 행동이 순전히 동성애를 숨기기 위한 것만은 아니었을 수도 있다. 애당초 손택은 대중 앞에 내보이는 작품 속에 자신을 많이 드러내지 않는 사람이었다.

시카고 대학의 입학허가서가 버클리의 손택에게 마침내 날아왔다. 게다가 장학금까지 약속되어 있었다. 손택은 여전히 그 대학의 엄격한 학풍을 경험해보고 싶었으므로, 1949년 가을 시카고에 도착했다. 이 학교에는 손택이 우러러보는 교수가 아주 많았다. 그녀는 젊은 문학청년 시절 파리에서 하트 크레인, 주나 반스와 한 아파트에서 살았던 케네스 버크에게 빠졌다("그때 내 상태가 어땠을지 상상이 갈 거예요."[19] 손택은 어느 인터뷰에서 이렇게 말했다). 그러나 나중에 그녀와 결혼한 사람은 2학년 때 만난 필립 리프라는 남자였다. 두 사람은 첫 데이트를 한 뒤 겨우 며칠 만에 결혼했다.

샌프란시스코에서 동성애를 경험한 그녀가 이런 결혼을 한 것이 뜻밖의 반전처럼 보이겠지만, 손택은 자신이 사랑 때문에 순전히 자의로 선택한 결혼이라고 주장했다. 그러나 이 결혼에는 분명히 다른 저의가 있었다. 시카고에 온 뒤 처음 몇 달 동안 손택은 프로이트의 제자 한 명이 쓴 논문을 읽었다. 그 논문의 앞부분에는 다음과 같은 구절이 있었다.

> 지금까지 우리의 연구는 동성애자들의 경우 이성애의 길이 단순히 막혀 있을 뿐이며, 그 길이 아예 없다는 주장은 부정확한 말임을 우리에게 거듭 보여주었다.[20]

손택은 일기장에 끼워둔 편지에서 삼촌이 아버지에게서 받은 어머니의 돈을 다 탕진해버렸다고 고등학교 시절 친구에게 밝혔다. "삼촌이 감옥에 가지 않으려면 있는 돈이 모두 필요해. 이제 우리에게 남은 것이 없어."[21] 그녀는 또한 대학생활에 필요한 돈을 구할 방법이 달리 없다면, 자신도 일을 해야 할 것 같다고 말했다.

필립 리프는 아내보다 열한 살 연상이었다. 사회학을 공부한 그는 당시 프로이트에 대한 논문을 쓰는 중이었다. 매력적인 강의 솜씨를 지녔다고 알려졌으나, 기본적으로 우울한 성격이었다. 손택은 두 사람이 서로에게 육체적 매력을 얼마나 느꼈는지에 대해서는 결코 자세히 말하지 않았다. 그러나 지적인 유대감은 인생을 바꿔놓는 힘을 지니고 있었다. 손택이 나중에 인터뷰에서 밝힌 바에 따르면, 그가 처음 결혼을 청했을 때 그녀는 "농담 마세요!"라고 대꾸했다. 그러나 그의 말은 농담이 아니었다. 그의 강렬한 욕망이 그녀를 이끌어 결혼에 동의하게 했다. "나는 온전한 의식+자멸로 향해 가는 나의 의지에 대한 두려움으로 필립과 결혼한다."[22] 그녀는 공책에 이렇게 적었다. 젊은 신부가 일반적으로 적을 만한 문장은 아니었으나, 사실 결혼 그 자체가 일종의 타협이었다.

처음에는 두 사람의 동반자 관계가 잘 유지되었다. 리프 부부는 간단히 말해서 "7년 동안 대화를 나눴다".[23] 두 사람의 대화는 낮을 지나 밤까지, 침실에서 욕실까지 이어졌다. 필립이 쓰고 있던 프로이트 책도 두 사람의 공동작업이 되었다. 나중에 손택은 그 책의 단어 하나하나가 모두 자신의 것이라고 주장했다. 손택은 학사학위를 받은 뒤 리프를 따라 보스턴으로 갔다. 그가 브랜다이스 대학에서 강의를 하게 되었기 때문이다. 손택은 코네티컷 대학에서 철학 석사 과정을 시작했으나, 박사 과정은 하버드에서 밟았다. 스무 살도 되기 전인 1952년에는 아들 데이비드도 낳았다.

리베카 웨스트와 H. G. 웰스(두 사람의 아들도 어머니인 웨스트가 고작 열아홉 살로 간신히 혼자 서는 법을 배우고 있을 때 태어났다)의 관계가 반전된 손택과 리프의 결혼생활은 손택에게 좋은 영향을 미쳤다. 적어도 처음에는 그랬다. 그녀는 스타 학자가 되는 길을 밟고 있었다. 교수들은 그녀의 총명함을 격찬했고, 그녀는 하버드에서 1등을 차지했다. 그녀가 겉으로 보기에는 일종의 지적인 전원생활이라고 할 만한 것을 시작한 지 몇 년쯤 됐을 때에는 미국 대학 여성연맹이 1957년에서 1958년으로 이어지는 1년 동안 옥스퍼드에서 공부할 수 있는 장학금을 제의했다. 손택은 이 제의를 받아들였고, 리프도 축복해주었다. 처음에는.

손택은 리프와의 결혼생활에서 느끼는 안정감 때문에 이미 초조해하고 있었다. 그와 함께 있을 때 그녀는 글을 사실상 하나도 발표하지 못했다. 『뉴 리더』에 새로 발간된 에즈라 파운드의 번역서에 대한 힘없는 서평을 한 번 쓴 것이 전부였다. 나중에 소설 『인 아메리카』(*In America*)에서 화자는 자신이 에드워드 캐소본의 모조품과 결혼했음을 열여덟 살에 깨달았다고 말한다. 캐소본은 조지 엘리엇의 『미들마치』(*Middlemarch*)에 등장하는 인물로, 여주인공인 도로테아 브룩의 나이 많은 남편이다. 도로테아는 어린 나이에 그에게 애정을 품은 탓에 인생이 꼬이고 만다.

"결혼제도를 발명한 사람이 누군지는 몰라도, 독창적으로 남을 괴롭힐 줄 아는 사람이다."[24] 손택은 1956년에 일기에 이렇게 적었다. "결혼은 감정을 무디게 만드는 데 헌신하는 제도다." 한때는 진정한 마음의 결합처럼 보였던 결혼생활이 이제는 일종의 감옥이 되었다. 리프 본인도 소유욕이 강한 성격이라서, 손택은 "감정의 전체주의"[25]라고 평가했다. 손택은 자아를 잃어버린 것만 같았다. 존 애코셀라에게 손택은 「록 어라운드 더 클락」(*Rock Around the Clock*)이라는 영화를 보러 갔을 때의 외로운 기억을 털어놓았다. 이 영화는 1956년에 같은 제목의 노래가 거둔 성공을 이용하기 위해 만들어진, 재미있는 싸구려 상업영화다. 손택은 이 영화를 재미있게 보았지만, 그 이야기를 나눌 사람이 전혀 없다는 사실을 문득 깨달았다.[26]

"내게 캐소본 씨와 이혼할 권리, 도덕적 권리가 있다는 결론을 내리는 데 9년이 걸렸다."[27] 『인 아메리카』의 화자는 이렇게 말한다. 옥스퍼드에서 보낸 1년이 리프 부부에게는 끝을 의미했다. 손택은 혼자 옥스퍼드로 갔다. 데이비드는 조부모에게 보냈다. 옥스퍼드에서 4개월을 보낸 뒤 손택은 학자의 길을 포기하고 대신 소르본에서 공부하며 프랑스 문화를 경험하기 위해 파리로 갔다. 그곳에서 해리엇을 만나 다시 뭉친 그녀는 해리엇을 통해 쿠바의 극작가 마리아 이레네 포르네스를 만났다. 1958년 보스턴으로 돌아올 때쯤 손택은 자아가 충분히 강해져 있었기 때문에 공항에서 필립 리프에게 곧바로 이혼을 원한다고 말했다. 그리고 조부모 집에 가서 데이비드를 찾아 뉴욕으로 이주했다.

포르네스도 뉴욕으로 와서 합류했다. 어느 날 두 사람은 그리니치빌리지의 르 피가로 카페에 앉아서 몹시 글을 쓰고 싶은데 어떻게 시작해야 할지 모르겠다는 이야기를 나눴다. 손택의 말에 따르면(이 일화에는 몇 가지 버전이 존재한다), 포르네스가 이렇게 말했다고 한다. "지금 당장 네가 소설을 시작하면 어때?"

> 나는 이렇게 대답했다. "그래, 그래야겠어." 그녀가 말했다. "아니, 지금 당장 쓰라고."[28]

이 말에 손택은 당장 카페에서 집으로 돌아가, 나중에 『은인』으로 완성된 글의 첫 세 쪽을 썼다. 손택은 나중에 그것이 일종의 "백지수표"였다고 말했다. 그 뒤로 4년 동안 그녀는 계속 타자기를 두드렸다. 데이비드를 무릎에 앉힌 채 일할 때도 많았다.

포르네스와의 관계가 끝난 뒤로도 오랫동안 집필이 이어졌다. 소설이 완성되었을 때 데이비드는 열 살이었다. 손택은 자신이 타자를 치는 동안 데이비드가 옆에 서 있다가 담배에 불을 붙여주곤 했다고 자랑하며 좋아했다.[29]

이 작품은 그녀를 부자로 만들어주지도 못했고, 심지어 좋은 평을 받지도 못했다. 이 책을 칭찬한 이상한 말 중에는 "기민하고 차분한 주부 같은 자신감"[30]을 내보인다는 말도 있었다. 그러나 소설을 발표한 것만으로도 손택은 뉴욕에서 자신감을 얻었다. 어느 파티에서 그녀는 『파티전 리뷰』의 두 편집자 중 한 명인 윌리엄 필립스를 만났다. 그녀가 그 잡지에 자신이 글을 써도 되겠느냐고 묻자, 그는 연극 칼럼을 쓰겠느냐고 물었다. "메리가 예전에 하던 겁니다."[31] 그는 이렇게 말한 듯하다. 손택은 연극에 아무 관심이 없었지만, 『파티전 리뷰』에 글을 쓰고 싶은 생각이 몹시 강했으므로 그의 제안을 받아들였다. 그녀는 두 편의 연극평을 썼으나, 두 편 모두 원래 주제에서 벗어나 영화 이야기로 흘러가버렸다. 그녀가 실제로 좋아하는 것이 영화였기 때문이다. 결국 그녀는 더 이상 글을 쓸 수 없다는 결론을 내렸다. 손택은 정말로 되고 싶은 것은 소설가라고 사람들에게 밝혔다. 그러나 조짐이 좋지 않았다. 드와이트 맥도널드는 "아무도 픽션에는 관심이 없어요, 수전"[32]이라고 말했다.

하지만 손택의 에세이에는 사람들이 금방 관심을 보였다. 그녀가 처음으로 큰 성공을 거둔 것은 1964년 가을에 『파티전 리뷰』에 처음 실렸던 글 「캠프에 대한 단상」(Notes on 'Camp')을 통해서였다. "세상에는 이름이 붙어 있지 않은 것이 많다." 이 글은 이렇게 시작한다. "이름이 지어졌다 해도, 한 번도 상세하게 설명되지 않은 것 또한 많다."[33] 캠프(Camp)란 인위적인 것에 몰두하는 감수성을 뜻한다고 그녀는 주장했다. 여기서는 내용보다 스타일이 은근히 더 높은 평가를 받는다. 이 에세이의 무심하고 매력적인 어조는 주제와

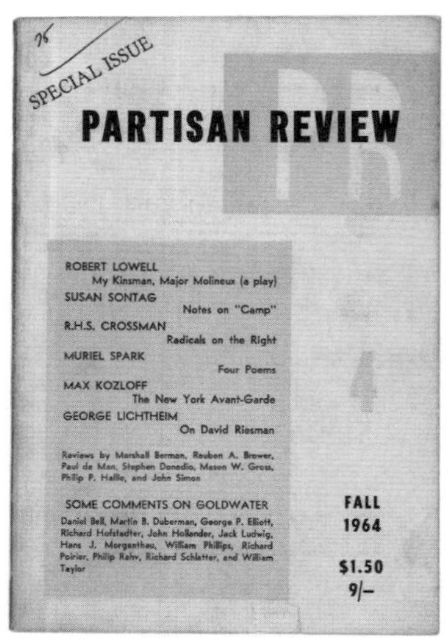

「캠프에 대한 단상」이 실린 『파티전 리뷰』 1964년 가을호 표지. 『파티전 리뷰』는 1934년 문학, 정치, 문화 비평을 다루는 잡지로 뉴욕 존 리드 클럽(미국 공산당 대중 조직)이 창간했다.

완벽하게 어울렸기 때문에 많은 사람의 관심을 끌었다. 손택은 하나의 추세를 정의하는 데 성공했고, 나중에는 이 추세가 곧 손택을 정의하는 말이 되었다.

『은인』 이후 그녀의 별은 계속 떠오르고 있었다. 그녀는 『마드무아젤』(*Mademoiselle*)이 수여하는 상을 받았고, 『하퍼스』에 단편을 발표했으며, 『뉴욕타임스 북리뷰』에서 느닷없이 서평을 써달라는 요청을 받았다. 그러나 그 모든 일보다 「캠프에 대한 단상」으로 받은 관심이 훨씬 더 많았다. 손택은 대중문화의 예언자라는 지위에 올라섰고, 캠프라는 개념은 널리 퍼지다 못해 역공을 당할 정도였다. 봄 무렵에 『뉴욕 타임스』의 한 필자는 이 현상을 기꺼이 비난해줄 익명의 전문가를 한 명 찾아냈다.

> "기본적으로 캠프는 일종의 퇴행이며, 권위에 반항하는 감상적인 청년들의 방식이다." 캠프에 반대하는 정신과의사는 최근 친구에게 이렇게 말했다. "간단히 말해서, 캠프는 삶과 책임에서 도망치는 것이다. 따라서 어떤 의미에서 캠프는 지극히 유치할 뿐만 아니라, 사회에 잠재적으로 위험한 요소이기도 하다. 건강하지 못하고 퇴폐적이기 때문이다."[34]

이런 말이 지금은 이상하게 보인다. 캠프라는 개념이 주류화되고 상업화되어서 1964년에 이 말이 지녔던 급진적인 느낌을 잡아내기가 힘들기 때문이다. 뉴욕의 지식인들은 정치적으로 공산주의에 기울어 있으면서도, 진정한 문화적 무법자들에게는 자리를 거의 내어주지 않았다. 그들은 비트 세대를 좋아하지 않았으므로, 앨런 긴즈버그에 대해서도 이렇다 저렇다 별로 말이 없었다. 동성애 문화는 그들 눈에 아예 보이지 않는 것과 마찬가지였다. 그들의 이런 저항을 가장 훌륭하게 요약해서 보여준 것은 1965년 4월에 필립 라브가 메리 매카시에게 보낸 편지일 것이다. 『타임』이 「캠프에 대한 단상」을 호의적으로 요약하며, 잡지의 기사 중에서는 드물게 이 글에 무게를 얹어준 뒤였다.

> 수전 손택의 '캠프' 스타일이 워낙 유행이라서, 모든 종류의 도착이 전위적이라는 평가를 받고 있습니다. 동성애자와 포르노 제작자가 남녀를 막론하고 전면에 부상했지요. 하지만 수전 본인은 어떤 사람입니까? 내가 보기에 그 여성은 허리띠 위쪽으로는 고지식한 사람입니다. 동성애 변태들이 그 여자를 좋아하는 것은, 그녀가 그들의 경박함을 지적으로 정당화해주기 때문입니다. 반면 그녀는 나를 전통적인 도덕주의자라고 부르죠. 그렇다고 들었습니다.[35]

「캠프에 대한 단상」은 일찍이 흔히 볼 수 없었던, 대중문화를 다룬 글이었다. 손택이 이 글에서 "캠프의 규범 중 일부"로 열거한 것은 모두 만화 「킹콩」(King Kong)과 「플래시 고든」(Flash Gordon)처럼 대중적으로 큰 인기를 끈 항목들이었다. 이 에세이의 기본적인 분위기는 민주적이다. 각자의 취향을 좋고 나쁜 것으로 분류해야 한다는 제약에서 사람들을 해방시켜주기 때문이다. 캠프는 나쁜 취향을 좋은 것으로 만들어줄 수 있었다. 다시 말해서, 사람들이 즐길 수 있게 해주었다. "캠프에 대해 엄숙한 논문을 쓰는 듯한 태도를 취하는 것이 당황스럽다." 손택은 이렇게 썼다. "우리는 스스로 아주 뒤떨어지는 캠프를 만들어낼지도 모른다는 위험을 짊어지고 있다."[36]

짐짓 조심하는 듯한 태도는 미리 계산된 것임이 분명하지만, 젊은 시절의 손택은 아직 왕처럼 오만하게 여기저기 간섭하는 작가가 아니었다는 사실을 잊어버리기 쉽다. 그녀는 아직 자기만의 문체가 무엇인지 알아가던 중이었으므로, 나중에 발터 베냐민이나 엘리아스 카네티에 대해 쓴 글이나 책 한 권 길이에 이르는 문화비평 등과 나란히 놓고 비교해보면 「캠프에 대한 단상」은 전혀 그녀의 글 같지 않다. 나중에 손택의 친구인 테리 캐슬이 말한 것처럼, 그녀가 이 글을 싫어하게 된 데에는 이런 이유도 있는지 모른다. 캐슬은 이밖에 좀 더 깊이 있는 이유들도 몇 가지 꼽았다. 캠프에 호의적인 손택의 태도가 지나치게 동성애 친화적이라서 그녀의 성적 지향이 드러났다는 것도 그 이유 중 하나다. 그래서 손택은 나중에 이 글을 편안하게 바라볼 수 없었다.[37] 그런데 1964년에 「캠프에 대한 단상」을 읽은 게이와 레즈비언 독자들이 보기에는 손택이 이처럼 성적 지향을 숨기려 하는 태도가 의아했다. 그녀가 숨기고자 하는 것이 훤히 드러나 있었으므로 사실상 아무도 그녀에게 속지 않았다.

손택이 초창기에 쓴 중요한 에세이 중 「해석에 반대한다」(Against Interpretation)는 몇 달 뒤 『에버그린 리뷰』(*Evergreen Review*)에 게재되었다. 언뜻 보면, 이 글은 손택이 평생 다루게 될 주제에 대한 논증처럼 읽힌다. "해석이란 지성이 예술에 가하는 복수"라는 것이 이 글의 주장이다. 비평가들이 비평가가 된 것은 훌륭한 예술가가 될 능력이 없어서라는 진부한 주장을 그저 새로운 말로 다시 늘어놓은 것처럼 보인다. 그러나 이 새로운 표현은 더 입맛에 맞는 매력을 지니고 있어서, 급기야 "해석학의 자리에 대신 필요한 것은 예술의 에로틱학(erotics)"이라는 말까지 내놓는다.[38]

많은 사람이 이 말을 근거로 잘못된 결론을 내렸다. 손택이 예술에 대한 모든 글을 공격하려 한다고 보았기 때문이다. 그러나 손택 본인도 이런 원칙을 지키기 위해 예술에 대한 글쓰기를 중단하지 않았다. 나중에 그녀가 밝힌 바에 따르면, 당시 그녀가 하려던 말은 예술의 형태와 내용의 상호작용에 관한 것이었다. 예술의 수단이 지닌 규칙들이 "의미"에 미치는 영향을 다루고자 했다는 뜻이다. 이 말을 좀 더 쉽게 바꾼다면, 수전 손택에게 생각하고 글을 쓰는 행위가 그 자체로서 에로틱하고 관능적인 경험이었다고 말할 수 있을 것이다. 그녀는 다층구조를 통해 출발점으로 돌아오는 문장들을 써서 이런 뜻을 전달하고자 했으며, '안티테제'나 '이루 말할 수 없는' 같이 거창한 단어들을 시원시원하게 사용해서 쉽게 이해할 수 있을 뿐만 아니라 심지어 아름다워 보이게 만들었다. 개인적인 속내를 더 기꺼이 드러내는 1인칭 화자의 친근함을 대체하기 위해 그녀가 선택한 방법이 이것이었다.

「캠프에 대한 단상」과 「해석에 반대한다」가 모두 큰 반향을 일으킨 뒤, 『은인』의 출판사인 파라, 스트로스 앤드 지루가 기회를 포착하고 이 비판적인 글을 모아 1966년에 한 권의 책으로 펴냈다. 손택의 그 유명한 에세이 제목을 따서 책 제목 또한 『해석에 반대한다』가 되었다. 이 글은 손택의 소설보다 훨씬 더 많은 서평을 받았으므로, 주류 언론이 손택에게 감탄할 수 있는 새로운 기회가 되어주었다. 『보그』에 실린 무기명 기사의 지적처럼, 손택의 글은 "역사를 새로 만드는 글이거나 아니면 대담한 사기극"이라는 "말다툼의 대상"이 되었다.[39] 주류 언론에 서평을 쓴 대부분의 사람들은 손택을 사기꾼으로 보았다. "예리한 여자, 현대문화를 발톱으로 찢어발기며 자신의 길을 찾아 나아가고 있는 학부생 메리 매카시 같은 사람"[40]이라고 말한 사람도 있었다. 이 구절 직후에는 책에 대한 혹평이 이어졌다. 『워싱턴 포스트』(*Washington Post*)에 실린 서평에는 다음과 같은 구절이 있었다.

> 이 에세이들의 저자로서 수전 손택은 호감이 가는 사람이라고 하기 힘들다. 그녀의 목소리는 거칠고 무례하고 귀에 거슬린다. 이 책에는 그녀가 자신의 어조나 태도에 대한 독자의 생각에 많이 신경을 쓰는 것 같은 기색이 전혀 없다.[41]

모든 서평이 이런 식이었던 것은 아니다. 『로스앤젤레스 타임스』와 『뉴 리더』의 서평은 손택을 어느 정도 인정해주는 편이었다. 그러나 인신공격적인 성격을 띤 논평들이 단순히 방백에 그치는 경우는 드물었다. 서평을 쓴 비평가가 손택에 대해 개인적으로 어떤 생각을 가지고 있는가에 따라 서평 전체의 내용이 달라질 때가 많았다. 따라서 그때부터 손택의 성격이 그녀의 글 못지않은 이슈가 되었다. '이미지'라는 모호한 속성이 작가로서 그녀의 평판에 그녀가 쓴 글만큼이나 중요한 일부가 된 것이다. 출판사들은 대개 이 점을 약삭빠르게 이용해서, 손택의 부정할 수 없는 매력을 최대한 이용하곤 했다. 『해석에 반대한다』(이 책은 뜻밖에도 베스트셀러가 되었다)의 보급판 페이퍼백 표지에는 사진작가 해리 헤스가 찍은 손택의 사진 한 장만 실렸다. 어깨 너머로 측면의 어딘가를 바라보는 사진이었다.

손택에 관한 글 중 그녀의 외모와 관련된 글이 얼마나 많은지는 아무리 과장해도 지나치지 않다. 그녀를 아주 진지하게 다룬 에세이에도 그녀의 외모에 대한 언급이 등장하는 것이 보통이었다. 그 산더미 같은 언급들을 요약하면 다음과 같다. '그녀는 보기 드문 미인이다.' 그러나 내가 보기에 구경꾼들이 보여준 열광과 사진작가들의 훌륭한 솜씨와 달리 손택과 미모의 관계는 더 복잡했던 것 같다. 손택의 공책에는 목욕을 더 자주 해야 한다는 자책의 말이 가득하다. 실제로 당시 사람들은 그녀가 후줄근해 보일 때가 많다고 지적했다. 보통 그녀는 머리카락을 완전히 뒤로 넘기고 다녔지만, 그 외에는 손질을 하지 않아서 모든 것이 제멋대로 날아다녔다. 심지어 대중매체에 나설 때도 마찬가지였다. 어느 인터뷰에서는 빗질도 화장도 하지 않은 손택의 모습이 영화감독 아녜스 바르다의 단정한 단발과 철저한 대조를 이뤘다.[42]

손택은 또한 언제나 검은색 옷만 입었다. 옷차림에 신경을 쓰고

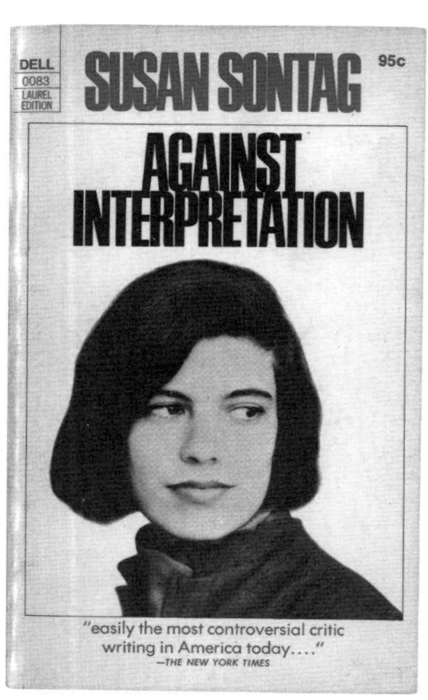

『해석에 반대한다』 1969년 판본.

싶지 않은 사람들의 전형적인 전략이다. 나이를 먹은 뒤에는 셔츠를 들어올려 사람들에게 수술 흉터를 보여주기로 유명했다. 매력적인 사람들이 자신의 외모에 신경을 쓰지 않는 특권을 누리는 경우가 많기는 해도, 손택의 무심함은 계산이나 계획이 없는 진짜처럼 보였다. 외모가 자신에게 도움이 되었다는 사실은 좋아했지만, 외모에 대한 관심은 그것으로 끝이었다.

처음부터 손택은 홍보 전문가들이 대중에게 내보이려고 하는 자신의 이미지를 걱정했다. 사진이 손택 본인을 압도하기 시작한 탓이었다. 영국의 한 출판사는 라우션버그의 사진을 실은 『해석에 반대한다』 한정판을 내자고 제의하기도 했다. 손택은 거절했다.

> 이것은 초(超)시크한 계획인가. 『라이프』와 『타임』에 기사가 실리고+'현대적인' 여자, 새로운 매카시, 매클루핸 이론+캠프의 여왕이라는 내 이미지를 확인하게 될 계획, 내가 지금 그것을 무산시키려 하는 건가?[43]

다행인지 불행인지, '현대적인 여성'이라는 이미지에 대한 손택의 저항은 성공하지 못했다. 그녀의 인터뷰 기사에는 그녀가 "미국 아방가르드의 내털리 우드"[44]가 되었다는 누군가의 말이 되풀이되었다. 손택은 두 번째 소설인 『데스 킷』(*Death Kit*)을 발표했지만, 에세이 작가로서 점점 커져가는 명성을 덮을 만큼의 반응을 얻지는 못했다. 『은인』과 마찬가지로 『데스 킷』도 플롯이라고 할 만한 것이 없다. 펜실베이니아의 회사원이 철도 인부를 죽인 자신의 기억이 맞는 건지 틀린 건지 고민하는 내용이 소설의 많은 부분을 차지한다. 이 소설은 확실히 비유가 많으며, 당시 프랑스에서 유행하던 스타일을 따라간다. 고어 비달은 『시카고 트리뷴』(*Chicago Tribune*)에 기고한 서평에서 이 책의 문제를 정확히 짚었다.

> 이상한 일이지만, 미스 손택은 자신을 미국 작가들 중에서 독특하고 가치 있는 존재로 만들어준 바로 그 요소로 인해 소설가로서 자리를 잃었다. 대학 영문과에서 비교문학이라고 부르는 작품들의 방대한 독서량. … 이렇게 습득한 문화적 지식이 손택을 좋든 나쁘든 대다수 미국 소설가와는 다른 존재로 만들어준다. 미국 소설가들의 작품에서 느낄 수 있는 빈약한 질감과 간혹 나오는 그들의 논평에서 느껴지는 나태함을 증거로 받아들인다면, 그들의 독서량은 거의 0에 가깝기 때문이다.[45]

손택만큼 아방가르드에 관심이 있는 비평가는 아주 드물었다. 언론은 그런 주제 대신 더 쉬운 주제들에만 매달렸다. "이 세상에 정의가 있다면, 수전 손택은 못생겼거나, 아니면 하다못해 평범하기라도 해야 한다." 『워싱턴 포스트』에 서평을 쓴 여성 필자가 한 말이다. "그런 미모를 지닌 여자는 그렇게 머리가 좋을 권리가 없다."[46] 페미니즘 학자 캐롤린 하일브런은 『뉴욕 타임스』의 의뢰로 손택을 인터뷰한 뒤 감정에 압도된 나머지 그녀의 말을 한마디도 인용하지 않은 채 기사를 썼다. "그녀의 말을 절대 인용할 수 없다. 그녀의 말을 전체 맥락에서 억지로 떼어내어 정제하면 단순화된 거짓이 되기 때문이다."[47] 원칙적으로 이 말은 칭찬이었다. 이 인터뷰는 손택이 어떤 사람인지에 대한 일종의 산문시가 되었고, 서평보다는 유명인사의 프로필에 더 걸맞은 과장된 수사가 사용되었다.

> 처음 수전 손택에 대한 글을 읽기 시작했을 때 나는 이렇게 생각했다. 세상에, 이 여자는 메릴린 먼로야. 아름답고, 성공했고, 불운한 운명이고, 축복이 필요한(이건 아서 밀러의 최고의 표현이다) 사람이니까. 미국인의 삶에 2막은 없다는 말이

있다. 정말로 '데스 킷'이다. 서평 필자들은 이 신작소설에서 미스 손택을 찾으려 할 것이다(그러나 그녀는 거기에 없다. 이 작품은 이제 그녀의 책이 아니다. 어떤 책의 물리적인 소유권을 말하는 것이라면 몰라도. 손택은 이 작품이 자신이 읽고 싶어할 만한 종류의 책이 이미 아니라는 사실을 알고 있다).

최고의 명성을 누리고 있던 손택은 『에스콰이어』의 한 필자에게 프로필을 써도 좋다고 허락하면서 이렇게 말했다. "전설은 꼬리와 같습니다. … 무자비하게, 어색하게, 쓸모없이 우리를 따라다니죠. 자아와 기본적으로 아무 관계도 없으면서."[48] 겸손함에는 물론 언제나 자신을 신파적으로 과장하는 느낌이 조금 들어 있지만, 자신의 손에 이미 전설이 있음을 알고 있는 사람만이 전설을 쉽사리 거부할 수 있다. 그래도 손택의 말이 옳았음을 우리는 금방 알 수 있다. 1960년대 말 무렵 손택의 페르소나는 그녀의 작품과는 별로 관계가 없었다. 아마도 그녀로서는 편안히 받아들일 수 없었을 것이다.

그럼에도 손택의 명성에는 나름대로 쓸모가 있었다. 당시의 많은 남성 지식인이 언론에 등장하는 손택의 이미지에 위협을 느낀 것이다. 예를 들어 1969년 초에 필립 로스가 느닷없이 그녀에게 편지를 보냈다. 신작소설 『포트노이의 불평』(*Portnoy's Complaint*)의 저자인 그의 프로필이 바로 얼마 전 잡지 『뉴욕』(*New York*)에 실린 참이었다. 이 기사 첫머리에서 그는 손택을 "수. 수지 Q. 수지 Q. 손택"[49]이라고 언급했다. 로스는 지면에 실린 이 말을 보고 후회에 사로잡혀 서둘러 편지를 보낸 듯했다.

당신이 아는지 잘 모르겠지만, 저는 당신의 인간적인 매력에 항상 감탄했고, 당신 작품에도 감탄했으므로, 기자가 제 말을 완전히 오해해서 잘못 보도한 것을 보고 경악했습니다. 제가 기억하기로 제가 한 말은 그것과 다르며, 말의 의미도 다릅니다.[50]

아주 살짝 모욕적이긴 해도 단지 잘못 보도되었을 뿐인 말에 대해 이 정도면 정중한 사과였다. 이 편지는 또한 손택의 작품이 그저 그런 평을 받았음에도 손택 본인은 얼마나 커다란 존재로 인식되기 시작했는지를 느끼게 해주었다. 그녀는 사상가로서, 대중적인 지식인으로서 엄청난 존경을 받았다. 딱히 사과를 잘 하는 편이 아닌 필립 로스까지도 겁을 먹을 정도였다.

스타로 부상하면서 손택은 비평과 에세이에 손을 대지 않기로 결심했다. 대신 세 번째 소설을 집필하기 시작했다. 스웨덴에서 초저예산으로 예술영화를 만들겠다는 제안이 온 뒤에는 영화에도 관심을 기울였다. 그녀는 추상적인 비평을 버리고, 대신 시국을 직접적으로 논하는 글을 선택했다. 1967년에 『파티전 리뷰』는 '미국에서 무슨 일이 벌어지고 있는가'라는 주제로 지면 심포지엄을 열었다. 이를 위해 미리 작성한 설문지에서 손택의 답변은 어차피 한 번도 소속감을 느껴본 적이 없는 미국이라는 나라의 상태를 비난하는 장광설이었다. 미국을 욕하기 위해 손택은 캘리포니아에서 보낸 어린 시절에서 곧바로 뽑아온 은유를 사용했다.

로널드 레이건이 캘리포니아의 새로운 아빠가 되고, 백악관에서는 존 웨인이 돼지갈비를 뜯고 있는 오늘날의 미국은 멘켄이 묘사하던 야후랜드와 상당히 비슷하다.[51]

애국적인 가치관을 기계적으로 읊조리는 사람과는 언제나 거리가 멀었던 손택은 만약 미국이 정말로 "서구 백인 문명의 정점이라면 … 서구 백인 문명에 틀림없이 문제가 있는 것"이라고 지적했다.

백인종이 "인류 역사의 암적인 존재"라는 것이다.

이번에도 작은 잡지에 실린 이 에세이가 갑자기 뉴스가 되었다. 『내셔널 리뷰』(*National Review*)를 창간한 보수적인 작가 윌리엄 F. 버클리는 손택의 글에서 앞의 인용문을 비롯한 몇몇 구절을 뽑아 천둥 같은 글을 썼다. 그는 손택을 가리켜 비꼬듯이 "예쁘고 어린 것"[52]이라고 말하면서, 순전히 친(親)공산주의파라고 말했다. 토론토 대학 사회학과의 한 교수는 경악한 나머지 그 "소외된 지식인"[53]의 이름을 차마 지면에 실을 수가 없다고 말했다. 그 지식인이 그런 말을 쓴 것은 "자기파괴적인" 충동 때문일 것이라는 말도 했다. "인류 역사의 암적인 존재"라는 말은 그 뒤로 거의 평생 손택을 따라다녔다.

그러나 그녀의 글은 이때 이미 작은 잡지의 지면을 넘어 더 높은 곳으로 움직이고 있었다. 1968년 말에 손택은 『에스콰이어』의 의뢰로 베트남을 둘러보러 갔다. 당시 『에스콰이어』를 이끌던 편집자는 해럴드 헤이즈였다. 그는 남성 패션잡지이던 『에스콰이어』를 힘 있는 기사를 싣는 잡지로 끌어올리려고 열심이었으므로, 손택이 도움이 될 것 같았다.

손택이 베트남에서 딱히 독자적으로 돌아다닌 것은 아니었다. 그녀는 당시 선전활동을 위해 저명한 반전 작가들과 운동가들을 초청해서 현실을 보여주곤 하던 북베트남의 손님이었다. 그녀는 북베트남 가이드 없이 혼자서 그 나라를 둘러볼 수는 없었다고 밝혔으면서도, 이로 인해 제기될 수도 있는 기사의 윤리적 문제에 대해서는 깊이 생각하지 않았다. 그래도 베트남의 상황을 권위적으로 설명하기보다는 개인적인 경험을 전달하는 기사를 쓰려고 주의하기는 했다. 따라서 이 글에서 손택은 모처럼 자신의 직접적인 경험을 솔직히 털어놓았다.

우리 정부의 손에 베트남 사람들이 지독하게 고통을 받았다는

> 사실에 4년 동안 분노와 비참함을 느끼다가 실제로 그곳에 가서 선물과 꽃과 수사적인 발언들과 차와 아무래도 과장된 것 같은 친절에 시달리고 난 지금, 내 기분은 과거 한참 떨어진 곳에서 느끼던 것과 조금도 달라지지 않았다.[54]

이 구절에서 짐작할 수 있듯이, 그녀의 글(대략 중편소설 분량으로, 나중에 단행본으로 출간되었다)은 베트남 사람들에 대한 묘사라기보다는 손택이 그들을 어떻게 이해하고 그들에게 어떻게 반응했는지를 다룬 것이었다. 언론인 프랜시스 피츠제럴드는 『뉴욕 리뷰 오브 북스』에 기고한 서평에서, 그녀의 접근방법을 정신분석 환자가 되는 것에 비유했다.[55] 손택은 그 나라를 더 잘 이해하고 싶다는 생각보다, 자신이 이미 살고 있는 제국을 더 잘 이해하고 싶다는 생각이 더 강했다. 그래서 자신이 선하다고 생각한 베트남 사람들 사이에 있으면서도, 자신의 "비윤리적인" 조국이 소유한 "놀랍도록 다양한 지적인 기쁨과 미학적인 기쁨"을 갈망했다. 그녀는 글을 이렇게 마무리지었다. "궁극적으로 미국인이 베트남을 자신의 의식 속에 융합시킬 수 있는 방법은 당연히 없다."[56]

그때까지 그런 여행을 하면서 좌절감은 느낀 미국 언론인이 손택뿐이었던 것은 아니다. 사실 손택이 하노이에 발을 들여놓기 2년 전에 메리 매카시가 베트남에 다녀와서 『뉴욕 리뷰 오브 북스』에 글을 썼다. 그녀의 분석은 손택의 것보다 좀 더 직접적이었고, 그 결과로 출간된 책 역시 관조적인 면이 훨씬 덜했다.

> 지난 2월 초 베트남에 갔을 때 나는 솔직히 미국의 이익을 해칠 수 있는 소재를 찾고 있었다. 실제로 그런 것을 찾기도 했다. 그러나 주로 우연의 산물이거나, 관리의 브리핑을 받는 도중에 깨달은 것이었다.[57]

매카시의 솔직함은 그녀에게 해롭게 작용했다. 너무 솔직한 나머지, 북베트남의 주장을 경솔하게 믿어버린 것처럼 보였기 때문이다. 매카시는 또한 사실에 대해서도 실수를 저지른 것처럼 보였다. 피츠제럴드는『뉴욕 리뷰 오브 북스』에 기고한 서평에서, 매카시가 "자신의 증거를 주도면밀하게 감시해서 주의 깊게 기록하는 일"[58]에 실패했다고 에둘러서 말했다. 당시에는 매카시와 손택의 책 모두 이렇다 할 성과로 간주되지 않았다. 손택은 나중에 자신의 책이 창피해졌는지 이렇게 말했다. "그 시절에는 내가 정말로 멍청했다."[59]

그래도 책이 출간됐을 때 매카시는 손택에게 편지를 보냈다. 어떻게든 자기들 두 사람의 생각이 비슷하다는 사실을 강조하려고 열성적이었다. "당신도 양심을 돌아보게 된 것이 흥미롭습니다." 매카시는 이렇게 썼다. "아마도 자신을 중심으로 삼는 여성적인 특징이…."

> 학교나 병원 같은 곳보다 수전 손택 본인에 대해 글을 썼다는 이유로 확실히 비난을 받을 겁니다. 그러나 당신이 옳습니다. 나보다 더 옳은 것 같습니다. 그 생각을 더욱 더 이끌고 나아가 "이 책은 나에 관한 것"이라고 말하는 것을 꺼리지 않았기 때문입니다.[60]

그녀는 손택의 발전하는 문체에 대해 확실히 제대로 짚고 있었다. 10년 전, 손택은 자신을 나무라는 메모를 공책에 적었다. "내가 쓰는 일인칭 '나'는 보잘것없고, 조심스럽고, 너무 건전하다. 훌륭한 작가는 포효하는 이기주의자다. 심지어 어리석게 보일 만큼 우쭐거려야 한다."[61] 하노이 기사는 일인칭 시점을 사용한 적이 거의 없는 작가에게 일종의 실험이었다. 그 글에는 새로운 유형의 자신감이 드러나 있어서 그녀를 좋아하지 않는 비평가들(허버트 밋갱은

『뉴욕 타임스』에 쓴 서평 첫머리에서 손택을 가리켜 "작년 문단의 꽃"[62] 이라고 표현했다)조차 그녀가 깊은 생각이 담긴 글을 써냈음을 인정할 수밖에 없었다.

매카시도 이 점을 알아본 것 같았다. 그녀는 세 쪽 분량의 편지에 그녀답지 않게 수줍은 추신을 덧붙였다. "당신이 내 글을 읽었을 거라고 봅니다. 혹시 읽지 않았다면 마지막 장에 평가가 있으니 읽어보세요."[63] 편지의 분위기가 딱히 나쁘지는 않았지만, 대단히 놀라워하는 듯한 느낌이 조금 드러나 있었다. 직접 말로 하지는 않았어도, 마치 이렇게 묻고 있는 듯했다. 우리가 왜 산문 속에서 이런 식으로 계속 마주치게 되는 걸까요?

한편 손택은 에세이 작가라는 대중적인 평판에 점점 좌절하고 있었다. "난 이제 에세이를 안 써요."[64] 손택은 1970년 10월에 한 인터뷰에서 이렇게 말했다.

> 그건 이제 내게 과거지사입니다. 지난 2년 동안 나는 영화 쪽 일을 했습니다. 그런데도 자꾸만 에세이 작가라고 불리는 것이 좀 부담스럽네요. 노먼 메일러 역시 다른 일을 많이 해냈는데도 20년 동안 줄곧 『벌거벗은 자와 죽은 자』의 작가로 불린 것을 별로 좋아하지 않았을 겁니다. 이건 프랭크 시나트러를 계속 1943년의 '프랭키'로만 기억하는 것과 같아요.

그러나 손택도 이런 대접에서 벗어나지 못했다. 그녀가 참여한 영화들은 비평가들에게서 잔인한 혹평을 받았다. 추상적이고 지루하다는 평이었다. 게다가 손택은 영화 때문에 가난해지기까지 했다. 해외에서 저예산으로 여행을 만드는 동안 거의 돈을 벌지 못했기 때문이었다. 그래서 겨우 몇 년 만에 그녀는 빚만 떠안은 채 다시 돈을 벌려고 나서야 했다. 그녀가 공책에 쓴 메모에 따르면,

영화에 대한 혹평이 그녀의 자신감도 두드려댔다. 그녀는 돈을 벌기 위해, 파라, 스트로스 앤드 지루 출판사에 아직 완성하지 못한 책들을 내면 어떻겠느냐고 제안했다. 그중에 중국을 다룬 책에 대해 손택은 한나 아렌트와 도널드 바셀미(미국의 보르헤스라고 불리는 소설가 — 옮긴이)를 한데 섞은 것 같은 느낌이 날 것이라고 말했다.[65]

그녀는 또한 페미니즘과 여성운동에 대해 갑자기 좀 더 자유로운 목소리를 내기 시작했다. 여성운동의 두 번째 물결이 시작된 1960년대 말은 손택이 막 사회생활을 시작하던 시기였다. 조직화된 운동으로서 페미니즘은 거의 40년 동안 잠들어 있었다. 역사학자들은 여성참정권 운동의 에너지가 신여성의 발꿈치에 눌려버렸다고 보았다. 여성의 투표권이 확보된 뒤에는, 특히 젊은 여성들이 윗세대 여성들의 투쟁에 쉽게 공감하지 못했다는 것이다.[66] 따라서 요즘과는 달리 사람들은 여성 작가에게 '페미니스트'냐는 질문을 던지지 않았다. 파커와 웨스트는 각각 여성참정권 운동에 공감한다고 선언했지만, 페미니스트들은 그들에게 이렇다 할 요구를 하지 않았다. 매카시와 아렌트의 경우에는 종류를 막론하고 조직적인 여성운동에 참여하는 것을 고민할 필요가 별로 없었다. 그들이 활동하던 시절에는 대체로 여성운동이 아예 존재하지 않았기 때문이다.

그러나 1970년대 초, 손택이 미국에서 가장 두드러지게 활동하는 여성 지식인으로 부상하고 있을 때는 여성운동이 완전히 부활해서 열기를 띠고 있었으므로, 미국 어디서나, 특히 뉴욕에서 여성들의 집회와 행진이 수시로 열렸다. 또한 비평가 겸 언론인 엘런 윌리스를 비롯한 여러 사람들이 결성한 '뉴욕의 급진적인 여성들'은 뉴욕에서 두각을 나타냈다. 여성문제에 대한 의식을 높이는 모임들이 맹위를 떨치고, 이런 논쟁이 점차 대중매체를 지배하게 되면서, 손택 또한 일종의 충성을 맹세해야 하는 상황이 되었다.

뉴욕의 지식인들은 대체로 여성운동의 혼란스럽게 들끓는 에너지에 반감을 드러냈다. 그들은 그 에너지를 이해하지 못했다. 대부분 저속하다고 생각하는 듯했다. 그런데 이때 손택이 반골기질을 드러내기 시작했다. 자신에게 "한 번도 중요했던 적이 없다"던 메리 매카시의 태도와 다르지 않았다. 손택은 『파티전 리뷰』와 『뉴욕 리뷰 오브 북스』와 관련된 사람들 중 누구보다도 온전히 자유롭게 반골기질을 받아들였다.

1971년, 손택은 공개적인 자리에서 처음으로 페미니스트들에게 동료의식을 드러냈다. 노먼 메일러가 『하퍼스』에 기고한, 여성운동을 무시하는 에세이 「성별의 포로」(The Prisoner of Sex)를 비판하는 페미니스트 모임에 손택이 모습을 드러낸 것이다. 당시 마흔여덟 살이던 메일러는 마치 사춘기 소년처럼 여성의 관심을 얻기 위해 여성에게 모욕적인 말을 던지는 데 여전히 열성적이었다. 문제의 글에서 메일러는 여성운동의 중요 인물들을 죽 돌아보면서, 그들의 생각을 모욕하고 무시하는 한편 여성적인 매력을 일일이 평가했다. 저명한 페미니즘 비평가이자 논쟁적인 저서 『성 정치학』(*Sexual Politics*)을 펴낸 케이트 밀릿에 대해 "멍청한 암소"라고 말할 정도였다. 원래 변호사였고 나중에 하원의원이 된 벨라 앱저그에 대해서는 "꽥알거리는 여자"라고 표현했다.[67]

손택은 이 모임의 패널이 아니라 청중이었다. 토론 중에 그녀는 자리에서 일어나 메일러에게 질문을 던졌다. "노먼, 아무리 선의에서 하는 말이라 해도 당신 같은 말투는 여자들이 보기에 위에서 내려다보며 선심을 베푸는 듯한 느낌을 줍니다."[68] 그녀는 차분하면서도 분명한 권위가 느껴지는 목소리로 말했다. "한 가지 지적하자면, 당신이 '레이디'라는 단어를 사용한다는 점이 있습니다. 나는 '레이디 작가'로 불리는 걸 좋아하지 않습니다, 노먼. 당신 귀에는 매너가 있는 말처럼 들리겠지만, 우리 귀에는 틀린 말로 들립니다.

여성 작가라는 말은 그래도 조금 낫습니다. 이유는 모르겠지만, 단어가 얼마나 중요한지는 당신도 아실 겁니다. 우리는 글을 쓰는 사람들이니까요."

나중에 손택은 『보그』에 실린 긴 인터뷰 기사에서 자신이 작가로 살아오며 직접 차별을 느낀 적이 있다고 강력히 주장했다. 인터뷰를 맡은 기자는 그 전까지 손택이 "메일러처럼 여성 지식인을 무시하는 편"인 줄 알았다고 말했다.

> 왜 그런 생각을 하게 된 겁니까? 내가 알고 지내는 지식인 중 적어도 절반이 여성입니다. 나는 여성문제에 대해 더할 나위 없이 공감하고 있고, 여성의 현실에 대해서도 더할 나위 없이 분노하고 있습니다. 하지만 워낙 해묵은 분노라서 일상생활에서는 잘 느끼지 못하죠. 내가 보기에는 이것이야말로 세상에서 가장 해묵은 문제인 것 같습니다.[69]

손택은 이 점을 확실히 하려는 듯이 곧 『파티전 리뷰』에 에세이를 발표했다. 원래 갓 출범한 잡지 「미즈」(*Ms.*)에 기고하려던 글이었으나, 글로리아 스타이넘이 창간한 이 신생 잡지는 손택이 이 글에서 지나치게 설교를 늘어놓았다고 판단했다. 그래서 대신 '남자들' 잡지에 실리게 되었다. 『파티전 리뷰』는 이 글에 「여성들의 제3세계」(The Third World of Women)라는 제목을 붙였다. 이 에세이에는 여성들에게 가부장제에 맞서 본격적으로 반항하라고 권고하는 내용이 포함되어 있었다. "길에서 남자들에게 휘파람을 불고, 미용실을 습격하고, 성차별적인 장난감을 만드는 회사를 감시하고, 상당수의 여성들이 호전적인 레즈비언으로 변신하고, 페미니스트 이혼상담을 제공하고, 화장 거부 센터를 세우고, 어머니의 성을 따라야 한다."[70] 그러나 그녀는 이 한 편의 글로

하고 싶은 말을 다 한 것 같았다. 그녀가 지식인으로서 쓴 글 중에 페미니즘만을 직접적으로 다룬 글은 이것이 유일하다.

그녀는 페미니즘 대신에, 1972년에 바바라 엡스타인과 점심을 먹으며 떠올린 주제에 계속 매달렸다. 그때 그녀는 현대미술관에서 열린 다이앤 아버스의 사진전을 막 보고 온 참이었다. 그녀가 자기도 모르게 그 사진들에 대해 계속 떠들어대자 엡스타인은 『뉴욕 리뷰 오브 북스』에 그 전시회에 관한 글을 써보라고 제안했다. 그 뒤 5년 동안 손택은 이 주제로 여섯 편의 글을 썼고, 나중에는 이 에세이들을 한데 모아 『사진에 관하여』(*On Photography*)라는 책으로 출판했다.

한 비평가는 『사진에 관하여』가 아니라 『사진에 반대하며』라는 제목을 달았어야 한다고 말했다. 가끔 손택이 사진 그 자체에 대해 의문을 제기하는 것처럼 보이기 때문이었다. "사진은 시각의 문법이자 윤리학이다. 후자의 것이 훨씬 더 중요하다."[71] 게다가 손택은 이 윤리학에서 권유할 만한 점을 그다지 보지 못한 것처럼 굴 때가 많았다. 그녀는 사진이 현실처럼 제시될 때가 많다면서, 그러나 사진을 액자로 규정하는 방식 속에 항상 저의가 숨어 있다고 말했다. 사진 찍기가 널리 유행하는 현상에 대해서도 포화를 퍼부었다. "경험을 증명하는 수단인 사진 찍기는 또한 경험을 거부하는 수단이기도 하다. 경험을 즐기는 대신 사진 찍기 좋은 곳을 찾아다니게 만들고, 경험을 하나의 이미지나 기념품으로 바꿔버리기 때문이다."[72]

돈이 끊이지 않고 들어오게 하기 위해서, 손택은 『보그』에도 정기적으로 글을 쓰기 시작했다. 그러나 이 에세이들은 나중에 출간된 에세이집에 단 한 번도 포함되지 않았다. 1975년에 당시 스물세 살이던 데이비드 리프와 함께 쓴 에세이에서 그녀는 '낙천주의자가 되는 법'에 대해 독자들에게 조언했다. 그중에는 다음과 같은 조언도 있었다. "우리가 죽기 위해 태어났다고,

쓸데없이 고통을 겪는다고, 어딘가에서 항상 두려움에 시달린다고 생각하라."[73] 「'여성의 아름다움: 여성을 깔아뭉개는가, 아니면 여성에게 힘을 주는가?'」(A Woman's Beauty: Put-Down or Power Source?)라는 제목의 글은 미국에서 가장 인기 있는 패션잡지인 『보그』의 독자들에게 "여성들은 아름다움에 관심을 가져야 한다는 가르침을 통해 자기도취에 빠지고, 의존성이 강해지며, 더욱 미성숙한 존재가 된다"고 말했다. 이 글은 다음과 같이 이어진다.

> 대부분의 여성들이 여성을 이상적으로 치켜세워준다고 받아들이는 방법이 사실은 여성으로 하여금 자신을 실제 모습보다, 또는 정상적으로 성장할 수 있는 모습보다 더 열등한 존재로 느끼게 만든다. 아름다움이라는 이상이 일종의 자기억압으로 기능하기 때문이다.[74]

손택은 자신의 페미니스트 원칙이 비판받을 때마다, 감히 자신에게 도전한 상대를 향해 열 배로 되갚아주곤 했다. 그런 사람 중 하나가 시인 에이드리언 리치였다. 여성운동에 깊이 관여하고 있던 그녀는 어느 날 레니 리펜슈탈(1902-2003. 나치의 의뢰로 수많은 기록영화를 만든 다큐멘터리 감독 — 옮긴이)에 대한 손택의 글을 읽게 되었다. 1975년 2월 『뉴욕 리뷰 오브 북스』에 실린 「매혹적인 파시즘」(Fascinating Fascism)이라는 글이었다. 이 글에서 손택은 리펜슈탈의 작품이 수많은 영화 축제에 포함되는 것은 "모두가 일류라고 인정하는 영화를 만든 유일한 여성을 희생해야 하는 것에 페미니스트들이 고통을 느끼기" 때문이라고 주장했다.[75] 리치는 왜 페미니스트들이 비난받아야 하느냐는 질문을 던졌다.

손택은 리치의 "검열관이 쓴 것 같은 황송한 편지"에 대해 확실히 화가 난 기색을 내보이며, 『뉴욕 리뷰 오브 북스』에 답장을 실었다. 여기서 그녀는 자신이 쓴 글의 주제가 페미니즘이 아니라 파시스트 미학임을 지적하면서, 리치가 자신에게 거슬리는 부분만 지적한 것은 여성운동에서 손택 본인이 지극히 혐오하는 둔감함을 상징적으로 보여주는 행동이라고 말했다. "중대한 도덕적 진리라고 주장하는 모든 사상이 그렇듯이, 페미니즘도 좀 단순하다." 손택은 이렇게 주장했다.

두 사람은 나중에 편지를 통해 화해하면서, 탐색해볼 가치가 있는 공통점이 자신들 사이에 존재한다는 데 동의했다. "오래전부터 나는 당신의 생각에 관심을 품었습니다. 우리의 출발점이 아주 다를 때가 많기는 하지만요." 리치는 손택에게 보낸 편지에 이렇게 썼다. 그러나 손택은 나중에 인터뷰에서 자신이 리치와 주고받은 말을 변명하는 듯한 태도를 취했다. 대부분의 사람들이 그 편지에서 손택이 페미니즘에 반대한다는 확실한 증거를 보았던 것 같다. 그녀가 젠더 정치학과 페미니즘에 대해 글을 썼는데도 이런 인식은 끈질기게 남았다. 한 번은 손택이 인터뷰 도중 대놓고 쏘아붙인 적도 있었다. "나도 페미니스트라고요. 그러니까 이걸 나와 '그들' 사이의 문제라고 하시면 안 되죠."76

그러나 1975년 가을 손택이 유방암 진단을 받으면서 모든 일에 제동이 걸렸다. 의사들은 그녀에게 가망이 없다고 데이비드 리프에게 말했다. 종양이 이미 4기에 이른 탓이었다. 사람들은 손택에게 그 사실을 직접적으로 알리지 않았지만, 그녀는 자신이 위험한 상태임을 알아차렸던 것 같다. 그래서 조직을 필요 이상으로 제거하면 혹시 살 수 있지 않을까 하는 희망에서 과격한 형태의 유방절제술을 선택했다. 효과가 있었다. 그러나 이 경험은 그녀를 근본적으로 바꿔놓았다. 그녀는 치료를 받고 나서 마치 전쟁의 충격에 시달려 지친 것 같은 상태가 되었다면서, 베트남 전쟁을 혼자 몸으로 전부

겪어낸 것 같았다고 썼다.

> 내 몸이 나를 침략해서 식민지로 삼고 있다. 그들이 내게 화학무기를 사용하고 있다. 기운을 내자.[77]

당시 그녀는 "납작해진" 것 같은 느낌이었다. "나 자신에게 불투명"[78] 해졌다고 말했다. 자신이 어머니에 대한 분노, 동성애 성향, 예술적인 절망감 등을 억압하고 억누른 것이 혹시 암의 원인인가 하는 걱정도 들었다. 이런 생각이 비이성적이라는 사실은 그녀도 잘 알고 있었지만, 병을 겪고 난 뒤 그녀에게 남은 것은 그런 문제들을 자신에게서 완전히 정화시키는 방법밖에 없다는 생각이었다.

『은유로서의 질병』(*Illness as Metaphor*)을 쓴 것이 바로 그런 정화 과정이었다. 1975년에 책으로 출간된 이 장편 에세이는 엄밀히 말해서 회고록은 아니다. 손택은 자신의 치료 과정이나 직접 경험한 감상적인 순간이나 의사들의 잔인함에 대해서는 구체적으로 언급하지 않은 채, 인류가 결핵과 암을 어떻게 완전히 추상적인 미학으로만 다뤘는지를 논했다. 그러나 누가 물어보면, 그녀는 자신이 이 글을 진심 어린 호소로 생각한다는 점을 아주 분명히 밝히곤 했다.

> 나는 전혀 초연하지 않았다. 그 책을 쓸 때 나는 분노, 두려움, 고뇌, 공포에 휩싸여 있었다. 몸이 많이 아프고 치료 성과가 형편없을 때였다. … 그러나 암에 걸렸다는 이유만으로 내가 바보가 되지는 않았다.[79]

『은유로서의 질병』은 불평을 늘어놓는 수단이 되었다. 글을 쓰는 사람들이 질병에 부여한 은유와 관련해서 손택이 주로 문제 삼은 것은, 그런 은유가 피해자를 비난하는 경향이 있다는 점이었다. 그녀 자신도 병상에서 잠시 그런 생각을 했다. 그녀는 노먼 메일러 같은 "암 공포증 환자들"[80]에게 분노를 돌렸다. 메일러는 자신이 아내를 찌르지 않았다면(그렇게 해서 "살기 띤 감정"을 풀어내지 않았다면) 암에 걸려 "몇 년 안에 죽었을 것"이라고 얼마 전에 말한 적이 있었다. 손택은 소설가 헨리 제임스의 여동생인 앨리스 제임스가 100여 년 전 유방암으로 죽어갈 때의 일에 대해서도 썼다. 이런 장면에서 그녀의 글은 일인칭을 채택하지 않았는데도 개인적인 경험이 담겼음을 또렷이 드러내며, 그녀의 분노 또한 손에 잡힐 듯 생생하다.

나중에 『뉴욕 타임스』에 서평을 쓴 존 레너드를 포함해서 많은 서평 필자들은 손택이 미국의 현 상태를 다룬 에세이에 암을 은유로 사용한 것에 비난을 퍼부었다(손택이 1967년에 백인종은 "인류 역사의 암적인 존재"라고 말한 것을 기억하라). 그러나 그들 모두 분노가 글에 활기를 불어넣고 있다는 데에는 동의했다. 글 자체에 대해서는 다소 유보적인 태도를 취하더라도, 글 속의 분노에는 저항하지 못했다. 아일랜드 출신의 비평가 데니스 도너휴는 『뉴욕 타임스』에 기고한 글에서 다음과 같이 말했다.

> 내가 보기에 『은유로서의 질병』은 불편한 책이다. 이 책을 세 번 읽었지만, 그녀의 비난에 근거가 없다는 생각은 여전하다. 그러나 우리의 태도에 대해, 즉 예를 들어 정신병이나 심장병을 바라보는 우리의 태도에 대해 이 책은 몇 가지 놀라운 통찰력을 보여준다.[81]

이어서 도너휴는 손택의 문체가 통명스럽다면서, 그녀에게는 "글쓰기가 전투"인 것 같다고 말한다. 그에게는 이 말이 비판이었던 것 같지만, 처음에 손택이 감수성을 멀리하고 머리로만 글을 쓰던 것을 생각하면 많이 나아진 부분이라고 할 수 있었다. 손택은 아직 일인칭으로 글을 쓰지 못했다. 하지만 이제는 화를 낼 줄 알았다. 또한 층층이 쌓인 지적인 사고, 손택이 언급하기 전에는 사람들이 잘 모르던 예술작품이나 철학자에 대한 언급 뒤에 몹시 무섭고 위협적이며 인간적인 경험이 기록되어 있다는 말도 들려왔다.

『은유로서의 질병』의 진지한 문체는 손택이 항상 바랐던 자신의 모습, 즉 진지한 사상가의 모습과 잘 어울렸다. 그러나 그녀의 이름에 따라다니는 것은 언제나, 언제나 「캠프에 대한 단상」이었다. 이 글은 그녀의 이름을 대중문화와 결합시켜주었으나, 그녀 본인은 그것을 좋아하지 않았다. 손택의 친구 테리 캐슬은 1990년대 말에 손택과 함께 파티에 참석했을 때의 이야기를 들려주었다. 한 손님이 불행히도 손택에게 그 에세이를 좋아한다고 말했을 때의 일이다.

> 손택은 콧구멍을 벌름거리면서 즉시 그 남자를 돌로 만들어버리기라도 할 것처럼 노려보았다. 어떻게 그런 멍청한 소리를 할 수 있는가? 그녀는 그 에세이에 대해 논하는 것에 전혀 관심이 없으며, 앞으로도 영원히 그럴 것이다. 그런데 그 이야기를 꺼내다니. 그는 시대에 뒤처졌으며, 지적인 면에서 죽은 사람이다. 그녀의 다른 작품들은 읽어보지도 않았다는 말인가? 세상이 어떻게 돌아가는지 모른단 말인가? 그녀가 분노의 어두운 터널에 빠져드는 모습을(우리는 그 뒤 2주 동안 그 터널과 몹시 친숙해졌다), 우리는 모두 경악해서 꼼짝도 하지 못한 채 지켜보기만 했다.[82]

「캠프에 대한 단상」이 계속 이름 뒤에 붙어다니는 것에 그녀가 좌절을 느낀 데에는, 젊었을 때의 작품에서 도망치고 싶다는 마음이 어느 정도 영향을 미쳤다. 그러나 그녀는 또한 사람들이 그 글을 해석하는 시각에 진심으로 화를 내고 있음이 분명했다. 1980년대와

1990년대에 손택은 대중문화에 대한 지적인 관심이 훌쩍 늘어나는 반면 고급 예술의 상황은 점차 힘들어지는 현상을 목격했다. 그리고 이에 대해 어느 정도 책임감을 느꼈으나, 물론 모든 것이 그녀의 책임인 것은 아니었다. 대중문화를 옹호한 그녀의 동료들은 더 있었다. 그중에서도 적잖은 역할을 한 사람이 바로 폴린 케일이라는 영화 비평가였다.

수전 손택, 1972년 파리.

Kael

케일

1919.6.19.   2001.9.3.

9

“케일은
글을 쓰는 사람들에게 잠재된
성차별주의를 공격하는 것을
주저하지 않았다.”

폴린 케일은 오랫동안 기다린 끝에 돌파구를 만났다. 『뉴욕 리뷰 오브 북스』의 편집자 로버트 실버스가 그녀에게 손을 내민 1963년 8월의 일이었다. 우리 신문을 위해 소설 서평을 써주지 않겠습니까?[1] 마지막 순간에 아슬아슬하게 들어온 이 원고청탁으로 그녀가 서평을 쓰게 된 소설은 메리 매카시의 『그룹』이었다.

매카시보다 겨우 일곱 살 아래인 케일은 오래전부터 그녀의 팬이었다. 『그녀의 친구들』이 나왔을 때 그녀의 나이는 고작 스물세 살, 그 책의 성적인 솔직함을 제대로 받아들이기에 딱 맞는 나이였다. 또한 『그룹』이 엄청난 성공을 거둘 무렵의 케일은 매카시처럼 눈이 날카로운 영화비평가로 오랫동안 일했으나 이렇다 할 성공을 거두거나 인정을 받지는 못한 처지였다. 나이도 이미 마흔넷이라서, 동해안의 지식인 사회에서 과연 기회가 생기기나 할지 확실히 의심스러워지던 참이었다. 그때까지는 그녀에게 쉽게 이루어지는 일이 하나도 없는 것 같았다.

그래서 실버스가 1963년 8월에 전화를 걸어 원고를 부탁했을 때 그녀는 즉시 수락했다. 그는 딱 1500단어 분량의 원고를 빨리 써주기 바란다고 말했다. 케일은 할 수 있을 것 같았다. 유일한 문제는 그녀가 『그룹』을 딱히 좋아하지 않는다는 점이었다. 그녀가 『그녀의 친구들』에서 몹시 매력적이라고 생각했던 지적인 면을 이 작품에서는 전혀 찾을 수 없었다. 케일은 초고에 다음과 같이 썼다.

> 하나의 집단으로서 이 여자들은 차갑고 계산적이며, 비이성적이고 무방비하고 서투르다. 마치 페미니즘에 반감을 지닌 남성 작가가 그려낸 인물들 같다. 머리를 쓰는 것이 여자에게 정말로 나빠서, 여자가 '생명'을 품기에 부적합해지거나, 심술궂게 변하거나 고약해지거나 세상에 앙심을 품게(옛날에 메리 매카시가 이런 말을 많이 들었다) 된다고 믿고 싶은 사람들은 이제 메리 매카시 본인의 글에서 자신의 생각이 옳다는 것을 확인할 수 있을 것이다.[2]

케일은 '머리를 쓰는 것'이 여자에게 어떤 영향을 미치는지 이때 어느 정도 알고 있었다. 그녀 본인도 "심술궂거나 고약하거나 세상에 앙심을 품었다"는 비난을 자주 들었기 때문이다. 사실 1963년 새해 첫날에만 해도 케일은 버클리의 라디오 방송국 KPFA에서 라디오 프로그램을 진행하며 청취자의 불만 편지를 하나 읽었다. "케일 씨, 아마 결혼하지 않은 분 같습니다. 다른 사람을 아끼고 보살피는 법을 배우면, 그렇게 고약하고 날카롭게 씹어대는 것 같은 목소리도 누그러지는 법입니다." 케일은 완벽하게 공격준비를 갖춘 육식동물처럼 이 편지를 읽은 뒤, 답변을 홍수 같이 쏟아냈다.

> 아무개 부인, 안전하게 보호받는 결혼생활 속에서 다른 사람들을 아끼고 보살피느라 목소리가 날카로워질 수도 있겠다는 생각을 해보신 적이 있는지 궁금합니다. 프로이트의 주장이 지배하는 이 시대, 뭔가를 해보려고 나선 여성을 대하는 태도 면에서 결국 빅토리아 시대와 다를 것이 없는 이 시대에 여성이 여자답지 않게 공격적이라거나, 증오에 차서 원한을 갚으려 한다거나, 레즈비언이라는 소리를 듣지 않고 지적인 능력을 드러내기가 얼마나 어려운지에 대해서도 혹시

> 생각해보신 적이 있습니까? 레즈비언이라는 비난을 하는 사람들은 주로 논쟁에서 힘든 시간을 보낸 남자들입니다. 자신을 이긴 여자가 사실 절반쯤은 남자라고 생각하면서 자신을 위로하는 겁니다.[3]

여기서 생생하게 느껴지는 좌절감은 정치적인 신념이 아니라 직접적인 경험의 결과물이었다. 케일은 손택과 달리 글을 읽은 사람들이 누구나 곧바로 인정해주는 천재가 아니었다. 뭔가를 얻으려면 그만큼 투쟁해야 하는 사람이었다. 그녀의 호전적인 태도에 주위 사람들이 호의적이지 않은 반응을 보일 때도 있었지만, 케일은 '다른 사람들을 아끼고 보살필 것'을 기대하는 주위의 기대에 자신을 맞추고 싶지 않았다. 자신과 같은 위치의 남자들이 그렇듯이, 뛰어난 글을 쓰는 것만으로 충분하기를 바라고 있었음이 분명하다.

그러나 인생의 전반기에는 그런 바람이 실현되지 않았다. 케일의 뛰어난 머리는 아주 친한 친구들만 빼고 모든 사람으로부터 그녀를 소외시키는 역할을 하는 듯했다. 아렌트의 경우와 비슷했다. 그녀는 사람들과의 관계를 이어나가는 데 별로 소질이 없었으며, 작가로서 발판을 마련하려고 애쓰고 있었다. 공교롭게도 그녀가 오랜 노력 끝에 마침내 『뉴욕 리뷰 오브 북스』의 지면을 채우는 뉴욕 지식인들의 관심을 끄는 데에는 그녀보다 젊은 손택의 도움이 필요했다. 손택과 케일은 『그룹』이 발표되기 몇 달 전에 만났다. 만난 곳이 어딘지는 알 수 없다. 젊은 손택은 케일에게 깊은 인상을 받았는지, 『그룹』의 서평을 써줄 사람을 찾고 있던 하드윅과 실버스에게 케일의 이름을 알려주었다. 케일은 처음 전화가 왔을 때는 무척 고맙게 여겼음이 분명하다. 메리 매카시의 책을 비평하는 글이라니. 그 글이 받아들여진다면, 그녀 스스로 자격이 충분하다고 여기던 자리에 마침내 들어갈 수 있는 좋은 기회가 생길 터였다.

케일은 그때까지 먼 길을 걸어왔다. 1919년에 캘리포니아 주 페털루마의 양계농가에서 태어난 그녀의 부모님은 원래 뉴욕에 살다가 진보적인 농업 공동체를 찾아 이주해 온 유대인이었다. 케일이 태어났을 때는 이미 위로 아이가 넷이나 더 있었다. 케일은 농촌에서 보낸 어린 시절이 전원생활이었다고 표현했다. 아니, 부모님이 경제적 어려움과 불륜으로 불화를 겪는 상황에서 끊임없이 집안일을 도와야 하는 농촌 아이의 기준에서 최대한 전원 분위기가 나는 생활이었다고 해야 할 것이다. 케일 일가는 1927년까지 페털루마에 살다가, 주식시장 붕괴로 재산을 모두 잃고 샌프란시스코로 갔다. 거기서 아버지 아이삭 케일은 안정적인 일자리를 얻으려고 애썼으나 실패할 때가 많았다.

케일의 재능이 드러나기 시작한 것은 고등학교 때였다. 그녀는 공부를 잘했으며, 학교 오케스트라에서 바이올린을 연주하고, 토론 팀에서도 활약했다. 그리고 손택처럼 버클리 캘리포니아 대학 철학과에 진학했다. 그러나 손택과 달리 금방 캘리포니아를 떠나지는 않았다. 그녀는 캘리포니아를 사랑했다. 영화 「허드」(Hud)를 평한 글에서 케일은 사람들이 자신을 지나치게 내세우지 않고 평등하게 어울리던 어린 시절 고향의 분위기에 대해 열광적으로 묘사했다. "농장에서 일하는 멕시코인과 인디언 인부들이 언제나 우리 가족들과 한 자리에서 식사를 같이 한 것은 우리가 공연한 죄책감에 선심을 베풀고자 했기 때문이 아니었다. 그것은 그저 서부 사람들이 살아가는 방식이었다."[4] 또한 샌프란시스코는 그녀의 예술적인 성향을 충분히 만족시킬 수 있을 만큼 국제적인 도시였다. 영화관도 아주 많고, 예술가도 아주 많고, 재즈클럽도 아주 많았다. 대학을 마친 뒤 케일은 이 도시의 보헤미안들과 어울리며, 친구인 시인 로버트 호런과 함께 다양한 프로젝트를 진행했다. 호런은 게이였고, 케일도 그 사실을 알고 있었다. 케일의 전기를 쓴 브라이언 켈로에 따르면, 케일은 한때 호런과 사귀는 사이였지만 그가 남자들에게 매력을 느끼는 것에 별로 신경을 쓰지 않았다.

1941년 11월에 케일은 호런과 함께 뉴욕으로 이주했다. 그들은 청운의 꿈을 품은 예술가답게, 무일푼으로 히치하이킹에 의존해 이동하면서도 일단 뉴욕에 도착하면 어떻게든 생계를 해결할 방도가 생길 것이라는 희망을 품고 있었다. 그러나 그들은 굶주린 배를 움켜쥐고 그랜드 센트럴 역을 집으로 삼아야 했다. 호런은 일자리를 찾으러 나갔다가 거리에서 만난 게이 커플의 호의로 그들의 집에서 살 수 있게 되었다. 여기에 케일은 포함되지 않았으므로, 그녀는 갑자기 혼자 알아서 살아가야 하는 처지가 되었다. 호런은 자신의 새로운 은인들에게만 온 신경을 쏟았다. 그 뒤로 케일이 뉴욕에서 자신이 받아들여지지 않을 것 같다고 생각하게 된 것은 어쩌면 당연한 일인지도 모른다.

뉴욕에 온 뒤 처음 몇 년 동안 케일은 가정교사나 출판사 직원으로 일해야 했다. 자신의 글을 발표하려는 노력이 모두 좌절된 탓이었다. 그녀는 뉴욕의 지식인들을 가까이에서 지켜보면서, 매카시와 아렌트의 친구 드와이트 맥도널드가 창간한 잡지 『폴리틱스』(*Politics*)를 특히 높이 평가했다. 그러나 돌파구를 마련할 수 없었다. 케일은 뉴욕과 뉴욕의 분위기를 탓했다. "여기에는 '유망한' 젊은 시인들이 천지에 널려 있습니다. 이미 서른다섯 살이나 마흔 살이 된 그들은 15년 전과 똑같거나 훨씬 더 나쁜 작품을 쓰고 있죠."[5] 그녀는 친구에게 보낸 편지에 이렇게 썼다. 1945년 그녀는 모든 것을 포기하고 샌프란시스코로 돌아갔다.

고향의 보헤미안들과 다시 어울리던 케일은 시인 겸 실험적인 영화감독인 제임스 브로턴을 만났다. 본인이 자주 설명한 것처럼, 위압적인 어머니를 극복하느라 평생을 보낸 그는 오랫동안 상대와 충실한 관계를 맺는 연애보다는 짧게 끝나는 연애를 하는 편이었다.

그가 만든 짧은 실험영화 중 「어머니 날」(Mother's Day, 1948)에는 벌거벗은 금발 아이가 정처 없이 돌아다니는 가운데 여성의 목소리가 그 아이를 칭찬했다가 꾸짖기를 반복하는 장면이 나온다. 케일은 잠시 브로턴과 함께 살았으나, 그녀가 임신하자 그는 그녀를 내쫓으면서 자신의 아이가 아니라고 부정해버렸다. 케일의 아이 지나 제임스는 1948년 9월에 태어났다. 케일은 출생증명서에 브로턴의 이름을 쓰지 않았다.

아이가 태어나면 언제나 그렇듯이, 케일의 삶도 바뀌었다. 이제는 꾸준한 수입이 절실하게 필요했으나, 그녀는 곧 프리랜서가 될 수밖에 없었다. 자신이 출근한 사이 집에서 아이를 돌봐줄 사람이 없었기 때문이다. 케일은 서평을 기고하고, 희곡도 써보았다. 영화 시나리오에 동작과 카메라 앵글 등을 추가한 대본도 써보았으나 거절당했다. 그녀에게 좋은 성과를 안겨준 사람은 카페에서 만난 어떤 남자뿐이었다. 『시티 라이츠』(*City Lights*)라는 작은 신생 영화 잡지에서 일하는 그는 케일에게 「라임라이트」(Limelight)의 비평을 청탁했다(이 남자, 로런스 펄링게티는 나중에 샌프란시스코에서 시티 라이츠 서점을 열었다). 1952년 10월에 개봉된 이 영화는 늙은 찰리 채플린을 위한 작품이었으나, 케일은 평소 그의 작품을 그리 좋아하는 편이 아니었다.

그래도 그녀는 그 글을 썼다. 채플린에 대해 할 말이 있었기 때문이다. "「라임라이트」의 채플린은 예의 없고 하찮은 광대가 아니다. 그가 자신의 아이디어에 대해 보여주는 예의 바른 태도는, 설사 그 아이디어가 가치 있는 것이라 하더라도, 몹시 놀랍다." 그녀는 이렇게 썼다. "그의 아이디어는 그만한 가치가 없다. 영화에서도 그 점이 계속 드러난다."[6] 그녀는 채플린을 가리켜 "몽상가"라고 말했다. 예술가에 대한 소크라테스의 다음과 같은 발언에 아주 잘 들어맞는 존재라는 것이었다. "그들은 자신이 쓴 시의 힘에 기대어, 자신이 현명함을 발휘할 수 없는 다른 분야에서도 가장 현명한 존재라고 스스로 믿었다."

폴린 케일이 처음으로 쓴 영화 비평인 이 글은 『시티 라이츠』 1953년 겨울호에 실렸다. 이 글을 보면 그녀에 대해 여러 가지 점들을 알 수 있는데, 그중 하나는 그녀가 단순히 미학적인 시각보다 더 넓은 관점에서 영화를 보았다는 것이다. 비록 세월이 흐른 뒤에는 영화의 대중적인 취향과 감정적인 반응을 옹호하는 사람으로 널리 알려졌지만, 그녀는 영화에 대해 이보다 더 중요한 의미가 있는 의문을 몇 가지 갖고 있었다. 영화가 대변하는 생각의 질에 대한 의문, 미국의 문화와 지성이라는 커다란 퍼즐 속에서 영화가 차지하는 자리에 대한 의문 등이었다. 「라임라이트」 비평에 드러난 케일의 또 다른 특징은 나중에 그녀의 상징이 된 원기왕성한 에너지다. 케일은 비평에서 일인칭을 많이 사용하지 않았다. 여기저기서 '나'라는 대명사가 아주 조금 고개를 내밀 뿐이었다. 그러나 그녀가 비평 대상을 이리저리 돌려보고 분석하면서 단서를 찾을 때의 활기찬 태도에 주로 그녀의 성격이 드러났다. 특징을 하나 더 꼽자면, 케일이 대중에게 관심을 보이면서도 대중적으로 엄청난 인기를 끈 작품을 혹평하는 것을 결코 두려워하지 않았다는 점이 있다. 「라임라이트」를 찍을 때의 채플린이 영화인으로서 이미 끝물에 이르러 시들어버린 상태였다 해도, 그는 어쨌든 찰리 채플린이었다. 그러나 케일은 명성에 굴하지 않고 거칠게 나가는 것이 비평가로서 자신이 해야 할 역할이라고 믿었다. 사람들에게 인기를 끌 수 있는 생각은 아니었다.

처음 뉴욕에 갔을 때 케일은 사람들의 옷차림과 진지한 태도에 깊은 인상을 받았다. "젊었을 때 나는 뛰어난 사람들이 멍청한 글을 쓰는 것은 그들이 썩었기 때문이라고 생각했다." 그녀는 한 인터뷰에서 이렇게 말했다. "오랜 시간이 흐른 뒤에야 나는 그들 대부분이 그보다 좋은 글을 쓸 수 없는 사람들이라는 사실을 깨달았다."[7] 그러나 「라임라이트」 비평이 잡지에 실린 뒤, 케일에게 줄곧 닫혀 있던 뉴욕의 문이 열렸다. 아주 조금. 『파티전 리뷰』의 편집자 필립 라브에게서 갑자기 열광적인 반응이 날아왔으나, 그는 그녀의 글 중 일부가 너무 길다는 생각을 아직 갖고 있었다. 버클리에서는 친구이자 시인인 웰던 키스가 맡고 있던 KPFA 라디오 방송국의 영화비평 시간을 이어받았다. 처음에 그녀는 키스의 초대를 받아 게스트 자격으로 그 방송에 출연했다. "폴린, 우리 긍정적으로 시작해봅시다."[8] 그는 가끔 방송을 시작하면서 이렇게 말하곤 했다. 그러나 1955년에 그가 자살하자 방송국에서는 케일에게 그 자리를 제의했다. 돈을 한 푼도 받을 수 없는 자리였으나 케일은 그 제의를 받아들였고, 점점 팬이 생겼다. 그녀는 언제나 반골이었으며, 언제나 체계적이었다. 예전에 웨스트와 매카시가 그랬던 것처럼, 다른 비평가들의 선입견을 직접 겨냥하기도 했다.

> 이 나라에서 영화비평이 무너진 것에 대해 이야기하고 싶습니다. 이제는 관객에게도 영화감독에게도 지적인 안내자 역할을 해주는 사람이 없어졌죠. 우리 젊은 영화감독들이 영화 대신 아무 거나 막 내놓는 이유에 대해서도 이야기해보겠습니다.[9]

그녀의 청취자 중에 버클리에서 시네마 길드라는 작은 영화관을 운영하는 에드워드 랜드버그라는 남자가 있었다. 건전한 자부심과 자신의 취향에 대한 확고한 애정을 지닌 약간 괴짜 같은 남자인 그는 텔레그래프 애버뉴 대로변에서 자신이 좋아하는 영화만 상영하는 레퍼토리 극장을 운영하며 소수의 단골을 확보하고 있었다. 어느 날 그가 방송국에 전화를 걸어 이 프로그램을 좋아한다고 말했다. 그렇게 케일과 사귀기 시작한 그는 얼마 후인 1955년 12월에 그녀와 결혼했다. 여기에 사랑이 얼마나 작용했는지는 분명치 않다. 영화에 깊은 애정을 지닌 두 사람의 결합이었던 것만은 분명하다.

결혼 전부터 케일은 랜드버그와 함께 시네마 길드를 운영하다시피 했다. 상영 프로그램 선정에도 깊이 관여했지만, 그녀가 가져온 커다란 혁신은 바로 극장 측이 길에서 홍보를 위해 나눠주는 전단지에 비평을 곁들인 것이었다. 비록 이 전단지는 홍보용이었지만, 케일은 여기서도 거물들을 서슴지 않고 공격했다. "웰스는 모든 걸 한 번씩 가볍게 시도해보자는 태도로 영화라는 매체를 놀릴 뿐만 아니라, 자신의 주제를 무겁게 다루면서 놀리기도 한다."[10] 케일이 「시민 케인」에 대해 한 말이다. 이런 식으로 영화를 요약하는 방식은 심지어 해당 영화를 조롱하고 있는데도 오히려 관객을 더 많이 끌어들이는 효과를 발휘했다. 케일의 노력 덕분에 시네마 길드는 인기가 점점 높아져서 스크린을 하나 더 개설할 수 있게 되었다.

그러나 두 사람의 결합은 영원하지 않았다. 랜드버그가 고집 센 아내에게 화를 냈기 때문이다. 케일 역시 틀림없이 같은 심정이었을 것이다. 랜드버그가 어느 다큐멘터리에서 밝힌 바에 따르면, 케일이 전단지에 자기 이름으로 저작권 표시를 한 것이 이혼의 계기였다. 1960년 10월 케일은 자신이 유일하게 성공을 거둔 일, 즉 시네마 길드 일에서 남편의 손에 해고를 당한 뒤였다. 케일도 거친 반응을 보였다. 먼저 그녀는 시네마 길드의 단골 관객 주소 목록에서 7000명의 이름을 빼낸 뒤, 자신이 직접 편집한 전단지에 사직서를 실었다.

> 저는 5년 반 동안 이 안내지를 쓰고, 상영 프로그램을 구성하고, 전화로 수천 명의 관객과 대화를 나눴습니다. 시네마 길드와 스튜디오는 단 한 사람(필자)의 취향과 판단력이 영화 선정에 가장 결정적인 역할을 한, 이 나라 유일의 극장일 겁니다. 그러나 극장의 소유주와 돌이킬 수 없는 의견 차이로 인해 제 자리를 지킬 수 없게 되었음을 발표하게 된 것이 깊이 유감스럽습니다.

시네마 길드 전단지, 1959년 11/12월호.

제가 쓰는 안내지는 이것이 마지막입니다.[11]

전단지 최종 편집본을 우편으로 발송할 때, 랜드버그는 이 사직서를 검게 처리했다. 그 다음 순서로 케일은 밀린 임금과 이윤 분배 금액으로 5만 9000달러를 지급하라는 소송을 제기했다.[12] 그러나 그녀는 소송에서 져서 다시 수입이 없는 신세가 되었고, 랜드버그는 시네마 길드의 소유권을 계속 유지할 수 있었다.

그래도 예전과 달리 케일이 평론을 발표하기가 조금 쉬워지기는 했다. 랜드버그와 결혼한 뒤 케일은 「예술영화 관객들의 환상」(Fantasies of the Art House Audience)이라는 글의 초고를 정리했다. 장차 그녀가 쓸 걸작들 중 최초의 작품인 이 글은 『사이트 앤드 사운드』(*Sight and Sound*)라는 곳에 실릴 예정이었으며, 비평가로서 케일이 깊은 통찰력을 처음으로 또렷하게 드러낸 글이었다. 이 글을 간단히 요약하자면, 외국 영화를 고집하는 사람들, 따라서 대중적인 영화관을 멀리하며 자신이 더 고상하고 더 훌륭한 예술을 보고 있다고 믿는 사람들이 허세로 가득하다는 내용이었다. 케일은 이런 관객들이 사랑해 마지않는 작품들, 예를 들어 수전 손택이 극찬한 영화 「히로시마 내 사랑」(Hiroshima Mon Amour) 같은 영화를 공격하는 것도 두려워하지 않았다.

케일의 공격 대상은 주로 마르그리트 뒤라스가 쓴 대본이었다. 여성 주인공의 감정에 대해 같은 내용이 지나치게 반복된다는 것이었다.

처음에는 더 고결한 수준의 영적이고 성적인 교섭에 대한 진정한 고백처럼 보였다. 그러다 나는 이 영화가 우리에게 주는 위대한 교훈은 곧 입 닥치라는 것이라는 결론을 내렸다. 이 여성(에마뉘엘 리바는 이 인물을 아름답게 해석해냈다)은

> 지적인 현대 여성의 가장 커다란 결점 하나를 드러내고 있었다. 자신의 감정을 모두 말로 털어놓는다는 것. 마치 침대가 감수성을 증명하는 자리인 것 같았다. 사람들이 자신에 대해 가장 중요한 부분이라고 믿는 것, 즉 자신의 내면 가장 깊숙한 곳에 자리한 진실과 비밀, 누군가가 공감하는 시선으로 우리를 바라볼 때 우리가 꺼내놓는 진정한 자신은 안타깝게도 남의 시간을 낭비하게 만드는 헛소리일 가능성이 아주 높다. 우리가 대체로 그런 자신을 잊고 사는 것은 그만한 머리가 있기 때문이다. 사람들이 받아들이지 않을 것 같아서 우리가 숨기는 진정한 자신은 싸구려 엉터리에 불과하다. 누가 그런 것을 원하겠는가?[13]

케일이 의도하지는 않았지만, 의미가 깊은 주장이다. 예술에서 감정의 노출은 예나 지금이나 많은 논란의 대상이다. 케일이 여기에서 지적했듯이, 이 문제가 성별의 영향을 받는 경향이 있기 때문이다. 여성 작가들 사이에서는 이 문제를 두고 전쟁이 벌어지는 광경이 친숙하다. 모든 결점과 감정을 완전히 고백하는 것만이 정직한 글쓰기 방법이라고 주장하는 사람이 있는가 하면, 케일처럼 이런 방법은 여성에 대한 끔찍한 고정관념을 강화하고, 지적인 인간으로서 여성이 지닌 최악의 특징들만 겉으로 드러낸다고 주장하는 사람도 있다. 그러나 앞선 인용문의 마지막 줄에 드러난 잔인함, 즉 내면의 자아가 싸구려 엉터리이며 분별 있는 사람이라면 결코 그런 것을 알고 싶어 하지 않을 것이라는 주장은 결코 예술이나 「히로시마 내 사랑」이나 마르그리트 뒤라스만을 겨냥한 말이라고 할 수 없다. 그것은 틀림없이 본인에 대해서도 같은 생각을 품고 있는 사람의 말이었다.

케일이 쓴 모든 비평의 날카로운 문장들을 읽어보면 그녀가 자신을 그다지 감상적인 사람으로 생각하지 않았음을 분명히 알 수 있다. 자신이 죽은 뒤, 아마추어 정신분석가들이 달콤한 해석을 덧붙이는 것도 싫어했을 것이다. 그녀는 페이소스를 싫어했다. 그러나 때로 상대편을 향해 표현하는 좌절감과 분노 속에 그녀가 자신을 잔인하게 다루고 있다는 기묘한 느낌이 드러나곤 했다. 케일은 사람들에게 명확하게 직선적으로 사고할 것을 요구했다. 다른 방식으로 사고하는 사람들에게는 미칠 것 같은 심정을 표출했다. 그녀는 건전한 상식이 필요한 작가들을 찾아나선 것 같았다.

어쩌면 역설처럼 보일지도 모르지만, 케일은 또한 웅장한 이론가도 싫어했다. 근시안적인 사람들과 마찬가지로, 명확한 분석을 제공하지 못한다고 봤기 때문이다. 예를 들어, 1962년에 『사이트 앤드 사운드』에 기고한 글 「영화비평에 치료약은 있는가?」(Is There a Cure for Film Criticism?)에서 케일은 영화의 본질에 대해 길고 과장된 논문을 쓴 독일인 이론가 지그프리트 크라카우어를 낱낱이 부숴버렸다. 그녀는 그의 논문을 견딜 수 없었을 뿐만 아니라, 자기가 보기에는 영화에 관한 글쓰기 전체를 오염시킨 이 글을 남들이 존중하는 것도 참지 못했다.

> 모든 예술에는 자신의 취향을 편집광적인 이론으로 바꿔놓으려는 경향이 존재한다. 영화비평에서는 혼란스럽고 한결같고 (지속적으로 유지할 수 없는 주장에) 헌신적인 이론가일수록 진지하고 중요하고 '깊이 있는' 사람으로 간주될 가능성이 높다. 겉으로는 느긋해 보이지만 다원적인 사고방식과 양식을 지닌 사람이 중요하지 않은 존재로 무시당하는 것과 대조적이다.[14]

그녀는 크라카우어를 지루한 구애자에 비유했다. 사랑하는 사람에게 자신의 사랑을 호소력 있게 전달하지 못하는 구애자. 만약 '영화'에 대한 크라카우어의 주장이 옳다 해도, 그녀는 그에게 퇴짜를 놓을 것이라고 썼다. 그래도 이 말은 나중에 앤드루 새리스라는 신인급 비평가에게 던진 공격에 비하면 워밍업에 불과했다. 앤드루 새리스는 『필름 컬처』(*Film Culture*) 1962/63년 겨울호에 「작가주의에 대한 단상」(Notes on the Auteur Theory)이라는 글을 발표했는데, 케일은 곧바로 「원과 사각형」(Circles and Squares)이라는 글을 써서 자신이 보기에 터무니없기 짝이 없는 이 글을 통렬하게 비판했다.

이 유명한 논쟁에서 얄궂은 점 하나는, 새리스가 그 소박한 글에서 다룬 작가주의라는 개념의 창안자가 아니라는 것이다. 작가주의는 프랑스에서 생겨났고, 영화비평 역시 어느 정도 프랑스에서 만들어졌다고 할 수 있다. 간단히 말해서, 작가주의는 영화감독에게는 독특한 스타일이 있으며, 심지어 할리우드의 상업영화에서도 이런 스타일을 찾아내 분석할 수 있다고 주장한다. 그러나 이렇게 간단히 요약한 작가주의의 개념에는 반대할 여지가 거의 없기 때문에 케일도 이 개념에 전적으로 반대하지는 않았다. 그녀 자신도 감독이 자신의 영화에 대해 상당한 통제권을 갖고 있다는 말을 자주 했으며, 찰리 채플린에서부터 브라이언 드 팔마에 이르기까지 모든 감독의 작품에 이 가설을 적용했다. 그러나 새리스가 예술을 평가하는 시스템 안에 이 개념을 포함시킨 것은 어리석고 거만하다고 보았다. 그녀는 지나치게 결의에 차서 사람들을 찔러대는 방식을 몹시 싫어했다.

새리스는 글에서 작가 분석의 명확한 전제들을 찾아내려고 애씀으로써 케일을 위해 새로운 문을 열어주는 역할을 했다. 그는 이런 전제들이 추상적으로 서술되어 이해하기 어렵다고 말했다. “작가주의의 두 번째 전제는 알아보기 쉬운 감독의 개성을 가치의 평가기준으로 보는 것이다.”[15] 케일은 이 문장에 분명히 드러나 있는 약점을, 허튼 생각은 하지도 말라는 듯이 강력하게 두드려댔다.

"스컹크의 냄새가 장미 향기보다 더 알아보기 쉽다. 그럼 스컹크의 냄새가 더 좋은 것인가?"[16] 이것은 나중에 그녀가 애용하는 기법이 되었다. 그녀는 자신이 싫어하는 거만한 비평가보다 자신이 더 분별 있는 사람임을 항상 내세우면서, 요점을 명료하게 지적한 문장 하나만으로 충분할 때 굳이 그 내용을 문단으로 부풀리지 않았다.

케일은 글을 쓰는 사람들에게 잠재된 성차별주의를 공격의 소재로 삼는 것도 주저하지 않았다. 새리스는 글에서 "기본적으로 여성적인 서술 장치"라는 말을 뜬금없이 지나가는 말처럼 중얼거린다. 케일은 「원과 사각형」 말미에서 '여성적인' 기법과 '남성적인' 기법이라는 개념을 대포알처럼 그에게 되쏘아준다.

> 작가주의 비평가들은 자신의 자아도취적 남성 환상에 완전히 홀린 나머지 … 인생 경험에 대한 청소년 시절의 생각을 버리지 못하는 것 같다(작가주의 비평을 하는 여성이 있는지는 모르겠지만, 나는 아직 한 명도 보지 못했다). 영국과 미국에서 작가주의는 어른 남자들이 소년 시절과 청소년기의 협소한 경험세계 안에 머물러 있는 것을 정당화하는 수단이라고 결론을 내려도 될까? 청소년기는 남성성이 몹시 훌륭하고 중요해 보이는 반면, 예술은 새침데기나 사기꾼이나 예민한 여자 같은 녀석들이 입에 담는 주제처럼 보이는 시기다. 작가주의 비평가들은 혹시 졸작을 진정한 영화예술로 암시함으로써 우리 문명에 관해 한마디 논평을 하려는 것일까? 나는 답을 모르겠다.

새리스는 꾸중 당한 아이 같은 반응을 보였다. 일평생 케일의 논평이 부당하다고 투덜거린 것이다. "폴린은 마치 내가 미국 비평계에 커다란 위협이 되는 존재인 것처럼 굴었다."[17] 그는 케일의 전기를 쓴 작가에게 이렇게 말했다. 그러나 당시 그는 자신의 글을 읽는 사람도 별로 없고, 글을 쓰고 얻은 보상은 그보다도 더 적은데, 자신의 영향력에 비해 과도한 공격을 받았다고 생각했다(그가 『빌리지 보이스』[*Village Voice*]에 고정적으로 비평을 기고하게 된 것은 조금 나중의 일이다). 그를 더욱 더 혼란에 빠뜨린 것은, 「원과 사각형」에서 새리스의 주장을 모두 부숴버린 케일이 정작 새리스 본인에 대해서는 화를 내지 않았다는 점이다. 세월이 흐른 뒤 케일은 그가 쓴 다른 글들 중 일부에 대해 통찰력이 있다는 말을 자주 했다. 사실 「원과 사각형」을 발표한 이듬해에 뉴욕에 온 케일은 새리스에게 전화를 걸어 저녁을 함께 먹자고 청했다.

새리스는 이 이야기를 약간씩 다른 버전으로 이야기했으며, 글로도 여러 번 썼다. 그러나 그가 케일의 전화를 받고 놀랐다는 말만으로 충분할 것 같다. 그는 케일이 자신을 게이로 지레짐작했다고 투덜거렸다(새리스는 나중에 몰리 해스켈과 결혼했다). 당시 새리스는 퀸스의 구석진 곳에 살고 있었으므로, 맨해튼으로 가는 것을 꺼렸다. 그러자 케일이 말했다. "왜 그래요? 애인이 가지 말라고 해요?"[18] 그는 또한 그녀를 공격적이고 거슬리는 사람으로 생각했음을 분명히 했다. 섹스에 대한 이야기가 너무 많은 것도 마음에 들지 않았다. 두 사람은 그 뒤로 두 번 다시 만나지 않은 것 같다.

이 가벼운 분쟁에서 재미있는 점은, 이 논쟁이 그 뒤로 몇 달 동안 영화계의 주목을 끌었다고 알려져 있는데도 사실은 별로 논란이 벌어지지 않았다는 사실이다. 주류 언론은 확실히 이 논쟁을 기사로 싣지 않았고, 영화 전문지들 중에도 이 논쟁에 대해 떠들어댄 곳은 그리 많지 않았던 것 같다. 케일의 글 마지막 문단이 틀림없이 자신을 겨냥했다고 느낀 남자들은 여럿 있었다. 주로 영국의 영화잡지 『무비』(*Movie*)의 편집자들이었는데, 케일은 그들이 나쁜 영화의 헌신적인 팬이라고 놀린 적이 있었다. 그들은 그녀가 글에서 자신들에게 은근히 동성애자라는 오명을 씌웠다고 불만을 드러냈다. "미스 케일의 광신적인 페미니즘을 이유로 그녀가 레즈비언이라는 추론을 해낸다(이것도 정당한 근거가 없기는 거의 마찬가지다) 해도, 그것 역시 비평가로서 그녀의 능력과는 아무런 상관이 없다."[19] 그들은 이렇게 코웃음을 쳤다. 그러나 이 편집자들은 비평가의 능력과 성별은 서로 상관이 있다고 주장했다. "여성 작가주의 비평가가 한 명도 없다는 미스 케일의 말은 옳다." 그들은 이렇게 썼다. "거기서 한 걸음 더 나아가, 슬프게도 여성 비평가 또한 전혀 없다고 말해도 됐을 것이다."

이것은 전술적으로 나쁜 행보였다. 케일은 곧바로 공격에 들어갔다. 이 글에 대한 답글에서 케일은 여러 여성 비평가들의 이름을 열거한 뒤 이렇게 물었다. "그런데 왜 그 불쾌하고 위선적인 '슬프게도'라는 말을 넣었는가. 마치 여성의 지적 능력이 떨어져서 이런 종류의 비평을 감당하지 못한다는 점이 유감스럽다고 『무비』의 편집자들이 말하는 것 같지 않은가."[20]

이렇게 소규모 전문지들을 통해 열띤 글이 오가기만 했다면 이 논란이 영원한 대치상태로 발전할 수 없었을 것이다. 이 논쟁의 생명을 유지해준 사람은 새리스였다. 그는 여러 해 동안 케일의 새로운 책들을 성실하게 혹평하고, 그녀와 자신의 분쟁을 자꾸만 언급함으로써 이 논쟁에 계속 불을 지폈다. 그와 케일의 분쟁은 1980년에 정점에 이르렀으나, 그녀는 그가 쓴 멋진 글에 영영 응답하지 않았다. 1991년에 어떤 인터뷰에서 이렇게 말했을 뿐이다. "그가 그 일을 그토록 마음에 담아둔 것이 나는 항상 조금 놀라웠다."[21] 현재까지 케일의 유일한 전기를 쓴 인물인 브라이언 켈로는 그녀가 「원과 사각형」을 쓴 것에 대해 출세지향주의라고 비판한다.[22] 당시 새리스가 스스로도 무명이라고 인정할 만한 위치에 있었던 것을 생각하면, 당황스러운 비판이다. 당시 영화 비평가로서 이렇다 할 지위가 없던 새리스를 디딤돌 삼아 뛰어넘기 위해 그녀가 이 글을 썼다고 보는 것은 말이 되지 않는다.

그러나 비평가로서 케일의 인생이 급격하게 바뀌던 시점에 「원과 사각형」이 발표된 것은 사실이다. 이 글이 발표된 해인 1963년에 그녀는 구겐하임 지원금을 얻어냈다. 드와이트 맥도널드를 비롯한 여러 사람이 그녀를 추천해준 덕분이었다. 맥도널드는 다음과 같이 썼다. "당신이 글을 통해 나를 무자비하게 괴롭혔지만, 훌륭한 기독교인 무신론자로서 나는 아직 맞지 않은 한쪽 뺨을 마저 내밀기로 하고, 당신의 프로젝트에 대한 지긋지긋한 추천서를 구겐하임에 제출했습니다."[23] 여기서 말하는 프로젝트는 케일이 『필름 쿼털리』(*Film Quarterly*), 『애틀랜틱』, 『사이트 앤드 사운드』에 기고한 여러 에세이를 모아 『나는 영화관에서 이성을 잃었다』(*I Lost It at the Movies*)라는 책을 내는 것을 뜻한다.

그러나 1963년은 실버스가 케일에게 『그룹』의 서평을 청탁한 해이기도 했다. 그녀가 뉴욕의 지식인 사회에 제대로 발을 들여놓을 수 있게 해줬다는 그 글 말이다. 케일은 매우 신속하게 초고를 완성해서 제출했다. 그리고 이 글이 20대 때부터 그토록 원했던 지식인 사회의 입장권이 되어주기를 바랐다. 그러나 하드윅은 케일의 원고를 거절하는 편지에서, 작품 속 여성들을 다루는 방식과 관련해서 매카시를 비판하는 것은 맥락과 맞지 않는 것 같다고만 말했다. 어쩌면 메일러가 그 책의 서평을 써달라는 요청을 받아들인 뒤라서 하드윅이 이런 결정을 내린 것일 수도 있었다. 하지만 하드윅의 말이 진심일 가능성도 있었다.

케일은 마음의 상처를 입었다. 그녀는 손택에게 거절 편지의 내용을 전하면서(손택은 케일에게서 받은 편지를 보관해두지 않았다), 자신이 쓴 초고의 사본을 보냈다. 손택은 메일러가 매카시를 공격한 것이 정말로 마음에 들지 않았다고 답장에 썼다. "그녀에 대한 인신공격이 너무 지나치고, 책에 대한 비판은 지나치게 무릅니다. 괴상하게 보일 정도로."[24] 그러나 손택은 케일의 글에도 고칠 점이 조금 있다고 말했다. 페미니즘에 관한 주장이 그 책을 공격하는 최선의 방법은 아닌 듯하다는 것이었다. "제게는 이 소설과 인물의 전개 과정에 대한 당신의 말, 그리고 사실과 픽션 사이의 관계가 여성들에 대한 매카시의 비방에 당신이 분노해서(저도 당신처럼 분노하고 있습니다만) 쏟아놓은 말보다 더 흥미롭고 독창적으로 보입니다." 손택은 이렇게 덧붙였다.

아마도 이 작은 격려의 말 덕분인지, 케일은 이 초고를 보관해두었다. 하지만 이 무렵부터 그녀는 글에서 남녀간의 관계에 대해 언급하지 않게 되었다. 그냥 순식간에 그만둔 것이다. 그러자 사람들은 케일이 페미니즘과 아무런 관계도 없다고 믿기 시작했다. 1970년대에 케일을 직접 만난 적이 있는 한 페미니스트 비평가는 그녀의 전기를 쓴 작가에게 이렇게 말했다. "나는 폴린이 페미니즘에 귀를 막았다고 생각했습니다. 적대적이었다는 뜻이 아닙니다. 그냥 듣지 않았을 뿐입니다."[25] 십중팔구 맞는 말일 것이다. 적어도 1970년대의 공식적인 2차 페미니즘 운동에 관한 한은. 그러나 남녀간의 문제에 대한 논평들이 진지하지 못하다는 말을 자신이 존중하는 사람에게서 들은 뒤, 케일이 그 말을 그대로 받아들여 여성으로서 여성을 옹호하는 일에는 예전만큼 관심을 쏟지 않기로 한 것일 수도 있었다. 그녀는 비평가로서 제대로 대우받고 싶다는 욕망을 버릴 수 없었다.

그러나 『그룹』을 손에서 놓을 수는 없었다. 이 소설을 영화화한다는 소식이 들려오자 케일은 즉시 『라이프』에서 관련 기사를 쓰는 일을 맡았다. 그리고 이 영화의 감독과 제작자인 시드니 루멧과 시드니 버크먼에게 던진 질문에, 매카시의 책에 대한 자신의 생각(주로 이 책이 똑똑한 여성을 헐뜯는다고 생각하는 부분)을

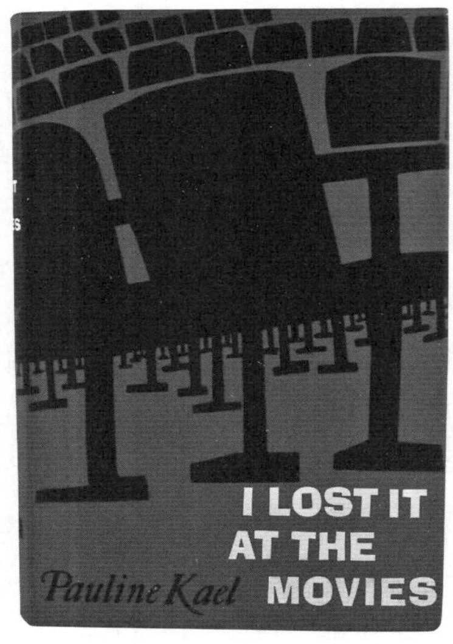

『나는 영화관에서 이성을 잃었다』 1966년 영국 초판본.

녹여냈다. 케일은 두 사람이 소설의 테마에 별로 신경을 쓰지 않았다고 썼다. 버크먼이 그녀에게 보내준 테마 요약은 놀라웠다. "고등교육이 여성에게는 평생 맞지 않는다"는 내용이었기 때문이다.

> 관찰자의 역할에 익숙하지 않은(나는 결코 그 역할에 익숙해지지 못했다) 나는 쏘아붙였다. "그럼 뭐가 잘 맞을까요? 고등교육이 남자에게는 평생 잘 맞습니까?"[26]

제작자는 얼마쯤 시간이 흐른 뒤에야 케일에게 직설적인 답변을 보내왔다. 그는 교육이 모든 사람을 망가뜨린다고 생각하는 듯했으나, 이런 말을 덧붙였다. "폴린, 사실 나는 그 망할 놈의 것이 뭔지 잘 모릅니다." 폴린은 감독에게 결점이 있다고 생각하면서도 예의를 지켰으나, 영화 촬영이 끝난 뒤 열린 파티에서 상황이 달라졌다. 감독인 시드니 루멧의 이야기에 따르면, 비평가의 역할에 대한 열띤 논쟁이 한창 진행 중일 때 케일이 폭발해서 이렇게 말했다고 한다. "그[루멧]에게 어느 길로 가야 하는지 보여주는 것이 나의 임무입니다."[27] 케일의 글은 그녀가 그 글을 쓰면서 느낀 좌절감을 보여주었다. 그러나 글이 너무 길고 자기주장이 강하다는 이유로 『라이프』는 원고 게재를 거절했다. 케일은 이 글을 자신의 책에 실을 수밖에 없었다.[28]

케일의 『나는 영화관에서 이성을 잃었다』가 1965년에 출판되었을 때, 영화비평 모음집이 히트할 거라고 예상한 사람은 하나도 없었다. 그런데 어찌 된 영문인지 이 책은 베스트셀러가 되었다. 『애틀랜틱』은 이 책의 서문을 1964년 12월호에 「영화는 산산이 부서지고 있는가?」(Are the Movies Going to Pieces?)라는 제목으로 실었다. 이 글에서 케일은 영화에서 생기가 빠져나가고 있다고 목청 높여 외쳤다. 그녀는 그 탓을 부분적으로 영화사

중역들에게 돌렸다. 언제나 그렇듯이, 비평가들에 대한 비난도 있었다. 그녀는 비평가들이 지나치게 난해해지고 영화의 의미를 무시하게 된 나머지, 아무 의미도 담지 않은 채 기법에만 집착하는 영화를 옹호하고 있다고 말했다. 그중에서도 특히 한 사람이 지목되었다.

> 『네이션』 1964년 4월 13일자에 수전 손택은 잭 스미스의 영화 「타오르는 짐승들」(A Feast for Open Eyes)을 다룬 놀라운 글 「눈을 뜬 자들을 위한 잔치」(Flaming Creatures)를 발표했다. 이 글에서 그녀는 새로운 비평 원칙 하나를 내세웠다. "그래서 스미스의 다듬어지지 않은 기법은 「타오르는 짐승들」에 구현된 감수성과 멋지게 잘 어울린다. 이 감수성은 무차별성을 바탕으로 하고 있으며, 아이디어가 없고, 부정을 넘어선다." 내가 보기에 손택은 무차별성을 하나의 가치로 취급하면서 진정한 거짓말쟁이가 되어버린 것 같다.[29]

케일과 손택은 이미 안면이 있는 사이였으므로, 케일이 이런 글을 쓴 것이 몹시 기묘했다. 엄밀하게 말해서, 손택은 케일이 좋아하는 유형의 비평가가 아니었다. 구어체로 글을 쓰지도 않았고, 딱히 거창한 이론의 옹호자는 아니어도 어느 모로 보나 케일이 생각하는 속물의 모습 그대로였다. 주로 외국영화에 관심을 보이고, 영화의 내용보다는 형식과 스타일을 중시한다는 점이 바로 속물의 특징이었다(손택이 아직 「캠프에 대한 단상」을 발표하기 전이라는 점을 마음에 새겨둘 필요가 있다. 손택은 「캠프에 대한 단상」에서 대중문화에 대해 적어도 약간이나마 애정을 드러냈다). 『뉴욕 리뷰 오브 북스』와의 기묘한 일로부터 1년이 넘게 흐른 이 시점에 케일은 활자화된 글을 통해 손택을 끈질기게 흔들어댔다. "미스 손택은 뭔가를 꾸미고 있다. 만약 그녀가 영화배우 슬림 픽컨스처럼 그 흐름을 계속 타고 간다면, 최소한 비평의 종말이 도래할 것이다." 비평가 크레이그 셀리그먼이 나중에 지적했듯이, 케일의 이 공격이 손택에게 제대로 먹혔을 가능성이 있다. 손택이 앞에 인용된 글을 『해석에 반대한다』에 실으면서 표현을 조금 손보았기 때문이다. 그녀는 '무차별성'에 찬사를 보내지 않고, "아이디어에 대한 책임을 포기하는" 감수성에 찬사를 보냈다.[30] 이 작은 변화로 손택의 주장은 케일의 칼날을 벗어날 수 있었다.

어쨌든 케일의 주장은 신문들의 주의를 끌었고, 비평가들은 케일의 책을 몹시 좋아했다. 한 영화잡지 편집자는 『뉴욕 타임스』에 기고한 글에서 케일의 주장이 "그녀가 현재 미국에서 활동 중인 영화 비평가들 중 정신적으로 가장 건강하고, 가장 신랄하고, 가장 수완이 좋고, 가장 젠체하지 않는 사람"[31]임을 증명해준다고 극찬했다. 그는 특히 「원과 사각형」에서 케일이 자신의 생각을 요약한 부분에 감탄했다.

> 나는 우리가 모든 형태의 예술작품에 최대의 반응을 보인다고 믿는다. … 만약 우리가 다원적이고 유연하며 상대적인 판단을 내릴 수 있다면, 절충주의적이라면. 절충주의란 원칙의 부재를 뜻하지 않는다. 절충주의는 다양한 체계에서 최고의 기준과 원칙들을 모은 것이다. 단 하나의 이론을 적용할 때보다 다원적인 시각을 적용할 때 더 많은 주의와 차분함이 필요하다.[32]

폴린 케일은 평생 대략 이런 흐름으로 글을 썼다. 일관되지 않은 글을 일관되게 쓰면서, 옹호할 가치가 있는 원칙은 즐거움뿐이라고 주장했다. 당연히 이런 주장에 분노를 드러내는 사람들이 있었다.

그녀가 옛날에 글을 기고하던 『사인트 앤드 사운드』에도 어떤 비평가가 "그녀의 논쟁적인 글의 파괴적인 감정주의"[33]를 비판하는 글을 실었다. 그래도 케일의 책은 어느 모로 보나 성공을 거뒀으므로, 그녀는 이 책으로 벌어들인 돈 덕분에 뉴욕으로 다시 돌아갈 수 있었다.

마흔여섯의 나이에 케일은 처음으로 글을 써서 생계를 해결할 수 있게 되었다. 케일은 딸과 함께 뉴욕으로 와서 어퍼이스트사이드에 살았다. 그러고는 성공 뒤에 따르는 것은 더 커다란 성공뿐이라고 확신했는지 일에 온몸을 던졌다. 우선 (40여 년 전 도러시 파커가 글을 썼던) 『매콜스』(*McCall's*)에서 1500만 명의 구독자를 위해 영화비평을 쓰는 자리를 확보했다. 이 잡지의 편집자가 케일을 기용한 것은, 잡지의 독자들이 점점 변화하고 있다는 생각 때문이었다. 그는 케일의 활기찬 글이 젊은 독자들을 끌어들일지도 모른다는 희망을 안고, 그녀와 6개월짜리 계약을 체결했다.

아마 이 편집자는 예전에 나온 케일의 글을 충분히 읽어보지 않은 모양이었다. 어쩌면 그녀가 졸작 영화를 한 번 옹호했으니 앞으로도 모든 졸작 영화에서 구원을 찾아낼 것이라고 기대했는지도 모른다. 어쨌든 그는 나중에 경악할 수밖에 없었다. 케일이 라나 터너의 별로 중요하지 않은 영화들 중 하나인 「마담 X」(Madame X)에 대해 쉰 살의 터너가 그 역을 맡기에는 너무 젊다고 비판하는 글을 썼기 때문이다. 케일은 고다르의 「남성, 여성」(Masculin Feminin) 같은 영화를 추천하는가 하면, 「닥터 지바고」(Doctor Zhivago)를 혹평했다. 언론에 널리 보도된 최후의 타격은, 케일이 「노래하는 수녀」(The Singing Nun)를 비평하는 듯하면서 그 기회를 이용해 「사운드 오브 뮤직」(The Sound of Music)을 무차별적으로 공격한 글이었다. 케일은 업계 사람들 대부분이 요즘은 이런 종류의 뮤지컬 영화를 '돈의 소리'라고 부른다면서 다음과 같이 말을 이었다.

> 이런 영화에 누가 화를 낼까? 이런 영화에 휘둘리는 것을 몹시 싫어하고, 우리가 이런 영화에 보일 수밖에 없는 반응이 얼마나 방종하고 싸구려고 기성품 같은지 아는 사람들뿐일 것이다. 어쩌면 우리는 자기도 모르게 그 역겹고 착한 노래들을 흥얼거리는 것을 깨닫고 자신이 이런 영화에 이용당해 감정적이고 미학적인 백치로 변해가고 있음을 훨씬 더 생생히 인식하게 될 수 있다.[34]

계약한 지 3개월째로 접어든 시점에 나온 이 글을 보고 편집자는 더 이상 참을 수 없다는 결론을 내렸다. 그가 그녀와의 계약을 깼다는 소식에 언론매체들은 냉큼 달려들어, 그녀가 영화사의 압박으로 쫓겨난 것이라고 주장했다. 이때 처음 '폴린의 위험'이라는 식의 헤드라인이 달린 기사에 등장한 케일은 그 뒤로도 비슷한 일들을 겪었다. 편집자는 일종의 사과를 위해 업계의 매체들을 순회했는데, 『버라이어티』(*Variety*)와의 인터뷰에서는 점잔을 빼며 "미스 케일이 영화 자체에 주의를 쏟기보다는 영화를 만드는 사람들의 동기에 대해 점점 더 비판적으로 변했다"[35]고 말했다.

케일은 금방 회복해서, 『뉴 리퍼블릭』의 영화비평을 맡았다. 다소 신사적인 비평가인 스탠리 카우프만의 후임이었다. 카우프만은 『뉴욕 타임스』의 연극비평가로 자리를 옮겼다. 처음에는 이 자리가 케일에게 더 잘 어울리는 것 같았다. 『뉴 리퍼블릭』의 독자들은 『매콜스』의 독자들에 비해 지적인 의견불일치에 대해 더 너그러웠기 때문이다. 그러나 원고료가 훨씬 더 적었을 뿐만 아니라, 편집자들이 그녀의 글을 마음대로 잘라낼 때가 많았기 때문에 케일은 글을 한두 편 쓰고 난 뒤 다시 편집자들과 불화를 빚었다. 그들이 완전히 갈라선 것은 그녀가 「우리에게 내일은 없다」(Bonnie and Clyde)라는 새 영화에 대해 쓴 장문의 에세이에 잡지사 측이 퇴짜를 놓았을 때였다. 케일은 그 일을 그만두고, 잠시 프리랜서로 일하며 쥐꼬리만 한 수입을 올리는 생활로 돌아가게 되나 싶었다. 그녀의 나이가 벌써 쉰 살을 바라볼 때였다. 그러나 곧 『뉴요커』의 윌리엄 숀과 연락이 닿았다.

1960년대에 『뉴요커』는 해럴드 로스 시절의 단순한 유머 잡지가 아니었다. 윌리엄 숀이 1952년에 편집을 맡은 뒤로, 잡지의 논조가 상당히 바뀌었다. 숀은 은퇴가 가깝고 취향이 특이한 사람이었으나, 일단 어느 필자에게 호감을 품으면 확실히 호의를 베풀었다. 잡지의 지면을 주고, 마음대로 글을 쓰게 해주었다는 뜻이다. 그래서 많은 사람이 평생 『뉴요커』의 필진 자리를 놓지 않고 유지하면서, 기자들과는 다른 글을 써냈다. 숀이 호감을 품은 필자들은 마치 대학의 종신교수처럼 언제든 고향 같은 『뉴요커』로 돌아올 수 있었다.

케일은 이미 얼마 전부터 숀의 시선을 끌고 있었다. 몇 달 전 그녀가 『뉴요커』에 「영화와 텔레비전」(Movies and Television)이라는 글을 처음으로 기고한 적이 있었다. 텔레비전의 평면적인 스타일이 영화를 감염시키고 있다는 평소의 불만을 길게 쓴 글이었다. 숀은 그 글이 마음에 들었다. 「우리에게 내일은 없다」에 대한 7000단어 분량의 글 역시 받아서 읽어 보니 마음에 들었다. 그는 1967년 10월에 이 글을 실었다. 영화가 개봉한 것은 8월이라, 10월이라면 이미 새로운 소식이라고 할 수 없는데도 개의치 않았다. 이 영화는 흥행 성적이 괜찮은 편이었지만, 비평이라는 측면에서는 가라앉는 배와 같은 처지였다. 비평가들은 이 영화가 폭력을 미화했다고 비난했다. 그런데 케일이 그 가라앉는 배를 해안으로 끌어올렸다. "어떻게 하면 이 나라에서 공격을 받지 않고 좋은 영화를 만들 수 있을까?"[36] 그녀는 이렇게 썼다. 케일은 이 영화가 부정적인 반응을 받은 것은 대부분의 사람이 예술에 적대적이라는 증거일 뿐이라고 보았다. "「우리에게 내일은 없다」의 관객들은 공감을 위한 간단하고 확실한 기반을 제공받지 못했다.” 그녀는 이렇게 주장했다. “감정을 느낄 수 있는 사람들이지만, ‘어떻게’ 느껴야 하는지 안내를 받지 못했다.” 「우리에게 내일은 없다」가 폭력을 재미있는 일처럼 묘사한 것을 싫어할 수는 있지만, 그 이유만으로 이 작품이 나쁜 영화가 되지는 않는다. 이 영화에 대한 비판은 예술이 아니라 관객들에 대한 심판이었다. 그러나 케일 역시 도덕에 나름대로 역할이 있다는 생각을 버리지는 않았다. 그녀는 이 영화의 “가장 중요한 점은 폭력을 체험하게 해주는 것, 그리고 그런 장면을 보며 웃은 것에 대한 대가를 치르게 하는 것”이라고 말했다.

이제 케일은 영화비평가로서 특유의 문체를 완전히 갈고 다듬은 뒤였다. 그녀는 다른 비평가들의 글, 그들의 논리적 결함과 신앙 같은 주장을 다루는 한편, 영화를 보는 관객들의 반응에도 시선을 주었다. 영화관에서 영화를 보는 경험이 영화 자체만큼 중요하다고 믿었기 때문이다. 그래서 영화를 보는 경험의 ‘재미’에도 역시 관심을 보였다. 재미는 주관적인 요소일 수 있지만, 케일은 아무리 고상한 비평가(예를 들어 손택)라 해도 도달할 수 없는 최고의 가치이기도 하다고 확신했다. 이로 인해 그녀는 평생 아둔하다, 배려가 없다, 생각이 단순하다는 비난을 받았다. 그래도 그녀는 스스로 인정한 ‘절충주의적’ 문체를 통해, 재미를 언제나 중요하게 다뤘다. 아예 재미를 신조로 삼을 정도였다.

숀은 특별히 ‘재미’를 좋아하는 사람이 아니라고 알려져 있었는데도 「우리에게 내일은 없다」 비평에 드러난 케일의 문체를 몹시 좋아한 나머지, 그녀에게 『뉴요커』의 고정 영화 비평가 두 명 중 한 명이 되어달라고 청했다. 케일은 나중에 은퇴할 때까지 이 자리를 지켰다. 짧은 시간 안에 여러 건의 계약에서 실패를 맛본 케일은 계약에 앞서 조건을 하나 제시했다. 자신의 허락 없이 자신의 글을 크게 바꾸면 안 된다는 것이었다. 숀은 이 요구를 받아들였으나,

일단 케일이 『뉴요커』에서 일을 시작한 뒤에는 약속을 어기고 다른 필자들과 똑같이 그녀를 대했다. 그녀의 원고를 샅샅이 훑어보았다는 뜻이다. 케일은 그로 인해 그와 싸웠다. 또한 고집스러운 태도 때문에 『뉴요커』의 직원들 사이에서도 별로 인기가 없었다. 숀은 잡지사에 부르주아식 예의를 정착시켰는데, 케일은 욕을 즐겨 사용했을 뿐만 아니라 "일부러 조야한"[37] 문체를 자신의 특징으로 삼았으므로 『뉴요커』의 직원들 사이에서 항상 논란이 되었다. 나중에 숀과 직원들은 모두 케일과 일종의 휴전협정을 맺은 듯하다. 그러나 그런 분위기에 따르지 않는 사람들도 있었다.

> 『뉴요커』의 저명한 필자 한 명에게서 편지를 받은 기억이 난다. 내가 똥으로 범벅이 된 카우보이 부츠를 신고 잡지의 지면을 마구 짓밟으며 돌아다니고 있으니, 그 부츠를 신은 채 여기서 사라져야 한다는 내용이었다.[38]

숀은 가끔 밤에 전화를 걸어 쉼표를 어떻게 할지 물어보곤 하면서도 케일의 편을 들었다. 마침내 안정적인 생활을 확보한 케일은 자신의 평론을 모은 책들을 계속 내놓았다. 그녀의 두 번째 저서인 『키스 키스 뱅뱅』(*Kiss Kiss Bang Bang*)도 『나는 영화관에서 이성을 잃었다』와 거의 비슷한 성적을 거뒀다. 여기에는 그녀가 『라이프』에 기고한 『그룹』의 비평이 실려 있었다. 그러나 이제 영화 비평가로 자리를 잡은 그녀는 예리한 표현으로도 평판을 얻고 있었다. 『뉴요커』라는 안정된 자리에서 그녀는 사방의 공감대를 무너뜨렸다. 그 과정에서 극적인 효과도 발휘할 줄 알았다. 그녀가 만만치 않은 상대라는 사실이 처음부터 분명히 드러났다.

어떤 사람들은 그녀의 방식을 좀 더 좋은 말로 묘사해주기도 했다. 무성영화 시대의 스타 루이스 브룩스도 그런 사람이었다.

케일은 오래전부터 편지를 주고받던 그녀에게 『키스 키스 뱅뱅』 한 권을 보내주었다. 그러자 브룩스는 답장에 이렇게 썼다. "표지에 실린 당신의 사진을 보니, 젊고 행복하던 시절의 도러시 파커가 생각났습니다."[39] 성마르게 굴면서도 행복한 모습은, 케일이 비평가라는 페르소나로 추구하던 것이었던 듯하다. 그러나 점점 늘어나는 그녀의 적들은 그녀가 영화계 전체를 향해 너무 건방지게 군다고 비난했다. 1967년 12월 13일자 『버라이어티』에는 다음과 같은 헤드라인이 실렸다.

> 폴린 케일: 열의는 있으나 예의가 없다; 예의 바른 남자들을 짓밟는 여자[40]

이 헤드라인을 과장된 것으로 볼 수도 있을 것이다. 윌리엄 숀은 확실히 '예의 바른 남자'였다. 그러나 그는 강철 같은 의지를 지니고 있었으며, 영화 예술 또는 영화비평의 현 상태에 대한 평범한 글을 원하지 않았다. 따라서 자신의 우아한 잡지에 그런 글이 실리는 것을 막기 위해 케일의 바람막이 역할을 해주었다. 케일 역시 좀 더 평범한 비평가의 모습으로 변할 필요가 있다는 사실을 일찌감치 깨달았다. 1960년대에 그녀는 장편의 비평을 딱 한 편만 더 썼는데, 「졸작, 예술, 그리고 영화」(Trash, Art, and the Movies)라는 제목의 이 글은 1969년 2월에 『하퍼스』에 실렸다.

손택의 「캠프에 대한 단상」이 간혹 캠프 전체를 옹호하는 글로 잘못 인식되듯이, 「졸작, 예술, 그리고 영화」도 간혹 졸작을 예술로 옹호하는 글로 잘못 인식되곤 한다. 케일은 졸작과 예술 사이에는 중요한 차이가 있다는 사실을 설명하는 데 많은 시간을 할애했다. 그녀는 어느 단계에서는 왜 기법이 중요하지 않은지 설명하고 싶어 했다.

> 비평가는 어떤 조각들을 어떻게 맞춰서 한 편의 영화가 만들어졌는지 안다는 사실을 증명하기 위해 굳이 영화를 조각조각 해체할 필요가 없다. 작품 속의 새로운 점과 아름다운 점을 전달하는 것이 중요하지, 영화가 어떻게 만들어졌는지를 전달하는 것은 중요하지 않다.[41]

이 주장은 손택이 형식과 내용의 상호작용에 대해 고집스럽게 펼치던 주장 중 일부와 그리 다르지 않다. 사실 손택의 「해석에 반대한다」에 나오는 용어들을 빌려 오면, 「졸작, 예술, 그리고 영화」를 빠르게 요약할 수 있다. 「졸작, 예술, 그리고 영화」에서 케일은 해석학 대신에 에로틱학을 길게 옹호한다. 언제나 그렇듯이 그녀는 미학이 아니라 반응에 관심이 있다. 관객들은 예술이 아닌 졸작이라 해도, 자신을 즐겁게 해주는 영화에 가장 강한 반응을 보인다는 것이 그녀의 주장이다. 그러나 영화 속의 예술에 대해 다음과 같은 주장을 펼치기도 했다.

> 영화 속의 예술은 항상 우리에게 더욱 더 좋은 것으로 인식된다. 파괴적인 제스처를 한 걸음 더 끌고 나아간 것, 짜릿한 순간을 오랫동안 유지해서 새로운 의미를 만들어내는 것이 예술이다.

케일은 졸작과 예술의 상호작용으로 인해 사람들이 그럴 필요가 없을 때조차 졸작을 기꺼이 예술로 보는 경우가 점점 늘어나는 것을 걱정했다. 이런 식의 미숙하고 건방진 허세가 해롭다는 그녀의 주장에 반대할 사람은 별로 없을 것이다. 그러나 케일이 남성이 다수를 차지하는 많은 비평가와 다시 충돌하는 지점은, 히치콕의 작품을 졸작으로 분류한 대목이다. 그러고 나서 그녀는 졸작에도 모종의 변명이 필요하다고 고집스레 주장하는 사람들에게 화를 냈다. "즐거움에 변명이 왜 필요한가?" 졸작이 어떤 면에서는 문화의 분위기 전체를 해치고 있다는 사실을 케일이 모르는 것은 아니었다. "예술가들의 기회가 줄어들고 제한되는 것은 사실이다." 그러나 이 글의 유명한 마지막 줄에서 케일은 그런 작품을 예술에 입문하게 만드는 일종의 촉진제로 보았다. "졸작 덕분에 우리는 예술에 관심을 갖게 되었다."

캠프와 해석에 대한 손택의 주장과 케일의 글이 반드시 처음부터 끝까지 모두 유사한 것은 아니다. 손택은 대상을 분해했다가 다시 조립하는 식의 분석에도 일종의 즐거움이 있다고 썼으나, 케일은 그런 주장을 결코 참아 넘기지 못했다. 손택은 덜 대중화된 즐거움을 옹호했고, 평범한 영화관객이 고상한 가치관과 어떻게 맞닥뜨리는지에 대해서는 전혀 관심이 없었다. 캠프의 아이러니라는 중간 매개체 없이 졸작을 순수하게 즐겼다고 인정하는 태도를 손택은 전혀 이해하지 못했을 것이다. 그러나 예술이라는 문제에 대해 공통적인 관심을 갖고 있는데도, 손택과 케일은 묘하게도 두 번 다시 서로 칼을 맞대지 않았다. 1964년의 짧은 의견 교환 외에는 두 사람 모두 서로에 대해 한마디도 글로 쓰지 않았다. 케일은 거창한 주장들에 흥미를 잃은 듯했다. 그녀의 비평은 여전히 훌륭하고 뛰어났지만, 비교적 전통적인 평론 양식으로 안정되었다. 사실 케일은 그 뒤로 죽을 때까지 「졸작, 예술, 그리고 영화」 같은 글을 다시는 쓰지 않았다. 이런 식으로 넓은 주제를 다룬 글을 대체로 피해 다닌 편이었다.

여기에는 그럴 만한 이유가 있었다. 케일이 윌리엄 숀을 설득해서 『뉴요커』에 게재한 유일한 장편 평론은 오슨 웰스의 「시민 케인」(Citizen Kane)을 다룬 글이었다. 원래 케일은 이 영화의 대본에 대한 소개글 같은 것을 쓸 생각이었지만, 쓰다 보니 글이 점점 늘어나서 결국은 시나리오 작가와 영화 제작 과정 전체의 관계를 다룬 5만 단어 분량의 논문이 되고 말았다. 『뉴요커』는 1971년 10월에 이 글을 2회로 나눠 실었다. 틀림없이 케일이 미국에서 가장 유명한 영화 비평가 중 한 명이자 컬트적인 인기를 누리는 인물이 되었음을 널리 보여줄 수 있을 것이라고 생각했을 것이다. 그러나 이 글은 비평가로서 케일의 경력에 재앙이 되었다.

이 글 초입에서 케일은 「시민 케인」을 곧바로 한쪽으로 밀어버렸다. 우선 그녀는 이 영화가 "천박한 걸작"[42]으로서 가치가 있다고 단언했다. 그러나 그녀 자신의 가치 척도에 따르면, 이런 평가를 받았다고 해서 이 작품이 형편없는 영화가 되는 것은 아니었다. 그녀가 주목한 문제는 다른 것이었다. 「시민 케인」에서 그나마 찾아볼 수 있는 뛰어난 부분이 정확히 누구의 것인가 하는 문제. 케일은 이 영화의 천재성을 많은 부분 책임진 사람은 그동안 많은 찬사를 받은 웰스가 아니라, 비교적 주목받지 못한 시나리오 작가 허먼 맨케비치라고 보았다. 맨케비치는 원탁 모임에 항상 참석하는 사람 중 하나였으며, 도러시 파커처럼 할리우드에서 일을 제의받은 뒤 돈 때문에 그 제의를 받아들인 사람이었다. 케일은 그의 경력을 설명하다가 급히 방향을 돌려 1920년대와 1930년대 시나리오 작가들의 성취에 대해 열광적으로 말하기 시작했다.

> 그들은 한결같이 이 일을 매춘부처럼 재능을 파는 행위로 (이런 매매 행위를 즐긴 사람도 있는 것 같지만) 생각한 것 같다. 영화와 사랑에 빠진 탓에 개인적인 좌절감으로 괴로워하고, 아직 신생 예술인 위대한 영화의 타락을 보며 괴로워하는 사람 또한 한두 명이 아니다. 그런데도 그들은 하나의 집단으로서, 우리가 '30년대 코미디'라고 부르는 그 무심한 마법을 만들어냈다. 내가 보기에 「시민 케인」은 그 정점에 있었다.

케일은 이 집단에 도러시 파커를 분명하게 포함시켰다. 할리우드에서 이 작가들이 대부분 주정뱅이가 되어버렸다는 사실을 인정하면서도, 그녀는 그들이 억지로 "더 조야하고, 더 거칠고, 덜 깔끔하고, 덜 우아하고, 더 관습적인" 글을 써서 좋은 영화 몇 편을 만들어내는 데 성공했다는 사실 또한 인정한다. 그녀가 맨케비치를 그토록 신뢰하면서, 그를 오슨 웰스라는 스타의 거대한 자존심에 가려진 비극적인 인물로 그려낸 기반에 이런 생각이 있었던 것 같다. 케일이 웰스를 악당으로 과장해서 표현하지는 않았는데도, 그는 자신의 지위를 이용해서 시나리오 작가를 일부러 그림자 같은 존재로 만들어버린 악당으로 보였다.

처음에 사람들은 「시민 케인」에 대한 케일의 신선한 시각을 좋아했다. 캐나다의 소설가 모데카이 리클러는 『뉴욕 타임스』에 기고한 글에서 케일의 글에 찬사를 보내며, 특히 「시민 케인」을 "천박한 작품, 천박한 걸작"[43]이라고 주장한 부분에 호감을 표시했다. 그러나 앨곤퀸 원탁 모임 참석자들의 재능을 과대평가했다면서, 그들이 "서로 농담이나 나누고, 자기가 얼마나 잘났는지 떠들어대던 사람들이었을 뿐"[44]이라는 파커의 심술궂은 평가를 인용했다.

얼마 후에는 불만을 품은 비평가들(「시민 케인」을 좋아하고, 웰스를 의심할 여지 없는 작가주의 감독으로 우상시하던 사람이 많았다)이 케일의 글이 사실을 제대로 묘사하고 있는지 확인하기 시작했다. 케일은 기자나 연구자가 아니었다. 그런 일을 하는 데 알맞은 꼼꼼한 성격도 아니었다. 따라서 여기저기 구멍이 뚫려 있었다. 오슨 웰스가 아직 살아 있는데도 케일은 그를 인터뷰하지 않았다. 나중에 그녀는 시나리오를 누가 썼느냐는 질문에 대해 웰스가 어떤 대답을 할지 뻔하다고 생각했다면서, 그는 틀림없이 열심히 자기변호를 했을 것이라고 설명했다. 케일에게 맨케비치의 역할에 대해 주로 이야기해준 사람은, 웰스와 함께 일한 적이 있는 프로듀서 존 하우스먼과 그녀가 연구비를 대준 UCLA의 학자 하워드 서버였다. 이 두 사람은 웰스가 시나리오를 쓰는 데 전혀 참여하지 않았다고 확신했고, 폴린은 다른 쪽의 주장을 확인해보지도 않은 채 그들의 말을 그대로 옮겨 썼다.

이것이 그녀의 적들에게 불을 질렀다. 이번에도 케일은 출세 지향주의자라는 비판을 받았다. 그녀를 비난하는 사람들은 웰스의 거품을 꺼뜨리는 것이 그녀가 쓴 글의 진정한 목적이라고 주장했다. 웰스는 위대한 사람으로 널리 인정받고 있었으므로, 비평가들이 그를 보호하기 위해 발 벗고 나섰다. 앤드루 새리스는 케일이 이 글에서 작가주의를 옹호하는 자신을 또다시 은근히 비난하고 있다고 생각했다. 그래서 이번에는 『빌리지 보이스』에 기고한 글을 통해 코웃음을 치며 응수했다.

> 미스 케일은 허먼 J. 맨케비치에 관해 숨 막히는 폭로를 했으나, 최고의 대사와 장면을 모두 부스 타킹턴이 쓴 웰스의 영화 「멋있는 앰버슨 일가」(The Magnificent Ambersons) 때와 마찬가지로 작가로서 오슨 웰스의 명성이 심각하게 손상되지는 않았다.[45]

케일이 '작가주의'라는 개념에 대해 대리전을 치르고 있다고 보고, 그녀가 「원과 사각형」에서 이미 했던 말을 되새긴 사람은 새리스만이 아니었다. 심지어 고상한 평론에도 호전적인 은유들이 가득했다. 케일의 글에 공감하는 케네스 타이넌은 런던의 『옵저버』에 기고한 글에서 케일이 일종의 십자군전쟁을 치르고 있다고 보았다. "나는 그녀의 전쟁을 응원하지만, 가끔은 그녀가 전장을 잘못 선택했다는 느낌이 든다."[46]

오슨 웰스가 이 글 때문에 변호사 사무실에서 우는 소리를 하며 케일에게 소송을 거는 것을 고려하고 있다고 알려진 뒤[47](결국 그는 법적으로 이의를 제기했다), 런던의 『타임스』에 기고한 글을 통해 시나리오 집필이 합동작업이었다고 주장했다. 그 뒤 『에스콰이어』에도 웰스를 옹호하는 글이 실렸는데, 이 글은 웰스가 당시 잡지의 필자로 활동하던 피터 보그다노비치(현재는 영화감독)를 대리인으로 내세워 쓰게 한 것으로 널리 받아들여지고 있다. 「케인 반란」(Kane Mutiny)이라는 제목의 이 글에서 보그다노비치는 「시민 케인」을 거의 다루지 않았다. 그보다는 케일의 글을 조각조각 해체하는 데 치중했는데, 웰스에게서 많은 도움을 받았음이 분명했다. 보그다노비치가 가한 공격은 케일에게 제대로 먹혔다. 그녀가 연구비를 대준 UCLA의 학자 서버의 저작을 인용한 부분에 대해 출처를 밝히지 않았다고 통렬히 비난했기 때문이다. 설상가상으로 서버 또한 케일에게 화가 나 있는 듯했다. 그는 보그다노비치에게 맨케비치가 시나리오를 혼자 썼다는 케일의 주장에 자신이 동의했는지조차 확실히 모르겠다고 말했다.

보그다노비치의 글에는 또 하나의 목적이 있었다. 자신이 웰스에 관해 쓰고 있는 책을 미리 홍보하는 것. 그는 1969년부터 웰스를 인터뷰했던 자료들을 인용했다. 여기서 웰스는 맨케비치가 시나리오에 기여했음을 비교적 후하게 인정해주는 듯한 태도를 취했다(보그다노비치는 1992년에야 이 책을 내놓았다). 보그다노비치는 웰스의 말을 다음과 같이 인용했다. "맨케비치는 … 엄청난 기여를 했습니다 … 난 그를 아주 좋아했어요. 다른 사람들도 그랬고요. 많은 사람이 그를 높이 평가했습니다."[48] 이어서 보그다노비치는 케일의 문장을 거의 하나 건너 하나씩 웰스의 말로 반박했다. 물론 다른 자료들도 인용하기는 했으나, 글을 끝맺을 때도 웰스의 말을 직접 인용하며 케일의 주장 때문에 웰스가 얼마나 상처를 받았는지 강조했다.

> 혹시 내게 손주들이 생긴다면, 그리고 그 아이들이 어느 날 이런 책을 읽게 된다면, 할아버지인 나를 어떻게 바라볼지 생각하기도 싫다. 아마도 과대망상증에 걸린 기생충 중에서도 특별한 존재로 보지 않을까. … 미스 케일이 남긴 난장판을 청소하려면 아주 많이 쓸고 닦아야 할 것 같다.

케일은 웰스의 작품을 비평한 여러 글에서 그에게 선견지명을 갖고 놀라운 일을 이룩한 사람이라는 찬사를 보냈지만, 그런 사실은 중요하지 않았다. 사실 케일은 웰스의 작품을 다룬 거의 모든 글에서 그에게 최상급의 찬사를 바쳤다. 그런데 「시민 케인」을 다룬 이 글 때문에 이런 기억들이 모두 쓸려나가고 말았다. 확실히 케일이 실수를 저지른 부분은 있었다. 합동작업으로 이뤄진 작품을 정확히 누가 썼는지 밝혀내겠다고 나선 것은 사실 거의 불가능한 일이었으므로 그녀는 흔들렸다. 새리스와 보그다노비치가 논쟁에 참전하기 전에 이미 케일은 『새터데이 리뷰』(*Saturday Review*)와의 인터뷰에서 웰스의 역할을 깎아내릴 생각은 없었다고 밝혔다. 웰스가 그 영화의 핵심적인 인물이라는 사실도 인정했다.

> 맨케비치의 원고는 정말 놀라웠지만, 다른 감독이 그 영화를 만들었다면 평범한 작품이 되었을지도 모른다. … 케인 역을 다른 배우가 맡았어도 마찬가지다.[49]

그러나 이런 태도 변화는 별로 효과가 없었다. 논쟁이 시작된 초기부터 케일이 이 문제에 대해 정말로 어떤 생각을 갖고 있는지는 중요하지 않았기 때문이다. 케일은 이 글에서 저지른 실수들로 인해 평판에 흠집이 생겼고, 그녀의 주장이라면 무조건 싫어하던 사람들은 그녀를 끌어내릴 기회를 놓치지 않았다. 케일은 글로 싸우는 편을 좋아했으므로, 다른 사람들 또한 그렇게 싸우는 것이 잘못되었다고 생각하지 않았던 것 같다. 케일은 보통 전방부대처럼 자기주장을 내놓은 뒤, 멈추지 않고 행군하는 방식을 택했다. 비평가로 활동하는 내내 그녀는 자신의 글에 권위를 부여하려면 거의 초인간적인 수준의 엄청난 자신감을 표출해야 한다는 사실을 알고 있었다.

그러나 그것은 겉으로 내보이는 모습일 뿐이었다. 케일은 무모했지만, 또한 정밀했다. 자기 글을 스스로 수정하는 능력은 전설적이었다. 그녀의 친구이자 한때 피후견인이었던 제임스 울컷은 케일이 "E. B. 화이트의 동화에 나오는 요정학교 출신의 수다쟁이처럼 자신의 글을 광적으로 만지작거리는 사람"[50]이라고 표현했다. 이처럼 세심하다는 그녀가 사실 확인을 게을리했을까? 확실히 대답은 '그렇다'인 듯하다. 논쟁의 연속이던 그녀의 비평가 활동 중, 이 글은 묘하게도 그녀가 자신의 주장을 더 이상 고집하지 않기로 결정한 유일한 사례가 되었다. 켈로에 따르면, 케일은 보그다노비치의 글을 읽은 직후 우디 앨런과 식사를 함께 하면서 자신이 답글을 써야 할 것 같으냐고 물었다고 한다. 앨런은 "대답하지 마세요"[51]라고 말했다. 케일은 확실히 상처를 받았지만, 앞으로 다시는 기사를 쓰지 말아야겠다는 교훈을 얻은 것 같다. 또한 자신의 글을 좋아하지 않는 사람들과 어울리려는 노력도 그만두었다.

그러나 이 사건은 영영 지워지지 않았다. 몇 년이 흐른 뒤 케일은 오스카 파티에서 존 그레고리 던이라는 시나리오 작가를 만났다. 그는 이 만남을 옮긴 글에서, 자신이 보기에 저명한 영화 비평가인 케일에게 커다란 수치를 안겨주었음이 분명한 그 사건을 즉시 언급했다. 케일의 책 『케인 살리기』(*Raising Kane*)가 마침내 출판되었을 때, 그는 그 책의 평을 써달라는 요청을 거절했다.

자신이 보기에는 "지금껏 읽은 할리우드 소재의 어느 글 못지않게 키득거리는 웃음과 야유를 부르는 거만하고 멍청한 책"[52]이라는 것이 이유였다. 그러나 자신이 작업한 영화를 혹평할 수도 있는 사람과 충돌하는 것은 내키지 않았으므로, 자신의 생각을 밝히지 않은 채 그 책의 저자에 대한 선입견만 계속 갖고 있었다. 두 사람이 만난 오스카 파티에서 케일은 "푸치(이탈리아의 의상 디자이너 — 옮긴이)의 옷과 발이 편한 신발" 차림이었다. 그가 자신을 소개하자 그녀는 그의 이름을 알고 있다고 말했다. 그리고 곧바로 그의 아내 존 디디언을 만나게 해달라고 부탁했다.

폴린 케일, 1973년.

Didion

디디언

1934.12.5. —

10

"디디언은 직설적인 싸움보다
우아한 공격을 선호했다."

디디언과 케일은 손택과 함께 언급될 때가 많았다. 모두 캘리포니아 출신이기 때문이다. 뉴욕의 지식인들은 이것을 놀라운 우연의 일치로 보았다. 그러나 이 세 사람은 자신들의 이름이 함께 언급되는 것을 별로 좋아하지 않았다. 확실히 디디언과 케일은 서로 죽이 잘 맞는다는 생각을 한 번도 하지 않았다. 존 그레고리 던은 케일이 디디언을 만나고 싶다고 말했을 때 생각나는 것이라고는 그녀가 디디언의 소설을 싫어한다는 사실, 그리고 그 소설을 바탕으로 만든 영화 역시 싫어한다는 사실뿐이었다고 썼다. 케일은 이 영화를 가리켜 "공주 판타지"[1]라고 평했다. "많은 사람들에 비해 내가 이런 것을 잘 참지 못한다는 사실을 안다. 하지만 이것을 꼭 참아주어야 하는가? 내가 보기에 존 디디언의 소설은 우스꽝스러울 정도로 허세가 가득하다. 그 책을 읽으면서 나는 어이없는 마음에 계속 키득거렸다." 그래도 던은 두 사람을 소개해주었다. 본인들은 몰랐지만, 그에게는 두 사람의 공통점이 보였기 때문이다. "상대의 작품에 대한 상냥한 경멸과 몽구스의 본능을 지닌 두 거친 여자들이 착한 여자 행세를 하고 있다."[2]

'거칠다'는 말이 항상 디디언을 묘사하는 데 사용되지는 않는다. 그보다는 '우아하다', '매력적이다'라는 말이 더 자주 쓰이는데, 이 말이 항상 찬사를 의미하는 것만은 아니다. 디디언은 "우스꽝스러울 정도로 허세가 가득하다"는 케일의 말과 비슷한 비판을 계속 들어야 했다. 그러나 디디언 본인도 잘 알고 있었듯이, 겉만 보고 모든 것을 판단할 수는 없었다. 비록 그녀의 문체가 케일의 것처럼 구어체도 아니고 전투적이지도 않았지만, 다른 사람들이 스스로에게 품고 있는 환상을 깨뜨리는 분야에서는 케일 못지않은 솜씨를 발휘했기 때문이다. 그녀는 직설적인 싸움보다 우아한 공격을 선호했다.

디디언은 1931년에 새크라멘토의 중산층 가정에서 태어났다. 아버지 프랭크는 케일의 아버지처럼 이상주의를 추구하며 닭을 키우는 농부도 아니었고, 매카시나 웨스트나 손택의 아버지 같은 몽상가도 아니었다. 그는 현실적이고 안정적인 사람으로, 2차 세계대전이 발발할 때까지 보험 판매원으로 일했다. 1939년에 그가 주 방위군에 입대하자 가족들은 모두 그를 따라 캘리포니아 북쪽의 더럼과 콜로라도스프링스의 기지들을 돌아다니며 살았다. 대부분의 사람이 보기에, 아주 정상적이고 평온한 유년 시절이었다. 그러나 나중에 디디언은 계속되는 이사 때문에 처음으로 자신을 아웃사이더로 느끼게 되었다고 말했다. 수줍음 많은 성격도 그녀에게 도움이 되지 않았다. 그러나 낯을 가리면서도 그녀는 대중의 주목을 받는 삶을 꿈꿨다. 그녀의 첫 장래희망은 작가가 아니라 배우였다(매카시와의 공통점이다). 디디언은 힐턴 앨스에게 이렇게 말했다. "그때는 그것이 같은 충동의 산물이라는 사실을 몰랐다. 거짓을 사실처럼 믿게 만드는 공연이라는 점이 그렇다."[3]

그러나 프랭크 디디언에게는 그녀가 한 번도 글로 적은 적이 없는 몇 가지 사실이 있었다. 디디언은 개인적인 이야기를 담은 에세이로 명성을 얻었으므로, 그녀가 자신을 거침없이 드러낸다고 생각하는 사람이 많았다. 그러나 디디언은 일흔 살이 다 되어서야 젊은 시절의 불안한 일면에 대해 조금 입을 열었다. 그녀가 버클리 캘리포니아 대학 영문과에 입학한 첫해에 아버지가 샌프란시스코 정신병원에 입원했다는 사실에 대해.[4]

어머니 이듄 디디언은 그보다 덜 우울한 성격이라서, 디디언이 평생 옹호했던 캘리포니아의 거친 개척자 정신과 비교적 잘 맞는 사람이었다. 그러나 그녀 역시 내면생활이나 꿈을 지닌 사람이었다. 『보그』에 실린 에세이 공모전 광고를 디디언에게 알려준 사람도 어머니였다고 한다. 우승 상품은 파리 여행이었다. 어머니는 딸에게 네가 이 공모전에서 우승할 수 있을 것 같다고 말했다. 1956년에 실제로 그 공모전에서 우승한 디디언은 버클리에서부터 차를 몰고 집으로 가서 부모에게 소식을 전했다. 그러자 어머니는 이렇게 말했다. "정말?"[5]

사실 이것은 당시 20대 초반이던 디디언이 두 번째로 받은 상이었다. 1955년 여름에 이미 그녀는 맨해튼에서 『마드무아젤』의 게스트 편집자 프로그램에 참여한 적이 있었다(2년 전 시인 실비아 플라스가 참가했던 바로 그 유명한 프로그램이다. 플라스는 자전적 소설인 『벨 자』에서 이 프로그램을 비아냥거렸다). 디디언은 이 프로그램에 참여했을 때, 당시 시인 로버트 로웰과의 결혼생활을 끝낸 지 얼마 되지 않았던 소설가 진 스태퍼드의 깔끔한 프로필을 써서 이 잡지에 기고했다. 디디언은 장편소설과 단편소설의 시장성에 대한 스태퍼드의 생각을 훌륭한 연구자처럼 절제된 자세로 상당히 성실하게 정리했다. 나중에 그녀의 글에 드러나는 특징들은 여기에 흔적도 보이지 않았다.

디디언은 파리에는 가지 않았다. 대신 아직 버클리 대학 4학년생인데도, 『보그』에 맨해튼에서 일할 수 있는 자리를 마련해달라고 부탁했다. 『보그』가 편집부에 자리를 마련해주자 디디언은 1956년 가을에 맨해튼으로 이사했다. 이렇게 두 번에 걸친 뉴욕 입성은 디디언이 나중에 이 도시를 다시 떠나게 된 일에 대해 쓴 유명한 에세이 「모든 것이여 안녕」(Goodbye to All That)의 첫머리에 아주 간단하게 묘사되어 있다. 그녀는 스무 살 때, 즉 『마드무아젤』

Self-respect

its source, its power

By Joan Didion

「자존감에 대하여」, 『보그』 1961년 8월호.

프로그램 때 뉴욕을 처음 보았다고 말한다. 그러나 이 글에서 그녀가 주로 말한 것은 두 번째로 뉴욕에 왔을 때의 경험이다. 직장 상사들이 해티 카네기(20세기 초반에 뉴욕에서 활동한 패션 사업가 — 옮긴이) 매장에 가서 옷을 갖춰 입으라고 말했다는 이야기부터, 너무 돈이 없어서 블루밍데일 백화점의 고급 식당에서 외상을 그을 수밖에 없었다는 이야기까지 다양하다. 그녀는 젊은이답게 무일푼일 때도 힘들게 돈을 아끼려 하지 않았다.

분명히 말해서 디디언의 글이 독자들에게 거짓말을 하지는 않았다. 두 번에 걸친 뉴욕 입성 이야기가 워낙 교묘하게 축약되어 있고, 어차피 뉴욕에 직장을 얻어 이주한 사람들이라면 대부분 디디언이 묘사한 감정("돌이킬 수 없는 것은 하나도 없고, 모든 것이 손만 뻗으면 닿을 곳에 있었다")[6]이 일종의 재생 가능한 자원, 즉 몇 번이고 거듭 되돌아가 발을 담글 수 있는 감정이라는 사실을 잘 알고 있다. 그러나 디디언의 방법에서 배울 점이 하나 있다. 그녀가 자신의 경험을 바탕으로 꾸밈없는 자기표현 이상의 어떤 것을 의식적으로 만들어낼 때가 많다는 점이다.

『보그』에서 디디언은 처음에 광고부에 배치되었다가, 나중에는 예전에 도러시 파커가 맡았던 일, 즉 캡션의 초고를 쓰는 일을 맡게 되었다. 파커 시절 편집을 맡았던 에드나 울먼 체이스의 시대는 이미 끝난 뒤였다. 『보그』는 지면에 소개하는 의류에 관해서는 특히 예전보다 더 대담하게 변해 있었다. 그러나 『보그』 사무실의 분위기는 크게 변하지 않았다. 이 잡지사의 직원들은 말할 것도 없이 디디언보다 돈이 많았으나, 딱히 문학적이라거나 지적이지는 않았다. 그래도 그들은 트렌드를 좇았고, 때로는 그 덕분에 아주 좋은 필자들을 만날 수 있었다.

디디언이 항상 말했듯이, 그녀가 『보그』에 처음으로 자신의 이름이 달린 글을 실을 수 있었던 것은 우연의 산물이었다. 잡지에 실을 다른 원고가 들어오지 않아서 그녀가 그 원고의 분량만큼 글을 쓴 것이다. 그녀가 생각해낸 주제는 질투의 본질에 대한 단상이었는데, 강력한 확신이 담겨 있지는 않았다. 질투가 인생에 어느 정도 영향을 미친다는 진부한 주장을 펼쳤을 뿐이다.

> 일을 하는 데 자신을 어느 정도 쏟아야 하는 사람, 즉 작가나 건축가 같은 사람에게 물어보면, X라는 작가가 아주 뛰어난 사람이었는데 뉴욕에 와서 망가졌다든가, 다이애나 트릴링이 뭐라고 하든 Y의 두 번째 소설은 그의 진정한 잠재력을 아는 사람들에게 실망만 안겨주었다는 말을 듣게 될 것이다.[7]

이것이 작가가 눈부신 미래를 기대하며 마음을 다지는 소리로 들린다면, 당시 디디언이 문학적으로나 지적으로나 인정받는 잡지에 글을 쓰는 필자가 아니었다는 점을 명심해둘 필요가 있다. 『보그』는 1961년과 1962년에도 디디언의 글을 몇 편 더 실었는데, 그중 일부에는 디디언이 내심 느끼고 있던 좌절감이 반영되어 있는 것 같았다. 자부심, 상대의 거절을 받아들이는 능력, 감정적인 갈취 등이 그런 글의 주제였다.

당시 디디언이 글을 기고하던 잡지는 『보그』만이 아니었다. 『홀리데이』(*Holiday*)와 『마드무아젤』도 그녀에게 글을 맡겼다. "글을 쓰는 대로 보내던 시절이었다." 디디언은 여러 인터뷰에서 이렇게 말했다. "내게는 통제권이 없었다."[8] 이런 글들은 작가가 솜씨를 갈고닦는 과정의 시험작처럼 보이기도 한다. 디디언 본인도 이 글들이 최고의 작품이 아니라고 생각했는지, 나중에 에세이집에 포함시키지 않았다.

디디언은 보수적인 매체인 『내셔널 리뷰』에도 가끔 글을 기고했다. 주로 책과 문화에 대한 칼럼이었다. 문학적인 기법을 빌려와 잡지에 형편없는 자기계발 기사를 쓸 때와 달리, 여기서는 비난받을 위험이 덜한 주제들을 좀 더 자세히 다룰 지면을 확보할 수 있었다. 그래서 그녀는 J. D. 샐린저의 『프래니와 주이』(*Franny and Zooey*)에 대한 서평 같은 글을 썼다. 그녀는 이 책을 고압적으로 혹평하면서, 어느 파티에서 있었던 일을 이야기했다.

> 거기 파티에, 뭐, 기가 막힐 만큼 새라 로런스 대학출신다운 여자 한 명이 있었는데, J. D. 샐린저와 선(禪)의 관계에 대한 이야기에 나를 끌어들이려고 했다. 내가 반응을 보이지 않자, 그녀는 자기 딴에는 내 관심을 끌 만하다고 생각한 이야기를 꺼냈다. 샐린저가 이 세상에서 자신을 이해할 수 있는 유일한 인물이라는 것이었다.[9]

디디언이 그 뒤 몇 세대에 걸쳐 젊은 여성들에게 어떤 존재가 되었는지 생각해보면, 이 말은 정말이지 극적이고 아이러니하다. 후대의 젊은 여성들은 디디언이 글에서 자신들 내면의 가장 깊숙한 생각을 표현해주었다고 주장했다. 그러나 처음 글을 쓰기 시작했을 때 디디언은 그런 식으로 유명해질 생각이 없었다. 사실 샐린저는 그녀에게 끌어내려야 할 덩치 큰 남자였을 뿐이다. 그녀는 『프래니와 주이』가 "결국 겉만 그럴싸하다"고 말했다. 샐린저가 독자들에게 남들보다 더 멋지게 사는 법을 알고 있는 엘리트라는 의식을 심어주고 아첨한다는 것이 디디언의 생각이었다. 사실 샐린저는 사소한 것에만 초점을 맞출 뿐이었다. 그는 사소한 일, 피상적인 일에 집착하는 사람들의 존재를 확인해줌으로써 그들에게 기껏해야 일종의 자기계발서 같은 것만 제공해주었다.

메리 매카시도 『하퍼스』에 기고한 글에서 디디언과 같은 생각을 드러냈다. 『그룹』에 대한 반응 때문에 진이 다 빠진 지 1년밖에 안

됐는데도, 매카시는 이 책에 그 어느 때보다 섬세한 칼날을 들이댔다. 그리고 디디언과 마찬가지로 샐린저가 잔으로 술을 마시는 일, 담배에 불을 붙이는 일 등 사소한 부분에서 글을 너무 길게 끈다고 말했다. 그러나 매카시가 특히 싫어한 것은 샐린저식 세계관이었다. 자신이 믿을 수 있는 사람들만 진짜고, 다른 사람들은 모두 거짓말쟁이라는 인식. 매카시는 『프래니와 주이』에서 내내 출몰하는 시무어 글래스의 자살 사건이 지닌 모호성을 견딜 수가 없었다. 그녀는 그가 왜 자살했는지, 불행한 결혼 때문인지 아니면 지나치게 행복했기 때문인지 알아야겠다면서, 다음과 같이 잊을 수 없는 문장으로 글을 맺었다.

> 아니면 그가 줄곧 거짓말을 했기 때문일까? 그를 만들어낸 저자가 거짓말을 했기 때문에? 그 모든 것이 끔찍하고, 그가 가짜였기 때문에?

샐린저는 당시 인기의 정점에 있었으나, 은둔하기 직전이었다. 그러나 그에게 공통적인 불쾌감을 드러낸 매카시와 디디언의 글에 뭔가가 드러나 있다. 샐린저가 피상적인 존재에 불과한 것 같다는 인식. 재미있는 것은 이 두 여성이 모두 나중에 같은 길을 걷는다는 점이다. 두 사람 모두 흠 잡을 데 없는 문장을 쓴다는 찬사를 받았으나, 생각과 통찰이 아름다운 글에 결코 미치지 못한다는 비판을 받았다.

예를 들어, 케일도 디디언의 '허세'를 공격할 때 같은 맥락의 주장을 폈다. 그러나 케일은 디디언에게 솜씨가 있다는 사실을 알고 있었기 때문에, 그녀의 작품을 졸작으로 매도하면서도 번득이는 천재성이 있음을 인정했다. "드라이아이스 같은 문장에서 창작의 연기가 솟아오른다."[10] 케일은 디디언이 덜 상처받기를, 덜 우울하기를, 전체적으로 피해를 덜 받기를 바랐다. 그러나 이런 소망이 개인적인 스타일과 전혀 어울리지 않는 것 같았다. 케일은 특히 자신의 글에 결점이나 약점이 있다는 사실을 인정하지 않고 평생 도망만 다녔다.

비록 지금은 기억하는 사람이 드물지만, 이 두 사람은 한때 직업적인 경쟁관계가 될 만한 위치였다. 디디언은 1960년대에 잠시 『보그』에서 영화비평을 맡았다. 케일이 『뉴요커』에서 일을 시작한 때와 비슷한 시기였다. 디디언에게 할애된 지면은 케일보다 훨씬 더 적었으며, 영화비평계 내부의 싸움에 대한 관심도 확실히 케일보다 적었다. 그러나 디디언은 케일과 마찬가지로 대중의 금기에 대해 회의적인 생각을 갖고 있었다. 영화감독들에게 부여되는 감상적인 허가증 같은 것도 신뢰하지 않았다. 케일 역시 적어도 한 번, 어떤 영화를 비평하면서 디디언과 똑같은 목소리를 냈다. 1979년에 『뉴욕 리뷰 오브 북스』가 우디 앨런의 「맨해튼」(*Manhattan*)을 한 번 살펴보는 글을 써달라고 디디언에게 부탁했다. 이 글에서 디디언은 케일에게 돌파구가 되어준 「라임라이트」 비평처럼 매서운 기세를 내보였다. “전체적으로 그는 자신에게만 몰두하면서, 동시에 자신을 의심하고 있다.”[11] 디디언은 이렇게 말문을 열었다.

> “여자들과의 관계에 대해서는, 나는 아우구스트 스트린드베리(1849-1912. 여성을 싫어한 것으로 유명한 스웨덴 작가 — 옮긴이) 상을 수상할 만하다.” 영화 「맨해튼」에서 우디 앨런이 연기한 인물의 대사다. 이 인물이 나중에 다이앤 키튼에게 읊는 대사는 많은 사람에게 자주 인용되며 찬탄의 대상이 되었다. “나는 히틀러와 에바 브라운이 함께 했던 기간보다 더 오랫동안 한 여자와 사귄 적이 없습니다.” 이런 대사들은 의미도 없고 재미도 없다. 그저 ‘참고자료’에 불과할 뿐이다. 하비와 잭과 안젤리카와 『감정 교육』(*Sentimental*

Education)이 참고자료인 것처럼. 말하는 사람이 쇼비즈니스는 물론 문학과 역사에 대해서도 일가견이 있음을 전달하기 위한 멋들어진 대사에 불과하다.

우디 앨런의 영화에 자주 열광적인 지지를 보내던 케일이 「맨해튼」에 대해 디디언처럼 불쾌감을 표시했다는 점이 얄궂다. 그녀도 영화가 근본적으로 피상적이라는 사실을 심오해 보이는 대사가 감춰주고 있다는 우려를 드러냈다. "우디 앨런 외의 또 어떤 40대 남자가 진정한 가치를 찾겠다며 십대와 사귀는 방법을 내놓을 수 있겠는가?"[12] 케일은 1년 뒤 우디 앨런의 또 다른 영화 「스타더스트 메모리즈」(Stardust Memories)를 비평한 글에서 「맨해튼」을 이렇게 간접적으로 비난했다.

디디언은 논픽션에서 '나'라는 대명사를 사용하는 데에 전혀 거리낌이 없었던 것으로 보인다. 그러나 『보그』에 에세이를 쓰기 시작한 지 고작 3년 뒤인 1964년에 그녀는 자신이 아닌 다른 주제로 글을 써보고 싶어서 견딜 수가 없었다. 그녀의 삶도 변하고 있었다. 『런 리버』(Run River)라는 짧은 소설을 발표했으나 서점에서의 성적은 크게 실망스러웠다. 이 소설의 제목은 출판사에서 정한 것이고, 소설의 형식 또한 편집자가 완전히 바꿔버리는 바람에 원래 실험적이었던 구조가 몹시 평범하게 변해버렸다. 디디언은 이 시기에 한동안 친구였던 존 그레고리 던과 결혼도 했다. 그녀가 긴 연애를 끝내는 동안 그가 그녀를 도와주었기 때문이다. 두 사람은 각자 글을 쓰던 잡지사 일을 그만두고 캘리포니아로 이주하기로 결정했다. 거기서 텔레비전 쪽의 일자리를 알아보겠다는 막연한 계획이 있을 뿐이었다.

『보그』는 관계를 완전히 끊어버리기가 내키지 않았는지,

디디언에게 영화비평을 써달라고 부탁했다. 1946년, 결혼하기 겨우 한 달 전에 쓴 첫 칼럼에서 디디언은 자신이 다소 민주적인 태도로 비평을 쓸 것이라고 선언했다.

> 솔직하게 말하겠다. 나는 영화를 좋아해서 아주 너그러운 태도로 바라보기 때문에 혹시 여러분의 눈에는 너무 순진하게 보일지도 모른다. 내가 흐릿한 눈으로 바라볼 만한 영화라면 당연히 해당 분야의 고전, 즉 「정사」(L'Avventura), 「붉은 강」(Red River), 「카사블랑카」(Casablanca), 「시민 케인」 같은 영화가 아닐 것이다. 내가 원하는 것은 눈에 들어오는 순간들이 있는 영화뿐이다.[13]

이어서 디디언은 「필라델피아 스토리」(The Philadelphia Story), 「스피릿 오브 세인트루이스」(The Spirit of St. Louis), 「샤레이드」(Charade)에 긍정적인 표를 던졌다. 케일은 아직 영화비평계의 주류로 뚫고 나오지 못했을 때였다. 『나는 영화관에서 이성을 잃었다』도 아직 출간되지 않았다. 그러나 디디언의 글에서 그녀가 케일과 비교적 흡사한 시각을 갖고 있음을 알 수 있다. 그녀 역시 의문의 여지가 없는 졸작이라 하더라도 눈부시게 반짝이는 순간이 있다고 주장했다.

디디언은 다른 필자 한 명과 번갈아가며 영화비평을 썼다. 그래서인지 기억에 남을 만한 영화가 그녀에게 주어지지 않는 것 같았다. 그래도 디디언은 짧은 시간 안에 날카로운 안목이 있는 글을 쓰려고 애썼으므로, 대부분의 글이 디디언 자신보다는 파커의 글에 더 가까운 활기차고 신랄한 문장으로 이루어져 있었다. 디디언은 「핑크 팬서」(The Pink Panther)를 몹시 싫어했다. "현실의 진부함을 모두 갖춘 유혹(데이비드 니븐 vs. 공주)을 스크린에 담은 유일한 영화일 것이다."[14] 「가라앉지 않는 몰리 브라운」(The Unsinkable Molly Brown)에는 호감을 표시했지만, 주연배우인 데비 레이놀즈가 "폴짝폴짝 뛰면서 고함을 지르는 것만으로 서부를 손에 넣은 것처럼 연기하는 경향이 있다"[15]고 논평했다. 그녀는 십대들의 서핑 영화에 약하다고 고백하면서, "이런 열정을 사회학적으로 포장해보아야겠다"[16]고 말했다. 「사운드 오브 뮤직」에 대해서는 케일과 마찬가지로 반감을 드러냈다.

> 줄리 앤드루스와 크리스토퍼 플러머 같은 사람들은 역사적인 일을 겪을 필요가 없다고 말하는 듯한 분위기 때문에라도 몹시 당혹스러운 영화다. 휘파람으로 즐겁게 노래를 부르면서 나치 독일과 합병된 오스트리아를 떠난다니.[17]

그러나 디디언은 점차 영화비평에 싫증이 났다. 「사운드 오브 뮤직」을 비평한 그녀의 글이 너무나 통렬했기 때문에 『보그』는 그녀에게 더 이상 글을 맡기지 않겠다고 말했다. 그녀의 이야기에 따르면 그렇다(여기에도 케일과의 공통점이 있다. 케일 역시 같은 영화를 혹평했다는 이유로 『매콜스』의 필진에서 제외되었다). 어쨌든 디디언은 던과 함께 곧 『새터데이 이브닝 포스트』(*Saturday Evening Post*)로 옮겨 가 다른 주제들을 다룬 칼럼을 썼다.

『새터데이 이브닝 포스트』에서 디디언의 글은 커다란 변화를 겪었다. 「자존감에 대하여」(On Self-Respect)에서는 특징이 뚜렷하고 구슬픈 느낌이 있었던 디디언의 초창기 모습이 어렴풋이 드러났다. 그녀가 미국의 여름에 대해 『보그』에 기고한 또 다른 글에서도 마찬가지였다. 『새터데이 이브닝 포스트』가 그녀를 기꺼이 현장에 내보냈기 때문에, 그녀는 새로운 흥미를 느꼈다. 1960년대의 캘리포니아가 배배 꼬인 이야기들이 나오기에 비옥한

토양이어서 디디언이 칼럼 한두 편보다는 더 길게 거슬리는 어조를 유지할 수 있었다는 점 또한 도움이 되었다. 디디언은 『새터데이 이브닝 포스트』에 처음 기고한 글에서 헬렌 걸리 브라운(디디언은 어리석은 사람이라고 평했다)과 존 웨인(어리석은 사람이라고 평하지 않았다)을 다뤘다. 그러나 이 잡지 독자들의 마음을 제대로 공략한 것은 디디언이 처음으로 쓴 범죄 기사였다. 이 글은 디디언의 진가가 드러난 최초의 작품으로 읽히기도 한다.

「아무것도 남지 않았다고 어떻게 그들에게 말할 수 있을까」(How Can I Tell Them There's Nothing Left?)라는 제목의 글이었지만, 디디언이 나중에 작품집에 수록하면서 새로 붙인 「황금 꿈을 꾸는 사람들」(Some Dreamers of the Golden Dream)이라는 제목이 굳어졌다. 이 글은 명목상으로는 인근 지역에서 일어난 살인사건을 시간 순서대로 짚어보는 내용이었다. 아내가 자가용 안에서 남편이 불타 죽게 했다는 혐의를 받은 사건이었는데, 디디언은 즉시 카메라를 뒤로 쭉 빼듯 물러나 넓은 시각에서 당시 미국 대부분의 지역은 물론 캘리포니아에도 만연해 있던 모든 요인을 살펴보았다.

> 캘리포니아에서 전화 한 통으로 신앙을 얻기는 쉽지만 책을 사기는 어렵다. 이 나라에서는 곧이곧대로 해석한 창세기에 대한 믿음이 알아보기 힘들 만큼 미세하게 변해서, 영화 「이중배상」을 곧이곧대로 받아들이게 되었다. 여기는 부풀려서 세운 머리모양과 카프리 바지(7부나 8부 길이의 여성 바지 — 옮긴이)의 나라, 평생의 약속을 곧 하얀 웨딩드레스와 킴벌리나 셰리나 데비의 탄생과 같은 말로 여기고 절차가 빠른 멕시코 티후아나에서 이혼한 뒤 미용사 학원으로 돌아가는 여자들의 나라다.[18]

문제의 여성은 결국 남편을 살해한 혐의에 대해 유죄 선고를 받았지만, 캘리포니아 주 샌버너디노(디디언이 길고 긴장감 없는 첫 번째 문단에서 묘사한 곳이 이 지역이다) 계곡의 주민들은 당연히 이런 식으로 묘사되는 것을 달가워하지 않았다. “존 디디언이 걱정스럽다.” 하워드 B. 윅스라는 사람은 이렇게 썼다. 그는 로마린다 대학의 홍보 및 발전 담당 부총장이라고 자신의 직업을 밝혔다. “허드슨 강 너머 미지의 세계로 용감하게 들어간 뉴욕의 젊은 작가들에게서 이런 증상이 흔하게 나타나는 것 같다.”[19] 이 독자의 편지는 디디언이 아직 주류 세계로 뚫고 들어가지 못했음을 잘 보여주었다. 하워드 B. 윅스는 고향인 캘리포니아를 다룬 글로 미국의 상징적인 작가가 될 여성에게 설교를 늘어놓고 있다는 사실을 아직 알지 못했다.

디디언이 새로운 흥미 속으로 곧장 빠져 들어간 것은 아니었다. 그녀의 다음 글은 누구의 기분도 거스르지 않으려고 거의 한 걸음 물러난 것처럼 보였다. 글의 제목은 「큰 바위 사탕 무화과 푸딩 함정」(The Big Rock Candy Figgy Pudding Pitfall)이었다. 비록 디디언이 헬렌 걸리 브라운과 J. D. 샐린저에 대해 기본적으로 하찮은 사람들이라고 혹평을 하기는 했지만, 이 글은 그녀가 돈 때문에 쓴 것 같다는 짐작이 든다. 이 글에는 무화과 푸딩 스무 개와 사탕 나무 스무 개를 만들려고 애쓰는 과정이 자세히 담겨 있다. 그러나 디디언 본인의 가정생활에 대한 고뇌도 반영되어 있는 것 같다.

> 나는 연약하고 게으르며, 돈을 받고 하고 있는 일, 즉 혼자 앉아서 한 손가락으로 타자기를 치는 일 외에는 어떤 일에도 맞지 않다. 나는 나 자신이 유능한 여자, 부서진 울타리도 고칠 수 있고 겨우내 모두를 먹일 수 있을 만큼 많은 복숭아 절임도 만들 수 있고 필즈베리 제빵 경연대회에 나가 미니애폴리스

> 여행권도 따낼 수 있는 여자라고 상상하며 좋아한다. 솔직히 내가 언젠가 필즈베리 제빵 경연대회에서 우승할 수 있을 것이라는 믿음을 버리는 날이 온다면, 그것은 곧 뭔가가 죽었다는 의미일 것이다.[20]

던은 이 글에 마음씨 좋고 재미있는 인물로 등장한다. 그는 지출되는 경비 문제와 맞닥뜨렸을 때, 이렇게 말한다. "이번 주에는 우리가 정확히 어떤 치료를 받는 거지?" 그러나 디디언은 그 해 초에 자신과 던이 아이를 한 명 입양해서 퀸타나 루 던이라는 이름을 붙여주었다는 사실을 이 글 어디에서도 언급하지 않는다. 그녀가 집에서 일종의 여신 같은 역할("사탕을 나무 모양 장식 틀에 매달아 사탕 나무를 만들고 무화과 푸딩도 만드는 여자")을 해야 한다는 사실에 대한 불안감에서는 여성잡지의 냄새가 난다.

해가 바뀐 뒤 발간된 잡지에 실린 디디언의 글에 잡지사 측은 「마법에 걸린 도시여 안녕」(Farewell to the Enchanted City)이라는 제목을 붙였다(후대의 독자들에게는 「모든 것이여 안녕」이라는 제목으로 더 잘 알려져 있다). 사람들이 스스로에게 들려주는 이야기에 대한 디디언의 집착이 처음으로 분명하게 드러나기 시작한 것이 이때부터였다. 디디언은 자신이 뉴욕에 사는 동안 상상 속의 뉴욕이 실제 뉴욕을 압도했다고 암시했다.

> 내가 보았던 모든 영화와 내가 들었던 모든 노래가 뉴욕에 대해 심어놓은 일종의 본능이 내게 다시는 예전으로 돌아갈 수 없다고 알려주었다. 실제로 그랬다. 얼마쯤 시간이 흐른 뒤, 어퍼이스트사이드의 주크박스에서 흘러나온 노래에는 "예전의 나, 그 여학생은 어디로 갔나"라는 가사가 있었다. 밤늦은 시간이면 나도 그것이 궁금하다는 생각이 들곤 했다. 거의 모든

사람이 비슷한 궁금증을 품고 있다는 사실을 이제는 안다. 무슨 일을 하는 사람이든 조만간 그런 궁금증을 품게 된다. 그러나 스무 살이나 스물한 살, 또는 심지어 스물세 살 젊은이가 반대되는 증거가 잔뜩 있는데도 자신이 겪는 일이 지금껏 누구도 겪지 못한 일이라는 확신을 품는 것은, 축복이라 하기에 애매한 그 시절의 특징 중 하나다.[21]

이 글이 어찌나 유명해졌는지 그 덕분에 뉴욕을 떠나는 심정을 이야기한 에세이라는 하위 장르가 새로 만들어졌다고 말하는 사람들이 있다. 주크박스에서 흘러나오는 노래처럼 이 글은 모든 사람이 공통적인 경험에서 느끼는 감정을 표현하고 있다. 이 글의 놀라운 점은 디디언이 이 글을 쓰는 행위 속에 감정적인 클리셰를 재현해놓았다는 것이다. 이 글의 화자는 남들과 마찬가지로 허황된 이야기에 빠져버린 자신이 정말 어리석고 멍청했다면서 과거를 이야기한다. 이렇게 자신을 의식하는 문체, 조금 떨어진 위치에서 자신의 개인적인 문제를 전달하는 방식은 디디언의 특징이 되었다. 그녀는 이혼 같은 개인 문제를 다룬 글에서도 거리를 유지하며 광택이 날 때까지 글을 갈고닦아 한복판의 거친 부분을 감춰버렸다.

던과 디디언은 곧 『새터데이 이브닝 포스트』에서 정기적인 칼럼을 맡았다. 글에는 두 사람의 이름이 모두 달렸다. 요즘 사람들 눈에는 이상하게 보인다. 두 사람의 칼럼이 실린 지면 맨 위에 두 사람을 그린 삽화가 실린 것도 그렇다. 만약 던이 쓴 칼럼이 실릴 때면 그의 얼굴이 디디언의 얼굴보다 앞에 배치되었고, 디디언의 글이 실릴 때면 그녀의 얼굴이 앞으로 나왔다.

두 사람의 글 중 디디언의 칼럼이 대체로 더 흥미로웠다. 독자에게서 반응을 이끌어내는 그녀의 솜씨는 일품이었다. 그녀는 이 칼럼에 편두통을 다룬 글을 실었을 뿐만 아니라, 폐쇄된 앨커트래즈

교도소를 취재한 글이나 당시 캘리포니아 주지사 부인이던 낸시 레이건을 묘사한 엄청난 글도 실었다.

> 낸시 레이건은 주지사가 영화에 출연할 때도 분장을 한 적이 전혀 없으며, 영화사가 배우를 보호해주는 영화계보다 정계가 훨씬 더 거친 곳이라고 내게 말했다. … "남자에게는 예쁜 곳에서 일하는 것이 아주 중요합니다." 그녀는 내게 이렇게 조언했다. 그리고 주지사의 책상 위에 자신이 항상 채워놓는 사탕 병을 내게 보여주었다.[22]

거의 한 달 뒤에도 여전히 이 글에 분개하고 있던 낸시 레이건은 『프레즈노 비』(*Fresno Bee*)와의 인터뷰에서 이렇게 말했다. "나는 우리가 우호적인 분위기에서 이야기를 나눴다고 생각했습니다. 어쩌면 내가 조금 고함을 지르는 편이 더 나았을지도 모르겠습니다."[23]

디디언은 공연히 자신의 평가나 생각을 내세우지 않고 인터뷰 상대가 스스로 끌고 나가게 하는 것처럼 보이는 이 기법을 언제나 사용했다. 헤이트-애시버리(미국 샌프란시스코의 한 지역. 60년대 히피와 마약 문화의 중심지 — 옮긴이)를 탐사한 유명한 글에도 이 기법이 많이 등장한다. 디디언은 먼저 "중심부가 버티지 못하고 있다"는 것을 보여주는 현상들을 길게 열거한 뒤, 점점 넓어지고 있는 심연으로 들어가 한두 줄의 문장으로 스스로를 드러내줄 사람들을 찾아본다. 예를 들어, 젊은 데드헤드(미국 록밴드 그레이트풀 데드의 팬을 일컫는 말 — 옮긴이) 두 명이 있다.

> 나는 젊은 여성 두 명에게 무엇을 하고 있느냐고 물었다. "그냥 여기에 아주 많이 나오는 것 같아요." 한 명이 말했다.

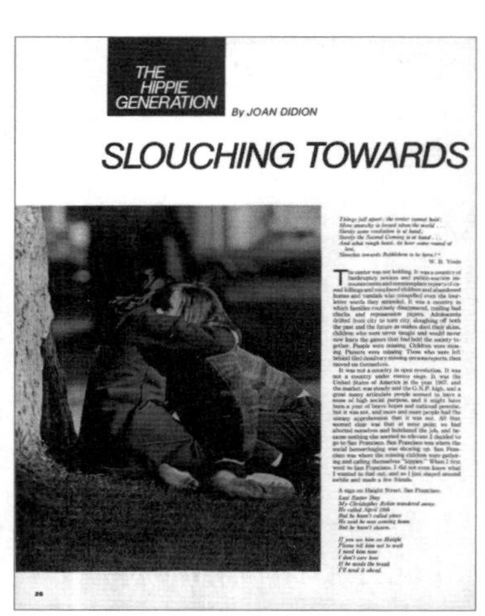

THE HIPPIE GENERATION

By JOAN DIDION

SLOUCHING TOWARDS

W. B. Yeats

26

「베들레헴을 향해 구부정하게 걸으며」, 『새터데이 이브닝 포스트』 1967년 11월호.
1821년 창간한 『새터데이 이브닝 포스트』는 픽션, 논픽션, 카툰, 피처 기사를 다루며 1920년대부터 60년대까지 미국 중산층 독자에게 큰 인기를 끌었다.

"난 그냥 데드를 좀 알아요." 다른 한 명이 말했다.[24]

이렇게 단조로운 답변들은 이 말을 한 사람의 공허한 내면을 대변해주었다. 『새터데이 이브닝 포스트』의 독자들은 대부분 디디언의 이런 평가에 동의했다. 독자의 편지에는 당시 흔히 히피 문화의 야만인이라고 불리던 사람들에 대해 디디언이 보여준 통찰력에 대한 찬사가 유난히 가득했다. 서니 '데이지' 브렌트우드처럼 반대하는 사람도 있었다. 브렌트우드는 "대다수의 히피들은 세상을 더 나은 곳으로, 더 살기 좋은 곳으로 만들려고 노력하는 착한 청년들"[25]이라고 계속 주장했다.

결국은 디디언의 견해가 승리를 거뒀다. 앞에 인용한 글이 수록되었을 뿐만 아니라 이 글에서 제목을 따온 1968년의 에세이집 『베들레헴을 향해 구부정하게 걸으며』(*Slouching Towards Bethlehem*)는 디디언의 명성을 확실하게 굳혀주었다. 디디언의 친구인 댄 웨이크필드는 『뉴욕 타임스』에 쓴 이 책의 서평에서 디디언이 "우리 세대의 작가들 중 가장 덜 유명하지만 가장 재능 있는 사람"[26]이라고 주장했다. 그는 예를 들어 당시 한창 인기를 끌고 있던 젊은 여성작가 수전 손택보다 디디언을 해석하기가 더 쉽다고 지적했다. 디디언의 책에 철저히 찬사를 보낸 사람은 웨이크필드만이 아니었다. 이 책의 서평을 쓴 거의 모든 사람이 그와 비슷한 목소리를 냈다. 어떤 사람들은 디디언의 총명함을 그녀가 여성이라는 점과 연결시키기도 했다. 멜빈 매덕스는 『크리스천 사이언스 모니터』(*Christian Science Monitor*)에 기고한 글에서, 찬사 같기는 하지만 암호처럼 이해하기 어려운 말을 했다.

여성들이 기자로 활동하는 현상은 남자들의 세계가 여성들을 실망시킨 것에 대해 치러야 하는 대가다. 용서를 모르는 여성의 눈, 망각을 모르는 귀, 모자의 고정핀을 숨기는 것과 같은 문체가 여기에 최고의 모습으로 구현되어 있다.[27]

이런 식으로 글을 볼 수도 있을 것이다. 모자의 고정핀을 언급한 부분은 디디언을 하찮게 취급하는 기색을 확실히 드러내고 있지만, 여성들이 의견을 말할 수 있게 된 것이 선물이라기보다는 '대가'라는 주장은 몇 가지를 짐작할 수 있게 해준다. 디디언은 글에서 '남자들의 세계'(이것이 도대체 어디인지 모르겠다)뿐만 아니라 여자들(걸리 브라운, 데드헤드, 낸시 레이건, 무화과 푸딩을 만들어야 하는 주부들)에 대해서도 똑같이 실망한 페르소나를 만들어냈다. 여성적인 글이라기보다는 통찰력과 예리함을 갖춘 글이었다. 여성이 특히 통찰력을 발휘하는 분야가 있기는 하지만, 그렇다고 해서 여성이 지적하는 것을 남성이 보지 못한다는 뜻은 아니다. 그들이 차분히 앉아서 귀를 기울이고 잘 살핀다면 볼 수 있다.

『베들레헴을 향해 구부정하게 걸으며』가 나온 뒤 수많은 사람들이 난데없이 나타나 그녀를 인터뷰하려고 했다. 호리호리한 몸매의 그녀를 찍은 아름다운 사진 옆에는 '존 디디언: 면도날처럼 날카로운 작가'[28]라거나 '존 디디언을 향해 구부정하게 걸으며' 같은 제목이 실렸다.[29] 1970년대의 일이었다. 한나 아렌트의 오랜 친구인 앨프리드 케이진은 곧 어느 매체의 의뢰를 따내 캘리포니아로 날아왔다. 그는 디디언과 던 부부가 살고 있는 말리부의 집에서 기분 좋게 두 사람을 만났다. 두 사람은 디디언이 1970년에 발표한 소설 『플레이 잇 애즈 잇 레이즈』(*Play It as It Lays*)를 시나리오로 옮기는 작업을 함께 하고 있었다. 호평을 받은 이 소설은 우울해하는 여배우 마리아 웨이스의 이야기를 담은 것이다. 케이진은 실제로 만나서 이야기할 때의 디디언이 글 속의 디디언과 다르다는 점을 지적했다. 1969년 『라이프』에 실린 유명한 칼럼에서는 이혼 직전의 연약한 사람처럼 보였으나, 실제로 만나 보니 겉만 반짝이는 사람이 아니라 현명하고 강철 같은 사람에 더 가깝다는 얘기였다.

> 존 디디언은 많은 장점을 지닌 사람이다. 황금의 주(캘리포니아 주의 별명—옮긴이)가 그토록 많은 좌절을 겪기 전에 새크라멘토에서 태어나 자란 것이 현명한 일이었다는 그녀 자신의 믿음에도 이 점이 분명히 드러나 있다.[30]

케이진은 계속해서 차이점을 열거했다. 그중에는 디디언의 목소리가 "그녀 본인의 소녀 같은 목소리보다 훨씬 더 강하다!"는 말도 있었다. 집이 말리부에 있다면 편안히 쉴 수 있을 것 같겠지만, 그는 저 아래에서 들려오는 파도소리 때문에 귀가 멀 것 같았다. "바닷가에 사는 사람들은 그 생활이 얼마나 피곤한지 잘 모른다." 그는 디디언을 도덕주의자로 평가하면서, 그녀가 진지함에 집착하고 있다고 지적했다. 그녀가 심지어 소설을 쓸 때도 문화비평가의 시각을 갖고서 자신의 주제가 갖고 있는 문제를 진단하려 든다는 지적도 했다. 이것은 메리 매카시와 비슷한 점이었지만, 소설 속에 드러나는 두 사람의 목소리는 서로 완전히 달랐다. 케이진은 디디언을 심지어 아렌트와도 연결시켰다. 언젠가 아렌트는 미국인들만큼 절망하는 사람을 유럽에서는 본 적이 없는 것 같다고 케이진에게 말한 적이 있었다.

케이진의 이러한 프로필이 지면에 실렸을 때쯤 디디언은 명실상부한 스타의 위치에 있었다. 그러나 편두통에 대해, 고향인 새크라멘토를 찾아가는 것에 대해 서정적인 글을 쓰게 허락해주고 글을 위해 그녀를 하와이까지 보내주기도 했던 『새터데이 이브닝 포스트』는 문을 닫았다. 다른 수입원을 물색하던 그녀에게 『라이프』는 칼럼 계약을 제안했다. 그러나 『라이프』와의 관계는

JOAN
DIDION
THE YEAR OF
MAGICAL
THINKING

『상실』 2005년 초판본.
디디언은 이 작품으로 전미도서상을 수상했다.

금방 어그러졌다. 디디언이 사이공으로 보내달라고 요청한 것이 문제였다(베트남 전쟁과 관련한 취재를 위해서였다 — 편집자). 그녀가 이런 요청을 한 것은 손택과 매카시를 포함한 많은 작가가 이미 그곳에 다녀왔기 때문이었는데, 편집자는 "남자들이 갈 것"[31]이라면서 받아들이지 않았다. 이런 취급에 분노한 그녀는 거대한 해일이 예상되는 기간에 하와이에 간 이야기를 다룬 유명한 칼럼을 썼다.

> 남편이 텔레비전을 끄고 창밖을 빤히 바라본다. 나는 그의 시선을 피하고 아기의 머리를 빗는다. 자연재해가 일어나지 않으니 우리 사이의 불편한 분위기가 되살아난다. 우리는 지금 이혼절차를 밟는 대신 태평양 한복판의 이 섬에 와 있다.[32]

이 에세이에는 디디언 본인의 삶이 드러나 있으나, 결혼생활의 불화라는 틀은 흐릿해진다. 대신 디디언은 자신이 모든 것과 동떨어진 느낌이라는 얘기, 뭔가를 느끼기가 너무 힘들다는 얘기를 시작한다. 옛 애인이 예언했듯이, 자신이 아무것도 느끼지 못하는 사람이 되었다는 고백도 이어진다. 이 글이 너무나 지독하게 어둡고 절망적이기 때문에, 『라이프』의 편집자들이 화들짝 놀란 것도 무리가 아니다. 그들은 그 당혹스러운 심정을 반영하는 제목을 붙였다. 「세상과 연결되는 문제」(A Problem of Making Connections) 그 뒤에 나온, 개인적인 문제를 깊이 다룬 칼럼들도 편집자들의 취향에는 맞지 않았다. 결국 디디언은 계약기간이 끝나기 전에 포기하고 물러나게 되었다. 편집자들이 그녀의 칼럼을 실어주려 하지 않았기 때문이다. 디디언은 세월이 흐른 뒤 『상실』(*The Year of Magical Thinking*)에서 그때 일을 이야기하면서 냉담한 발언을 한 편집자에게 복수했다.

이 사건은 디디언의 글에 대해 중요한 점 하나를 암시한다. 자신의 삶이 무너지고 있다는 느낌과 견딜 수 없는 절망을 글로 적을 때조차 그녀의 글에 작동하는 엔진이 하나 더 있다는 것. 디디언이 스스로 주장하듯이 정말로 우울증에 빠져서 어쩔 줄 모르는 사람이라면, 결코 이렇게 정밀한 산문을 쓰거나 핵심을 찌르는 단어를 찾아낼 수 없다. 그녀가 이혼의 가능성에 대해 고백할 때 작용한 엔진은 분노였다. 존 디디언을 사이공으로 가는 '남자들'보다 덜 대담한 필자로 생각한 그 편집자 때문에 자신의 능력을 모두 발휘할 수 없게 된 데에서 온 분노였다. 그 편집자의 행동은 형편없는 편집 결정만 모아둔 박물관에 전시될 만한 실수였다.

디디언은 다시 소설 집필로 돌아갔다. 가끔 『에스콰이어』에 글을 기고하기는 했지만, 거기서도 잘 적응하지 못했다. 그녀는 확실히 남자들과 어깨를 겨루는 사람이었다. 남자들이 그녀의 글을 알아보고 지면에 싣고 싶어 했다는 점에서 그랬다. 그러나 디디언은 그들의 세계에 자신을 맞출 수가 없었다.

그래도 여성잡지로 다시 주의를 돌리는 것은 그녀에게 참을 수 없는 일이었을 것이다. 마침 여성해방운동이 정점에 이른 시기였기 때문이다. 손택처럼 디디언도 갑자기 사방에서 우후죽순처럼 생겨난 의식화 모임들에 동조하는지 질문을 받았다. 그러나 그녀는 직접적인 논평을 계속 피하다가 1972년에 『뉴욕 타임스』 지면에 「여성운동」(The Woman's Movement)이라는 에세이를 발표했다. 여기서 그녀는 자신에게 영감을 준 책 열여섯 권을 꼽았다. 그러나 몇 달 전 『타임』이 내놓은 '여성 특별판'에 대해서는 확실히 좌절감을 느꼈다.

디디언은 새로 싹을 틔우던 2차 페미니즘 물결에 그다지 의미를 부여해줄 생각이 없었다. 그래서 그녀가 썼던 글 중에서 가장 직접적이고 무례한 말 중 일부를 여기에 퍼부었다. "이 열광적이고 지적인 열정에서 몹시 뉴잉글랜드 분위기가 났다."[33] 슐라미스 파이어스톤의 급진적인 페미니즘 저작에 대해 디디언이 한 말이다. 그녀는 여성운동의 방법들 중 일부를 가리켜 스탈린식이라고 표현하면서, 영국 작가 줄리엣 미첼이 마오쩌둥의 방법을 의식화 모임과 연결시킨 것을 콕 집어 지적했다. 디디언은 또한 『그녀의 친구들』과 『그룹』의 여자 주인공들을 해체해서 원래 모습을 알아보기 힘들 정도로 지나치게 정치화된 캐리커처로 변형시키려 드는 페미니즘 이론가들에 맞서 메리 매카시를 옹호해주었다. 페미니즘 이론가들은 매카시 소설의 주인공들이 "남자에게서 자신의 정체성을 찾으려는 고집을 버리지 않기 때문에 노예처럼 예속되어 있다"[34]고 주장했다.

그러나 디디언의 글이 단순히 페미니즘이라는 개념을 완전히 거부하기만 한 것은 아니다. 그녀는 하나의 통일된 운동이 되어야 하는 여성운동이 설거지 등 가사를 분담하는 문제처럼 사소한 이슈들을 놓고 논쟁의 늪에 빠져버린 상황을 걱정하는 사람으로 자신을 내세웠다.

> 물론 이런 하찮은 일들을 늘어놓는 것이 처음에는 여성운동에 반드시 필요했다. 아마도 자기 자신에게조차 분노를 숨기도록 조건화되어 있었을 여성들을 정치화하는 데 핵심적인 역할을 한 기법이었다. … 그러나 더 큰 문제를 인식하지 못하고, 개인의 영역에서 정치의 영역으로 귀납적인 도약을 하지 못한다면 그러한 발견들이 전혀 쓸모없는 것이 될 수 있다.[35]

디디언은 페미니스트들이 저서 속에서 일종의 망상을 구축했다고 보았다. "산부인과의사에게까지 괴롭힘을 당하고", "데이트 때마다 강간당하는" '모든 여성'(Everywoman)이라는 존재를 만들어냈다고 본 것이다. 디디언은 여성들이 위에서 내려다보며 선심을 베푸는 듯한 사회의 태도와 성역할에 대한 고정관념 때문에 피해를 보았음을 부정하지 않았다. 사실 당시 다른 필자들이 글에서 그녀를 묘사한 방식, 그녀가 남성 중심적인 잡지계에서 깔끔하게 자리 잡지 못한 것 등을 생각해보면 그녀가 그런 사실을 부정했을 것이라고는 상상하기가 힘들다. 그러나 그녀는 페미니즘 주류 필자들이 글에서 표현한 소망들을 지극히 유치하다고 보았다. "그들은 혁명이 아니라 '로맨스'를 원하는 개종자들이다."

디디언은 예전에 주로 도리스 레싱에 대한 글 속에서 여성들이 처한 상황을 여러 차례 다뤘다. 디디언은 도리스 레싱에 대해 『보그』에 한 번, 『뉴욕타임스 북리뷰』에 한 번, 도합 두 번 글을 썼다. 『보그』에 기고한 글에서는 지면이 부족한 관계로, 여성이기 때문에 겪어야 하는 '부당함'이 존재한다는 레싱의 견해에 동의하지 않는다는 말밖에 할 수 없었다. 그리고 나중에 레싱의 SF 『지옥 하강을 위한 브리핑』(*Briefing for a Descent into Hell*)에 대한 서평을 청탁받았을 무렵에는 레싱에 대한 디디언의 생각이 조금 누그러져 있었다. 페미니즘 정치학에 대한 레싱의 태도가 누그러진 것이 여기에 어느 정도 영향을 미쳤다. 레싱 자신의 표현을 빌리자면, "내면의 우주 소설"인 『지옥 하강을 위한 브리핑』은 현대 사회구조에 대한 비판보다는 광기와 소외를 다룬 작품이었다. 디디언은 이 작품을 딱히 좋아하지 않았지만, 레싱이 모든 형태의 무뚝뚝한 정치사상과 운동에 대한 미몽에서 깨어났다고 보고 축하의 말을 썼다. 디디언은 페미니즘도 그런 사상 중 하나라고 보았다.

> 해법을 찾겠다는 충동은 그녀만의 딜레마가 아니라 당시 시대를 이끄는 망상이기도 했다. 내가 충동을 높이 평가하는 것은 아니지만, 레싱 부인의 강인한 태도에 마침내 몹시 감동적인

부분이 생겨났다.[36]

페미니즘을 거부하던 디디언의 태도에 약간의 틈새가 생긴 셈이었다. 디디언은 페미니스트들의 전술과 저작을 여전히 싫어하면서도 그들의 목표와 희망에 은근하게 약간의 공감을 품게 된 것 같았다. 큰 변화는 아니지만 분명히 의미가 있었다.

그러나 페미니즘 쪽의 상황은 달랐다. 여러 페미니즘 활동가들이 『뉴욕 타임스』에 불만을 제기하는 편지를 보냈는데, 그중에 수전 브라운밀러도 있었다. 디디언이 글에서 살펴본 책 중에 그녀의 저서인 『우리의 의지에 반하여』(*Against Our Will*)가 포함되어 있었기 때문이다. 브라운밀러는 디디언이 단 한 번도 정확히 좌익 측에 선 적이 없고 『내셔널 리뷰』에 글을 쓴 적이 있음을 지적한 뒤, 암호처럼 이해하기 어려운 말을 이어나갔다.

> 진짜 강한 사람들은 항상 상대편에 있다는 사실이 흥미롭지 않은가? 나는 일주일 중 언제라도 화려하게 잘 다듬은 손톱보다 편한 신발과 청바지를 택할 것이다.[37]

이 글은 디디언을 여성운동과 영원히 분리시켰다. 그리고 그녀가 나름대로 전형적인 여성성을 표현하고 있다는 비판이 널리 퍼지는 계기가 되었다. 그녀는 복잡성을 옹호하면서도, 여성운동 내부에서 여러 종류의 이념적인 갈등이 벌어지고 있다는 사실을 감히 인정하지 못했다. 한편에는 소설가 앨릭스 케이츠 슐먼이 있었고, 다른 편에는 팸플릿 저자인 슐라미스 파이어스톤이 있었다. 그러나 디디언의 눈에는 그들 모두 똑같은 '모든 여성'이었으며, 다른 길을 걸을 능력을 갖고 있었다.

그때부터 1970년대가 끝날 때까지 디디언은 영화와 소설에 주로 매진했다. 그녀는 던과 함께 『플레이 잇 애즈 잇 레이즈』의 영화화 작업을 했으며, 영화 「스타탄생」의 리메이크에도 참여했다. 『일반 기도서』(*A Book of Common Prayer*)라는 소설도 발표했다. 『에스콰이어』에 가끔 글을 썼으나, 예전 같은 활기는 느껴지지 않았다. 그동안 여러 번 이혼의 위기를 넘긴 디디언과 던은 손님을 초대해서 파티를 여는 것을 즐겼으므로 여기에도 시간을 쏟았다. 디디언이 자신의 논픽션 글을 모아 두 번째 선집인 『하얀 앨범』(*The White Album*)을 펴낸 것은 1970년대 말이었다.

이 선집에 실린 에세이 「하얀 앨범」은 다음과 같은 유명한 문장으로 시작된다. "우리는 살기 위해 자신에게 이야기를 들려준다."[38] 이 첫 문장은 자기계발의 주문으로 자주 인용되지만, 디디언은 「하얀 앨범」에서 여러 가지 망상을 열거하다가 끝으로 작가가 삶에 이야기의 질서를 강요하는 탓에 "계속 변화하는 우리의 경험이라는 주마등이 그냥 멈춰버린다"는 결론을 내렸다.

이 에세이에는 디디언이 지난 세월 동안 해보려고 했으나 실패했던 프로젝트들도 언급되어 있다. 특히 디디언은 린다 카사비언을 언급한다. 린다 카사비언은 맨슨 패밀리(1960년대 말에 캘리포니아에서 범죄자인 찰스 맨슨을 예수처럼 신봉하며 따르던 무리 — 옮긴이)가 1969년 8월 배우 샤론 테이트의 집에 침입해서 그녀와 그 집의 손님들을 살해했을 때 자동차를 몰았던 스물세 살의 여성이다.

겉으로 보기에 카사비언의 이야기는 디디언에게 딱 맞는 주제 같았다. 그녀는 히피 운동이 약속하는 사랑과 멋진 생활에 홀렸으나, 디디언이 글에서 길게 썼듯이 그 약속은 가짜였다. 카사비언은 미국 역사상 가장 악명 높은 살인사건에 휘말릴 만큼 깊숙이 빠져버렸다. 그 살인사건은 너무나 잔인해서, 범죄를 한밤의 오락물 정도로 생각하는 나라에서도 유독 도드라질 정도다. 그러나 디디언은

카시비언을 연구해보려는 프로젝트를 결코 실행하지 못했다. 맨슨 패밀리가 저지른 살인사건들과 린다 카사비언은 1960년대 말의 정치적, 사회적 혼란 속에서 나타난 몽롱한 현상 중 하나였고, 그때 디디언은 자신의 마음조차 잘 모르겠다는 글을 쓰곤 했다.

> 나는 낮에 듣는 잘못된 정보들을 아주 똑똑하게 기억한다. 이 일도 기억하는데, 차라리 기억하지 못했으면 싶다. 아무도 놀라지 않았던 것도 기억난다.[39]

『하얀 앨범』에서 디디언은 도덕적으로나 철학적으로나 공허하던 1960년대의 상황 때문에 불행에 빠져 있던 자신이 어떻게 거기서 빠져나왔는지 제대로 밝히지 않았다. 어쩌면 그녀가 참여하고 있던 영화 덕분이었을 수도 있고, 그녀가 마침내 소설가로서 제대로 인정을 받은 덕분이었을 수도 있다. 『일반 기도서』는 아주 좋은 평을 받았다. 폭력과 아노미 현상이 판치던 1960년대의 상황만 아니라면, 그녀가 삶을 즐길 수도 있었을 것이다. 퀸타나는 무럭무럭 자랐고, 결혼생활도 힘든 시기를 넘겼으며, 수입도 많았다.

디디언에게 큰 행운이 찾아온 때는 1970년대였다. 옛날 『새터데이 이브닝 포스트』의 편집자들처럼 그녀가 재능을 마음껏 발휘해서 논픽션 글을 쓸 수 있게 해줄 편집자를 만난 덕분이었다. 그는 바로 이제 『뉴욕 리뷰 오브 북스』를 이끄는 두 편집자 중 한 명으로 자리 잡은 로버트 실버스였다. 그는 디디언이 잡지의 지면에서 마음껏 노닐게 해주었다. 그녀가 그를 위해 가장 먼저 쓴 글은 명목상으로는 스탠리 카우프만이 『뉴 리퍼블릭』에 쓴 영화비평을 다시 비평한 글이었으나, 디디언이 내심 겨냥한 목표는 따로 있었다.

폴린 케일이 "이제 영화사들이 무너지고 있으니" 같은 경쾌한 종속절들을 어찌 그리 자유로이 구사할 수 있는지, 또는 미궁 같은 업계의 저녁모임들을 어떻게 그리 완전히 잘못 이해해서 "할리우드의 아내들"을 "술 취한 천재들을 집에 데려가려고 파티에서 얌전히 앉아 기다리느라 턱이 딱딱하게 굳어버린" 여자들로 표현할 수 있는지 궁금했다.[40]

디디언은 케일과 카우프만처럼 영화제작 과정을 전혀 모르면서 영화에 대해 글을 쓰는 사람들을 계속 조롱했다. 그녀는 그들이 할 수 있는 일이라고는 영화에 특정한 지적인 표식을 적용할 수 있기를 바라는 것뿐이지만, 그것은 "샅샅이 살펴보는 눈길에서 잘 살아남지 못하는, 티슈 상자에 자수를 놓는 것 같은 꼴"이라고 말했다.

카우프만은 이 글을 읽고 나서, 자신이 여기서 별로 언급되지 않았으며, 디디언이 인용한 구절들 중 네 개가 자신의 다른 책에서 나온 것임을 알아차렸다. 그는 디디언의 글에 반대한다는 뜻을 밝히기 위해 『뉴욕 리뷰 오브 북스』에 보낸 편지에 다음과 같이 썼다.

짐작되는 이유: 1972년 12월 9일자 『뉴 리퍼블릭』에서 나는 미스 디디언의 영화 「플레이 잇 애즈 잇 레이즈」를 평하면서 제목이 같은 그녀의 소설을 언급하고, 내가 그 둘을 모두 더할 나위 없이 싫어한다고 밝혔습니다(미스 디디언이 자신의 글에서 입증한 것과 아주 비슷한 이유, 즉 영화가 진지한 주제를 다루는 척하지만, 사실은 명백히 상업적인 산물이라는 점 때문입니다). 어쩌면 미스 디디언은 제가 그녀의 작품에 찬사를 보냈어도 제 글을 싫어했는지 모릅니다. 그렇기를 바랍니다. 그러나 독자들 입장에서는 혹시 반박을 원할지도 모르겠습니다.[41]

디디언의 답변은 그녀답게 통렬했다. 그녀는 만약 카우프만이 자신의 작품에 긍정적인 평을 썼더라도 그의 글을 싫어했을 것이라고 주장했다. "나조차도 내 작품에 대해 조금은 미심쩍어할 것이다."

"전체적으로 그는 자신에게만 몰두하면서, 동시에 자신을 의심하고 있다."[42] 디디언은 우디 앨런의 작품을 비평한 글에서 이렇게 기억에 남는 문장으로 말문을 열었다. 앨런에 대한 그녀의 비판은 18년 전 J. D. 샐린저에게 했던 말과 거의 비슷했다. 앨런의 영화 속 등장인물들은 "영리한 아이들"이고, 그들은 진지한 어른이라면 누구도 쉽사리 감당할 수 없는 멋들어진 말들을 했다. 그들은 윌리 메이스, 루이 암스트롱과 함께 사는 이유를 열거할 때 사소한 것들에 집착했다.

> 우디 앨런의 이 목록은 궁극적인 소비자 보고서다. 이 목록이 그토록 긍정적으로 인용되었다는 사실은 미국에 새로운 계급이 생겨났음을 암시한다. 자신이 유행에 뒤떨어진 운동화를 신고, 유행에 뒤떨어진 교향곡 이름을 대고, 『보바리 부인』을 더 좋아하면서 죽게 될까 싶어 두려움으로 몸이 빳빳하게 굳은 사람들의 세계다.

디디언은 영화 「맨해튼」에서 고등학교에 다니는 인물을 불러낸다. 마리엘 헤밍웨이가 연기한 트레이시다. 디디언은 그녀를 묘사한 방식이 "청소년에 대한 또 다른 환상"이었다고 말했다. 그녀가 보기에 트레이시는 너무 지나치게 완벽했다. 앨런이 연기한, 마흔 살의 신경증환자와 트레이시가 데이트하는 것을 말려줄 가족도 없었다. 결국 우디 앨런의 팬으로 보이는 어떤 남자가 앨런에게 무례하게 군다고 비판하는 편지를 디디언에게 보내왔다. 디디언의 반응? "오, 와우."[43]

케일과 디디언은 적의 어린 태도를 절대 포기하지 않고 서로 친구가 되었다. 제임스 울컷은 회고록에서 케일이 특히 디디언이 앨프리드 케이진에게 한 말을 읽고 키득거리며 좋아했다고 말했다. "도너 파티(1846년에 미국 중서부에서 캘리포니아로 이주하려다가 눈에 발목이 붙잡혀 시에라네바다에서 겨울을 보내며 굶주림을 못 이겨 식인까지 했다고 알려진 미국 개척자 무리 — 옮긴이)의 망령이 나를 괴롭힌다."[44] 안타까운 일이었다. 이 두 사람이 우디 앨런뿐만이 아니라 더 많은 주제를 다룰 수도 있었을 것이다. 마침 이 무렵 디디언 역시 성공에 뒤따르는 괴상한 인신공격에 노출되기 시작했다.

이런 인신공격을 하는 사람 중에 바버라 그리주티 해리슨이 있었다. 한때 『네이션』에 비평을 기고하던 그녀는 「접속 중단일 뿐」(Only Disconnect)이라는 글을 썼다. 디디언이 때로 가차 없는 고통을 준다는 해리슨의 지적에는 옳은 부분도 있었지만, 처음부터 퀸타나의 이름을 놀림감으로 삼는 바람에 자신의 글을 망쳐버리고 말았다.

그보다 조금 나중에 또 다른 인신공격을 가한 사람은 메리 매카시였다. 디디언은 그녀의 팬이라고 해도 될 정도여서, 여성에 대한 에세이에서 매카시의 말을 자주 인용했다. 헬렌 걸리 브라운과 여성운동을 공격할 때 매카시의 소설을 노골적으로 언급한 것이 한 예다. 그러나 매카시는 1984년에 소설 『민주주의』(*Democracy*)에 대한 비평을 쓰면서 실망감만 드러냈다.

> 어쩌면 모든 퍼즐조각이 영화에서 나온 것인지도 모른다. 존 디디언이 소설가보다는 고참 시나리오 작가가 되기를 바라는 것인지도 모른다. 만약 그렇다면, 나는 화가 난다. 놀라운 사람이 되려면, 그보다 더 심오해야 한다.[45]

이 무렵 실버스는 디디언의 훌륭한 지성이 더 나은 목표, 즉 디디언이 탐색하듯 낱낱이 파헤치며 시간을 보낼 수 있는 주제를 겨냥할 필요가 있다고 생각한 것 같다. 그녀와 던은 몇 달 전부터 라틴아메리카에 가고 싶다는 이야기를 하고 있었다. 한 인터뷰에서 디디언은 사실 자기가 그 이야기를 먼저 꺼냈다고 말했다.

1982년에 디디언이 엘살바도르에 도착했을 때에는, 이 나라의 공산당 정권이 무시무시한 폭력을 휘두른다는 사실에 별로 의문의 여지가 없었다. 대주교가 설교단에서 총을 맞았고, 사진기자들이 학살 현장을 기록해서 알렸다. 알마 길레르모프리토는 『워싱턴 포스트』에 엘살바도르의 상황을 처음부터 죽 추적한 기사를 실었고, 톰 브로코는 디디언과 던 부부에게 자신이 안전하지 못하다고 느끼는 유일한 나라가 그곳이라고 말했다. 그래서 디디언은 앞서 손택과 메리 매카시가 그랬던 것처럼 자신도 어둠의 핵심으로 들어가 거기에 무엇이 있는지 살펴봐야겠다고 마음을 정했다.

베트남의 손택이나 매카시와 달리, 디디언은 엘살바도르에서 자신의 양심을 살펴볼 이유를 별로 찾지 못했다. 끔찍한 일들의 기록 속에 너무나 많은 거짓말이 도사리고 있었다.

> 엘살바도르를 방문하는 사람들이 도착하자마자 알게 되는 실용적이고 특별한 정보가 있다. 다른 곳을 방문한 사람들이 환율이나 박물관 개장시간을 금방 알아보는 것과 비슷하다. 엘살바도르에서 사람들은 독수리가 조직이 부드러운 부분, 눈, 노출된 성기, 벌어진 입을 먼저 뜯어먹는다는 사실을 알게 된다. 벌어진 입에 뭔가 상징적인 물건, 예를 들어 남근이나 흙(땅의 소유권이 걸린 경우) 같은 것을 쑤셔 넣으면 특별한 메시지를 전달하는 도구가 될 수 있다는 것도 알게 된다.[46]

디디언은 엘살바도르에서 자신의 기법에 대해 의문을 품기 시작했다. "엘살바도르가 바라는 미래가 구현된" 쇼핑몰에서 디디언은 밖에서 벌어지는 살인 등 갖가지 만행들과 너무나 어울리지 않는 그곳의 상품을 일일이 열거하는 것이 좋은 방법인지 궁금해졌다. 글에서 이 두 가지 현실을 아이러니하게 묘사할 수 있다는 사실이 더 이상 재미있지도, 신랄하게 보이지도 않았다. 그녀는 나중에 쓴 글에서 이 점을 분명히 밝히며, 자신이 어떤 '이야기'보다는 'noche obscura'('어두운 밤'이라는 뜻의 스페인어 — 옮긴이)를 목격하고 있는 것 같았다고 말했다.

담백한 이야기에 초점을 맞추는 것은 디디언이 「하얀 앨범」에서 이미 지적한 적이 있는 부분이었다. 이야기를 전하는 것은 어떤 사건을 끓여서 가장 기본적인 요소들을 추출하는 것이었다. 그러나 때로는 그 기본적인 요소들이 전체를 제대로 표현해주지 못했다. 디디언은 자신의 삶에 대한 글을 쓰면서 이 점을 처음 배웠다. 그녀는 독자들의 눈에 이혼에 대한 고백, 수첩에 메모를 하는 습관에 대한 고백, 자존감에 대한 고백처럼 보이는 글을 쓸 생각이었다. 그러나 그녀는 자신이 일부만 선별하고 있다는 것, 이야기의 몇 가지 요소가 감춰지고 있다는 것을 깨달았다. 그녀가 내보이는 이미지를 대중이 기꺼이 받아들인 데에서 그녀는 확실히 교훈을 얻었다.

디디언은 1980년대 내내 정치에 대해 많은 글을 썼다. 당시 미국은 마약에 젖어 몽롱하던 1960년대를 벗어나 안정을 되찾은 뒤였고, 다시 보수주의로 돌아서서 레이건 시대를 열었다. '미국의 아침'(레이건의 대통령 선거운동 광고에 나왔던 말 — 옮긴이)이라는 말이 돌아다니고, 대중매체도 1960년대와 1970년대의 대통령 선거 때보다 더 세련되게 발전해 있었다. 디디언에게 정치에 대해 글을 써보라고 말한 사람은 『뉴욕 리뷰 오브 북스』의 실버스였다. 그는 이야기가 디디언의 가장 훌륭한 소재라는 점을 잘 이해하고 있는 것 같았다. 그런데 정계만큼 괴상한 이야기들이 존재하는 곳은 없었다.

마치 미국 정치가 디디언의 예전 저작에서 교훈을 배우지 못한 것 같았다. 디디언이 「하얀 앨범」에 썼던, "우리는 살기 위해 자신에게 이야기를 들려준다"는 말은 딱히 칭찬이 아니었다. 이 말이 뜻하는 현실은 우리에게 모종의 피해를 준다. 이야기는 결국 자기기만이기 때문이다. 우리는 자신에게 일말의 진실을 감추기 위해 자기기만이라는 도구를 이용한다. 온전한 진실을 감당할 수 없는 탓이다. 특히 정치판에서는 온전한 진실을 제어하기가 불가능했다.

따라서 1988년 대선에 실패한 마이클 듀카키스의 선거운동을 보도한 기자들은, 디디언이 보기에, 너무 쉽게 남의 말을 믿는 사람들이었다. 선거운동 관계자들이 먹여주는 이야기를 기꺼이 받아들여 독자적으로 확인해보지도 않고 대중에게 전달했다는 뜻이다. 이 기자들의 이야기에 따르면, 듀카키스는 "대통령이 되어가는 중"이었으나, 그런 변신을 일으키는 요소들이 무엇인지는 계속 모호했다. 정치에 관한 글을 쓰는 필자들은 자신이 받아서 쓴 이야기를 독자들도 아무런 의심 없이 받아들이기를 기대하고 있는 듯했다. "이야기는 수많은 이해, 크고 작은 암묵적인 동의로 이루어져 있어서 극적인 줄거리를 얻어내기 위해 충분히 관찰할 수 있는 것도 간과하게 된다."[47] 디디언은 이렇게 썼다. 접촉 저널리즘(access journalism. 언론으로서 객관성 확보나 성실한 보도보다는 유명하고 영향력 있는 사람들과 접촉하는 것을 우선시하는 경향 — 옮긴이)에 대한 이러한 비판은 당시 디디언 정도의 위치에 있는 사람이 아니면 할 수 없는, 보기 드문 것이었다. 디디언의 지적으로 정치인들의 홍보 담당자와 기자들 사이의 공모가 사라지지는 않았지만, 사람들이 이 문제를 더 인식하게 되기는 했다.

정치 담당 기자들의 고분고분한 태도에 대한 디디언의 비판은 확실히 눈부시게 뛰어난 것이었다. 그러나 이보다 더 글에 활기를 불어넣어주는 부분이 있는 듯하다. 정치 담당 기자들의 삶에 대한 개인적인 시각이 조금 드러난 부분이다.

오래전 어떤 파티에서 디디언은 노라 에프런이라는 젊은 작가를 만나 친구가 되었다. 에프런은 나중에 워터게이트 스캔들을 보도해서 사실상 닉슨을 탄핵시킨 두 기자 중 한 명인 칼 번스틴과 결혼했다. 두 사람의 연애 과정은 마냥 행복하지 않았지만, 결혼생활은 처음에는 아주 탄탄했다. 워터게이트 사건 보도에서 짐작할 수 있듯이, 번스틴은 디디언이 극도로 싫어하던, 백악관의 방침에 아부하는 고분고분한 기자가 아니었다. 그래서 두 사람은 친구가 되었다. 1980년대 말에 번스틴이 공산주의자였던 부모에 대한 회고록을 쓰면서 가장 먼저 원고를 보여준 사람 중에 디디언도 포함되어 있을 정도였다.

그러나 에프런과 번스틴의 관계는 결국 그리 좋지 않게 끝나고 말았다.

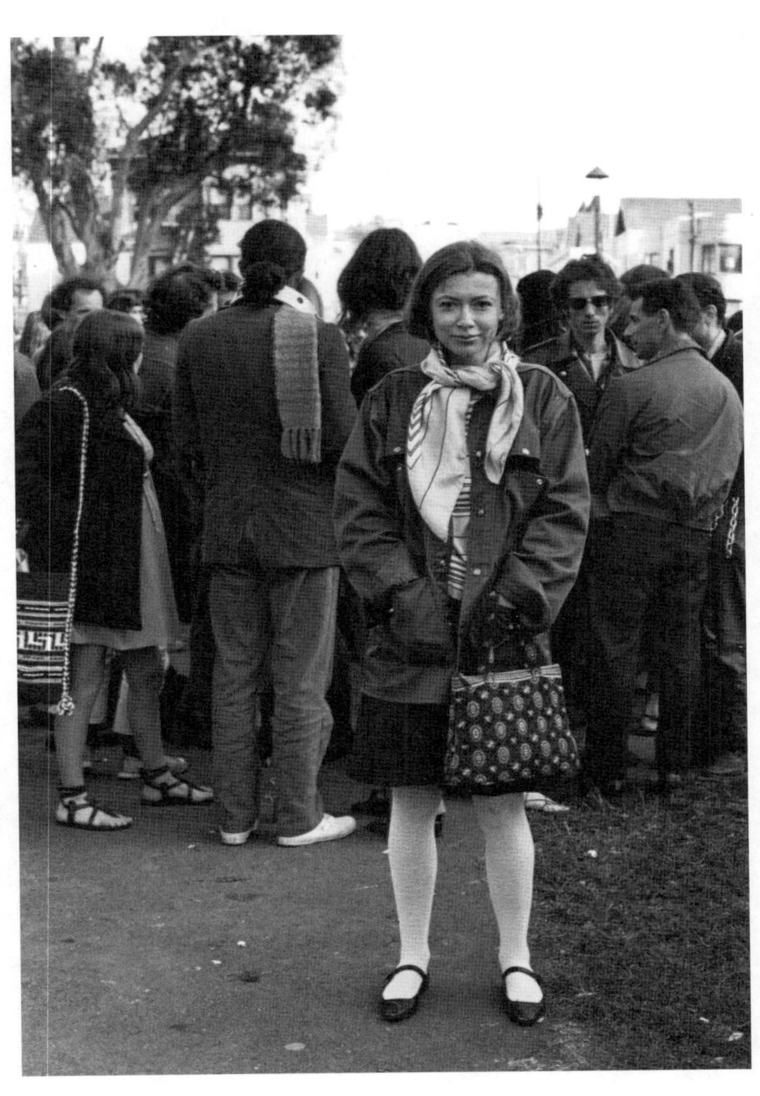

존 디디언, 1967년 샌프란시스코 골든게이트 공원.

Ephron

에프런

1941.5.19. — 2012.6.26.

11

"에프런은
농담과 코미디를 좋아했다.
이 두 가지가
생존에 꼭 필요하다고 생각했다."

노라 에프런이 발표한 유일한 소설은 칼 번스틴이 그녀의 삶을 파멸로 몰고 가는 과정을 그린 것이었다. 두 사람은 1970년대의 활기찬 뉴욕에서 처음 만났다. 둘 다 호전적인 성격이라서 아마 금방 죽이 맞았던 것 같다. 번스틴은 아직 워터게이트 사건이라는 월계관을 쓰고 있었고, 에프런은 베스트셀러 저서를 낸 페미니스트 작가이자 텔레비전 프로그램의 인기 출연자로 이미 대중적인 명성을 확보하고 있었다. 타블로이드 신문의 용어를 빌리자면, 이렇게 뛰어난 사람 둘이 서로 죽이 맞아 잘 어울리는 것은 운명이었다. 두 사람은 금방 당대의 커플이 되었고, 1976년에 결혼했다. 그렇게 세계의 정상에 서 있었으나, 번스틴이 부정을 저지르는 바람에 그 자리에서 내려오게 되었다.

적어도 『가슴앓이』(*Heartburn*)가 우리에게 들려주는 상황은 이렇다. 어쩌면 완벽할 수도 있었던 결혼생활이 유혈이 낭자한 끝을 맞았다는 것. "첫날은 재미있다고 생각하지 않았다." 『가슴앓이』의 화자인 레이철 샘스탯은 이렇게 썼다. "셋째 날에도 재미있다는 생각이 들지 않았지만, 그 일에 대해 조금 농담을 하는 데 성공했다."[1] 아니 그렇게 조금은 아니었다. 『가슴앓이』는 아직 어린 두 아이를 돌보면서 동시에 바람둥이 남편과도 헤어져야 하는 상황에서 느낄 수밖에 없는 절망에 대해 군데군데 요리법을 섞어가며 늘어놓은 긴 농담이기 때문이다. 화자는 남편의 바람을 좀 더 일찍 알아차리지

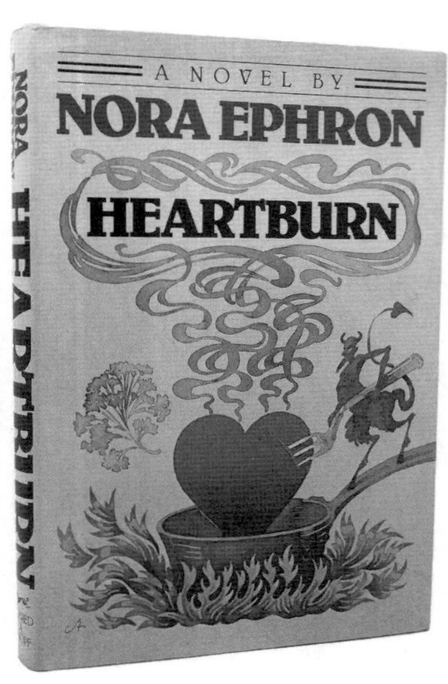

『가슴앓이』 1983년 초판본.

못한 자신을 책하지만, 사실 자신보다 남편을 훨씬 더 심하게 질책한다. "그 남자는 베니션 블라인드하고도 섹스를 할 수 있는 사람이다." 에프런은 이렇게 썼다. 이 작품에는 심지어 남편을 비난한 저자 본인의 존재도 드러나 있다.

> 모두들 내게 묻는다. 이 책을 쓴 것에 대해 남편이 화를 내던가요? 그러면 나는 이렇게 말할 수밖에 없다. 네, 네, 화를 냈어요. 지금도 내고 있고요. 그 일과 관련해서 내게 가장 매혹적인 일 중 하나가 바로 이것이다. 그는 바람을 피워놓고, 내가 그 일을 책으로 썼다는 이유로 마치 자신이 부당한 일을 당한 것처럼 굴었다!

『가슴앓이』는 에프런이 자신의 사명을 묘사할 때 항상 사용하던 말인 "모든 것은 표현하기 나름이다"를 전형적으로 보여준 작품이었다. 에프런은 끔찍한 경험을 가져다가 모두가 사랑하는 것으로 바꿔놓았다. 회의적인 반응을 보인 매체도 몇 군데 있었지만, 『가슴앓이』는 베스트셀러가 되었다. 그 덕분에 일시적으로 부자가 된 에프런은 번스틴에게서 벗어났다. 따라서 애당초 에프런이 이 책을 쓴 많은 목적이 달성되었다고 할 수 있다. 다만 이 경험이 항상 에프런을 규정하게 되었다는 점은 그 목적에 포함되지 않았다. 노라 에프런은 어느 모로 보나 불편한 일을 질질 끄는 사람이 아니었다. "무엇보다도 자기 인생의 희생자가 아니라 주인공이 되세요."[2] 세월이 흐른 뒤 웰즐리 대학 졸업식에서 에프런은 청중에게 이렇게 말했다.

실제로 에프런은 희생자가 되는 것에 대해 조금은 알고 있었다. 이 책에서 다룬 모든 인물 중에서 에프런은 도러시 파커와 직접적인 관련이 있는 유일한 사람이다. 시나리오 작가인 에프런의 부모가 할리우드에서 파커와 친한 사이여서 에프런이 어릴 때 파커가 노상 그 집을 드나들었던 것이다. 그러나 파커에 대한 에프런의 기억은 흐릿했다. "그녀는 약하고 자그맣고 반짝거렸다."[3] 그래도 어린 시절 에프런은 파커를 우상처럼 숭배하게 되었다. 적어도 그녀가 밖으로 내보이는 모습에 대해서는 그런 감정을 품었다. 에프런은 파커가 "홍일점"으로 활동했으며, 맨해튼의 말 잘하는 사람들에게 생기를 주는 재치와 천재성의 소유자였다는 사실에 빠져들었다. 자신도 그렇게 되고 싶다고 생각했다. 그래서 이것을 '도러시 파커 문제'라고 불렀다. 물론 나중에 에프런은 파커의 전기를 읽고서 이런 환상에서 벗어났다. 그녀가 알코올 중독자이자 '희생자'였음을 알게 되었기 때문이다. 에프런은 비록 내키지는 않았지만 그때 그 꿈을 버렸다고 주장했다. "자세히 살펴보기 전에는 아름다운 신화처럼 보였기 때문에 포기하기가 힘들었다."

이렇게 거품이 터진 충격은 에프런이 인정한 것보다 더 컸다. 1941년에 태어난 노라 에프런은 피비 에프런과 헨리 에프런이 낳은 네 딸 중 장녀였다. 에프런 가족은 타고난 기질과 재능 덕분에 스스로 많은 글을 생산해냈다. 네 자매가 모두 나중에 작가가 되었고, 세 명은 회고록을 썼다. 헨리 에프런도 회고록을 썼다. 자신을 표현하는 기술에 대한 교육이 시작된 곳은 어느 모로 보나 저녁식사 자리였다. 밤에는 식구들 중 가장 재미있는 사람이 되기 위한 경연이 벌어지다시피 했다. 가족들의 기록, 특히 노라가 남긴 기록에는 이런 때 농담이 오가던 모습이 그려져 있다. 에프런은 여기서 유머가 사람을 자유롭게 해준다는 것을 배웠다고 말했다.

식구들 중에 가장 재미있는 사람은 어머니인 피비였다. 리베카 웨스트의 어머니처럼 그녀도 재능이 많았다. 잘 맞지 않는 남자와 결혼한 것도 리베카 웨스트의 어머니와 닮은 점이었다.

피비 에프런은 브롱크스에서 어린 시절을 보냈으며, 나중에 상점 사무원으로 일했다. 파티에서 극작가 지망생이던 헨리를 처음 만났을 때, 헨리가 먼저 그녀에게 관심을 표했다. 피비는 청혼을 받아들이기 전에 그의 작품을 한 번 읽어보고 수준을 확인해야겠다고 고집을 부렸다.[4] 이것은 가족들이 소중히 간직하는 추억이 되었다. 피비는 항상 자기만의 권위를 갖고 있었으며, 사람들의 주목을 받았다. 그녀는 딸들에게 독립성보다 더 소중한 가치는 인생에 없다고 말했다. "내가 너희를 스스로 결정을 내릴 수 있는 사람으로 기르지 않았다면, 내 생각을 너희에게 말해봤자 아무 소용이 없겠지."[5] 노라는 자식들이 아주 어렸을 때부터 어머니가 이런 말을 해줬다고 기록했다. 피비의 삶 또한 예외적이었다. 그녀는 파커와 더불어 할리우드의 드문 여성 시나리오 작가 중 한 명이었으며, 남자들만 하던 일을 자기도 하겠다고 고집을 부렸다.

> 교조적이거나 독단적이지는 않았다. 「인형의 집」의 주인공 이름을 따서 내 이름을 지었지만, 어머니는 페미니스트로 불리는 것을 몹시 싫어했다. 어머니는 그냥 그녀 자신이었다. 어머니의 그런 모습 덕분에 우리는 모두 자신의 능력과 운명을 맹목적으로 믿는 사람으로 자라났다.[6]

이런 글을 읽어보면, 피비는 사랑스럽고 용감한 사람이었던 것으로 보인다. '페미니스트'라는 단어를 싫어한 사람에 대한 완벽한 페미니스트 이야기(입센의 작품에서 이름을 가져왔다는 점도 에프런과 웨스트의 멋진 공통점이다). 그러나 에프런은 자신이 열다섯 살 때 어머니가 술을 심하게 마시기 시작했다는 사실을 나중에 밝혔다. "원래 알코올 중독자가 아니었는데, 어느 순간 완전히 주정뱅이가 되어 있었다."[7] 음주와 함께 어머니가 고함을 지르며 싸워대는 일도 잦아졌다(헨리도 술을 많이 마셨고, 끊임없이 바람을 피웠다). 에프런은 어머니 말년에 자신이 어머니를 무서워하게 되었다고 고백했다. 한 번은 에프런이 웰즐리 대학에 다니던 시절 어머니가 학교로 찾아왔는데, 에프런은 자꾸 다른 핑계를 대며 어머니를 만나려 하지 않았다. 그때만 해도 에프런의 동급생들에게 피비는 멋진 사람이었다. 에프런의 부모가 당시 브로드웨이에서 큰 성공을 거둔 연극의 대본을 썼기 때문이다. 에프런은 그날 밤 어머니가 또 술에 취해 고함을 질러댈까 봐 걱정하며 시간을 보냈다. 피비는 그 뒤로 15년 동안 거의 내내 알코올 중독에 시달리다가 쉰일곱 살 때 간경변으로 세상을 떠났다.

노라 에프런이 어머니를 기리기 위해 쓴 글에는 이런 사정이 모두 언급되지 않았다. 에프런이 그것을 소화해서 받아들이는 데 아주 오랜 시간이 걸렸기 때문이다. “모든 것은 표현하기 나름이다”라는 말을 만들어낸 사람도 피비 에프런이었다. 그러나 꾸며낸 말만 있었던 것은 아니었다. 처음에는. 에프런은 70대가 되어서야 어머니가 일찍 죽기를 바랐다는 사실을 글에서 인정했다. 그때까지는 피비가 더 깔끔하고 목가적인 인생을 살다가 세상을 떠났고, 재치 있는 글을 쓰는 재주는 다음 세대로 이어진 것으로 알려져 있었다. 에프런은 임종을 앞둔 어머니의 이야기를 여러 방식으로 자주 들려주었다.

> 어머니는 죽음이 다가왔음을 아셨던 것 같다. 나를 바라보며 이렇게 말했다. “넌 기자지, 노라. 메모를 해라.” 이런 말을 들으면 어머니가 실제보다 더 강인한 사람이었던 것처럼 보인다. 어머니는 강인한 사람이었다. 그건 좋았다. 그러나 그와 동시에 부드럽고, 조금은 신비주의를 신봉하고, 자존심이 엄청나게 센 사람이었다.[8]

“메모를 해라”라는 말은 에프런이 다른 글에서도 자주 인용했다. 그러나 어머니에게 부드러운 면도 있었다는 말은 나중에는 대체로 사라져버렸다. 그러다 마침내 2011년에 나온 에세이집에서 에프런은 어머니의 알코올 중독을 밝혔다. 강인하고 재미있는 사람이었던 피비 에프런이 인생에 대해서도 딸에게 교훈을 주었다고 할 수 있다.

에프런은 아주 어렸을 때부터 일종의 페르소나를 구축해야 했다. 그녀의 부모는 "모든 것은 표현하기 나름이다"라는 말을 극단적으로 신봉했다. 에프런이 아기였을 때, 부모는 브롱크스에서 피비의 부모와 함께 살던 때의 일을 『셋은 한 가족』(*Three Is a Family*)이라는 희곡으로 썼다. 가볍게 웃으며 볼 수 있는 코미디를 의도한 작품이었으나 반응이 나빴다. 이 희곡이 영화화되었을 때, 폴린 케일이 몹시 미워했던 『뉴욕 타임스』의 전제적인 영화 비평가 보즐리 크로우더는 "완전히 유아적"[9]이라고 평했다. 나중에 에프런이 웰즐리에 다니던 시절에 집으로 보낸 편지에서 부모는 영감을 얻어 또 다른 작품을 썼다. 그들의 마지막 히트작인 『그녀를 데려가, 그녀는 내 거야』(*Take Her, She's Mine*)였다. 두 사람은 재치 있는 딸이 자랑스러웠는지 유혹을 이기지 못하고 희곡에서 딸의 말을 직접 인용해버렸다.

> 추신. 동급생들 중에 치열 교정기를 낀 사람은 나밖에 없어요. 이런 걸로 개성을 나타내고 싶지는 않네요. 이게 꼭 필요한지 쉬크 박사님한테 물어봐주세요. 만약 꼭 필요하다고 하신다면, 난 아마 치열 교정기를 잃어버릴 것 같아요.[10]

이 작품은 에프런이 매사추세츠의 웰즐리 대학에 아직 다니고 있을 때 브로드웨이에서 초연되었다. 비평가들은 즉시 호감을 나타냈다. 『위민즈 웨어 데일리』(*Women's Wear Daily*)는 "유쾌한 템페스트"[11]라고 평했고, 『버라이어티』는 "흥미로운 이야기다.

대사 중간중간에 다 안다는 듯 쿡쿡 웃어대는 소리와 너털웃음이 후추처럼 뿌려져 있다"[12]면서 호의적인 반응을 보였다. 이 작품은 1961년부터 1962년까지 거의 1년 동안 공연되었으며, 웰즐리 대학에서도 이 작품을 모르는 사람이 없었다.

에프런은 그녀의 상징이 된 무심한 태도로 이런 상황을 일일이 전달해주었다. 그러나 아주 어린 나이에 그녀는 다른 누군가의 작품을 위한 소재가 되면서 느끼는 좌절감을 이미 겪은 적이 있었다. 그녀의 삶이 희곡과 시나리오의 소재로 계속 사용되었기 때문이다. 존 디디언의 유명한 말처럼, "작가들은 항상 누군가를 팔아넘긴다".[13] 에프런은 다른 사람들보다 더 일찍 이 규칙을 깨달았다. 이것 때문에 신경이 쓰인다는 말을 한 적은 한 번도 없지만, 그녀가 하는 모든 일에 이것의 영향이 가득 배어 있었다.

어쨌든 그녀는 과거를 돌아보는 것을 좋아하지 않았다. 에프런은 1962년에 웰즐리를 떠나 뉴욕으로 갔을 때 고향에 돌아온 것 같은 기분이었다고 항상 말했다. 그녀는 유년 시절 중 많은 시간을 비벌리힐스에서 보냈는데도 그곳을 좋아한 적이 한 번도 없다고 주장했다. 고등학교 시절에 대한 글도 별로 쓰지 않았다. 십대 시절의 사진에서는 어색한 모습을 하고 있다. 멋지게 옷을 잘 입는 사람과는 거리가 먼 모습이었다. 직업에 대해 그녀는 이렇다 할 포부가 없는 것 같았다. 손택처럼 상상 속의 유럽을 갈망하며 십 대 시절을 보내지도 않았다. 뉴욕에 도착한 그녀는 간단히 직업소개소를 찾아가 기자가 되고 싶다고 선언했다. 그곳에는 마침 『뉴스위크』에서 사람을 구한다는 소식이 들어와 있었다. 그러나 소개소 직원은 여자가 그 잡지에 글을 쓰는 일은 없다고 그녀에게 말해주었다.

그의 말에 반발하거나, "내가 당신 말이 틀렸다는 걸

보여주죠"라고 말할 생각은 전혀 들지 않았다. 당시에는 여자가 이러이러한 일을 하고 싶다면 반드시 그 분야의 예외적인 존재가 될 수밖에 없다는 것이 당연한 사실이었다.[14]

에프런은 설리번 거리에서 친구와 함께 살았다. 당시 그리니치빌리지의 남쪽에 속하던 거리였다. 그녀가 이사한 날에 마침 그 동네에서 성 안토니오의 축제가 벌어지고 있었다.

『뉴스위크』에서 뽑는 것은 기자가 아니라 조사원이었다. 따라서 글을 쓰고 싶어 하는 사람에게는 조금 실망스러운 일자리였다. 에프런은 편집국장 밑에서 일하면서 편집국장의 책상 위에 놓인 기사에서 기자들의 이름을 보는 것이 고작이었다. 이 책에 등장한 많은 여성이 그렇듯이, 에프런에게 기회를 제공해준 사람 역시 기성 잡지의 편집자가 아니라 소규모 유머 잡지인 『모노클』(*Monocle*)의 편집자 빅터 내버스키였다. 그는 나중에 『네이션』의 편집자가 되었다. 에프런은 이 잡지사가 주최한 파티에서 그를 처음 만났다. 에프런을 재미있는 사람이라고 생각한 내버스키는 1962년 말 신문사 파업이 일어나자 에프런에게 당시 유명한 가십 칼럼이던 '라이언스의 굴'(필자는 레너드 라이언스)을 패러디한 글을 써달라고 부탁했다. 그리고 이 글이 『뉴욕 포스트』 편집자들의 눈에 띄어, 에프런은 곧바로 이 신문사의 기자로 스카웃되었다.

사실 에프런의 글을 인상 깊게 읽고 이 재능 있는 사람을 데려오자는 말을 먼저 꺼낸 사람은 『뉴욕 포스트』의 발행인이자 사교계 명사인 도러시 쉬프였다. 쉬프는 나중에 『워싱턴 포스트』의 발행인이 된 캐서린 그레이엄과 더불어, 부유하고 독립적인 여성을 상징하는 존재였다. 에프런은 나중에 쉬프를 가차 없이 평가한 글을 썼는데, 글의 내용이 워낙 통렬한 탓에 어쩔 수 없이 맨 앞부분에 다음과 같은 문장을 집어넣었다. "이제부터 쓰게 될 글을 생각하니 마음이 좋지 않다."[15] 그러나 쉬프가 없었다면, 노라 에프런도 없었을 것이다. 그 시기에 에프런은 자신을 무엇보다 기자로 생각했으며, 작가는 그 다음이었다. 그리고 이런 생각이 그녀의 페르소나에서 중요한 부분을 차지했다. 그녀는 자신이 기자가 되는 데 영향을 미친 인물로 매번 다른 사람을 꼽았다. 어떤 때는 1930년대에 나온 코미디 「그의 연인 프라이데이」(His Girl Friday)의 주인공 힐디 존슨에게서 영향을 받았다고 말하기도 했다. 에프런은 농담과 코미디를 좋아했다. 또한 이 두 가지가 생존에 꼭 필요하다고 생각했다. 에프런이 원하는 것은 사회문제에 참여하는 사람보다는 관찰하는 사람이 되는 것임을 일찍부터 스스로 알아차렸음을 짐작할 수 있다.

> 저널리즘에 끌리는 사람들은 대개 냉소적인 성격이나 감정적인 초연함이나 과묵함 등으로 인해 사건을 지켜보는 일밖에 할 수 없는 사람들이다. 그들이 직접 뛰어들어 헌신하는 것을 막고, 초연한 태도를 유지하게 해주는 뭔가가 있다. 내가 글로 쓰는 일들에 대해 초연한 태도를 유지할 수 있는 것은, 내 짐작에, 부조리에 대한 의식으로 인해 많은 일을 한꺼번에 몹시 진지하게 받아들이지 못하기 때문인 듯하다.[16]

『뉴욕 포스트』에는 확실히 부조리한 부분이 아주 많았다. 에프런은 그곳에서 취재하는 법과 빠르게 글을 쓰는 법을 배웠다고 항상 말했지만, 그 신문사 자체를 좋아하지는 않았다. 사무실은 더럽고, 기자들에게 책상이 하나씩 배정되지도 않아서 매일 책상을 차지하려고 싸워야 했다. 그러나 에프런에게는 아마도 어머니에게서 물려받은 듯한 강인함이 있었다. 어쩌면 어머니가 강인한 성격을 더 키워줬다고 할 수도 있을 것이다. 에프런은 도전에 직면했을 때 더 꽃을 피우는 것 같았다. 그녀는 모든 분야의 기사를 썼다. 범죄기사가 아주 많았고, 지역 정치인들의 프로필도 적지 않았으며, 뜨겁게 등장한 젊은 작가 수전 손택의 프로필도 썼다(이 기사는 평범한 내용을 담고 있다. 각광을 받는 삶, 손택의 의붓아버지, 그가 그녀에게 책을 너무 많이 읽으면 결혼하지 못할 것이라고 말했다는 사실 등을 다뤘다[17]).

그러나 일이 항상 좋기만 하지는 않았다. 쉬프는 신문사의 평판이나 자신의 평판에 딱히 신경을 쓰는 편이 아니어서 자꾸만 이상하고 불안한 분위기를 조성했다. 인색한 성격이라서 직원들에게 너그럽지도 않았다. 쉬프는 당시 뉴욕에서 유일한 여성 발행인이었으나 페미니스트는 아니었다. 자기 딸이 『여성의 신비』(*Feminine Mystique*)를 읽고 남편과 헤어져 정치에 투신했다는 생각에 베티 프리던을 싫어할 정도였다. 한 번은 자기 옆집에 사는 영화감독 오토 프레밍거가 아파트에 사우나를 설치하지 않았는지 조사하는 일을 에프런에게 맡기려고 시도했다. 쉬프는 조사가 필요한 근거로, 하루 종일 수돗물 소리가 들린다는 것을 들었다. 에프런은 참을성을 발휘해서, 사우나에는 수돗물이 사용되지 않는다고 설명하는 메모를 쉬프에게 보냈다. 쉬프는 다른 기자에게 그 일을 맡겼지만, 그 기자 역시 아무것도 찾아내지 못했다.

우리는 도러시 쉬프가 저지른 이상한 일들을 아주 많이 알고 있다. 어쩌면 역사에 기록되지 않았을 수도 있는 일들이지만, 노라 에프런이 글로 기록해두었다. 에프런은 『뉴욕 포스트』를 떠나고 나서 한참 뒤에, 자신이 어느 잡지사에서 쓰고 있던 대중매체 칼럼에 쉬프의 나쁜 점들은 물론 신문사의 결점까지도 나열한 글을 써서 실었다. 그녀는 자신이 프레밍거의 사우나 이야기를 라디오에서 밝힌 뒤 얼마 전 쉬프와 화해했지만, 다시 그녀를 공격하겠다고 밝혔다. 『뉴욕 포스트』가 "나쁜 신문사"라는 점이 큰 이유이고, 쉬프가 그 신문사의 조종간을 잡은 마리 앙투아네트라는 점도 이유 중 하나였다. "이를테면 사람들에게 싸구려를 읽힌다는 점에서."[18]

에프런을 좋은 기자로 만들어주었던 바로 그 초연함 덕분에 그녀는 고용주를 공격하는 데에도 기꺼이 나설 수 있었다. 케일이나 웨스트 같은 선배들이 그랬듯이, 자신이 아는 사람을 기꺼이 공격해서 분노를 사는 이런 태도는 세월이 흐르면서 그녀의 직업적인 자산이 되었다. 예를 들어 줄리 닉슨 아이젠하워(닉슨 대통령의 딸이자 아이젠하워 대통령의 손자며느리. 저술가로 활동했다—옮긴이)에게 했던 말("내 생각에 그녀는 거미같다"[19])과 같은 사나운 발언들 덕분에 그녀는 텔레비전에 출연해서 사회비평가로 명성을 얻을 수 있었다. 이것은 모두 그녀가 1980년대에 따뜻하고 너그러운 로맨틱 코미디 작가로 유명해지기 한참 전의 일이다. 그러나 어떤 면에서 에프런은 끝까지 초연함을 잃지 않았다. "내가 보기에 그녀는 사람보다 언어에 더 헌신적이었던 것 같다."[20] 배우 멕 라이언의 말이다.

에프런은 『뉴욕 포스트』를 떠난 뒤 프리랜서가 되었다. 그녀가 훌륭한 비평가의 재목임을 알아보고 가장 먼저 그 재능에 손을 뻗은 곳은 『뉴욕타임스 북리뷰』였다. 그녀는 이곳에 심각한 뇌손상을 입은 헤밍웨이 같은 에인 랜드의 문체를 패러디한 글을 발표했다.

> 25년 전 하워드 로크가 웃었다. 절벽 가장자리에 알몸으로 선 그의 얼굴에는 색칠이 되어 있고, 머리카락은 밝은 오렌지 껍질 색깔이었으며, 몸은 똑바로 깨끗하게 뻗은 선들과 여러 각도들의 조합이었고, 몸의 곡선들은 모두 매끈하고 깔끔한 평면으로 이어졌다. 그런 모습으로 하워드 로크가 웃었다.[21]

『뉴욕 타임스』가 제시하는 모든 소재를 에프런은 신나게 공격했다. 토크쇼 진행자인 딕 캐벗은 작가들이 여러 개념에 대해 논쟁하는 프로그램을 맡고 있었는데, 정성 들여 다듬은 그의 머리는 그 개념들을 이해하지 못했다. 노라 에프런은 프리랜서가 된 초창기에 그의 프로필을 다룬 글에서, 그의 매니저가 그를 미스터 텔레비전으로 부른다고 썼다. 캐벗은 처음에 이 호칭에 당황한 것 같았지만, 곧 이 호칭을 거부하면서 자기비판을 했다. 에프런은 잡다한 이야기가 네 문단에 걸쳐 길게 이어지는 캐벗의 이러한 반응을 모두 인용했다. 그가 자기 자신에게 얼마나 신경을 집중하고 있는지 보여주기 위해서였다.

> 내게 왜 항상 똑같은 타이만 매느냐고 묻는 편지들도 있는데, 틀렸다. 내 타이는 두 개다.[22]

에프런은 후에 영화비평가가 된 기자 렉스 리드에 대해서는 "날카로운 안목으로 우리 모두를 엿보는 자로 만드는, 뻔뻔하고 참견 많고 짓궂은 남자"[23]라고 썼다. 그리고 자신이 글을 쓰는 사람들 중에서 이런 특징을 지닌 사람을 좋아한다는 사실을 분명히 했다.

하지만 에프런은 초창기에 쓴 이런 글들을 선집에 많이 싣지 않았다. 그녀의 다른 글들과 비교해 초창기의 글을 읽어보면, 편집자들이 보통 그녀에게 진부한 주제만 맡긴 것이 문제가 아니었나 하는 생각이 든다. 1969년에 에프런은 출판 대리인, 편집자, 작가 등이 자주 갖는 긴 점심식사 모임에서 오가는, 패러디하기 쉬운 주제를 시간 순으로 정리한 글 「책을 만드는 사람들이 식사하려고 만나는 곳」(Where Bookmen Meet to Eat)을 『뉴욕 타임스』에 기고했다. 에프런은 이 글에서 섬세한 솜씨로 주제를 다루면서도, 마지막에는 한 출판 대리인에게서 마침내 "점심을 먹는 두 시간 동안 다른 곳에서 업무상 필요한 전화통화를 할 수도 있다"[24]는 말을 이끌어냈다.

물론 생계를 이어가기 위해서는 에프런도 주의할 필요가 있었다. 이 시기 이후의 인터뷰에서 그녀는 딱 먹고살 만큼만 벌고 있다고 말했다. 1974년 이전에는 1년에 1만 달러를 버는 것이 고작이었다는 것이다.[25] 앞서 손택이 그랬듯이, 에프런도 돈을 위해 여성잡지, 특히 『코스모폴리탄』에 글을 썼다. 여성잡지에 쓴 글이 항상 재미있기만 했던 것은 아니다. 에프런 본인의 표현처럼, "글을 쓰는 사람으로서 내게 가장 만족스러운 지적 수준"에서 글을 쓸 수 없었기 때문이다. 그녀가 바로 이런 글들을 쓰다가 좌절감과 갑갑함, 특히 헬렌 걸리 브라운으로 인한 좌절감을 이기지 못하고 여성운동에 이끌리게 되었다고 짐작해볼 만하다. 그런 잡지들이 그녀에게 맡긴 글은 누구나 쉽게 짐작할 수 있는 주제, 즉 이미지 변신, 여행, 섹스, 코파카바나의 쇼걸 등을 다루는 글이었다.

그러나 걸리 브라운이 『코스모폴리탄』 특유의 분위기에서 벗어나는 글을 에프런에게 맡긴 적이 한 번 있었다. 패션 타블로이드지인 『위민즈 웨어 데일리』가 걸리 브라운 자신에 대한 글을 자주 싣는 것(이 잡지는 잡지 편집자로서 걸리 브라운의 이력을 그리 우호적이지 않은 논조로 자주 다뤘다)에 속이 상했는지, 에프런에게 그에 대한 글을 쓰는 것을 허락해준 것이다. 에프런은 이 잡지의 가식을 부숴버렸다. '레이디'라고 불리는 소수의 독자들만을 겨냥한 삼류 가십지라면서, 제멋대로 구는 레이디들의 삶을 가차 없이 웃음거리로 만들어버린 것이다. "아무것도 안 하고 빈둥거리다가 점심을 먹고 또 빈둥거리는 삶은 조금 민망했다."[26] 에프런은 『위민즈 웨어 데일리』가 "나쁜 년 대리"로서 유명한 사람들의 외모를 웃음거리로 삼으면서 저널리즘을 자처하는 행위를 위한 일종의 구실을 제공해준다고 말했다.

에프런의 글은 『위민즈 웨어 데일리』를 그들 특유의 스타일로 끌어내렸다. 이 잡지는 전문직 여성, 그들의 외모, 데이트 상대,

일하는 방식을 깎아내리는 말을 하면서 그 사실을 덮기 위해 키득거리며 비밀을 털어놓는 듯한 태도를 취하는 습관이 있었다. 그러나 『위민즈 웨어 데일리』는 에프런이 자신들의 문체와 어조를 일부러 얄궂게 따라 했음을 알아차리지 못하고 소송을 걸겠다며 위협했다고 한다. 에프런이 나중에 글을 통해 밝힌 사실이다.

한편 에프런은 『코스모폴리탄』에 글을 쓰면서 동시에 이 잡지에 관한 자료들, 특히 편집자에 관한 자료들도 모으고 있었다(어쩌면 헬렌 걸리 브라운은 이런 일을 예상했는지도 모른다). 에프런은 자신의 글을 눈여겨본 『에스콰이어』에 걸리 브라운의 프로필을 썼다. 이 잡지에 처음으로 실린 이 글에서 그녀는 걸리 브라운의 성격 중 최악의 부분들을 강조하려고 했다. 걸리 브라운의 문제는 비판에 직면했을 때 울음을 터뜨리는 버릇도 아니고, 그녀가 예를 들어 젊은 여성들에게 유부남과 데이트하라고 조언한 것을 두고 사람들이 자주 지적하는 도덕적 타락의 가능성도 아니었다. 에프런은 걸리 브라운의 잡지에 글을 썼던 사람만이 또렷하게 알 수 있는 특징을 대신 지적했다. 걸리 브라운이 대체로 여성들의 지적인 능력을 모욕적으로 깎아내리는 사람이라는 것.

> 그녀는 정치도 여성해방운동도 베트남 전쟁도 아니라 남자를 잡는 법에 대한 글을 읽으려고 기꺼이 60센트를 지불하는 여자들이 백만 명을 훌쩍 넘는다는 사실을 다소 강력하게 증명하고 있다.[27]

이 주장은 헬렌 걸리 브라운에 대한 디디언의 주장과 조금 닮았다. 디디언은 어느 대중잡지의 편집자가 "어린 공주, 자신의 책과 거기에 실린 모든 광고가 속삭이는 목소리로 약속한 것들을 실현한 여자, 다양한 일을 겪는 여자"[28]가 되고 싶어 한다면서 저속하다고 비판하는 글을 썼다. 그러나 에프런은 위에서 내려다보며 경멸하는 태도로 글을 쓰지 않았다. 디디언과는 달리, 이런 경박함이 지닌 매력을 이해했기 때문이다. 따라서 그녀는 좀 더 민주적인 관점에서 걸리 브라운을 공격했다. 먼저 그녀는 자신이 『코스모폴리탄』에 글을 쓸 뿐만 아니라, 이 잡지를 읽는 독자이기도 하다고 인정했다. “내 연락처를 아는 사람에게 어떻게 화를 낼 수 있을까?” 에프런은 이렇게 물었다. 그러나 이런 태도가 처음에는 걸리 브라운에게 별로 효과가 없었다. 그녀는 에프런이 쓴 글뿐만 아니라 특히 함께 실린 사진도 몹시 싫어했다. 하지만 며칠 만에 에프런을 용서해주었다.[29]

에프런이 그 다음으로 겨냥한 상대는 예일 대학에서 고전을 가르치는 교수이자 베스트셀러 소설 『러브스토리』(*Love Story*)의 저자인 에릭 시걸과 시인 로드 맥컨이었다. 에프런은 자신이 쓰레기 같은 작품을 아주 좋아한다고 고백하면서, 특히 재클린 수잰의 작품을 좋아한다고 말했다. “저속한 작품이 죽음을 불러오는 법은 없다고 믿는다.”[30] 그녀는 이렇게 단언했다. 그러나 시걸과 맥컨의 감상적인 글은 참아낼 수 없었다. 그들이 대중 앞에 내보이는 모습, 특히 시걸의 페르소나도 참을 수 없었다. 당시 베스트셀러 목록에서는 필립 로스의 『포트노이의 불평』이 시걸의 작품과 순위를 다투고 있었는데, 시걸은 성적인 장면을 노골적으로 묘사한 로스의 작품을 습관적으로 비난하곤 했다(아마도 삼류 소설로는 이례적으로 『러브스토리』에는 정사 장면이 전혀 없었다). 에프런은 그런 모습을 지켜보며 경악했다.

> 모두 에릭의 발언을 좋아한다. 다시 말해서, 영화비평가인 폴린 케일만 빼고 모두. 케일은 예전에 버지니아 주 리치먼드에서 열린 저자와의 오찬에서 에릭의 발언을 들은 뒤 그에게 표현의 자유를 때려눕히고 청중에게 아부를 떨고 있다고 말한 적이 있다.

에릭은 이렇게 대답했다. "우린 책을 팔려고 이 자리에 와 있는 것 아닙니까?"

내부자의 시각으로 널리 퍼진 현상을 이야기하고, 그것이 사람의 성격 중 가장 저열한 부분에 어떻게 영합해서 장난을 치는지 파악하고, 그것을 또 내부자의 시각에서 비판할 수 있는 능력이 에프런을 1970년대(특히 여성운동)의 훌륭한 연대기작가로 만들어주었다. 그녀는 내부자인 동시에 외부자였으며, 언제나 모든 일의 중심에서 초연한 태도를 유지했다. 그녀의 통찰력은 그 당시의 분위기에 가장 잘 맞았다. 물론 나중에 영화감독으로서 에프런의 명성에 그녀가 쓴 모든 글이 가려져버리기는 했다. 그러나 사람을 가늠해서 꼭 필요할 때 침착하게 잘라낼 수 있는 능력과 그녀의 실제 성격이 영원한 흔적을 남긴 곳은 바로 그녀의 글이다. 글 덕분에 그녀는 사람들이 자랑스러워하고, 열심히 잘 보이려고 애쓰면서 조금은 무서워하는 친구가 되었다. 바로 그 때문에 그녀가 초창기에 쓴 글들이 유독 밝게 빛을 발한다.

에프런은 대부분의 글을 일인칭으로 썼는데, 처음에 기자로 훈련받은 탓에 평생 그 점에 대해 조금 꺼림칙하게 생각했다. 처음 『뉴욕 포스트』에서 일을 배울 때는 편집자들이 자신을 글 속에 끼워 넣지 말라고 그녀를 다그쳤다. 그러나 초창기의 글들을 모아 1970년대에 『홍청망청 잔치에 참석한 벽의 꽃』(*Wallflower at the Orgy*)이라는 책으로 펴내면서 그녀는 편집자들의 그런 제약에 조금 화가 났다고 고백했다.

> 인터뷰를 한창 하다가 "나! 나! 나! 당신 얘기는 충분해. 내 얘기는 어때?"라고 불쑥 말하고 싶은 마음을 거의 주체할 수 없을 때가 있었다.[31]

세월이 흘러 그녀가 진정한 유명인사로서 온갖 종류의 인터뷰를 경험한 뒤에는 젊은 시절의 이런 허영심을 민망해했다. 그러나 그녀가 1972년에 『에스콰이어』에 쓴 「젖가슴에 대한 몇 마디」(A Few Words About Breasts)만큼 에프런 본인과 그녀의 목소리, 그녀의 시각을 완벽히 보여주는 글은 없다.

이 글의 주제는 독자에게 관찰을 요구한다. 에프런의 가슴이 유난히 납작하다는 것이 글의 주제이기 때문이다. 확실히 그것은 유전적인 특징인 듯하다. 에프런은 딸들이 처음으로 브래지어를 사달라고 말했을 때 어머니가 보인 신랄한 반응을 이 글에 밝혔다. "그냥 일회용 반창고나 붙이지 그러니?"[32]

에프런은 여자들이 "젖가슴의 크기에 대해 경쟁적으로 언급하는" 게임을 계속 벌이고 있다고 썼다. 에프런 본인도 예전에는 그 주제에 집착했기 때문에 가슴을 키워준다는 가짜 광고에 속아 물건을 구입하기도 했다. 1970년대와 1980년대에는 어디서나 그런 광고를 볼 수 있었다. 대학 시절 남자친구의 어머니와 대화하다가 그 문제 때문에 결코 성적인 만족을 줄 수 없을 것이라는 말을 넌지시 들은 적도 있었다. 에프런은 나중에 그녀만의 특징이 된 방식으로 글을 끝맺었다. 자신이 실제 겪은 일과 다른 모든 주장, 즉 가슴이 작으면 옷의 선이 더 맵시 있게 살아나고 놀림도 덜 받는다는 주장을 모두 살펴본 것이다. 이것은 언론인으로서 객관성을 확보하기 위한 제스처였지만, 에프런은 글에서 철저히 '나'를 내세우는 것을 두려워하기 전부터 언론의 객관성이라는 것을 한 번도 믿은 적이 없었다. 어쨌든 모든 주장을 살펴본 에프런은 단번에 그 모든 것에 바늘을 찔러 넣었다.

> 사람들의 주장을 살펴보면서 그 사람들의 입장이 되어 그들의 관점을 고려해보았다. 그 결과 모두 헛소리인 것 같다.

『에스콰이어』 1972년 5월호에 실린 이 글이 에프런의 어머니가 돌아가신 뒤 처음 발표된 글이라는 사실에 뭔가 의미가 있을 듯하다. 에프런은 이 글의 원고를 우편으로 잡지사에 보냈다.

『에스콰이어』는 그 후 에프런에게 칼럼을 제안했다. 세월이 흐르면서, 그 칼럼에서 여성들에게 초점을 맞추기로 한 것이 에프런의 생각이었는지 잡지사 측의 생각이었는지를 두고 엇갈리는 주장들이 있었다. 그것이 누구의 공이든, 아주 훌륭한 조합이었다.

에프런은 글을 쓰기 시작할 무렵에 이미 여성운동에 어느 정도 발을 들여놓은 뒤였다. 다시 말해서, 그동안 관찰하고 생각해둔 것들이 이미 상당히 모여 있었다는 뜻이다. 첫 번째 칼럼에서 에프런은 기꺼이 소리 내어 말하려는 사람은 별로 없지만 사실 거의 모든 페미니스트의 글에 그림자처럼 어른거리는 문제를 살펴보았다. 남녀가 서로에게 품는 성적 환상이 페미니스트 혁명으로 인해 변하게 될까? 에프런은 아직 품위를 지키려는 의식이 남아 있어서 자신의 환상에 대해 정확히 말할 수는 없지만 지배와 종속이라는 관계가 자신의 환상과 관련되어 있다고 말했다. 하지만 페미니스트는 남자와의 성관계에서 지배당하기를 원하면 안 되는 사람이었다. 에프런은 어떤 대답도 내놓지 않고 열린 결말로 칼럼을 끝맺었으나, 마지막 문단에서 자의식을 드러냈다.

> 『에스콰이어』에 여성에 관한 칼럼을 쓰는 것이 아일랜드계 가톨릭 신자에게 유대인의 농담을 하는 것과 조금 비슷하다는 생각이 든다. 앞으로 내가 여성운동을 비판한다면, 이중으로 배신하는 것처럼 보일 터이니, 내가 이 주제와 관련해서 유머를 사용한다면 경박하게 보일 것이다.[33]

에프런은 사실 적의 영토에 발을 들여놓고 있었다. 적어도 어느

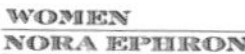

WOMEN
NORA EPHRON

It's about this mother-of-us-all business.

It is Sunday morning in Miami Beach, the day before the Democratic Convention is to begin, and the National Women's Political Caucus is holding a press conference. The cameras are clicking at Gloria, and Bella has swept in trailed by a vortex of television crews, and there is Betty, off to the side, just slightly out of frame. The cameras will occasionally catch a shoulder of her flowered granny dress or a stray wisp of her chaotic greying hair or one of her hands churning up the air; but it will be accidental, background in a photograph of Gloria, or a photograph of Bella, or a photograph of Gloria and Bella. Betty's eyes are darting back and forth trying to catch someone's attention, anyone's attention. No use. Gloria is speaking, and then Bella, and then Sissy Farenthold from Texas. And finally . . . Betty's lips tighten as she hears the inevitable introduction coming: "Betty Friedan, the mother of us all." That does it. "I'm getting sick and tired of this mother-of-us-all thing," she says. She is absolutely right, of course: in the women's movement, to be called the mother of anything is rarely a compliment. And what it means in this context, make no mistake, is that Betty, having in fact given birth, ought to cut the cord. Bug off. Shut up. At the very least, retire gracefully to the role of senior citizen, professor emeritus. Betty Friedan has no intention of doing anything of the kind. It's her baby, damnit. Her movement. Is she supposed to sit still and let a beautiful thin lady run off with it?

The National Women's Political Caucus (N.W.P.C.) was organized in July, 1971, by a shaky coalition of women's movement leaders. Its purpose was to help women in and into political life, particularly above the envelope-licking level. Just how well the caucus will do in its first national election remains to be seen, but in terms of the Democratic Convention it was wildly successful—so much so, in fact, that by the time the convention was to begin, the N.W.P.C. leaders were undergoing a profound sense of anticlimax. There were 1212 women delegates, up from 13 percent four years ago to nearly 40 percent. There was a comprehensive and stunning women's plank in the platform; four years ago there was none. There were battles still to be fought at the convention—the South Carolina challenge and the abortion plank—but the first was small potatoes (or so it seemed beforehand) and the second was a guaranteed loser. And so, in a sense the major function for the N.W.P.C. was to be ornamental—that is, it was simply to be *there*. Making its presence felt. Putting forth the best possible face. Pretending to a unity that did not exist. Above all, putting on a good show: the abortion plank would never carry, a woman would not be nominated as Vice-President this year, but the N.W.P.C. would put on a good show. Nineteen seventy-six, and all that. Punctuating all this would be what at times seemed an absurd emphasis on semantics: committees were run by spokespersons and chairpersons; phones were never manned but womanned and personned. All this was public relations, not politics. They are two different approaches: the first is genteel, dignified, orderly, goes by the rules, and that was the *one* the women planned to play. They got an inadvertent baptism in the second primarily because George McGovern crossed them, but also because politics, after all, is the name of the game.

In 1963, Betty Friedan wrote *The Feminine Mystique* and became a national celebrity. She moved from the suburbs to Manhattan, separated from her husband, and began to devote much of her time to public speaking. She was a founder of the N.W.P.C. and of the National Organization for Women (N.O.W.), from whose national board she resigned voluntarily last year. This year she ran and lost as a Chisholm delegate to the convention. Among the high points of her campaign was a press release announcing she would appear in Harlem with a "Traveling Watermelon Feast" to distribute to the natives. In recent months, her influence within the movement has waned to the point that even when she is right (which she is occasionally, though usually for the wrong reasons), no one pays any attention to her. Two weeks before the convention, the N.W.P.C. council met to elect a spokesperson in Miami and chose Gloria Steinem over Friedan. The election was yet another chapter in Friedan's ongoing feud with Steinem—the two barely speak—and by the time Betty arrived in Miami she was furious. "I'm so disgusted with Gloria," she would mutter on her way to an N.W.P.C. meeting. Gloria was selling out the women. Gloria was ripping off the movement. Gloria was a tool of George McGovern. Gloria and Bella were bossing the delegates around. Gloria was part of a racist clique that would not support Shirley Chisholm for Vice-President. And so it went. Every day, Friedan would call N.W.P.C. headquarters at the dingy Betsy Ross Hotel downtown and threaten to call a press conference to expose the caucus; every day, at the meetings the N.W.P.C. held for press and female delegates, movement leaders would watch with a kind of horrified fascination to see what Betty Friedan would do next.

And Gloria. *Sic transit* etc. Gloria Steinem has in the past year undergone a total metamorphosis, one that makes her critics extremely uncomfortable. Like Jane Fonda, she has become dedicated in a way that is a little frightening and almost awe-inspiring: she is demanding to be taken seriously—and it is the one demand her detractors, who prefer to lump her in with all the other radical-chic beautiful people, cannot bear to grant her. Once the glamour girl, all legs and short skirts and long painted nails, David Webb rings, Pucci, Gucci, you-name-it-she-had-it, once a fixture in gossip columns which linked her to one attractive man after another, she has managed to transform herself almost totally. She now wears Levi's and simple T-shirts—and often the same outfit two days running. The nails are as long as ever, but they are unpolished, and her fingers bare. She has managed to keep whatever private life she still has out of the papers. Most important, she projects a calm, peaceful, subdued quality; her humor is gentle, understated. Every so often someone suggests that Gloria Steinem is only into the women's movement because it is currently the chic place to be; it always makes me smile, because she is about the only remotely chic thing connected with the movement.

It is probably too easy to go on about the two of them this way: Betty as Wicked Witch of the West, Gloria as Ozma, Glinda, Dorothy, take your pick. To talk this way ignores the subtleties, right? Gloria is not, after all, disinterested in power. And yes, she manages to remain above the feud, but that is partly because, unlike Betty, she has *friends* who will fight dirty for her. Still, it is hard to come out anywhere but squarely on her side. Betty Friedan, in her thoroughly irrational hatred of Gloria, has ceased caring whether or not the effects of that hatred are good or bad for the women's movement. Her attack on Steinem in the August *McCall's*, which followed the convention by barely a week, quoted Steinem out of context (Steinem's remark, "Marriage is prostitution," was made in the course of a speech on the effects of discrimination in marriage laws) and implied that Gloria was defiantly anti-male, a charge that is, of course, preposterous. I am not criticizing Friedan for discussing the divisions in the movement; nor do I object to her concern about man-haters; if she wants to air all that, it's okay with me. What I do not understand is why—for any but personal reasons—she chooses to discredit Steinem (and Bella Abzug) by tying them in with philosophies they have absolutely nothing to do with.

At a certain point in the convention, every N.W.P.C. meeting began to look and sound the same. Airless, windowless rooms decked with taffeta valances and Miami Beach plaster statuary. Gloria in her jeans and aviator glasses, quoting a female delegate on the gains women have made in political life this year: "It's like pushing marbles through a sieve. It means the sieve will never be the same again." Bella Abzug in her straw hat, bifocals cocked down on her

10 ESQUIRE NOVEMBER

에프런이 쓴 '여성' 칼럼, 『에스콰이어』 1972년 11월호.

정도는 그랬다. 당시 『에스콰이어』는 지금만큼 유명인사들의 뒤를 쫓아다니는 잡지가 아니었으며, 패션잡지라기보다 문학잡지를 표방했다. 그러나 에프런의 칼럼은 독특했다. 그녀는 손택이나 디디언처럼 멀리서 여성운동을 바라보며 추상적으로 비판하는 사람이 아니었다. 그렇다고 여성운동에 무모하게 뛰어들지도 않았다. 그녀가 자신의 칼럼을 어느 쪽 주장이든 응원하는 도구로 보지 않았다는 점에서 그렇다.

그녀가 가장 먼저 공격한 대상은 『졸업 무도회 여왕이었던 여자의 회고록』(*Memoirs of an Ex-Prom Queen*)이라는 인기 소설의 저자 앨릭스 케이츠 슐먼이었다. 당시 베스트셀러였던 이 책은 주인공이 첫 번째 남편에게 강간당한 이야기를 하는 장면으로 시작된다. 그 다음에 나오는 진짜 주제는 '남성이 지배하는 사회에서 미인이 겪는 위험'이다. "내가 아직 아름답다고 확신할 수 있다면, 쉽게 떠날 수 있을 것이라는 생각이 들었다."[34] 슐먼은 아름다운 사람도 못생긴 사람 못지않게 많은 고민이 있다고 주장했다. 다만 고민의 종류가 다를 뿐이라는 것이었다. 슐먼은 특히 고통받은 미인의 예로 메릴린 먼로를 들었다.

한 번도 미인이라는 말을 들은 적이 없는 에프런은 이런 주장을 받아들이기 힘들었다. "미국의 모든 못생긴 여자들은 미인이라서 겪는 문제들과 자신의 문제를 바꿀 수만 있다면 바꾸려 할 것이다."[35] 그녀는 자신도 거기에 포함된다고 주장했다.

> "사람들은 못생긴 것이 더 나쁘다고 한다." 앨릭스 슐먼은 이렇게 썼다. 맞다, 사람들은 이런 말을 한다. 맞는 말이기도 하다. 가난한 것도 더 나쁘고, 고아가 되는 것도 더 나쁘고, 뚱뚱한 것도 더 나쁘다. 돈이 많은 사람, 가족이 있는 사람, 날씬한 사람과 단순히 다른 것이 아니라, 정말로 더 나쁘다.

이 글은 이런 식으로 여성운동 내부에서 상당한 인기를 끌던 주장에 구멍을 뚫어버렸다. 슐먼은 여성운동에서 이미 상당한 평판을 얻은 인물로, 『미즈』에 자신이 남편과 작성한 결혼계약서를 발표한 적이 있었다. 생각해낼 수 있는 모든 가사(家事)를 열거한 뒤, 두 사람에게 나눠서 할당한 계약서였다. 에프런 외에 슐먼을 이런 식으로 비난한 사람은 전혀 없었지만, 디디언은 슐먼의 결혼계약서를 여성운동이 점차 사소한 문제에 집착하고 있다는 증거로 제시했다. 그러나 에프런은 슐먼을 구실로 여성운동 전체를 거부하지는 않았다. 사실 그녀는 이 신랄한 글의 말미에서 슐먼에게 좀 더 공감하는 태도를 보여주려고 했다. 그녀는 자신이 슐먼은 물론 여성운동에 대해서도 부당한 태도를 보였다고 말했다. "나는 지금 노력 중이다. 해방이라는 주제와 관련된 모든 것이 그렇듯이, 자매애도 힘들다."

"자매애도 힘들다"는 말은 이 칼럼을 모아 출간한 책의 제목으로도 손색이 없었다(에프런은 1975년에 『크레이지 샐러드』[Crazy Salad]라는 제목으로 이 책을 출판했다). 사실 이 책에 실린 글에는 대부분 에프런이 여성운동을 즐겁게(여성운동의 저변에 깔린 원칙이 아니라, 세상을 살아가는 실제 여성들이 그 원칙을 표현하는 방식으로) 묘사하려고 애쓰는 모습이 드러나 있다. 한 칼럼에서 에프런은 글로리아 스타이넘과 베티 프리던이 충돌했던, 1972년 마이애미 민주당 전당대회를 보도했다. 그날 전당대회에서 여성주의 활동가들은 민주당 강령에서 약간의 양보를 얻어내려는 목표를 세웠으나, 에프런이 보기에는 내부싸움 외에 별로 얻은 것이 없었다. 에프런은 그곳에서 벌어진 아름답지 못한 일들을 반드시 묘사하는 수밖에 없었다. 특히 프리던이 젊은 세대가 자신을 방해하고 있다면서 분노한 이야기를 자세히 다뤘다.

이것은 그녀의 자식이었다, 젠장. 그녀의 운동이었다. 그런데 아름답고 날씬한 여자가 공을 훔쳐가는 것을 가만히 앉아서 보기만 해야 하는가?[36]

당시 실질적인 여성운동 지도자로서 언론에 가장 많이 노출되던 글로리아 스타이넘도 에프런의 눈에는 그리 나아 보이지 않았다. 프리던보다 더 고압적인 성격인데도, 스타이넘에게는 더러운 일을 대신 해주는 친구들이 있었다. 그런데 민주당 강령과 관련해서 그녀에게 모종의 약속을 했던 조지 맥거번이 나 몰라라 하자 그녀는 울음을 터뜨렸다. 에프런은 스타이넘의 울음을 헬렌 걸리 브라운의 울음만큼 강하게 비판하지 않았다. 그보다는 어리둥절한 반응을 보인 것에 가깝다. "나는 평생 조금이라도 정치와 관련이 있는 문제로 울어본 적이 없어서, 솔직히 무슨 말을 해야 할지 모르겠다."

에프런은 자신이 스타이넘의 눈물을 칼럼에서 언급했다는 사실만으로 친구들이 "내게 고함을 질러댔다"고 어느 인터뷰에서 밝혔다. 어떤 친구들은 몇 년이 지나도록 화를 풀지 않았다.

그러나 대부분의 사람들에게는 공감과 회의가 동시에 드러난 에프런의 어조가 훌륭하게 효과를 발휘했다. 요즘 사람들은 여성운동에 대한 반응이 전적인 찬성과 전적인 반대 중 하나로 고정되어 있다고 생각해버리는 경향이 있다. 그러나 2차 여성운동 물결은 디디언 같은 비판적인 사람들의 주장과 달리 연합전선을 이루지 못했다. 여성운동 내부가 정치적으로 분열되어서, 연령, 인종 등 균열을 일으킬 수 있는 여러 요소들에 대한 주장이 '여성'에 대한 주장의 어조를 바꿔 놓았다. 그런 사정을 모두 아는 사람이라면 갈등을 느낄 수밖에 없었다. 희망과 실망이 한꺼번에 극단적으로 걷잡을 수 없이 밀려올 수도 있었다.

에프런의 글이 그처럼 반향을 일으킬 수 있었던 것은 어쩌면 사람들이 느끼고 있던 이런 갈등 때문이었는지도 모른다. 에프런은 여성운동의 부조리와 추악함에 대해 신랄한 태도를 보이더라도, 내부자의 시선을 잃지 않았다. 그녀의 태도는 온화했지만, 때로 여성운동을 비판하는 사람들의 잘못을 바로잡기도 했다. 한 칼럼에서 에프런은 여성의 삶에 "피, 출산, 죽음"[37]이 포함된다고 주장하는 디디언과 자신이 다르다고 분명히 밝혔다. 그녀는 디디언의 주장이 "너무 지나치고 혼란스럽다"고 말했다. 당시 디디언과 에프런은 활동반경이 같았으므로 서로 친한 사이였다. 어쩌면 에프런이 디디언에게 좋은 영향을 미쳤는지도 모른다. 디디언은 1990년대에 여성운동에서 자신이 차지하는 위치에 대한 질문을 받고, 자신이 예전에 했던 비판을 거둬들이는 듯한 태도를 취했다.

> 내 생각에 그 글은 어느 특정한 순간을 다룬 것입니다. 나는 여성운동이 사소한 것들의 수렁에 빠져들고 있으며, 이상적이지 못한 방향으로 나아가고 있고, 벽에 부딪힌 채 계속 사소한 이야기만 하고 있다고 생각했습니다. 그러나 그런 경향은 스스로 지쳐 떨어졌고, 여성운동은 살아남았습니다. 이제는 운동이라기보다 달라진 생활방식이라는 형태로요.[38]

에프런은 여성의 몸에 대해 이야기하는 데 아무런 거리낌이 없는 듯했다. 실제로 젖가슴에 대한 글도 쓰지 않았는가. 1973년 초에는 「문제에, 어, 대처하는 법」(Dealing with the uh, Problem)이라는 제목의 긴 취재기사를 쓰기도 했다. 여성용 향기 스프레이, 즉 "외부 성기(좀 더 정확히 말하면, 외부 회음부)를 위한 탈취제"[39]의 제조, 사용, 마케팅 과정을 재미있게 살펴본 글이었다. 그녀의 초연한 태도가 여기서 훌륭한 효과를 발휘했다. 개인적인 의견을 거의 개입시키지 않은 채, 여성용 탈취제 업계 전체를 아주 우스꽝스러운 모습으로 만드는 데 성공했기 때문이다.

남자들이 여자에게 하는 우스꽝스러운 말과 행동에 대해 글을 쓰는 것은 쉬운 일이지만, 여자들이 스스로에게 하는 우스꽝스러운 행동에 대해 글을 쓰는 것은 그리 쉽지 않았다. 그녀는 화장을 하는 문제와 관련해서 어쩌다 보니 수전 브라운밀러와 논쟁을 하게 되었다. 그때쯤에는 여성운동 내부의 분열이 지독히 분명해져 있었으므로, 에프런은 숄먼을 다룬 글에 그때의 경험을 이름을 밝히지 않은 채 녹여 넣었다.

> 내가 왜 화장하는 것을 좋아하는지 동료 여성주의자에게 설명하려고 시도한 적이 있었다. 그녀는 자신이 화장하지 않는 이유를 설명하는 것으로 대응했다. 우리 둘 다 상대의 말을 한마디도 이해하지 못했다.[40]

한 번은 여성운동에 대해 열정과 엇갈린 감정 사이를 오가는 자신의 심정을 칼럼에서 직접적으로 다룬 적도 있었다. 에프런은 여성운동에 헌신하면서 동시에 작가로 활동하기가 힘들다고 밝혔다. "이 운동에서 자꾸만 나타나는 아이러니는 이 운동에 대한 진실을 말할 때마다 작게나마 이 운동에 상처를 입히게 되는 것 같다는 점이다."[41] 그녀는 여성이 2차 여성운동 물결에 대해 쓴 책을 비평하기가 힘들다고 말했다. 여성 저자들의 열정에는 동의하지만, 그들이 글을 쓰는 방식은 별로 마음에 들지 않는 것이 문제였다. 물론 최종적으로 저자들의 선한 의도를 감안해서 판단을 내려야 한다는 것은 알고 있었다.

> 이것이 여성운동 내에서 자매애라고 불리는 것이다. 정치적으로 좋은 방식인 것 같지만, 비평에는 좋지 않다. 정직해지는 데에도, 진실을 말하는 데에도 마찬가지다. (게다가 요즘

남자들이 여성에 관한 책을 비평할 때 보이는, 선심을 베푸는 듯한 태도와 똑같다. 여성이 여성에 대해 쓴 책을 일종의 하위 장르처럼, 주류를 벗어나 별로 중요하지 않은 작품처럼 보면서 무의식적으로 너그러운 척하고, '이 여자들이 계속 뭔가를 하려고 하는데 뭔지는 몰라도 하여튼 여자들이 하려는 일을 우리가 이해하려고 반드시 노력해야 한다'면서 재미있어하는 태도를 말한다.)

물론 여기에는 자기비판도 조금 포함되어 있었다. 『에스콰이어』가 여성에 대한 분석기사를 다른 기사들과 분리해서 별도의 섹션으로 만든 것도 궁극적으로 선심을 쓰는 듯한 태도의 표현이었기 때문이다. 이 잡지가 남성 독자를 겨냥하고 있어서, 여성 독자가 그리 많지 않다는 사실은 언급할 필요도 없었다. 또한 에프런에게 오로지 그런 주제의 글만 맡기는 것은 몹시 재능을 낭비하는 짓이었다. 나중에 그녀는 그 칼럼에 점점 싫증이 나서 스스로 그만두기로 결정했다고 말했다.

그러나 여성운동이라는 주제는 그 뒤로도 한동안 그녀에게 글을 쓸 수 있는 기회를 제공해주었다. 그녀를 스카우트해간 곳은 잡지 『뉴욕』이었다. 거기서도 에프런은 계속 여성에 관한 글을 썼다. 처음에는 친구이자 작가인 샐리 퀸이 추파를 던지는 것을 항상 취재 기법으로 이용했다고 말한 것을 공격했다. 그녀는 자신이 퀸의 이 말에 대해 느끼는 분노를 분석하면서, 최근 자신이 인터뷰한 대상이자 점차 친구가 되고 있는 어떤 사람이 일을 둘러싼 여성들 사이의 경쟁이라는 문제에 관해 한 말을 언급했다.

"대실 해밋은 내가 무엇보다도 비열한 질투심을 갖고 있다고 말하곤 했다." [릴리언] 헬먼 씨는 이렇게 말했다. "나는 일에 대해서도, 돈에 대해서도 질투하지 않았다. 남자를 이용하는 여자들을 질투할 뿐이었다. 나는 그렇게 하는 방법을 몰랐기 때문에.”[42]

『뉴욕』에서 에프런은 점차 과거의 자신, 즉 언론계의 저명한 인물들을 단숨에 뜯어보는 방식으로 돌아갔다. 『펜트하우스』(*Penthhouse*)의 발행인 밥 구시오니는 1973년에 『비바』(*Viva*)라는 여성잡지를 창간하기로 결정했다. “부끄러움을 모르고 여성을 즐기는 남자들이 만든 잡지”라는 것이 이 잡지의 캐치프레이즈였다. 에프런은 칼럼에서 구시오니의 무식함을 드러낼 수 있게 된 것에 몹시 들뜬 듯한 태도를 보여주었다. 그녀는 예전에 딕 캐벗과 헬렌 걸리 브라운에게 그랬던 것처럼 아무런 논평 없이 구시오니의 발언을 길게 인용했다.

> 모든 것을 고려했을 때, 최대한 이런 말을 하기 싫지만 사실이라 어쩔 수 없다. 나는 여자들 자신보다 여자들을 더 잘 안다.[43]

『비바』는 그 뒤로 7년 동안 발행되었으나, 구시오니의 꿈과 희망과는 반대로 여성들 사이에서 화제에 오르는 상징적인 잡지가 되지는 못했다.

에프런이 그 다음으로 공격한 사람은 줄리 닉슨 아이젠하워였다. 에프런은 그녀가 가짜라고 보았다. 워터게이트 사건 이후, 닉슨은 매력적인 줄리를 언론 앞에 자주 내세웠다. 에프런은 워싱턴의 기자단이 그녀를 사랑했다고 기록했다.

> 한 기자의 말처럼, 그녀의 말을 믿는 사람은 누구도 없었지만 그래도 그녀는 자신의 말을 믿고 있을 것이라고 보았다. 누가

물어보면 사람들은 그녀가 다가가기 쉬운 성격이라고 말할 것이다. 맞는 말이다. 그들은 또한 그녀가 열린 사람이라고 말할 것이다. 이건 사실이 아니다. … 스무 살을 넘긴 미국 여성 중에서, 자기가 여섯 살 때 생각하던 아버지의 모습과 지금 아버지의 모습이 정확히 똑같다고 생각하는 사람은 거의 그녀뿐인 것 같다.[44]

이 말에는 개인적인 측면도 조금 들어 있는 것 같다. 피비 에프런이 세상을 떠난 뒤 헨리 에프런이 딸들에게 짐이 되었기 때문이다. 그는 『우리는 무엇이든 할 수 있을 줄 알았다』(*We Thought We Could Do Anything*)는 제목의 회고록을 쓰기 시작했다. 딸이 어머니를 위해 쓴 추도문의 제목을 그대로 가져온 것이었다. 나중에 에프런은 그 회고록이 온통 헛소리투성이라고 주장했다.[45] 게다가 그의 회고록은 장녀의 명성이 점점 높아지는 것을 이용해 돈을 벌려는 노골적인 시도처럼 보였으니, 틀림없이 에프런의 신경을 건드렸을 것이다.

이제 노라 에프런은 유명인사였다. 오래전 자신이 통렬히 비난했던 삼류 사교계 가십지 『위민즈 웨어 데일리』에 그녀의 기사가 상당히 자주 실릴 정도였다. 심지어 헬렌 걸리 브라운의 기사보다도 그녀의 기사가 더 자주 실렸다. 에프런은 텔레비전에도 출연했다. 어느 날 프로그램 사회자가 그녀에게 남들의 마음에 상처를 자주 주는 것 같다는 이야기를 꺼냈다.

사회자 때로 상당히 심술궂게 굴 때도 있죠?
에프런 물론이죠.
사회자 심술궂게 구는 게 좀 재미있기는 해요, 그렇죠?
에프런 아뇨, 그런….
사회자 심술궂게 군 사례를 하나 들어볼까요? 줄리 닉슨에 대한 기사가 있잖아요.

에프런　　　줄리 닉슨에게 무르시군요.

사회자　　　네, 저는 줄리를 좋아해요.

에프런　　　저는 아니에요. 제가 보기에 줄리는 초콜릿으로 포장된 거미랍니다.[46]

에프런이 그 뒤에 쓴 거의 모든 글이 이런 식이었다. 다시 『에스콰이어』로 돌아간 그녀는 여성 대신 대중매체를 겨냥했다. 그녀가 아는 많은 매체와 인물, 예를 들어 『피플』(*People*), 시어도어 화이트, 『뉴욕』에 글을 쓰는 일부 필자들의 가식 등이 공격 대상이었다(이 글에서 에프런은 케일을 언급하지 않았다). 『에스콰이어』와 작가 리처드 굿윈 사이의 논쟁에 휘말렸을 때는 『에스콰이어』에 반격하기도 했다. 에프런은 칼럼에서 자신이 『에스콰이어』를 위해 편집한 굿윈의 프로필을 놓고 그와 합의를 보기로 한 잡지사의 결정을 비판했다.

어떤 사람들은 비열하다고 평가하기도 하는 에프런의 이런 성격이 당시 독자들의 눈에는 완전히 드러나지 않았던 것 같다. 어떤 때는 에프런 본인도 자신의 성격을 잘 알지 못했다. 1975년에 『크레이지 샐러드』가 출판된 뒤 AP 통신과의 인터뷰에서 에프런은 다음과 같이 말했다.

> 누군가에 대해 세상에서 가장 훌륭한 글을 써도, 그 글에서 사람들이 보는 단어는 '포동포동하다' 한마디뿐일 것이다. … 이 일에 손을 담그면, 자신이 글에서 다룬 사람들과 친구가 될 수 없다는 사실을 아주 일찍 깨닫는다. 친구가 되고 싶다면, 사정을 봐주게 된다.[47]

에프런은 여기서 말한 딜레마를 글을 쓰면서 첨예하게 느꼈다. 그녀가 유명해진 뒤, 남자들은 때로 칼럼에서 똑똑하다는 말 대신 총명하고 귀엽다는 말로 그녀를 묘사하고, 그녀와 한 번 자고 싶다고 말하는 등 비겁하게 그녀를 공격했다. 그녀는 이런 공격이 자신에게 맡겨지는 글과 에세이 작가로서 생각해볼 수 있는 주제에 영향을 미친다고 보았다. 1974년의 인터뷰에서 그녀는 "여자에게는 경제나 정치 같은 주제의 글을 맡기지 않거나, 그런 주제와 관련해서 아예 여자를 생각하지도 않는 잡지들이 있다"[48]고 말했다.

"독신이 되니 정신이 산만해진다." 1974년에 이혼한 지 얼마 되지 않은 노라 에프런은 인터뷰에서 이런 말도 했다(그녀는 1970년대 초에 유머작가인 댄 그린버그와 잠깐 결혼생활을 했다). "결혼생활이 남녀 모두에게 좋은 점 하나는, 데이트에 에너지를 쏟을 필요가 없다는 것이다. 그 에너지를 일에 쏟을 수 있다. 내일 만찬에 누구와 파트너를 해야 할지 걱정할 필요도 없다. 내가 보기에는, 독신생활에 익숙해지는 데 시간이 걸리는 것 같다." 번스틴이 그 독신생활에 종지부를 찍어주었다.

이유가 무엇이든, 에프런과 번스틴의 관계는 그녀가 잡지에 글을 쓰는 일에 갑자기 흥미를 잃은 때와 시기적으로 겹친다. 사실 1970년대 후반에 에프런은 영화 대본 쪽으로 관심을 돌리면서 다른 글을 거의 쓰지 않게 되었다. 그녀는 앨리스 알린과 공동으로 「실크우드」(Silkwood)의 시나리오를 쓰기 시작했고, 다소 곡절이 많아 보이는 연애를 거쳐 칼 번스틴과 결혼했다. "우리는 일요일에 결혼하기로 결정하고, 수요일에 결혼했다. 가장 완벽했던 것은, 우리가 시외버스로 이동 중에 결혼을 결정했다는 점이다."[49] 에프런은 어느 인터뷰에서 이렇게 말했다. 그러나 다음의 말도 함께 덧붙였다. "결혼생활이 잘 굴러가는지 보기 위해 꼭 그 결혼이 영원히 유지되는지를 보아야 하는 것은 아니다."

『가슴앓이』를 통해 알 수 있듯이, 두 사람의 결혼생활은 영원히 지속되지 못했다. "나는 말을 지어내는 재주가 형편없다." 에프런은 인터뷰에서 혹시 소설을 쓸 생각이 없느냐는 질문을 받으면 이렇게 대답하곤 했다. 그러나 두 번째 남편과 헤어진 순간부터 자신이 그 경험을 글로 쓰게 될 것임을 확신했다는 말도 했다. 번스틴이 바람을 피웠던 여성의 남편(이름이 피터였다)이 에프런에게 점심식사를 청했다.

> 우리는 코네티컷 애버뉴에 있는 중국음식점 앞에서 만나 울면서 서로의 품으로 쓰러진다. "아, 피터." 내가 그에게 말한다. "정말 끔찍하지 않아요?"
>
> "끔찍하죠." 그가 말한다. "이 나라가 어떻게 되어가고 있는 거죠?"
>
> 나는 히스테리 환자처럼 울면서도 속으로 생각한다. 언젠가 이것이 웃기는 이야기가 될 것이라고.[50]

에프런은 어머니가 평생 되풀이한 말, 즉 "모든 것은 표현하기 나름이다"는 말이 곧 통제력을 가리킨다는 사실을 마침내 깨달았다고 말했다.

> 누가 바나나 껍질을 밟고 미끄러지면 사람들은 웃어댄다. 하지만 누가 바나나 껍질을 밟고 미끄러졌던 경험을 남들에게 말할 때는 말하는 사람이 웃음의 주인이다. 우스갯소리의 피해자가 아니라 주인공이 되는 것이다.
>
> 내 생각에는 어머니의 말이 이런 뜻이었던 것 같다.[51]

『가슴앓이』는 초대형 베스트셀러가 되어 에프런을 부자로 만들어주었다. 그녀는 이 작품이 영화화될 때 시나리오도 직접 썼다. 감독은 친구인 마이크 니콜스가 맡을 예정이었다. 다른 사람들 말에 따르면, 번스틴은 격분했다고 한다. 그는 영화에서 자신을 사랑 넘치는 아버지로만 묘사하는 것을 이혼의 조건으로 삼았다. 에프런의 친구들 중 일부도 그녀가 그 작품을 쓴 것을 좋지 않게 본 모양이었다. 소설이 발표되기 직전에 『뉴욕』에 실린 가십성 기사에서 에프런의 첫 번째 남편인 댄 그린버그는 기자에게 이렇게 말했다. "노라는 이 책에 드러난 것보다 훨씬 더 품격 있는 사람이고 훨씬 더 훌륭한 작가다."[52]

이 책은 이제 일종의 전설이 되었다. 영화가 소설의 영특함을 제대로 따라잡지 못했는데도 별로 영향을 미치지 못했다. 영화가 그렇게 된 데에는 아마 번스틴이 두 자녀를 이유로 몇 가지 조건을 걸었다는 점, 영화로는 소설에 표현된 재미있는 화자의 내면을 재현하기 쉽지 않다는 점이 영향을 미쳤을 것이다. 주인공 레이철이 정확히 노라처럼 보이는 데에 너무나 많은 것이 걸려 있었다. 그녀는 세상과 자신의 상황을 노라처럼 날카로운 눈으로 바라보아야 했으나, 그런 내면을 화면에서 표현하는 일은 아무리 메릴 스트립이라 해도 너무 힘든 과제였다. 그러나 이 작품은 여성주의적 복수를 그린 위대한 대중예술 작품 중 하나였다. 노라가 나중에 만든 달달한 작품들은 모두 그런 부분을 그럴싸하게 얼버무리고 넘어가버렸다.

노라 에프런, 2000년 영화 「럭키 넘버」 촬영 현장.

Arendt
and
McCarthy
and
Hellman

아렌트와 매카시와 헬먼

12

한나 아렌트는 생애의 마지막 몇 년 동안 누구나 부러워할 만한 속도로 글을 발표하면서 학생들을 가르쳤다. 삶이 지극히 편안한 지점에 도달한 사람만이 낼 수 있는 속도였다. 그러나 1970년 10월에 갑자기 상황이 바뀌었다. "하인리히 일요일에 심장발작으로 사망."[1] 아렌트는 매카시에게 전보로 이렇게 알렸다. 당시 매카시는 마지막 남편인 외교관 짐 웨스트와 함께 파리에 살고 있었다. 그녀는 장례식을 위해 즉시 뉴욕으로 날아왔다.

아렌트와 블뤼허가 함께 산 세월이 30년이 넘었으므로 그녀는 상실감에 빠져 있었다. "난 지금 하인리히의 방에 앉아 그의 타자기를 쓰고 있어요."[2] 그녀는 남편이 세상을 떠나고 얼마 되지 않았을 때 매카시에게 보낸 편지에 이렇게 썼다. "뭔가 매달릴 것이 필요해서요." 사실 그녀는 그를 잃은 뒤 그리 오래 버티지 못했다. 1975년 12월 4일에 아렌트는 친구들과 식사를 하다가 남편처럼 심장발작을 일으켜 세상을 떠났다.

매카시는 아렌트의 저작물을 관리할 사람으로 지명되었다. 장례식 준비도 직접 맡아서 가족들과 의견을 조율했다. 누가 보면 친구치고 너무 깊숙이 개입하는 것이 아니냐고 할 법도 했지만, 그녀는 친구의 죽음을 누구보다 슬퍼하는 것이 자연스러운 최고의 친구였다. 뉴욕에서 발표한 추모의 글에서 매카시는 때로 연인처럼 아렌트를 이야기하며 그녀의 외모, 소파에 누워 생각하던 모습에 찬사를 보냈다. 심지어 아렌트의 다리와 발목까지 언급해서 나중에 조롱을 받기도 했다. 그러나 매카시가 아렌트를 생각을 구현한 사람으로 묘사한 것을 생각해보면, 이런 발언은 적합한 것이었다.

> 거의 30년 전, 토론 중에 그녀가 사람들 앞에서 발언하는 모습을 처음으로 본 나는 베른하르트나 프루스트의 작품에 나오는 베르마가 꼭 저랬을 것 같다는 생각이 들었다. 여신을 생각나게 하는 여배우. 어쩌면 지하의 여신인지도 모르겠다. 아니면 불같은 여신이거나. 더러운 종류의 여신은 아니다. 연설을 잘하는 사람들과 달리, 그녀는 웅변가와 거리가 멀었다. 그보다는 정신의 드라마, 글에서 그토록 자주 불러냈던 '나와 나 자신'의 대화를 구현하는 어릿광대, 배우처럼 보였다.[3]

매카시는 자신의 글을 2년 동안 포기하고, 아렌트가 마지막까지 집필하던 원고를 정리해서 편집하는 일에 매달렸다. 그 원고는 나중에 『정신의 생애』(*The Life of the Mind*)라는 제목의 세 권짜리 논문이 되었다. 첫 번째 권은 생각하는 행위를, 두 번째 권은 의지의 행위를, 세 번째 권은 판단하는 행위를 살펴보는 내용인데, 아렌트가 제대로 완성해놓은 것은 2부까지의 원고뿐이고 3부의 원고는 그녀가 세상을 떠날 때 아직 타자기에 끼워져 있던 종이에 쓴 두 개의 묘비명 같은 문장뿐이었다. 매카시의 독일어 실력은 좋은 편이 아니었고, 그녀 자신은 근본적으로 이론가가 아니었지만, 그 책을 완성하는 것을 명예의 문제로 생각했다. 그래서 출판사 측이 계약금과 인세를 4분의 1밖에 주지 않고 나머지 금액은 아렌트의 다른 가족들에게 주었는데도 그 일을 해냈다.

지극히 너그러운 행동이었다. 시간은 예술가들이 가장 귀하게 생각하는 것이다. 손택은 예술가들이 돈을 주고 사는 가장 중요한 물건이 바로 시간이라는 말을 한 적이 있다. 그러나 매카시는 생애의 마지막 20년 동안 예전만큼 글을 많이 쓰지 않았다. 마지막 소설이 될 『식인종과 선교사』(*Cannibals and Missionaries*)를 완성했을 뿐이다. 아렌트의 죽음과 그 뒤에 이어진 로버트 로웰의 죽음으로 매카시는 우울증에 빠졌다. 그녀는 여전히 상당한 영향력을 지닌 인물이었으나(『식인종과 선교사』를 그녀의 최고 걸작이라고 하기는 힘들지만, 평은 좋은 편이었다), 자신의 진정한 역할을 찾으려고 조금 허우적거리고 있었다.

그 다음에 릴리언 헬먼과의 사이에서 일어난 일을 이해하는 데 이것이 조금 도움이 될지 모르겠다.

헬먼은 아무리 부드럽게 돌려 말해도 복잡한 사람이었다. 작가로서 그녀에게 처음으로 큰 성공을 안겨준 작품은 희곡인 「아이들의 시간」(The Children's Hour)이었다. 아이들이 기숙학교의 여자 선생님 두 명을 동성애자로 고발하는 내용인데, 이 작품의 성공과 더불어 할리우드에서 여러 작품을 계약한 덕분에 헬먼은 부자가 되었다. 그러나 부와 명성은 그녀의 정치적 견해와 잘 어울리지 않았다. 할리우드에서 친구가 된 파커와 마찬가지로, 헬먼도 젊은 시절 좌파 운동가였다. 그러나 파커와 달리 헬먼은 그 사실에 대해 거짓말을 하는 경향을 보였다. 1950년대에 그녀가 하원의 반미 활동위원회에 출석해서 공산당은 물론이고 "어떤 정치집단"과도 관계를 맺고 있지 않다고 증언한 것이 거짓말이라고 믿는 사람이 아주 많다. 이 증언으로 헬먼은 징역을 피했다. 그녀의 파트너인 대실 해밋처럼 정직하게 증언한 사람들과는 대조적이다. 이런 일로 인해 헬먼은 매카시를 비롯한 여러 좌파 지식인들이 몹시 싫어하는 인물이 되었다.

매카시와 헬먼이 만난 것은 딱 두 번뿐이었다. 첫 번째 자리는 매카시가 1948년에 잠깐 교편을 잡았던 새라 로런스 대학의 오찬이었다. 여기서 매카시는 헬먼이 학생들 앞에서 존 더스패서스를 비난하며 그가 스페인 음식이 싫다는 이유로 스페인 내전 때 반파시스트 운동을 그만뒀다고 말하는 것을 우연히 들었다. 잘못된 것을 고칠 기회가 생기면 결코 그냥 넘기는 법이 없는 매카시는 더스패서스가 살인사건으로 목숨을 잃은 친구 때문에 미망에서 깨어났다고 직접 글에서 밝혔음을 지적했다. 그 자리에서 헬먼의 분노를 목격한 매카시는 1980년에 친구에게 보낸 편지에 다음과 같이 썼다.

> 그녀가 맨살이 드러난 쪼그라든 팔에 금과 은으로 된 팔찌를 아주 많이 끼고 있던 것이 기억납니다. 그런데 그 팔찌들이 달달 떨리기 시작했지요. 세뇌 작업을 하다가 현장에서 딱 걸리는 바람에 놀란 동시에 화가 났던 모양입니다.[4]

헬먼도 매카시도 이 일을 영영 잊어버리지 않았던 것 같다. 매카시는 『식인종과 선교사』의 홍보를 위해 돌아다니던 도중 갑자기 이 일을 끄집어냈다. 먼저 그녀는 프랑스 매체와의 인터뷰에서 이 이야기를 했다. 그 다음에는 「딕 캐벗 쇼」(The Dick Cavett Show)에 출연했을 때 "지나친 찬사"를 받는 작가로 누가 있는 것 같으냐는 숙명적인 질문을 받았다.

> 매카시 지금 생각나는 사람은 릴리언 헬먼 같은 낙제생밖에 없네요. 내가 보기에 그 사람은 엄청나게 과대평가를 받고 있어요. 재능도 없고 정직하지도 않은 작가죠. 정말로 과거의 사람입니다. 스타인벡의 시대에 속하는 사람. 물론 스타인벡 같은 작가는 아니고요.
>
> 캐벗 어떤 부분이 정직하지 못하다는 겁니까?

매카시　　　　모든 부분이 그래요. 전에 어떤 인터뷰에서 내가 이런 말을 한 적이 있습니다. 그 사람이 하는 말은 심지어 '그리고'와 정관사 '그'까지 포함해서 모두 거짓말이라고요.[5]

나중에 매카시의 전기를 쓴 작가들의 취재에 응한 많은 사람들이 매카시의 이런 행동을 "무모했다"[6]고 평했다. 그녀가 "특유의 미소를 지으며"[7] 이처럼 날카로운 모욕을 던진 것을 지칭한 평가였다. 헬먼도 이 프로그램을 보고 있었는지, 머리끝까지 화가 치민 상태로 딕 캐벗에게 전화를 걸었다. 그는 그때의 일을 나중에 다음과 같이 이야기했다.

"나는 당신이 결코 무방비한 사람이 아니라고 생각했기 때문인 것 같네요, 릴리언." 내가 간신히 말했다.

"웃기는 소리. 당신들 전부 고소할 거야." 적어도 이 점에 대해서는 헬먼이 스스로 한 말을 지키는 사람임을 증명했다.[8]

매카시는 다들 아는 사실을 이야기했을 뿐이라고 생각했다. 그러나 그 결과로 소송을 당한 그녀는 변호사 비용을 감당하기가 힘에 부쳤다. 재판에서는 매카시가 그 말을 할 때 그것이 거짓임을 알고 있었으며, 헬먼을 거짓말쟁이로 몰아붙인 데에 악의가 있었다는 결과가 나왔다. 헬먼은 매카시, 「딕 캐벗 쇼」, PBS 방송국을 피고로 지명해서, 피해보상으로 225만 달러를 요구했다. 『뉴욕 타임스』가 이 소송에 대해 한마디해달라고 헬먼에게 전화로 부탁하자, 그녀는 매카시가 그런 행동을 한 이유에 대한 추측을 내놓았다.

매카시를 마지막으로 만난 지 10년은 되었고, 그녀에 대해 뭐라고 글을 쓴 적도 없다. 공통의 친구가 여러 명 있지만, 그것이

> 그런 말을 할 이유가 되지는 못한다. 내 생각에 매카시는 항상 날 싫어했던 것 같다. 스페인 내전 시기에 내가 스페인에서 돌아온 뒤인 1937년 11월이나 12월부터 그랬다고 해도 될 것 같다.[9]

한편 매카시는 『뉴욕 타임스』 기자에게 다음과 같이 말했다.

> 나는 헬먼을 잘 알지도 못한다. … 내가 내린 판단은 그녀의 책, 특히 『악당 시대』를 근거로 한 것이다. 나는 그 책을 돈 주고 사기가 싫어서 빌려 읽었다. 그 책에서 헬먼이 스스로에게 부여한 역할이 마음에 들지 않았다.

자신을 홍보할 기회를 놓치는 법이 없는 노먼 메일러는 이 논쟁에서 심판 역할을 자임하고 나섰다. "두 사람 모두 뛰어난 작가들이다. 그러나 각자가 지닌 재능이 워낙 달라서 서로를 싫어하는 것이 당연하다. 작가들은 이렇게나 동물과 비슷하다."[10] 그는 매카시의 발언이 "어리석었"으며 "말하지 않는 편이 최선"이었다고 말했다. 고대 그리스 시대의 맹렬한 권투를 필수적인 덕목 중 하나로 생각하는 사람이 하기에는 놀라운 발언이었다. 아무도 그에게 귀를 기울이지 않았다.

선구적인 여성 기자이자 어니스트 헤밍웨이의 전부인인 마사 겔혼도 은퇴를 깨고 나와 『파리 리뷰』에 릴리언 헬먼을 공격하는 열여섯 쪽 분량의 글을 기고했다. 헬먼의 회고록 『미완성 여자』(*An Unfinished Woman*)에 나오는 거의 모든 날짜가 틀렸다고 지적한 겔혼은 특히 스페인 내전 중 헤밍웨이의 활동에 대해 잘 알고 있었으므로 그 부분에 대한 헬먼의 주장을 거의 부숴버렸다. "역사를 아전인수 격으로 다시 쓰는 행위에 대한 나의 아마추어적인 연구에서 헬먼은 최고의 자리를 차지하고 있다."[11]

매카시는 개인적으로 걱정에 휩싸여 있었다. 소송에서 최종적으로 승리할 수 있을지 여부에 대한 걱정은 아니었다. 헬먼의 거짓말을 증명해줄 자료를 조용히 모으는 중이었기 때문이다. 특히 그녀는 헬먼의 또 다른 회고록인 『펜티멘토』(*Pentimento*)에서 당시만 해도 널리 알려지지 않았던 구체적인 사례를 하나 알게 되었다. 『펜티멘토』는 일부만 따서 제인 폰다 주연의 「줄리아」(Julia)라는 영화로 만들어진 적도 있는 작품이었다. 헬먼에 따르면 줄리아는 20세기 초의 젤리그(어떤 상황에서도 자유자재로 변신할 수 있는 사람 — 옮긴이) 같은 어린 시절의 친구였다. 그녀는 스페인 내전 때 전선에서 영웅적으로 활동했으며 2차 세계대전 중에 세상을 떠났다.

그런데 알고 보니 줄리아는 뮤리엘 가디너라는 여성의 삶을 일부 참고해서 만들어진 허구였다. 가디너는 자신과 줄리아의 삶이 비슷하다는 내용의 편지를 헬먼에게 보냈으나 답장을 받지 못했다. 그러나 매카시가 캐벗의 쇼에 출연한 무렵에는 이런 사실이 대중에게 전혀 알려져 있지 않았다. 모두들 의심을 품기는 했다. 특히 마사 겔혼은 헬먼의 주장 대부분이 새빨간 거짓말이라고 생각했다.

증거가 있든 없든 소송비용이 걱정을 안겨주었다. 매카시는 1963년에 나온 『그룹』 이후로 베스트셀러를 쓰지 못했다. 반면 헬먼은 엄청난 부자였으며, 무조건 끝장을 보고 말겠다는 결심이 훨씬 더 대단했다. 심지어 처음 두어 번의 사소한 분쟁에서 매카시의 소송기각 신청을 기각하는 판결을 판사에게서 이끌어내는 승리를 거두기도 했다.

헬먼이 복수의 끝장을 보기 전인 1984년 6월 말에 세상을 떠난 것은 순전히 우연이었다. 죽은 사람은 명예훼손을 당할 수 없는 법이므로, 재판에서 다뤄야 할 피해는 대부분 학문적인 것이 되었다. 8월쯤에는 소송이 완전히 끝나버렸다. 그러나 그 장대한 사건은 전설이 되어, 지금도 사람들이 메리 매카시의 이름을 들으면 이 사건만 떠올릴 때가 많다. 노라 에프런은 말년에 이르러서도 이 주제에 여전히 집착하며, 이 두 사람의 불화에 대한 희곡을 써서 「상상 속 친구」(*Imaginary Friends*)라는 제목을 붙였다. 예전에 그녀는 한동안 헬먼과 친하게 지낸 적이 있었다.

> 나는 한참 시간이 흐른 뒤에야 그녀가 친구들에게 들려준 굉장한 이야기들이, 정중하게 예의를 갖춰 말하자면, 꾸며낸 이야기인지도 모른다고 의심하기 시작했다. 세월이 흐른 뒤 그녀가 매카시에게 소송을 제기했을 때 나는 놀라지 않았다. 그때 그녀는 병석에 누워 있었고, 공식적으로 판정받은 시각장애인이었다. 그녀의 분노(분노는 그녀가 좋아하는 액세서리였다)는 그녀에게 의리를 지키던 사람들조차 진저리를 치게 만들었다.[12]

에프런의 희곡은 2002년에 브로드웨이에서 공연되었다. 성공작은 아니어서 석 달 동안 겨우 76회만 공연되었을 뿐이다. 그러나 당시 연달아 실패를 맛본 끝에 스스로 영화 감옥에 살고 있다고 표현하던 에프런은 이 작품에 열정을 쏟으면서 마음의 안정을 얻고, 본래의 모습을 되찾았다. "잡지에 기사를 쓰던 시절부터 흥미가 있던 주제, 즉 여성들이 서로에게 하는 행동에 대해 글을 쓸 수 있을 것 같았다." 그러나 그녀는 이런 열정을 잘 전달하지 못했다. 그녀가 세상을 떠난 2012년 무렵 「상상 속 친구」는 완전히 잊힌 작품이 되어 있었다.

매카시와 헬먼 사이의 불화를 다룬 에프런의 연극 「상상 속 친구」 포스터.
2002년 12월 12일부터 2003년 2월 16일까지
에델 베리모어 극장에서 76회 무대에 올랐다.

Adler

애들러

1937.10.19.

13

"애들러는 아름다움으로
독자를 눈부시게 만들기보다
자신의 생각으로 사람들의 마음을
꿰뚫고 싶어 했다."

1980년은 어쩌다 보니 싸움의 해가 되었다. 이미 40대에 접어든 레나타 애들러가 어느 선배를 잘 무르익은 공격 대상으로 점찍었기 때문이다. 폴린 케일은 할리우드에서 워런 비티와 잠깐 프로듀서로 활동하다가 『뉴요커』로 막 돌아온 참이었다. 프로듀서로 활동한 기간은 겨우 1년도 채 되지 않았으나, 그녀가 로스앤젤레스에 도착하자마자 그녀가 맡은 일들이 무너지기 시작했을 만큼 일이 엉망으로 꼬였다. 케일이 로스앤젤레스에 간 것은 제임스 토백의 영화 「사랑과 돈」(*Love and Money*) 작업을 위해서였다. 그러나 이 일이 무위로 돌아가면서 그녀는 영화사에서 제작 담당 중역으로 일하게 되었다.

그녀에게 잘 맞는 일자리가 아니었다는 말만으로 충분할 것 같다. 나중에 그녀는 할리우드의 중역들이 자신을 스파이로 보았다고 말했다. 그녀는 『뉴요커』로 돌아올 때에도 편집자 윌리엄 숀을 설득해야 했다. 이 잡지사의 또 다른 편집자는 『배너티 페어』의 기자에게 다음과 같이 말했다. "숀은 폴린이 스스로를 더럽혔다고 생각했다."[1] 그래도 그는 케일을 다시 받아들였다.

그해 여름에 케일의 새로운 비평집 『조명이 꺼지면』(*When the Lights Go Down*)이 출간되어 대체로 열렬한 찬사를 받았다. 「시민 케인」을 둘러싼 논쟁은 이미 10년 전의 일이었다. 그래서 케일은 할리우드에서 실패했는데도 여전히 업계 최고로 평가되었으며 팬도

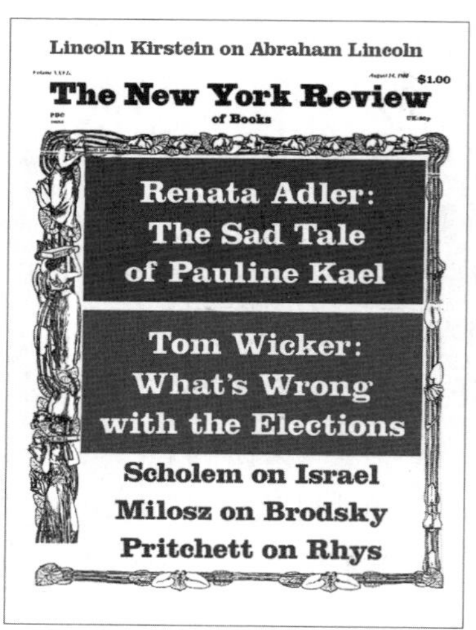
Lincoln Kirstein on Abraham Lincoln

$1.00

The New York Review
of Books

Renata Adler:
The Sad Tale
of Pauline Kael

Tom Wicker:
What's Wrong
with the Elections

Scholem on Israel
Milosz on Brodsky
Pritchett on Rhys

폴린 케일의 책 『조명이 꺼지면』에 대한 애들러의 신랄한 비평
「폴린 케일의 슬픈 이야기」(The Sad Tale of Pauline Kael)가 실린
『뉴욕 리뷰 오브 북스』 1980년 8월 14일자 표지.

있었다.

반면 레나타 애들러는 스스로를 케일의 반대편에 놓았다. 『뉴욕 리뷰 오브 북스』에서 그녀는 유명한 비평가들 사이에서도 찾아보기 어려운 사나운 태도로 케일의 책을 찢어발겼다.

> 지난 5년 동안 케일이 쓴 비평을 모은 책 『조명이 꺼지면』이 출간되었다. 케일이나 [존] 사이먼처럼 과장하지 않고 말하건대, 놀랍게도, 글 한 편 한 편, 한 줄 한 줄이 모두 하나도 빠지지 않고, 완전히, 거슬릴 정도로, 시시하다.[2]

이 구절은 글의 중간쯤, 그러니까 애들러가 케일의 글 중에서 좋아하는 작품들에 대해 길게 이야기한 다음에 나온다.
애들러는 케일의 문체가 뒷걸음질 친 것은 케일의 개인적인 잘못 때문이라기보다(사실 개인으로서 케일에 대한 언급은 이 글에 거의 나오지 않는다), 고정 비평가가 반복적으로 비슷한 일을 맡게 되는 탓이라고 보았다. 그로 인해 너무나 많은 영화를 보고 너무나 많은 글을 써내면서 쌓인 피로가 자연스레 글에 나타난다는 것이다.
그러나 애들러가 가혹한 평가에 앞서 늘어놓은 이런 조건들은 전부 중요하지 않았다. 그녀는 이 글을 통해 케일에게 분명하게 전쟁을 선포했다. 그리고 그녀의 주장에는 일리가 있었다.

애들러의 정확한 공격은 주로 비평가로서 케일의 예리한 통찰력보다는 문체를 겨냥했다. 그녀는 케일의 문체가 생각이라고는 들어 있지 않은, 거의 순전한 허장성세라고 보았다.

> 케일이 좋아하는 단어가 아홉 개쯤 된다. 이 단어들이 거의 600페이지나 되는 이 책에 수백 번이나 등장하는데, 한 페이지에 여러 번 나올 때도 많다. 먼저 '매춘부'(그리고 여기에서

파생된 '매춘부 같은', '매춘부 같음'도)는 여러 맥락에서 사용되지만, 실제 성매매를 지칭할 때는 거의 쓰이지 않는다. '신화', '표상'('신화적', '표상적' 포함)은 분명히 지적인 의도를 나타내려고 할 때 쓰이지만, 어떤 의미인지는 뚜렷하게 확인되지 않는다. '팝', '만화', '졸작'('졸작 같은'), '싸구려'('싸구려 같은')는 모두 (대개 호의적인) 판정을 내릴 때 쓰이지만, 그렇지 않을 때는 '신화적'과 호환이 가능한 것 같다. '도시의 시 같은'은 '싸구려 같은'보다 조금 더 폭력적인 것을 뜻한다. 그 다음에는 '물렁물렁한'(깔보는 의미)이 있다. '긴장'은 무엇이든 바람직한 상태를 의미하는 것 같고, '리듬'은 동사로 사용될 때가 많지만 조화나 속도를 의미한다. 마지막으로 '본능적인'과 '침착한'이 있다.

애들러는 이처럼 중요한 단어들을 뽑아내서 그 단어들을 쓴 당사자를 공격해 바보처럼 만들어버리는 기법을 그 뒤로도 자주 사용했다. 분석할 글(모두 영화비평의 구조에 맞게 쓴 글)이 워낙 많은 케일에게는 이 기법이 정말로 파괴적이었다. 너무나 파괴적이어서 많은 사람들이 케일의 편이 되어주어야 할 것 같다고 생각할 정도였다. 『뉴욕 리뷰 오브 북스』의 독자 편지란에서 열세 살의 매슈 와일더는 케일을 변호하며, 애들러의 글이 "우울하고, 앙심에 차서 끊임없이 장황하게 비난을 늘어놓았다"[3]고 주장했다. 『뉴욕 타임스』의 존 레너드도 애들러를 꾸짖었다. "확실히 내가 아는 고정 비평가들은 애들러가 케일을 대하는 태도에 못지않게 자신에게 엄격하다. 그들은 형용사에 주의를 기울이며, '800단어로 생각이 한정된다'는 말을 한다."[4] 제임스 울컷을 포함한 케일의 다른 친구들도 나서서 그녀를 변호하는 글을 썼다. 그러나 이미 입은 피해를 되돌릴 수는 없었다. 케일의 글에 대한 애들러의 비판은

2001년에 케일이 세상을 떠났을 때 나온 모든 추도문에 포함되었다.

좀 더 젊었을 때의 케일, 즉 「원과 사각형」 시기의 케일이었다면 상대를 압도하는 반응을 내놓았을지도 모른다. 그러나 그녀는 이 일에 대해 어떤 글도 쓰지 않고, 인터뷰도 하지 않았다. 어떤 기자에게 다음과 같이 말한 것이 전부다. "애들러가 내 글에 호감을 느끼지 못했다니 유감이네요. 내가 달리 무슨 말을 할 수 있겠어요?"[5] 윌리엄 숀은 신문기자들의 연락을 받고, 애들러가 항상 그런 식으로 글을 쓴다고만 말했다. 비록 중간에 쉬는 기간이 있기도 했지만, 애들러가 『뉴요커』에 글을 쓰기 시작한 지 17년이나 되었으니 숀은 확실히 그녀의 글에 대해 한마디할 자격이 있었다. 그녀는 그 세월 중 많은 부분을 공격에 할애했다. 글에서 가차 없는 분석을 하는 애들러는 논리적인 오류를 감지했을 때, 먹이를 지키는 개와 조금 비슷해졌다. 그녀가 그 이전에 어떤 활동을 했는지 알아본 사람이라면 두 가지를 알 수 있었다. 그녀가 주위 사람들보다 대체로 더 똑똑하다는 것과 글에서 그 좋은 머리를 뽐내며 좋아한다는 것.

흑백논리를 펴는 사람들에게는 애들러의 삶이 기묘한 모순으로 가득한 것처럼 보인다. 『뉴욕』에 실린 그녀의 프로필에는 "우디 앨런처럼 공개적으로 '사생활'을 지키겠다고 단언한 사람"[6]이라고 되어 있었다. 지금 우리가 우디 앨런에 대해 아주 많은 것을 알고 있다는 사실에 비추어보면, 이 비교가 조금 이상해 보인다. 그러나 애들러가 많은 시선 앞에 노출되어 있으면서도 또한 대단히 감춰진 삶을 산 것은 사실이다. 그녀의 유년 시절에 대해서는, 독일 피난민의 딸로 1937년에 밀라노에서 태어났다는 사실 외에 알려진 것이 거의 없다. 그녀의 부모가 딸을 데리고 코네티컷으로 온 것은 2차 세계대전 중의 어느 시기였다.

어렸을 때부터 애들러의 삶을 지배한 것은 불안감이었다. 처음에는 영어를 배우는 데 어려움을 겪었다. 그녀가 어느 잡지와의 인터뷰에서 직접 한 말이다. 그녀의 부모는 공부에 도움이 될까 싶어서 그녀를 기숙학교에 넣으려고 했지만, 그 조치는 그녀를 더욱 불안하게 만들었을 뿐이다. 펜실베이니아에 있는 여자대학인 브린 모어에서 공부할 때도 애들러는 불안감을 떨치지 못했다. 흡연 금지 같은 교칙을 어겼다고 자수할 정도였다. 애들러는 불안감이 너무 심해져서 정신과 치료를 받아야 했으며, 학교 과제를 형제에게 대신 부탁했다고 주장했다. 대학을 졸업한 뒤 그녀는 로스쿨 진학을 고려했으나, 대신 하버드 대학원에 가서 예전의 손택처럼 철학을 공부했다. 그리고 손택처럼 학위를 마치지 못했다. 그러나 풀브라이트 장학금으로 1년 동안 파리에서 유명한 인류학자 클로드 레비-스트로스의 수업을 듣기도 했다.

애들러는 애당초 학계에 머무를 생각이 없었지만, 결국 학자의 길을 벗어나게 된 것은 거의 우연한 일이었다고 주장했다. 하버드에서 그녀는 지금은 아는 사람이 별로 없는 『뉴요커』의 필자 S. N. 베어먼을 만나 그의 희곡 한 편을 번역했다. 그녀에게 『뉴요커』의 인터뷰 기사를 써보라고 권한 사람도 베어만이었다. 그 뒤 그녀는 거의 우연 덕분에 『뉴요커』에 취직했다. 그래도 글쓰기는 애들러에게 그리 쉬운 일이 아니었다. 나중에 그녀는 에드먼드 윌슨과 메리 매카시의 아들이자 자신의 약혼자인 류얼 윌슨에게 잘 보이고 싶다는 것이 처음에 글을 쓰기 시작한 큰 이유였다고 말했다.

매카시는 어느 해 여름 이탈리아에서 애들러를 만났을 때, 그녀를 마치 소설 속 등장인물처럼 묘사했다. [류얼의] "마르고, 조금은 성경 속 유대인 아가씨처럼 보이는 친구. … 취향에 따라 상당히 못생겼다고 할 수도 있고, 미인이라고 할 수도 있습니다."[7] 두 사람 사이에 적대감이 있었는지, 매카시와 손택이 그랬던 것처럼 성격이 강한 지식인들 사이의 경쟁의식이 있었는지는 모르겠지만, 기록에는 아무것도 남아 있지 않다. 나중에 애들러는 매카시를 만나기 전에 그녀의 작품을 읽은 적이 없었다고 밝혔다. "당시 나는 수줍음이 많았는데, 그분은 나를 무척 친절하게 대해주셨다. 나중에 그분의 글을 읽고 그 지적인 비평의 무서움을 알고 나서 나는 깜짝 놀랐다."[8] 이렇게 어긋나는 성격이 나중에 애들러의 특징이 되었다. 불안감이 많고 말투가 부드러운 애들러를 실제로 만나본 사람들은, 그녀가 지면에서 보여주는 사나운 태도를 그녀와 잘 연결시키지 못했다.

그러나 신처럼 확신을 갖고 의견을 내놓는 그녀의 능력은 처음부터 재능으로 작용했다. 애들러가 자신의 이름으로 발표한 최초의 글(그 전에 쓴 글은 편집자가 원고를 찢어버린 다음, 가명으로 몰래 발표되었다)은 『뉴요커』의 존 허시 기자가 쓴 책에 대한 비평이었다. 긴 연구서인 『히로시마』(*Hiroshima*)의 저자로 가장 유명한 허시는 자신이 잡지에 쓴 글들을 모은 책에 『영원한 현실: 인간의 끈기에 대한 연구』(*Here to Stay: Studies in Human Tenacity*)라는, 다소 잘난 척하는 제목을 붙였다. 애들러는 허시의 글을 좋아하지 않았다.

> 그의 책은 다음과 같은 말로 시작한다. "위대한 테마는 사랑과 죽음이다. 이 둘이 합해지면 살아갈 의지가 되는데, 그것이 이 책의 주제다." 이 책 전체의 특징인, 소탈하고 무의미한 수사법을 완벽하게 보여주는 말이다.[9]

이때 애들러도 『뉴요커』의 정식 기자였다. 그녀가 맡은 일은 주로 기자의 이름이 들어가지 않는 '장안의 화제'란이었지만, 거기서도 그녀는 책과 출판계를 가장 많이 다뤘다. 그녀는 이 업계가 이루 말할 수 없을 만큼 어리석다고 보았다. 기자의 이름이 들어가지 않은 한 기사에서 그녀는 얼마 전에 본 베스트셀러 목록을 공격 대상으로 삼았다.

> 어른들을 위한 색칠 책, 어린이가 쓴 일기, 신문에 실린 사진들을 모아 웃기는 설명을 달아 놓은 소책자, 야구감독의 자서전, 할리우드에서 큰 화제가 되었던 재판에서 피고를 변호한 변호사의 회고담, 다이어트에 대한 논의, 결혼하지 않은 여성들의 성적인 활동에 대한 연구서가 포함되어 있었다.[10]

이어서 애들러는 이런 상황이라면 베스트셀러 목록에 의지할 이유가 전혀 없다고 단언했다. 이 목록은 단순히 "글을 읽고 쓰는 능력이 부족해서 자신이 없는 사람들을 위한 유용한 지침서"일 뿐이라는 것이었다. 그녀는 『뉴욕 타임스』에 이 목록을 아예 싣지 않는 것이 어떻겠느냐고 제안했다. 결국 문학과 출판에 대한 이런 논평 덕분에 애들러는 『뉴요커』에서 자기 이름으로 된 서평 칼럼을 몇 편 쓸 수 있게 되었다. 스물일곱 살 때인 1964년에 그녀는 서평의 문제점이라는 영원한 주제를 선택했다. 여성 선배들과 마찬가지로 애들러도 당시 서평을 쓰던 필자들의 형편없는 논리 전개를 견딜 수가 없었다. 하지만 그렇다고 해서 그 대신 나타난 '새로운 서평'을 딱히 좋아하는 것도 아니었다. 그녀는 논쟁이 이 장르를 지나치게 지배하고 있다고 생각했다.

> 문학비평에서 논쟁은 수명이 짧다. 그리고 호의적이지 않은 서평만큼 빠르게 폐물이 되는 글은 없다. 공격받는 작품이 가치가 있다면 적대적인 논평을 이기고 살아남을 것이고, 가치가 없다면 작품이 죽으면서 논쟁도 함께 죽을 것이다.[11]

이것은 애들러가 처음으로 논쟁에 논쟁으로 맞선 글이었다. 이런 방식은 나중에 그녀의 글에서 하나의 테마가 되었다. 그녀는 과장된 문체, 지나치게 가혹한 주장 때문에 자주 비난을 받았지만, 사실은 이런 문체야말로 애들러가 다른 사람들의 글을 비평할 때 지속적으로 문제를 삼던 부분이었다(케일이 말년에 쓴 비평에 대해서도 그녀는 지나치게 논쟁적이라고 공격했다). 그녀는 또한 비평의 전통적인 틀에도 별로 구애받지 않았다. 앞에 인용한 글에서 애들러는 어빙 하우와 노먼 포드호리츠의 책을 평하기로 되어 있었으나, 점차 범위가 넓어지면서 『파티전 리뷰』를 창간한 젊은 지식인 대부분을 다루는 글을 쓰고 말았다. 애들러는 작은 잡지 운동 전체가 점차 고통을 겪고 있다고 주장했다. "2차 세계대전 이후 예전의 이슈들은 흐릿해지고, 과거의 피후견인들은 성공하고, 복잡한 것을 잘 참지 못해서 설명을 늘어놓기 일쑤인 작가들은 어쩔 줄을 몰랐다."[12] 어빙 하우(과거의 유물) 같은 사람에게는 이제 설 자리가 없었다. 심지어 그보다 젊은 작가이자 한나 아렌트의 강력한 적인 노먼 포드호리츠에 대해서도 애들러는 별로 인내심을 발휘하지 않았다.

아렌트는 나중에 애들러의 정신적 스승이 되었다. 『예루살렘의 아이히만』이 나온 뒤 신문들의 독자 의견란에서 소란이 벌어지고 있을 때, 애들러는 심지어 윌리엄 숀을 설득해 뭔가 답변을 싣게 하려고 했다. 그녀는 라헬 판하겐의 전기를 읽은 뒤 한동안 아렌트의 주위를 맴돌던 중이었다. 처음에 숀은 애들러에게 아무것도 쓰지 말라고 말했다. 자신들의 기사와 연결될 수 있는 논쟁은 모두 무시해버리는 것이 그때까지 『뉴요커』의 전형적인 반응이었기 때문이다. 그러나 애들러가 계속 강력한 주장을 꺾지 않았고, 『뉴욕 타임스』에 마이클 머스마노가 『예루살렘의 아이히만』을 심하게 비난한 서평이 실리자 숀도 뒤로 물러났다. 그들은 『뉴욕 타임스』가 독자의 편지란에 애들러의 글을 실어주기를 바랐지만, 그녀의 글은 퇴짜를 맞았다. 그래서 『뉴요커』가 고압적인 어조의 그 글을 직접 자신의 지면에 실었다.

> 아렌트의 조용하고, 도덕적이고, 합리적인 기록에 대해 [머스마노는] "힘러!", "히틀러!" 같은 과장된 말을 외치면서 반대했다. 마치 이런 말이 역사철학 속의 계몽적인 선언이라도 되는 것처럼. … 상대의 말을 듣지 않으려 하고 소통을 거부하는 무서운 자세는 전혀 새로운 것이 아니다. 우리는 삶에서도 신문 헤드라인에서도 이런 태도에 익숙해졌다. 그러나 글의 정수는 바로 소통이므로, 주요 신문의 출판 관련 기사에서 이런 소통의 단절이 발견된 것이 심히 실망스럽다.[13]

이 글을 본 아렌트는 애들러에게 차를 한잔 같이 하자고 청했다. "릴리언 로스의 표현처럼, 그녀의 발치에 우러러보듯 앉아 있는 사람이 있었다면, 그것은 바로 나였다."[14] 애들러는 나중에 이렇게 썼다. 그녀는 또한 하인리히 블뤼허에게도 푹 빠졌다. 아렌트와 블뤼허는 애들러와 독일어로 이야기를 나눴고, 그녀를 일종의 피후견인으로 받아들였다. 애들러는 아렌트를 "엄격한 부모"[15]라고 표현했다. 아렌트와 블뤼허는 항상 애들러에게 학교로 돌아가 박사 과정을 마치라고 격려했다. 블뤼허가 박사학위 없이 힘들게 생계를 해결했던 과거를 생각했는지도 모른다.

다시 말해서, 애들러는 수전 손택이 원했던 것처럼 보이는 자리를 차지했다. 그녀는 아렌트가 "손택 씨에게는 관심이 없었다"[16]고 주장했다. 누군가가 이유를 묻자 그녀는 이렇게 말했다. "한나 아렌트가 손택을 미워했다는 뜻이 아니다. 손택의 작품에 별로 관심이 없었다는 뜻일 뿐이다. 내가 보기에는 일리 있는 판단이었다."[17] 애들러의 말이 옳았다. 애들러와 손택은 자기들도 모르는 사이에 경쟁을 벌이고 있었던 것 같다. 애들러는 손택과 마찬가지로 『마드무아젤』의 상을 받았다. 자신보다 어린 손택이 상을 받은 지 3년 뒤의 일이었다. 애들러는 『뉴요커』라는 안정된 직장을 갖고 있었으므로 경제적으로 손택보다 안정되어 있었다. 그러나 손택처럼 스타로 주목받지는 못했다. 손택 같은 폭발력이 없었던 것은 확실하다.

그래서 1964년에 포드호리츠에게 달려들 때 그녀는 『예루살렘의 아이히만』에 근본적으로 반대하는 사람을 겨냥한다고 생각했다. 그의 책을 조각조각 분해하는 애들러의 글에는 의욕이 넘쳤다. 그녀의 공격방식은 정밀하고 자비가 없었다. 포드호리츠는 특정한 표현을 반복하는 경향이 있었는데, 그가 선택한 표현은 바로 어릿광대가 자주 하는 말이었다. 애들러는 나중에 케일을 공격할 때도 같은 기법을 사용해서, 그녀의 위선을 연달아 폭로해 치명적인 피해를 입힐 수 있었다. 포드호리츠의 글 「서평과 내가 아는 모든 사람」(Book Reviewing and Everyone I Know)에 대해서도 애들러는 단 하나의 주장으로 그를 박살내버렸다.

> 첫째, '내가 아는 모든 사람'이라는 말이 (제목에 나온 것을 제외하고) 열네 번 나오고, '내가 아는 어떤 사람', '내가 아는 누구도', '내가 모르는 어떤 사람', '그들이 아는 모든 사람'이라는 표현은 각각 한 번씩 등장한다. 같은 말을 반복하는 것은 수사학적인 장치이며, 포드호리츠 씨는 언제나 이 장치를 유난히 좋아한다(다른 글에서는 '1930년대에 실제로 있었던 일'이라는 표현이 아홉 번 등장하고, '전체주의의 본성에 대해 아무것도 알려주지 않는다'는 표현도 연달아 여러 번 나온다)는 점을 인정해줄 수밖에 없다. 그러나 「서평과 내가 아는 모든 사람」에 동지의식과 연대의식이 고루 퍼져 있다고 말해도 무리가 아닐 것 같다. 포드호리츠 씨는 확실히 혼자가 아니라고

생각하는 듯하다.[18]

이 방법을 통해 애들러는 부적절한 동어반복 외에 다른 것도 지적할 수 있었다. 그녀는 이런 오만한 태도 때문에 새로운 서평을 추구하는 사람들이 자기들끼리만 이야기를 나누면서 찬사와 비난을 주고받는 작은 집단이 되었으며, 그로 인해 지식인 세계 전반이 대가를 치르고 있다고 주장했다. 이 작은 집단이 스스로 분석하는 책에 대해서는 조금도 고려하지 않고, 명성을 얻는 데 신경을 쓰고 있다는 것이다. 물론 이런 주장으로 인해 애들러는 그녀 역시 같은 짓을 하고 있는 것이 아니냐는 공격에 노출되었다. 케일이 「원과 사각형」을 썼을 때 출세 지향주의자로 비난받은 것과 같은 상황이었다. 보수적인 필자인 어빙 크리스틀은 공화주의로 전향하기 전 사회주의를 신봉하던 시기에 『뉴 리더』에 쓴 글에서 다음과 같이 말했다.

> 내가 애들러 씨의 글을 전에 읽었을 수도 있지만, 기억에 남은 것이 전혀 없다. 내게 있어 그녀를 '글 쓰는 사람'으로 만들어준 것은 포드호리츠의 처방을 충실히 따른 그녀의 서평이었다.[19]

글을 통해 세상에 널리 알려진 레나타 애들러의 모습을 가장 먼저 선명하게 보여준 것이 바로 이 글이라는 크리스틀의 지적은 확실히 옳았다. 이 글에는 애들러의 문체를 상징하는 특징 여러 개가 드러나 있다. 그녀가 처음 일을 시작할 때부터 이미 온전히 존재하던 특징들이었다. 글 속에서 우리에게 말을 거는 목소리는 결코 애교를 부리거나 농담을 던지지 않는다. 그녀의 성격이 다른 식으로 드러나지도 않는다. 있는 것은 순전히 이성적인 분석뿐이다. '나'라는 대명사가 자주 등장하기는 하지만, 그것은 결코 그녀 개인을 지칭하지 않고 손택의 경우처럼 분석적인 성격을 띤다. 애들러의 글은 레이저

광선 같다. 그러나 그녀는 아름다움으로 독자를 눈부시게 만들 생각보다는 자신의 생각으로 사람들의 마음을 꿰뚫을 생각이 더 많다. 독자에게 종류를 막론하고 이야기를 들려주는 경우는 드물며, 논문을 준비하듯 증거를 차곡차곡 모아서 단호하게 대상을 공격한다. 애들러는 이야기꾼이라기보다 검사(檢事)처럼 느껴질 때가 많다.

윌리엄 숀은 포드호리츠를 공격한 글을 보고 애들러의 능력이 이것으로 끝이 아니라는 생각을 하게 되었다. 애들러도 숀이 '사실기사'라고 부르는 것을 맡고 싶었다. 사실기사란 1960년대에 『뉴요커』의 트레이드마크가 된, 길고 야심 찬 기사들을 말한다. 『뉴요커』가 이런 기사들을 싣기 시작한 초창기인 1965년에 애들러는 앨라배마에서 열린 셀마 몽고메리 행진(미국 남부의 흑인들이 투표권을 요구하며 벌인 행진 — 옮긴이)을 취재하기 위해 파견되었다. 기자로서 처음 현장 취재를 나간 탓에 불안했는지, 이 기사에서 애들러는 분석보다는 관찰에 치중했다. 문장도 평소보다 짧아서 때로는 간결하게 보일 정도였다. 행진에 참가한 사람들의 감동적인 주장에도 애들러는 별로 넘어가지 않았다. 이 행진에서 요구조건이 분명하게 표현되었는지 의문이라는 의견을 피력했을 뿐, 그녀는 단순히 눈으로 본 것을 보도하는 데에만 전력을 기울였다.

> 바이올라 류조 부인이 총에 맞았다는 소식이 들려왔다. 행진 참가자들 중 일부는 즉시 셀마로 돌아갔고, 나머지 사람들은 집으로 돌아가는 비행기에 올랐다. 몽고메리의 공항 출구에는 다음과 같은 공식적인 문구가 계속 걸려 있었다. "여기까지 오셔서 기쁩니다. 서둘러 돌아가세요."[20]

이 글은 이상하게도 앞뒤가 따로 놀고 냉담하게 보였다.

애들러는 세대 간의 차이를 다룬 글을 쓸 때 훨씬 더 자신감 넘치고 비판적이었다. 1960년대 중반에 그녀는 똑똑한 젊은이였지만, 주위 사람들로부터 소외되어 있다는 느낌 때문에 그들의 정치운동, 자유로운 사랑에 헌신하는 태도, 삶의 어려운 문제들에 대한 무심함을 수상쩍은 눈으로 바라보게 되었다. 어떤 사람들은 그녀를 "동부의 존 디디언"[21] 이라고 불렀지만, 그녀의 문체는 그보다 더 직접적이고 덜 취약했다. 디디언은 대화와 배경설정 등에서 히피와 방랑자의 약한 부분을 불러내는 경향이 있었으며, 자신과 자신의 기분에 대해 상당히 많은 이야기를 했다. 애들러는 언제나 그렇듯이 주장을 펴는 데에 더 치중하면서, 자신의 내면을 직접적으로 드러내지 않으려고 했다.

> 그러나 지금 방랑하는 아웃사이더들이 늘어나고 있다. 선셋 스트립에서 있었던 대결과 전체적인 분위기에서 떠오른 도덕적 경향, 즉 사랑에 모호하게 헌신하는 사람들이다. 요즘 캘리포니아의 십 대들 사이에서 사용되는(그리고 그들이 부르는 노래의 가사 속) 사랑이라는 단어는 성적인 해방, 달콤함, 지상의 평화, 평등이라는 꿈을 구현한 것이었다. 그런데 이상하게도 여기에 마약이 포함되어 있다.[22]

이 "이상하게도 여기에 마약"이라는 말은 애들러가 의도한 것보다 더 많은 사실을 드러내고 있었다. 1967년에 마약은 그녀 또래의 사람들(그녀는 고작 서른 살이었다)에게 결코 이상한 물건이 아니었기 때문이다. 피난민의 자식인 애들러는 1960년대에 젊은이들이 반항했던 전형적인 미국의 이미지라는 것을 갖고 있지 않았다. 그러나 그렇다 하더라도 애들러는 언제나 세상의 일들을 직접 느끼고 경험하기보다 옆으로 비켜서 있는 편이었다. 물론 그 덕분에 그녀는 훌륭한 관찰자가 되었다. 젊은이들이 성 해방을 부르짖던 시기에 애들러가 쓴 글을 보면, 놀라울 정도로 세세한 정보가 들어 있을 때가 많다. 이상하기 짝이 없는 행동을 아주 건조한 문장으로 간단히 넘겨버리는 능력도 놀랍기는 마찬가지다. "그는 요들송을 부르기 시작했다."[23] 선셋 스트립에서 만난 한 청년을 묘사한 말이다. 마치 사람들이 누군가의 지시만 있으면 간단히 이런 행동을 하는 것 같다. 그러나 애들러는 주위에서 벌어지는 일들의 큰 그림을 이해하는 데에는 어려움을 겪었다. 거의 모든 기사에서 그녀는 모호한 말로 끝을 맺었다. 선셋 스트립에 대한 글에서는 휴먼 비인(1967년 1월에 샌프란시스코에서 열린 행사. 헤이트-애시버리를 중심으로 히피와 마약 문화가 꽃을 피우는 계기가 되었다 — 옮긴이)이라는 곳에 이르러 다음과 같이 말했다. "주위에 경찰이 전혀 없었다."

애들러는 다시 미시시피로 가서 시민권을 요구하는 시위를 더 많이 취재했으며, 이스라엘로 날아가 6일 전쟁도 취재했다. 그 다음에는 비아프라(나이지리아의 동부 지방. 1967년에 독립을 선언했으나 실패했다 — 옮긴이)로 갔다. 그러나 이 모든 기사에서 드러난 문제는 똑같았다. 그녀의 태도가 모호하다는 것. 나중에 이 글들을 책으로 모아 펴내면서 애들러는 그 당시 시대의 분위기가 모호한 양면성을 갖고 있었음을 깨닫게 되었다. 그러나 이 사실을 글에서 다루면서도 자신의 주위에 울타리를 두를 수밖에 없었다.

> 내 생각에 나는 단 한 번도 하나의 세대로서 목소리를 내지 못하고 무시당한 탓에 최대한 광범위한 미국 사회 전체에 억지로 편입된 연령대에 속하는 것 같다. 지금도(이제 우리는 30대가 되었다) 우리는 스스로 발행하는 잡지가 없고, 공유하는 추방경험도 없고, 싸움의 기억도, 일화도, 전쟁도, 연대도, 특징도 없다. 아이젠하워 시절 대학에서 우리는 이렇다 할 특징이 전혀 없었다. 있다면 매사에 무심한 태도뿐이었다.

행동의 중심이 우리에게서 무너진 것 같았다.[24]

다시 말하지만, 이 글을 쓴 사람은 갓 서른 살이었는데도, 이 나라의 정치와 사회적 흐름에서 대부분 벗어나 초연한 태도를 취하고 있었다. 어떤 때는 1960년대 미국의 사회적 혼란에 대해 거의 보수주의자 같은 생각을 토로하기도 했다. "우리의 가치관은 구식이다." 그녀는 '우리'라는 대명사에 누가 포함되는지 정확히 정의하지 않은 채 이렇게 썼다. "이성, 품위, 성공, 인간의 존엄성, 접촉, 최대한 넓고 최대한 훌륭한 미국." 그래도 이 글에서 가장 묘한 부분은 애들러가 스스로 말한 '우리'와 자신을 완전히 별개의 존재로 생각했다는 점이다. 미국 역사 속에서 그녀가 걸어온 궤적은 전형적이지 않았다. 1960년대에 대학에 진학한 미국인은 겨우 절반 정도에 불과했다. 스물두 살에 전국에서 발행되는 주요 매체에 글을 쓰는 사람도 별로 없었다. 애들러는 도러시 파커 수준의 천재였으며, 처음부터 끝까지 한결같은 태도로 글을 썼다. 그녀가 처음에 '장안의 화제'란에 쓴 글부터 1990년대에 발표한 마지막 작품들에 이르기까지 내내 그녀의 목소리가 또렷했다. 그러나 대중에게서 유리되어 있다는 것은 곧 그녀가 1960년대 미국의 전반적인 감성에 손을 내밀어 접촉할 수 없다는 뜻이었다. 그녀가 할 수 있는 일은 지켜보는 것뿐이었다.

어쩌면 이 때문에 애들러가 1968년에 갑자기 『뉴요커』라는 배에서 뛰어내렸는지도 모른다. 당시 영화비평을 담당할 필자를 찾던 『뉴욕 타임스』가 애들러에게 접근했다. 『뉴욕 타임스』는 곰팡내를 풍기는 늙은 필자 보즐리 크로우더에게 지쳐 있었다. 그는 폴린 케일과 대적하는 사이이기도 했다. 『뉴욕 타임스』가 케일에게 『뉴요커』를 그만두고 오라고 요청할 생각을 했는지는 분명치 않다. 그러나 애들러는 『뉴요커』에 가끔 영화에 관한 글을 쓰고 있었고, 케일은 번갈아가며 비평을 쓰던 페넬로페 질리엇과 함께 일이 없는 상태였다. 애들러는 아직 젊지만 이미 비평으로 스스로 흔적을 남겼다. 1960년대에 대해 당시 유행에 맞게 소외된 분위기의 글을 쓰던 그녀가 『뉴욕 타임스』의 눈에 딱 맞는 인물로 보였음이 분명하다.

만약 『뉴욕 타임스』가 천진한 소녀 같은 필자를 기대했다면, 상대를 잘못 찾았다고 할 수 있다. 애들러는 자신이 맡은 일에 대해 날카롭게 칼을 간 상태로 『뉴욕 타임스』에 도착했다. 그녀는 어느 누구도 너그럽게 봐주지 않았다. 그녀의 첫 비평은 이제는 완전히 망각 속에 묻혀버린 어느 독일 영화를 다룬 것으로, 옛날에 썼던 서평들을 연상시키는 천둥 같은 문장으로 시작되었다. 과거 존 허시의 목을 조르던 때와 똑같았다.

> 수많은 중년 독일인, 개중에는 아주 뚱뚱한 사람도 섞여 있는 그들이 모두 피부가 벌겋게 익은 채로 땀을 뻘뻘 흘리며 인상을 찌푸린 채 엘케 좀머(독일 영화배우 — 옮긴이)에게 걸려 넘어지는 모습을 지켜보는 것을 즐거운 일이라고 생각하는 사람이라도, 「파울라 슐츠의 못된 꿈」(The Wicked Dreams of Paula Schultz)은 그냥 건너뛰어야 할 것 같다. 올해의 첫 영화인 이 작품이 별로 알고 싶지도 않은 여러 면에서 어떻게 손을 쓸 수도 없을 정도로 형편없기 때문이다.[25]

이 구절이 워낙 재미있어서 기대가 고조되었다. 피에 굶주린 젊은 비평가의 모습이 여기에 드러나 있었다. 그녀가 다음에 다룬 영화는 노먼 메일러의 「와일드 90」(Wild 90)으로 그녀에게 좀 더 친숙한 주제를 다루고 있었다. 여기서 애들러는 작가의 개성이라는 편안한 영역으로 돌아왔다. "우리 시대에 가장 애정과 용서가 넘치지만 궁극적으로는 선심을 쓰는 듯한 태도로 파괴적인 결과를 낳는"[26]

메일러를 좋아하는 관객들은 그의 다른 작품을 대할 때와 마찬가지로 이 영화 또한 마구 떠받들 가능성이 높았다. 그러나 이것은 찬사가 아니었다. 애들러는 메일러의 팬들이 지적으로 인상적인 집단이라고 할 수는 없다는 점을 분명히 했다. 예를 들어, 그녀는 "자유로워져서 자아를 찾으려고 애쓰는 소년 피터 팬의 이야기 속 사랑스러운 주인공처럼 메일러를 대하는 관대한 사람들이 변명은 생각도 하지 않고 단호하고 압축적으로 이야기를 전하는 작품을 환영할 것"이라고는 상상할 수 없다고 썼다.

나중에 「폴린의 위험」(The Perils of Pauline)에 드러난 모습처럼, 애들러는 케일에게서 영향을 받지 않았으면서도(이 초창기 비평에 나타난 그녀의 문체는 취재기사를 쓸 때처럼 간결하다) 케일의 호전적인 정신을 그대로 이어받은 것처럼 보인다. 애들러의 영화비평에는 가장과 감상에 대한 비난이 가득하다. "진지한 사람들"이 좋아하는 영화인 「졸업」(The Graduate), 「인 콜드 블러드」(In Cold Blood), 「초대받지 않은 손님」(Guess Who's Coming to Dinner)은 모두 부르주아 관객들의 입맛에 맞았지만, 애들러에게는 수상쩍게 보였다. 여기서 그녀가 아웃사이더라는 사실은 축복이 되었다. 대중의 취향을 따라야 한다는 압박에서 자유로웠기 때문이다. 심지어 당시 대부분의 영화 비평가들처럼 작가주의/반(反)작가주의 전쟁에서 편을 확실히 정할 필요도 없었다. 애들러는 단순히 자신의 생각만 밝힌 뒤, 체계적인 논쟁은 다른 사람들에게 맡겨두었다.

『매콜』에서 케일이 겪었던 것처럼, 애들러도 『뉴욕 타임스』에서 일하는 14개월 동안 영화사들로부터 많은 도전을 받았다. 그중에 가장 유명한 사례로는, 애들러가 대중의 사랑을 받은 많은 영화들을 싫어하는 사람인 만큼 대중은 그녀의 말에 귀를 기울이지 말아야 한다고 지적한 유나이티드 아티스트 영화사의 광고가 있다.

『뉴욕 타임스』의 레나타 애들러는 좋아하지 않았다.
「인 콜드 블러드」를.
그녀는 말을 아꼈다.
「졸업」, 「초대받지 않은 손님」, 「혹성탈출」에 대해서.
그녀가 어떻게 느낄지 잘 모르겠다.
「우리에게 내일은 없다」에 대해서.
대다수의 비평가는 이 영화들을 좋아했다.
특히 대중이 좋아한다.
그런데 그녀는 좋아하지 않는다.
「멀베리 덤불 옆을 돌아서」를.
훌륭한 추천영화다![27]

애들러가 처음부터 할리우드 제작자들에게 골칫거리였다고 말하는 사람이 많지만, 사실 처음에 영화계는 그녀에게 대해 중립적인 입장이었다. 그녀가 일을 시작한 지 2주가 되었을 때인 1월에 나온 『버라이어티』(*Variety*)의 보도에 따르면 그렇다. 1968년 3월에 나온, 이보다 더 긴 기사는 영화계의 반응이 갈렸다고 보도했다.

> 그녀를 지지하는 사람도 비난하는 사람도 동의하는 것이 하나 있다. 비평가로서 그녀의 관점이 영화보다는 문학 쪽에 훨씬 더 가깝다는 것. … 그녀는 감독이 영화의 궁극적인 창조자라는 견해에 확실히 동의하지 않는다. 적어도 여섯 편의 비평에서 그녀는 감독의 공을 평가하는 것은 고사하고, 아예 감독의 이름조차 언급하지 않았다.[28]

『버라이어티』의 취재에 응한 사람들은 그녀가 비평가라기보다는 에세이 작가로서 더 뛰어나다면서, 영화의 '죽음 숭배'를 명확하게 해설하거나 영화 속 폭력이 적절한가를 열심히 다룬 그녀의 글을 즐겁게 읽을 때도 많다고 말했다. 그러나 그녀의 글은 영화 자체에서 벗어나 애들러 본인이 집착하는 주제로 향하기 일쑤였다.

> 민주주의가 가장 다루기 힘들 일 중 하나는 아마도 미학적으로 표현된 혁명일 것이다. 중산층의 젊은이들, 체제로부터 그 어떤 부당한 일도 당해본 적이 없을 뿐만 아니라 오히려 힘 있는 자리에 올라설 수 있게 교육을 받고 있는 젊은이들이 재미로 그 체제를 무너뜨리려 하는 현상은 그 어느 역사철학에서도 제대로 예측하지 못했다.[29]

애들러의 비평은 가차 없고 진지했으며, 쓰레기 졸작은 대체로 거들떠보지도 않았다. 그녀의 혹평은 때로 파괴적이었지만, 그녀는 나쁜 영화 속 좋은 요소들을 정당하게 평가하려고 애썼다. 바브라 스트라이전드가 「퍼니 걸」(Funny Gril)의 격을 높여주었다고 공을 인정한 것이 한 예다. 애들러는 프랭코 제피렐리의 「로미오와 줄리엣」(Romeo and Juliet)의 연출방식이 전체적으로 「웨스트 사이드 스토리」(West Side Story)를 너무 닮았다고 생각하면서도, 우아하게 표현된 무도회 장면에는 호감을 표시했다. 「바바렐라」(Barbarella)가 나왔을 때는, 요즘 영화들이 여성을 묘사하는 방식에 문제가 있다고 마구 호통을 쳤다. "어쩌면 반(反)엄마 반사작용(anti-Mummy reflex)인지도 모르겠다. 훌륭하고 품위 있는 여성들은 영화에 나오지 않는다."[30] 그런데도 그녀는 제인 폰다가 영화 속에서 최선을 다했다며 공을 인정했다.

그러나 영화계 외부인사들은 애들러의 비평에서 사실이 틀린 부분을 많이 찾아냈다. 『버라이어티』는 『에스콰이어』가 폭로기사를 준비 중이라고 보도했다. 이 잡지는 또한 폭스 영화사의 대릴 F.

재닉 사장이 어느 중역에게서 애들러가 줄리 앤드루스의 달달한 영화 「스타!」(Star!)를 겨우 절반밖에 보지 않았다는 말을 들었다고 보도했다. 재닉은 『뉴욕 타임스』 편집자에게 불만을 쏟아냈으나, 애들러가 1972년 2월 말에 『뉴욕 타임스』를 떠날 때까지 아무 일도 일어나지 않았다. 애들러는 혁명 이후의 쿠바에서 만들어진 영화들에 대해 몇 편 더 글을 썼으나, 그 뒤 『뉴요커』로 돌아갔다. 여러 인터뷰에서 애들러는 자신이 해고당하지 않았다고 주장했다. 나중에 그녀가 폴린 케일을 공격하며 내세운 주장들을 보면, 그냥 스트레스에 지쳤던 것 같다. 그래도 마감에 맞춰 글을 쓰는 법을 배운 것이 좋았다고 말했다.[31]

애들러는 『뉴욕 타임스』를 떠난 뒤 논픽션 글을 몇 편 썼다. 그중 최고의 작품은 『애틀랜틱』에 실린 긴 글인데, 처치 위원회가 닉슨의 탄핵 심사를 하면서 그가 저지른 범죄들을 형편없이 조사했다고 꾸짖는 내용이었다. 애들러는 위원회의 기록을 꼼꼼히 훑어가며, 더 조사했어야 마땅한 항목들을 많이 찾아냈다. 결국 그녀는 탄핵 심사가 일종의 닉슨 감싸기가 되어버렸다고 믿게 되었다.

그러나 그녀는 이제 이런 글을 진심으로 쓰고 싶어 하는 것 같지 않았다. 그녀는 자신이 진심으로 쓰고 싶은 글은 픽션이라고 이미 결론을 내린 뒤였다.

애들러는 1970년대에 대체로 언론 쪽 일을 무시한 채 소설 『스피드보트』(*Speedboat*)와 『칠흑의 어둠』(*Pitch Dark*)에 시간을 쏟았다. 짧은 풍자시처럼 끊어지는 문체가 사용된 두 작품의 주인공 모두 애들러의 대역이라고 해도 될 것 같은 인물들이다. 두 작품 중에서 때로 탄탄한 사회비판을 보여주는 작품은 『칠흑의 어둠』이다. 애들러의 소설 문체는 메리 매카시의 문제와 전혀 다르지만, 자신의 삶을 작품에서 배제하지 못한다는 점은 그녀와 닮았다. 사실 매카시는 바이올라 티가든이라는 인물로 분해서 『칠흑의 어둠』에 등장한다.

> 그녀는 이른바 '나의 분노'라는 것에 대해 일종의 경외심을 품고 이야기했다. 마치 그것이 귀하고 살아 있는 소유물, 예를 들어 사육장에서 번식용으로 이용될 수 있는 최고 품종의 황소라도 되는 것 같았다. 또는 아름답지만 예측할 수 없고 불쾌한 여성, 자신보다 훨씬 더 돈이 많고 나이가 젊은 여성과 결혼한 남자가 '나의 아내'라는 말을 할 때와 비슷했다고 표현해도 될 것 같다.[32]

비록 아름다운 작품이지만, 이 두 소설에는 애들러가 집필 중에 겪은 어려움이 때로 완연히 드러나 있다. 『스피드보트』는 1975년에 『뉴요커』에 일부만 발췌한 형식으로 처음 등장했다. 1976년에 책으로 출판된 뒤에는 모두들 찬사를 보냈고, 애들러는 명성 높은 PEN/헤밍웨이 상을 받았다. 그러고 나서 『칠흑의 어둠』이 나오는 데에는 7년이 걸렸다. 그리고 애들러는 소설을 아예 포기한 듯이 보였다.

자신을 완전히 사로잡을 만한 학문을 찾지 못한 사람들이 그렇듯이, 애들러도 예일 로스쿨에 진학해 법학박사 학위를 받았다. 그녀의 머리는 변호사가 되기에 거의 완벽한 사고를 갖고 있었다. 그녀는 이미 '새로운 서평'에 대한 글에서 검사처럼 논고를 펼쳤으며, 포드호리츠의 증언을 낱낱이 분석해 그의 말 한마디나 표현 한 줄을 문제 삼았다. 깔끔하게 정리된 법적인 논고 같은 문제는 「폴린의 위험」에도 영향을 미쳤기 때문에, 이 글 역시 일종의 소송사건 적요서처럼 읽힌다. 애들러의 문체가 언제나 상대를 무너뜨리려고 애쓰는 전투적인 성격을 띠기 시작한 것도 이 시기였다.

그녀의 전투적인 태도는 법정에서도 발휘되었다. 1980년대 초에 열정으로 『배너티 페어』를 부활시킨 사람들은 원래 『피플』보다는 『파티전 리뷰』에 더 가까운 진지하고 지적인 잡지를 만들 생각이었다. 그래서 리처드 로크 편집장은 레나타 애들러를 끌어들였다. 그녀는 『뉴요커』의 자리를 계속 유지하면서 『배너티 페어』의 '객원 편집자'가 되었다.

그러나 이렇게 새로 구성된 『배너티 페어』의 편집진은 오래가지 못했다. 1983년 4월에 리처드 로크가 해임되었고, 애들러도 곧 그곳을 떠났다. 하지만 『워싱턴 저널리즘 리뷰』(*Washington Journalism Review*)라는 무명의 업계 전문지는 그녀가 해고되었다고 보도했다. 그 기사에는 그녀가 『칠흑의 어둠』 일부를 가명으로 『배너티 페어』에 싣는 등 정직하지 못한 행동을 했으며, 해고 사유는 무능이라는 내용도 있었다. 애들러는 이 잡지사에 소송을 걸어 승소했다.

이 일 이후로 애들러는 계속 법적인 문제를 다루게 되었다. 실제 법정에서 일어난 일들을 소재로 법에 관한 글을 쓰기 시작한 것이다. 애들러는 대중매체를 상대로 제기된 두 건의 소송에 집착했다. 첫 번째 사건인 웨스트모어랜드 대 CBS 소송은 베트남 전쟁을 다룬 텔레비전 다큐멘터리를 문제 삼았다. 이 다큐멘터리는 기본적으로 전직 장군인 윌리엄 C. 웨스트모어랜드가 미국을 전쟁에 더 깊숙이 끌어들이기 위해 정보를 조작했다고 비난하는 내용이었다. 두 번째 사건인 샤론 대 『타임』 소송은 이스라엘의 군인이자 정치가인 아리엘 샤론이 『타임』을 상대로 제기한 것이었다. 샤론은 1982년 9월 레바논에서 발생한 학살사건의 책임이 자신에게 있다고 암시한 『타임』의 기사를 문제 삼았다.

두 사건에서 모두 기자들이 사실을 잘못 보도했다는 점에 대해서는 의심의 여지가 별로 없었다. 그들의 기사에 잘못된 사실이 포함되었음이 증명되었기 때문이다. 그러나 두 소송에서 모두 문제는 기자들이 "실제로 악의를" 품고 그런 실수를 저질렀는가 하는 점이었다. 미국 법에서 명예훼손 여부를 판단하는 기준인 이 조건을 충족시키기는 지극히 어렵다. 애들러는 이 기준이 거짓을 보도한 언론까지도 무조건 보호해주는 도구가 되고 말았다고 주장했다. 그런 의미에서 그녀는 고소인들에게 공감하는 듯한 태도를 자주 보였다.

> 그들에게 어떤 다른 저의(자존심, 분노, 명예, 국내 정치)가 있었는지는 몰라도, 고소인들의 소송제기는 확실히 원칙에 따른 것이었으며, 적어도 두 장군은 모두 그 원칙이 진리라고 믿고 있었다. 정의가 아니라, 명백하고 사실적인 진리라고. … 공교롭게도 미국 법정은 이런 문제를 추상적으로 해결하고, 역사 대신 거짓과 진실을 판명할 수 있게 설계되지 않았다. 심지어 헌법은 그런 것을 허용하지도 않는다.[33]

이 어려운 문제에 대해 철학적으로 숙고하는 과정에서, 애들러는 문제의 기자들에 대해서도 몹시 비판적인 태도를 취했다. 나중에는 그들의 분노를 살 정도였다. 원래 애들러는 문제의 재판에 관해 자신이 알아낸 것들을 글로 써서 1986년 여름 『뉴요커』에 실었다(윌리엄 숀 휘하에서 필자들은 계속 월급을 받으면서 몇 년 동안 한 가지 주제를 파고드는 경우가 많았다. 다른 곳 어디에서도 볼 수 없는 환경이었다). 그녀는 이 기사들을 한데 모아 『무분별한 무시』(*Reckless Disregard*)라는 책으로 낼 예정이었으나, 9월에 책이 출판되기 전에 『타임』과 CBS가 모두 『뉴요커』와 출판사에 명예훼손 소송을 걸겠다고 통보했다. 따라서 책의 출판이 몇 달 동안 보류될 수밖에 없었다.

한편 각 매체의 서평란에서는 『무분별한 무시』를 놓고 난리가 벌어졌다. 애들러는 책에서 일부 기자들이 일부러 사실을 엄격히 확인하지 않았을 가능성을 제기했다. 따라서 다른 기자들은 혹시 애들러 본인이 실수를 저지른 적이 없는지 살피는 데 주의를 집중했다. 그리고 그녀의 실수를 찾아냈다. 법학자 로널드 드워킨처럼 너그럽게 공감하는 태도를 지닌 사람조차 『뉴욕 리뷰 오브 북스』에 기고한 서평에서 애들러의 전체적인 통찰력에 찬사를 보내면서도 다음과 같이 썼다.

> 그녀 역시 자신이 통렬히 비난하는 기자들 특유의 실수에 자주 무릎을 꿇는다. 『무분별한 무시』에도 일방적인 보도라는 문제가 있다. 특히 웨스트모어랜드를 설명한 부분, 반대되는 증거가 있는데도 자신의 주장을 전혀 굽히려 하지 않는 태도가 그렇다. 기존 언론에서 우리가 마땅히 비난해야 할 부분들이다.[34]

이런 일들을 거친 뒤 애들러의 평판은 다소 손상되었다. 『뉴요커』에서 사실 확인을 담당한 직원들은 자신들도 놀랐다고 주장했다.[35]

그러나 『무분별한 무시』가 격렬한 반응을 이끌어냈어도, 애들러의 전투본능은 줄어들지 않은 듯했다. 『무분별한 무시』에 실린 기사들에 관한 소란을 포함해서 그녀가 논란에 휘말릴 때마다 옆에서 도와준 윌리엄 숀이 해임되면서 애들러의 상황도 갑자기 악화되었다. 1985년에 『뉴요커』를 사들인 콘데 내스트와 이 회사의 사주인 S. I. 뉴하우스는 변화가 필요한 시점이라는 결단을 내렸다. 편집장만 바뀌면, 『뉴요커』가 길고 지루한 기사들의 본거지라는 이미지를 떨쳐버릴 수 있으리라는 것이 뉴하우스의 생각이었다.

그러나 숀이 해임된 뒤 일어난 직원들의 반란은 뉴하우스가 미처 예상치 못한 일이었다. 그는 후임자를 직접 선정할 수 있게 해달라는 숀의 조건을 지키지 않고, 앨프리드 A. 크노프 출판사에서 오랫동안 편집장을 맡았던 외부인사 로버트 고틀립을 고용해

잡지의 조종간을 맡겼다. 직원들은 탄원서를 돌리고 회의를 열었다. 한동안은 『뉴요커』가 변화의 압력을 견디지 못하고 안으로 폭발할 것처럼 보였다. 그러나 결국은 그만둔 필자들이 그리 많지 않았다. 『뉴요커』만한 일자리를 찾기가 힘들었기 때문이다.

애들러는 이런 변화 시도에 대해 특히 부정적인 반응을 보였다. 그녀는 뉴하우스의 판단에 대해 억측이라며 분노했고, 숀을 그렇게 형편없이 대우한 것에 특히 화를 냈다. 또한 고틀립이 숀의 후임자로서 적절한 인물이 아니라고 보았다. 그녀가 보기에 고틀립은 "어이가 없을 정도로 호기심이 없는"[36] 사람이었다. 그는 이 업계를 변화시키고자 했다. 그가 데려온 애덤 고프닉에 대해 애들러는 "움츠러드는" 성격을 참아줄 수 없다고 썼다.

> 고프닉 씨와 대화를 해본 결과, 그의 질문은 질문이 아니며, 심지어 신중한 의견타진도 아니라는 것을 알게 되었다. 그가 질문을 던지는 목적은 자신이 어차피 시체를 밟고 넘어가는 일이 있더라도 반드시 하겠다고 마음먹은 일을 상대방이 조언의 형태로 입에 담게 상대방을 조종하는 것이었다.

이 모든 일이 벌어진 지 10년 뒤인 1999년에 애들러는 그들에 대한 책을 썼다. 『사라진 과거: 『뉴요커』의 마지막 나날』(*Gone: The Last Days of the "New Yorker"*)이라는 제목의 이 책은 일종의 지적인 회고록으로, 『뉴요커』의 직원들 중 일부에 대해서는 고약한 평가를, 다른 직원들에 대해서는 지나치다 싶을 만큼 굉장한 찬사를 보냈다. 애들러는 이 책에서 먼저 자신처럼 『뉴요커』를 소재로 회고록을 쓴 릴리언 로스와 베드 메타의 글을 길게 비판했다. 그녀는 이 두 사람의 책을 읽어본 결과, 숀이 『뉴요커』에서 글을 대하는 진지한 분위기를 가꿔놓은 것을 충분히 설명하지 못했다는 결론을 내렸다고 말했다.

당시 『뉴요커』에서 일했던 사람 중 아무나 붙들고 애들러의 책에 대해 물어보면, 다양한 반대의견이 나올 것이다. 이번에도 애들러는 몇 가지 실수를 저질렀는데, 이름 철자를 잘못 표기한 실수가 대부분이었다. 한 직원은 또한 문제의 그 일들이 벌어지던 당시 애들러가 『뉴요커』 사무실에 많이 붙어 있지 않았기 때문에 상황을 잘 몰랐을 것이라고 내게 말해주었다. 그러나 『사라진 과거』를 윌리엄 숀의 『뉴요커』가 해체되는 과정을 기록한 엄격한 역사서로 보기보다는 다른 잡지사에서는 그만한 힘을 가지고 그만한 글을 쓸 수 없었던 애들러가 개인적이고 지적인 소회를 밝힌 글로 보는 편이 최선일 것이다. 『사라진 과거』는 배신당한 분노로 쓴 책이다. 때로는 로버트 고틀립 본인을 포함해서 이 책을 비판한 사람들조차도 애들러가 느낀 배신감을 차마 완전히 무시해버리지 못하는 것처럼 보인다.

> 커다란 문제가 있는 가정사에 휘말린 사람이 폭발시킨 고통과 분노가 이 책에서 큰 부분을 차지한다. 무엇보다 아픈 것은, 그 집안에 딸을 위한 자리가 없었다는 점일 것이다.[37]

『사라진 과거』는 애들러에게 일종의 전환점이었다. 글을 쓰며 살아오는 내내 그녀는 공격을 하는 쪽이었으며, 설사 실패하더라도 어딘가에 부드럽게 착륙할 수 있을 것이라는 자신감이 있었다. 그러다 갑자기 그녀가 미국 최고의 잡지를 공격하고 나서자, 아직 그녀에게 호감을 품은 사람들조차 그녀의 주장에 반대의견을 드러냈다. 또한 『뉴요커』의 편집자들에게 아첨을 하려 한다는 것이 훤히 눈에 보이는 몇몇 사람은 본격적으로 애들러를 공격하고 나섰다.

나중에 애들러가 지적했듯이, 『뉴욕 타임스』는 2000년 1월에 『사라진 과거』에 대해 무려 여덟 개의 기사를 실었다. 처음 네 개의 기사는 단순히 『뉴요커』에 관한 것이었고, 그 다음 네 개의 기사는 그녀가 책에서 워터게이트 재판을 담당한 존 시리카 판사에 대해 언급한 문장 하나를 다뤘다. 애들러는 시리카 판사에 대해 다음과 같이 썼다. "시리카 판사는 영웅처럼 떠받들어지고 있지만, 사실은 부패하고 무능하고 부정직한 인물이며, 조지프 매카시 상원의원과 긴밀한 관계가 있고, 조직범죄와도 관련되어 있음이 명백하다."[38]

시리카는 애들러의 책을 출판한 출판사에 편지를 보내 문제를 제기했다. 그러고는 그가 기자들에게 연락을 했는지, 기자들이 애들러에게 전화를 걸기 시작했다. 당시 『뉴욕 타임스』에서 대중매체 기사를 담당하고 있던 펠리시티 배린저는 시리카에 대한 정보를 누구에게서 들었는지 밝히라고 애들러에게 조르기 시작했다. 애들러는 거절했지만, 배린저는 끈질겼다.

> 배린저는 만약 내가 인터뷰에서 내 '취재원'을 '밝히고' 싶지 않다면, "인터넷에 밝히는 것은 어떤가요?" 하고 말했다. "당신은 당신 기사를 인터넷에 많이 올리나 봐요. 그래요, 펠리시티?"[39]

배린저는 굴하지 않고, 애들러가 취재원을 숨기고 있다고 비난하는 기사를 내놓았다. 『뉴욕 타임스』는 닉슨이 가장 신뢰하던 보좌관 중 하나인 존 딘에게 애들러가 쓴 이 수수께끼의 문장에 대한 글을 맡기면서, 애들러의 취재원이 앙심을 품은 G. 고든 리디라고 암시해보라고 요청했다. 애들러는 재미있다는 반응을 보였다.

> 그러나 놀라운 것은 그 기사의 내용보다는, 『뉴욕 타임스』가 필자의 정체를 밝히며 사용한 표현이었다. 『뉴욕 타임스』의 설명을 모두 인용하면 다음과 같다.

> 투자은행가인 존 W. 딘은 리처드 M. 닉슨 대통령의 보좌관을 역임했으며, 『눈먼 야망』(*Blind Ambition*)의 저자이다.
>
> 만약 딘이 이런 식으로 역사에 등장할 요량이라면, 이번 일과 관련된 『뉴욕 타임스』의 모든 기사가 가치가 있다.

나중에 애들러는 이 일에 대해 직접 쓴 글에서 문제의 기사를 쓸 때, 시리카와 매카시의 관계에 관한 정보를 얻은 곳은 바로 시리카의 자서전이라고 밝혔다. 또한 그와 조직범죄의 관련성은 시리카의 부친의 사업 파트너 중 한 명의 아들을 추적해서 알아낸 것이었다. 애들러가 『하퍼스』 2000년 8월호에 이런 사실들을 밝혔을 때, 『뉴욕 타임스』는 아무런 반응을 내놓지 않았다. 애들러가 그들의 전술을 다음과 같이 통렬히 비난한 탓에, 『뉴욕 타임스』 편집자들이 잘못된 주장을 바로잡지 않으려 했을 가능성이 있다.

> 『뉴욕 타임스』가 상업적으로도 성공을 거둔 강력한 매체이긴 하지만, 지금은 그리 건전한 곳이라고 할 수 없다. 한 권의 책이나 여덟 편의 기사가 문제가 아니다. 『뉴욕 타임스』가 문화적 광산이라면, 그 안에 최고의 검열관이 앉아 있는 듯한 분위기가 문제다. 어떤 면에서 여전히 세계 최고의 신문인 『뉴욕 타임스』는 가장 폭발력이 강한 기체가 갱도에 있는데도 그것을 옹호하며 공기를 끊어버리고 있다.

시리카와 관련된 이 일로 인해 애들러는 직업적인 기반을 대부분 잃어버렸다. 『뉴요커』의 편집장도 그녀를 꼭 필요한 필자로 생각하지 않았다. 애들러가 빌 클린턴의 스캔들에 대한 스타 보고서(전 미국 대통령 빌 클린턴의 각종 스캔들을 조사한 케네스 스타 검사가

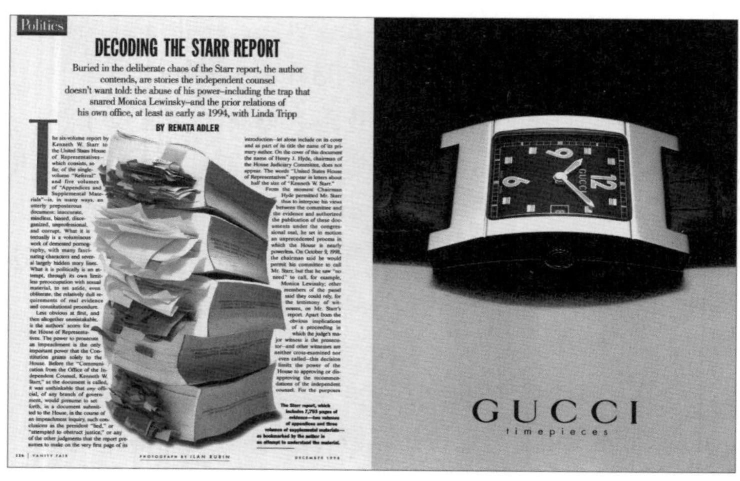

Politics

DECODING THE STARR REPORT

Buried in the deliberate chaos of the Starr report, the author contends, are stories the independent counsel doesn't want told: the abuse of his power–including the trap that snared Monica Lewinsky–and the prior relations of his own office, at least as early as 1994, with Linda Tripp

BY RENATA ADLER

The six-volume report by Kenneth W. Starr to the United States House of Representatives–which consists, so far, of the single-volume "Referral" and five volumes of "Appendices and Supplemental Materials"–is, in many ways, an utterly preposterous document: inaccurate, mindless, biased, disorganized, unprofessional, and corrupt. What it is textually is a voluminous work of demented pornography, with many fascinating characters and several largely hidden story lines. What it is politically is an attempt, through its own limitless preoccupation with sexual material, to set aside, even obliterate, the relatively dull requirements of real evidence and constitutional procedure.

Less obvious at first, and then altogether unmistakable, is the authors' scorn for the House of Representatives. The power to prosecute an impeachment is the only important power that the Constitution grants solely to the House. Before the "Communication from the Office of the Independent Counsel, Kenneth W. Starr," as the document is called, it was unthinkable that *any* official, of any branch of government, would presume to set forth, in a document submitted to the House, in the course of an impeachment inquiry, such conclusions as the president "lied," or "attempted to obstruct justice," or any of the other judgments that the report presumes to make on the very first page of its introduction–let alone include on its cover and as part of its title the name of its primary author. On the cover of this document the name of Henry J. Hyde, chairman of the House Judiciary Committee, does not appear. The words "United States House of Representatives" appear in letters about half the size of "Kenneth W. Starr."

From the moment Chairman Hyde permitted Mr. Starr thus to interpose his views between the committee and the evidence and authorized the publication of these documents under the congressional seal, he set in motion an unprecedented process in which the House is nearly powerless. On October 9, 1998, the chairman said he would permit his committee to call Mr. Starr, but that he saw "no need" to call, for example, Monica Lewinsky; other members of the panel said they could rely, for the testimony of witnesses, on Mr. Starr's report. Apart from the obvious implications of a proceeding in which the judge's major witness is the prosecutor–and other witnesses are neither cross-examined nor even called–this decision limits the power of the House to approving or disapproving the recommendations of the independent counsel. For the purposes

The Starr report, which includes 7,793 pages of evidence—two volumes of appendices and three volumes of supplemental materials—as bookmarked by the author in an attempt to understand the material.

136 | VANITY FAIR   PHOTOGRAPH BY ILAN RUBIN   DECEMBER 1998

「스타 보고서 해독하기」, 『배너티 페어』 1998년 12월호.

작성·발표한 보고서 — 옮긴이)를 다룬 자신의 글을 실어주겠느냐고 『뉴요커』에 전화해서 물었을 때, 당시 편집장인 데이비드 렘닉은 모니카 르윈스키 관련 기사는 이미 실을 만큼 실었다고 말했다. 애들러는 그 글을 『배너티 페어』에 간신히 발표할 수 있었다.

엄청난 분량의 스타 보고서를 맛있게 씹어먹은 이 글은 눈부신 작품이었다. 애들러는 소설을 포기한 뒤로 줄곧 자신의 커다란 강점이었던 논리적 주장으로, 스타 보고서의 논리를 변호사처럼 낱낱이 해부했다.

> 케네스 W. 스타가 미국 하원에 제출한 여섯 권 분량의 스타 보고서는 보고서 본문 한 권과 부록 및 보충자료 다섯 권으로 구성되어 있는데, 여러 면에서 완전히 터무니없는 문서다. 부정확하고, 부주의하고, 선입견에 물들어 있고, 두서없고, 전문적이지 못하고, 청렴하지도 않다. 문서의 성격을 따지자면, 제정신이 아닌 사람이 만든 방대한 포르노그래피라고 할 수 있다. 여기에는 매혹적인 인물들이 많이 등장하고, 여러 가닥의 이야기가 대체로 감춰져 있다. 정치적인 면에서 보면, 성적인 자료에 무한히 집착함으로써 진정한 증거와 헌법적인 절차라는 비교적 지루한 요건을 옆으로 제쳐놓거나, 심지어 아예 말살해버리려는 시도로 보인다.[40]

이 글은 잡지 해설기사 부문에서 상을 받았다. 그러나 이 기사가 나오고 얼마 뒤 같은 해에 『뉴요커』는 애들러와의 오랜 계약을 끝내버렸다. 이로써 그녀는 건강보험 혜택도 받을 수 없게 되었다. 애들러는 그 뒤로 두 편의 글을 더 썼다. 9월 11일 직전에 『뉴리퍼블릭』에 발표한 글은 대법원을 비난한 것이고, 다른 한 편은 『뉴욕 타임스』의 또 다른 실수를 논한 것이다. 그러나 애들러는 업계에서 따돌림을 당한다는 느낌을 강하게 받았으며, 숀이 『뉴요커』의 편집장이던 시절처럼 자신을 뒷받침해주는 회사 없이 망망대해에 떠 있는 듯한 상태로 몇 년을 보냈다.

"내가 처음부터 내 나름의 방식으로 하던 말이 있다. 당신이 콘데 내스트의 직원인데, 그 회사가 당신의 글을 갈기갈기 잘라버린다 해도 어떻게든 버텨보라는 말. 자신이 추구하고 싶은 일은 개인적인 시간에 하면서, 절대 회사를 그만두지 말아야 한다. 회사를 그만두고 밖으로 나가면 약해지기 때문이다. 『뉴요커』를 떠난 뒤 나는 손쉬운 사냥감이 되었다."[41] 2013년에 그녀가 한 인터뷰에서 한 말이다. 그해에 그녀의 소설들이 다시 출간된 덕분에, 그녀는 일종의 부활을 경험하고 있었다. 그녀의 소설이 뛰어나다는 데에 비평가들이 공감하면서, 그녀는 새로운 명성을 얻을 수 있었다. 그러나 다른 사람의 주장을 사납게 비판할 수 있는 분석적인 능력은 갈 곳을 찾지 못했다. 애들러는 1999년 이후 새로운 에세이를 단 한 편도 발표하지 않았다.

레나타 애들러, 1975년.

Malcolm

맬컴

1934.

14

"맬컴은 비판적이지만
무자비하지는 않다."

재닛 맬컴의 활동 경력은 레나타 애들러처럼 『뉴요커』와 연결되어 있지만, 애들러가 무모했다면 맬컴은 조용했다. 또한 애들러가 신동이었다면, 맬컴은 대기만성형이었다. 한나 아렌트처럼 맬컴은 40대에 이르러서야 진지한 글을 발표하기 시작했다. 그리고 그녀가 명성을 얻은 것은 1983년에 아는 사람이 거의 없는 어느 학자의 프로필을 발표했을 때였다. 산스크리트 학자였다가 정신분석가가 된 그는 제프리 무사이프 매슨으로, 지그문트 프로이트 문서보관소장으로 있다가 얼마 전 해임된 인물이었다.

맬컴이 매슨을 인터뷰했을 때, 그는 마흔 살을 갓 넘긴 나이였으며, 풍성한 머리칼과 건전한 자신감을 갖고 있었다. 맬컴이 밝힌 이야기에 따르면, 처음 만났을 때 그는 자신의 능력을 자랑했다.

> 정신분석학계의 거의 모든 사람이 나를 제거하기 위해서라면 무슨 짓이든 했을 겁니다. 나를 시기했으니까요. 하지만 내가 정신분석학에 피해를 입힐 가능성이 있는 귀찮은 존재이자 실패작이라는 생각도 진심으로 하고 있었던 것 같습니다. 나를 진정으로 중대한 위협으로 본 것이죠. 그들은 나 혼자서 정신분석학계 전체를 금방 무너뜨릴 수 있다는 사실을 감지했습니다. 하지만 솔직히, 그 업계에는 거액의 돈이 관련되어 있지 않습니까. 그러니 그들이 겁을 먹은 것이 당연했지요. 내가

밝혀내는 사실들이 다이너마이트 같았으니까요.[1]

맬컴은 매슨이 이 다이너마이트로 불붙인 싸움에 관심이 있었다. 부모와 자식 간의 관계가 원초적인 의미에서 성적인 매력에 의해 규정된다는 주장을 둘러싼 논쟁인데, 프로이트는 나중에 이 주장을 거부하고 새로이 손을 보았다. 그러나 이 지적인 논쟁을 추적하는 과정에서 맬컴이 만난 남자는, 그녀의 묘사에 따르면, 자화자찬을 그칠 줄 모르는 사람이었다.

맬컴은 직설적인 말보다는 은근한 암시로 뜻을 전달하는 경향이 있다. 그래서 매슨을 비난할 때도, 대놓고 그를 모욕한 적은 없었다. 다만 그의 말을 앞의 인용문처럼 계속 늘어놓았을 뿐이다. 그 결과 매슨은 마치 바보처럼 보였다. 맬컴은 자신의 "완전한 성적 문란함"을 스스로 치유하기 위해 정신분석학에 발을 들여놓았다는 매슨의 설명도 그대로 인용했다. 그는 대학원 시절까지 같이 잔 여자가 1000명쯤 된다고 그녀에게 말했고, 그녀는 이 말을 인용했다. 19세기에 프로이트가 쓴 편지도 인용했다. 프로이트가 다른 누군가에 대해 이야기한 이 편지를 통해 맬컴은 자신이 매슨에 대해 어떤 어조로 이야기하고 있는지 보여주었다. "그의 말과 생각에는 언제나 유연성, 따스함, 중요한 일인 것 같은 느낌이 있었다. 모두 깊은 내용이 부족하다는 사실을 숨기기 위한 장치였다."[2]

이 구절이 중요한 것은, 맬컴이 매슨의 해임 경위를 조사하고 있었기 때문이다. 만약 매슨이 자만심에 물든 자기중심적인 인간이라면, 그것은 중요한 사실이었다. 그러나 그는 또한 소송을 좋아하는 사람이기도 했다. 나중에는 맬컴이 자신의 말을 잘못 인용했다며 그녀를 상대로도 소송을 제기했다. 이 소송은 몇 년을 끌다가 대법원까지 올라갔다. 두 번에 걸친 하급심 재판에서 문학적 저널리즘의 본성에 대해 논쟁하며 상처를 입은 매슨은 결국 맬컴에 대한 명예훼손 소송에서 패소했다.

미묘하지만 파괴적인 재닛 맬컴의 간접적인 화법은 개인적인 배경과 성격의 산물이었다. 그녀는 어렸을 때 품위 있고 유순한 아이가 되는 가정교육을 받았다. 1934년에 체코슬로바키아의 프라하에서 태어난 그녀의 원래 이름은 야나 비에노베라였다. 그러나 전운이 짙어지자 그녀의 가족은 미국 브루클린으로 도망쳐 정착했고, 재닛과 마리 자매는 그곳에서 처음 영어를 배웠다. 쉬운 일은 아니었다. 맬컴은 "유치원 선생님이 하루 수업이 끝난 뒤 '얘들아, 잘 가'라고 인사하던" 기억을 갖고 있었다. "나는 '얘들'이라는 이름을 지닌 그 아이가 부러웠다. 언젠가 선생님이 나한테도 '재닛, 잘 가'라고 말해주면 좋겠다는 것이 나의 비밀스러운 소망이었다."[3]

그녀의 아버지는 정신과의사였고(그래서 맬컴이 나중에 이 분야에 관심을 갖게 되었음이 분명하다), 어머니는 변호사였다. 미국에 온 뒤 아버지는 성을 미국인들이 발음하기 쉬운 윈으로 바꿨다. 재닛은 영어에 익숙해지면서 학교에서 좋은 성적을 거둬, 미시건 대학에 입학했다. 급진적인 성격은 아니었다. 1950년대의 많은 여성들이 그랬듯이, 그녀도 남성의 환심을 사고, 결혼해서 가정을 이뤄야 한다고 배우며 자랐다. 『파리 리뷰』와의 인터뷰에서 그녀는 이렇게 말했다. "대학 4년 동안 여성 교수를 단 한 명도 만난 적이 없다. 내가 아는 한 여성 교수가 한 명도 없었다." 이런 면에서 그녀는 때로 자신을 앨리스 먼로의 소설 속 인물에 견주어 생각하는 것 같다. 똑똑하고 책을 좋아하지만 딱히 포부가 크지 않아서, 남들이 바라는 대로 어영부영 결혼하는 여자.

그녀는 사회생활에서 천천히 자신의 자리를 찾았다. 대학 문을 열고 나오는 순간부터 자기만의 확고한 목소리를 갖고 있었던 애들러나 파커와는 달랐다. 대학 시절 그녀는 도널드 맬컴이라는 청년을 만났다. 도널드는 작가의 꿈을 갖고 있었고, 그녀도 마찬가지였지만, 문예창작을 가르치는 교수가 그녀의 꿈을 계속 깔아뭉갰다. 도널드 맬컴이 졸업 후 『뉴 리퍼블릭』에서 일하게 되었을 때, 재닛 윈도 그를 따라가 그 잡지에 글을 쓰기 시작했다. 1956년에 잡지에 실린 그녀의 첫 작품은 영화비평을 패러디한 글인데, 그녀는 들뜬 십 대 같은 말투를 사용했다.

> 어젯밤에 「러브 미 텐더」(Love Me Tender)를 보러 갔는데, 너무 너무 마음에 들었어요. 엘비스 프레슬리의 어디가 야하거나 음탕하다는 건가요. 그냥 남들과 다를 뿐인데. 영화 속에서 확실히 누구보다 돋보였어요. 로큰롤이 아직 존재하지 않던 남북전쟁 때가 배경인데 말이에요. 엘비스 프레슬리는 노래와 남자다움뿐만 아니라, 연기력도 뛰어났어요.[4]

재닛이 이 글에 진심을 담았을 가능성은 조금도 없다. 그녀는 메릴린 먼로와 엘비스가 함께 영화 「카라마조프의 형제들」(The Brothers Karamazov)을 찍으면 정말 "멋질 것" 같다는 말로 글을 끝맺었다. 현대 독자들은 재닛이 의도한 유머를 모두 이해하기 힘들지도 모른다. 패러디는 시대의 흐름을 잘 이겨내지 못하는 경향이 있기 때문이다. 그러나 젊은 재닛 윈이 눈을 동그랗게 뜨고 기존의 영화비평을 풍자한 것이 누군가에게 깊은 인상을 남긴 덕분에, 이 글을 발표하고 6개월이 채 안 돼서 그녀는 『뉴 리퍼블릭』에 간헐적으로 좀 더 진지한 영화비평을 쓰게 되었다. 보통 그녀는 할리우드가 만드는 영화들을 그리 좋아하는 편이 아니었다. 그래서 오토 프레밍거의 「성 잔 다르크」(Saint Joan)에 대해서 조지 버나드 쇼가 잔 다르크의 이야기에 부여했던 도덕적 복잡성을 희석시켰다고 혹평했다. 알렉산더 매켄드릭의 「성공의 달콤한 향기」(Sweet Smell of Success)에도 시큰둥한 반응을 보였다. 영화의 내용이 너무 뻔하다는 것이 이유였다. 다시 개봉된 영화 「국가의 탄생」(The Birth of a Nation)에 대해서도 그녀는 이 영화가 인종차별적일 뿐만 아니라 선과 악의 이분법에 너무 치중하고 있다는 반응을 보여 독자들 사이에서 새로운 물결을 일으켰다.

> 극장 밖 몇 블록 떨어진 곳에서 비록 품질이 훌륭하다고 할 수는 없지만, 그래도 시민권 운동을 옹호하는 전단지를 사람들이 나눠주고 있었다. 그리고 반대 방향으로 몇 블록 가면, 「나는 십 대 늑대인간이었다」(I Was a Teenage Werewolf)라는 제목의 영화가 상영되고 있었다. 영화적으로도 다른 면에서도 우리가 많이 발전했다고 상당히 확신할 수 있어서 즐거워지는 것을 어쩔 수 없었다.[5]

독자들은 이처럼 뚜렷한 의견에 강렬한 반응을 보였다. 한 독자는 독자의 편지에서 미스 윈이 아는 것이 많고 판단력이 훌륭한 사람 같다면서도 다음과 같이 덧붙였다. "선불리 말하기가 힘들다. 미스 윈은 확실히 천사들의 편에 있는 것 같기 때문이다. 그녀는 하느님의 갑주를 입고 산문적인 판단을 내리는 것으로 보인다. 그녀의 기준이 무척 높은 것 같다."[6] 또 다른 독자의 편지를 보낸 헬 카우프만은 "영화를 공부하는 사람"이라고 스스로 밝힌 뒤, 역시 미스 윈의 글에서 잘못된 부분을 바로잡기 위해 편지를 썼다고 말했다. 그는 재닛의 글에 대해 좀 더 광범위한 우려를 표하면서, 참고자료를 많이 인용했다. 잘난 척하는 사람들은 이런 것을 자신이 똑똑한 증거라고 착각할 때가 많다. 헬 카우프만은 미스 윈에게 "최고의 권위자들이 모두 그리피스 감독의 작품에 최고의 찬사를 보냈다"[7]는 사실을 전해달라고 말했다. 또한 레닌도 이 영화를 좋아했음을 지적했다. 그는 재닛에게 옛 영화를 평가할 때 "자비심"을 좀 더 보여달라고 촉구했다. 재닛은 이에 대해 아주 간단하게 답했다.

> 카우프만 씨는 "영화를 공부하는 사람"이고 나는 아니다. 어떻게 우리 생각이 같을 수 있겠는가?

이 무렵 재닛은 책과 연극비평에도 관심을 보이고 있었다. 그녀는 D. H. 로런스의 편지 모음집에 대한 서평을 썼으나, 정작 로런스의 편지보다는 매카시와 아렌트의 숙적이던 다이애나 트릴링이 쓴 서문에 훨씬 더 강렬한 반응을 보였다. 트릴링은 당시 『네이션』의 수석 비평가였다. 재닛은 트릴링이 프리다 로런스(D. H. 로런스의 부인—옮긴이)를 "지독히 성가신 존재"[8]로 신랄하게 표현한 것을 조롱하며, 그녀가 "추하게 나이를 먹었"으며 "지적인 능력이 전혀 없다"고 주장했다. 문학작품을 비평할 때 저자의 아내가 못된 사람이었는지 여부를 문제 삼으면 안 된다는 것이 재닛의 지적이었다.

이런 비평들이 그 자체로서 딱히 기억에 남을 만한 작품은 아니지만, 우리는 이 글들을 통해 젊은 필자의 자신감이 발전하는 과정을 추적해볼 수 있다. 재닛은 자신을 헐뜯는 독자들의 편지를 받으면서 동시에 찬사도 받았다. 그녀를 칭찬한 사람 중에는 노먼 메일러도 포함되어 있었다. 재닛은 그가 도러시 파커, 트루먼 커포티와 함께 텔레비전에 출연한 것을 잡지에 기사로 쓴 적이 있었다. 메일러는 자신이 커포티와 토론할 때 한 말을 재닛이 잘못 인용했다고 지적했지만, 잡지사에 보낸 편지에서 재닛에게 은근히 추파를 던질 의도를 드러낸 것 같다.

> 레이디 윈의 글이 놀랍도록 훌륭하다는 말을 덧붙일 수밖에 없다. 그녀가 나의 말이라고 인용한 구절들이 대부분 내가 한 적이 없는 말이라는 사소한 실수가 있을 뿐이다.[9]

이때 윈은 도널드 맬컴과 약혼한 상태였다. 도널드는 1957년에 『뉴요커』에 취직했고, 재닛은 브루클린으로 이주했다. 그 뒤 7년 동안 그녀는 외동딸 앤 올리비아를 키우느라 너무 바빠서 글을 단 한 줄도 발표하지 않았다.

재닛 맬컴에게 글을 쓰는 사람이 된 경위를 직접 물어보면, 그녀는 보통 『뉴요커』 시절부터 이야기를 시작한다. 딸이 어렸을 때 그녀는 어린이 책을 아주 많이 읽을 수밖에 없었다. 그래서 남편을 통해 알고 지내던 숀이 어느 날 그녀에게 1966년 12월에 나올 『뉴요커』에 아동문학에 대한 글을 써보겠느냐고 제의했다. 맬컴이 숀의 예상보다 더 열정적인 반응을 보였을 것 같다. 그녀는 자신이 가장 좋아하는 작품들을 요약하고 분석한, 1만 단어 분량의 옴니버스 에세이를 숀에게 보냈다. 이 글의 문체는 『뉴 리퍼블릭』 시절의 젊고 장난스러운 문체보다 좀 더 딱딱했다.

> 어린이들은 우리가 지닌 신념의 거울이자 철학을 증명해주는 기반이다. 아이의 행복을 우선하면서 아이의 행동에는 별로 신경을 쓰지 않는 사람은 인간이 기본적으로 선한 존재이고 우리 삶에는 행복의 가능성이 무한하다고 믿고 있음이 분명하다.[10]

이 글을 본 숀은 맬컴에게 1967년과 1968년에도 역시 같은 작업을 해달라고 요청했다. 맬컴이 1967년에 쓴 글은 1966년의 글만큼 딱딱했지만, 1968년에는 뭔가가 맬컴의 마음을 움직였는지 글이 합리적인 주장의 성격을 띠었다. 글의 중간쯤에서 맬컴은 아이들에게 현실을 "덜 추악하게" 포장해서 알려야 한다는 어느 의사에게 반박하는 주장을 펼쳤다.

> 라자냐 박사가 현실을 어떻게 덜 추악하게 만들자는 것인지

모르겠다. 지금의 현실이 옛날보다 더 추악한지도 확신할 수 없다. 오늘날 사회문제에 대한 지식과 우려가 늘어나긴 했지만, 그렇다고 해서 사회문제가 더 많아졌다거나 더 심각해졌다는 뜻은 아니다. 빵 한 덩이를 훔친 죄로 아이를 교수형에 처하던 시절의 현실이 더 힘들지 않았을까(요즘은 빵을 만드는 사람들을 교수형에 처해야 한다).[11]

그러고 나서 맬컴은 아이들이 나중에 마약에 빠지지 않게 마약에 대한 "사실적인 책"을 읽히는 편이 더 나을지도 모른다고 제안했다. 또한 "지금까지 출간된 것보다 훨씬 더 솔직한" 섹스에 관한 책도 추천했다. "그 정보를 전달하는 방식에 대해 모든 사람이 생각하는 바와 잘 맞지는 않을 것이다." 맬컴은 흑인들의 역사를 어린이에게 적합한 방식으로 다룬 여러 책에 대해서도 비평하면서, 자신이 모르던 사실을 많이 배웠다고 밝혔다.

숀은 이 글에서 이제 막 싹을 틔우는 재능을 알아보았는지, 그녀에게 예술과 디자인을 다루는 '집에 관하여'라는 칼럼을 맡겼다. 맬컴은 이 칼럼을 쓰면서 글을 쓰는 훈련을 제대로 할 수 있었다. 이 칼럼은 또한 그녀가 비평 이외의 분야에 처음으로 손을 뻗은 사례이기도 했다. 맬컴은 이 칼럼을 위해 가구점과 실내디자인 전문가에 관해 이야기하는 글들을 천천히 썼다. 1970년에는 당시 급속히 퍼져나가면서 장안의 화제가 되고 있던 여성해방운동에 대해서도 관심을 갖게 되었다.

그녀가 여성해방운동에 대해 쓴 글은 『뉴 리퍼블릭』에 실렸다. 필자로 명기된 그녀의 이름이 Janet Malcolm이 아니라 Janet Malcom으로 잘못 표기되기는 했지만, 이 글에는 그녀의 장난스러운 문체가 되돌아와 있었다. 맬컴은 가정이 아닌 밖에서만 자아를 실현할 수 있다는 여성운동의 주장을 조롱했다.

> 어쨌든, 사회활동을 위해 자신의 아이를 남의 손에 맡기기로 결정한 여성은 자신이 아이를 위해 이런 결정을 내린 것이라며 위선적인 태도를 취하면 안 된다. 그녀 자신을 위한 결정이기 때문이다. 그녀의 행동이 옳은 일일 수는 있으나(이기적인 결정이 최고의 결정일 때가 많다), 자신의 행동을 똑바로 인식하고, 자신이 아이를 제대로 돌보지 않은 탓에 아이의 애정을 잃는 대가를 기꺼이 감수할 자세를 갖춰야 한다.[12]

이에 대해 짧게 지나가는 바람이라고만 보기는 어려운 분노가 쏟아졌다. "새로운 페미니즘이 훨씬 더 거슬리는 불행과 불만의 원인이 될지 모른다"는 주장은 당시 흔히 들을 수 있는 말이었다. 디디언도 여성운동의 '시시함'을 걱정하며 이런 시각에 자주 접근했다. 그러나 이 주장에는 불편한 부분이 있다. 이 주장은 글을 쓰는 사람으로서 점차 독립적으로 자리를 잡아가는 사람과는 잘 맞지 않지만, 자식을 키우는 경험이 즐거워서 모성의 좋은 점을 하나도 놓치고 싶지 않은 사람에게는 잘 맞았다. 여기서 맬컴은 『뉴요커』에 글을 쓰던 시절의 장난스러운 모습을 전혀 드러내지 않고, 옛날보다 훨씬 더 우아한 태도로 완전한 의식의 흐름을 보여준다. 『뉴 리퍼블릭』이 맬컴에게 성난 독자들의 편지에 답변을 해달라고 요청하자, 그녀는 특유의 냉소적인 답글을 썼다.

> 알맹이의 문제를 제기하는 사람들은 집에서 빵을 굽고 통조림을 만들며 살림을 해야 하는 내가 할애하기 힘든 오랜 시간을 바쳐 이 문제들을 생각해야 한다고 요구한다. 내 상황이 나아지면, 문제가 된 주제들 중 일부에 대해 글을 한 편 더 쓸 수 있기를 바란다.[13]

어쩌면 상황 때문에 불편한 감정이 일었던 것인지도 모른다. 맬컴이 이 글을 쓰던 무렵, 그녀의 남편 도널드는 심하게 아픈 상태였다. 하지만 의사들은 병명을 밝혀내지 못했다. 나중에 맬컴은 의사들이 크론병을 알아보지 못했다고 믿게 되었다. 도널드는 곧 일을 할 수 없는 상태가 되었다. 당시 『뉴요커』는 필자들에게 경제적인 면에서 인심이 좋은 편이었는데도, 그의 건강상태로 인해 가족들은 상당한 압박을 받게 되었다. 그리고 곧 도널드 맬컴의 마지막이 가까웠음이 분명해졌다.

재닛 맬컴은 한 달에 한 번씩 충실하게 가구에 대한 칼럼을 썼다. 이 글들은 대부분 맬컴 본인이 좋아하는 물건들을 카탈로그처럼 묘사한 것이었다. 그러나 1972년 3월 그녀는 처음으로 이런 패턴에서 벗어났다. 현대 가구를 다룬 칼럼을 위해 그녀는 예술가인 요시무라 후미오를 만났다. "아직은 자신의 작품보다 아내인 케이트 밀릿 때문에 더 유명한 사람"[14]이었다. 밀릿은 『성 정치학』이라는 베스트셀러 저서 덕분에 1972년 당시 당연히 유명한 인물이었다. 『성 정치학』은 페미니즘을 문학 비평의 영역으로 가져오는 것에 대해 초토화 작전 같은 시각으로 접근한 책이었다. 맬컴은 요시무라와의 만남을 설명하는 동안 계속 밀릿에게 신경이 분산되었다. 그래서 대화는 결국 여성해방이라는 화제로 향하게 되었다.

> 나는 스포츠를 좋아하지 않는 사내아이들이 자라서 동성애자가 될까 봐 이곳 부모들이 두려워하고 있다고 말했다. "죽음보다 더한 운명이죠." 우편물을 보고 있던 케이트 밀릿가 고개를 들지 않은 채 중얼거렸다. 케이트 밀릿이 대화에서 빠진 것은 무례한 행동이라기보다 재치의 표현이었음을 나는 나중에 깨달았다.

이 시점에서 맬컴은 달리 선택의 여지가 없었던 것 같다. 그래서 그녀의 글은 밀릿의 인터뷰가 되어버리고 말았다. 맬컴은 그녀의 이름을 계속 온전히 언급했다.

> 『성 정치학』의 암시적이고 풍자적이고 학문적인 어조를 케이트 밀릿과의 대화에서는 전혀 찾아볼 수 없다. … 케이트 밀릿의 조각상은 모두 케이트 밀릿을 닮은 모습으로 똑같이 생겼다. 머리를 각지게 자르고, 몸이 단단하며, 강인하고 낙천적인 모습이다.

나중에 재닛 맬컴에게 존경과 논란을 함께 가져다줄 보도 스타일이 처음으로 등장한 순간이었다. 이 짧은 인터뷰 기사에서 그녀는 자신을 하나의 캐릭터로 만들었다. 그리고 이렇게 구축한 '나'에 대해 나중에 필요에 의해 채택한 일종의 요령으로서 별로 믿음직하지 못하다고 사람들에게 말하고 다녔다. 당시 독자들은 페미니즘에 대해 대단히 회의적인 태도를 지녔지만 이미 밀릿의 책을 읽었음이 분명한 필자가 훌륭한 페미니스트를 인터뷰한 기사를 읽고 있다는 사실을 십중팔구 몰랐을 것이다.

남편 도널드 맬컴의 생애 마지막 1년 동안(그는 1975년 9월에 세상을 떠났다), 재닛 맬컴은 직업적으로 더 확실하게 자리를 잡을 필요가 있다고 생각했는지 흥미 있는 새로운 예술인 사진에도 손을 뻗기 시작했다. 당시 『뉴욕 리뷰 오브 북스』에 천천히 실리고 있던 수전 손택의 글은 아직 읽지 않았다. 그녀가 손택의 글을 읽은 것은 1980년대 들어서였다.

하지만 그 전에 맬컴은 먼저 『뉴요커』에 앨프리드 스티글리츠의 책에 대한 서평을 기고했고, 그 다음에는 『뉴욕 타임스』에 에드워스 웨스턴(1886-1958, 미국의 사진작가 — 옮긴이)의 회고전을 다룬 글을 썼다. 웨스턴에 대한 비평에서는 조심스러운 태도로 전문용어를 쓰는 경향을 보였다. 이 글은 『뉴욕 타임스』의 사진비평 필자가 되기 위한 오디션이나 마찬가지였다. 『뉴욕 타임스』는 맬컴에게 일을 제의했지만, 윌리엄 숀은 그 대신 『뉴요커』에서 사진비평을 쓸 수 있을 것이라고 말했다.

1980년에 사진비평을 모아 『다이애나와 니콘』(*Diana and Nikon*)이라는 책을 낸 맬컴은 자신의 장기를 찾는 데 시간이 조금 걸렸다고 썼다. "이 글들을 읽다 보니, 나무를 한 번도 베어본 적이 없고 힘도 약하지만 몹시 고집스러운 사람이 무딘 도끼로 나무를 베려고 애쓰는 모습이 떠올랐다."[15] 그녀는 자신이 1978년에 순간을 잡아내는 사진의 속성을 탐구한 글 「두 개의 길」(Two Roads)을 쓰면서 비로소 감을 잡기 시작한 것 같다고 생각했다. 그녀는 사진을 도덕적인 면에서 이야기하기 시작했다. 손택에게도 대단히 효과가 좋았던 방법이다. 이런 식으로 사물을 바라봄으로써, 그녀는 수많은 사진에서 거슬리던 부분을 더 쉽게 전달할 수 있었다.

> [워커] 에반스의 책은 우아함과 질서의 선집이 되어야 하는데 그렇게 되지 못했다. 혼돈과 무질서, 보기 싫게 헝클어진 난장판, 죽은 눈을 한 사람들, 자본주의라는 무심한 기계에 뭉개진 피해자와 패배자, 물리적으로 부식된 흙만큼이나 영적으로 고갈된 땅의 주민들로 가득한 책이다.[16]

맬컴이 주제 속으로 편안하게 들어가는 모습, 문장이 점점 읽기 편해지는 모습도 볼 수 있다.

> 메트로폴리탄 미술관이 사진 전시회를 기념해서 발간한 『조지아 오키프: 초상』(*Georgia O'Keeffe: A Portrait*)을 아무 생각 없이 펼치면, 차를 몰고 시골로 조금 들어가니 갑자기 스톤헨지가

나타난 것 같은 경험을 하게 된다.[17]

사진비평에 감을 잡았을 무렵, 맬컴은 당시 『뉴요커』에서 '사실기사'라고 불리던 글에도 점점 관심을 갖게 되었다. '사실기사'란 이 잡지사를 대표하는 긴 르포기사를 『뉴요커』 내부에서 부르던 이름이었다. 이때 맬컴은 『뉴요커』의 편집자인 가드너 보츠포드와 재혼한 상태로, 그동안 글쓰기와 밀접하게 연관시켜 생각하던 담배를 끊으려고 애쓰는 중이었다. 르포를 위해 넓은 세상으로 나아가 취재할 때는 담배를 손에 들고 취재대상과 인터뷰를 할 수 없다는 데에 생각이 미친 맬컴은 숀에게 '사실기사'를 써보고 싶다고 말했다. 그녀가 고른 주제는 가족치료였다. 그녀의 아버지가 정신과의사였으니, 어쩌면 여기에 프로이트의 심리학 원칙이 작용한 것인지도 모른다. 그러나 작가 맬컴과 정신분석학이라는 주제의 만남은 쉽게 잊을 수 없는 완벽한 결합이었다.

맬컴이 정신분석학에 대해 글을 쓰기 시작했을 때는 정신분석학이 나온 지 이미 100년이 가까운 시점이었다. 그러나 1970년대에 정신의학은 대중적인 주제가 아니었다. 정신약리학이 한창 부상하던 때였으므로, 잡지들은 '어머니들의 도우미' 발륨(신경안정제의 일종 — 옮긴이)을 자주 언급했다. 여성운동가들은 프로이트의 주장(예를 들어 '남근선망')에서 근본적인 여성억압의 바탕을 보았기 때문에 대부분 정신분석학을 혐오했다. 그러나 심리치료의 인기는 점점 커지고 있었다. 미국에서 심리치료는 1980년대 말과 1990년대에 전성기를 누렸다. 실존주의 철학과 심리치료를 결합시킨 실존주의 심리치료사 롤로 메이의 책들은 특히 『뉴요커』를 구독할 만한 문화 엘리트 사이에서 엄청난 인기를 끌었다.

현대 정신의학에 대한 맬컴의 탐구는 가족치료를 다룬 글

A REPORTER AT LARGE

THE ONE-WAY MIRROR

「한쪽만 보이는 유리」, 『뉴요커』 1978년 5월 15일자.
세련된 유머 잡지를 만들고 싶어 했던 해럴드 로스와 그의 아내 그제인 그랜트가 1925년 창간한 『뉴요커』는 진지한 소설, 에세이, 기사 등을 포괄하며 뉴욕 문화 중심에 자리매김했다. 존 치버, J. D. 샐린저, 도러시 파커, 스티븐 킹 등 20, 21세기 최고 작가들의 글이 『뉴요커』를 통해 소개되었다.

「한쪽만 보이는 유리」로 시작되었다. 이 글에서 그녀는 가족치료가 사실상 이전의 정신분석학적 사고를 대부분 뒤집어놓고 있다고 지적했다. 심리치료사들은 한 번에 상대하는 환자의 수를 늘리면서 더 대담하고 전략적으로 변했으며, 환자의 비밀유지가 불가능해졌다. 맬컴은 이 모든 변화를 회의적인 눈으로 바라보면서도, 심리치료사 본인들의 목소리를 그대로 실어주었기 때문에 마치 그들이 싸구려 정장을 입은 판매원처럼 묘사되고 말았다.

> 10년이나 20년 뒤에는 가족치료가 정신의학을 점령할 것이다. 맥락 속의 인간을 다루는 분야이기 때문이다. 개인치료가 19세기의 것이라면, 가족치료는 금세기의 것이다. 개인치료를 깔보는 말이 아니다. 그저 세상이 변화하고 발전한다는 뜻일 뿐이다. 어느 시대에든 삶을 바라보고 반응하는 특정한 방식이 사방에서 고개를 들기 시작한다. 가족치료와 정신의학의 관계는 핀터(1930-2008, 영국의 극작가 — 옮긴이)와 연극의 관계, 생태학과 자연과학의 관계와 같다.[18]

이 글은 정신분석학 전체를 비판하기 위한 것이 아니었다. 그 주제는 맬컴이 그 다음에 취재한 대상, 즉 그녀가 전형적인 심리치료사라고 부른 에런 그린(본명 아님)과의 인터뷰에서 다뤄졌다. 맬컴은 그린과의 집중 인터뷰를 핑계 삼아 정신분석학자와 정신분석학 전반에 대한 비판을 개시했다. 간단히 말해서 그린을 분석했다는 뜻이다. 그가 심리치료를 할 때 사용하는 소파조차 논평을 위해 불려나왔다.

> 빈 소파가 의미심장하게 상담실을 바라보았다. "난 그냥 낡고 초라한 스펀지 소파가 아닙니다. 치료용 소파예요." 그것이

이렇게 말하는 것 같았다.[19]

이런 섬세한 묘사(와 실내장식용품의 희극적 가능성에 대한 특유의 관심)에서 맬컴의 중요한 특징이 드러난다. 비판적인 시각을 취하기는 해도, 무자비하지는 않다는 것. 맬컴은 문제를 분명하게 보여주고 그 해결책에 대해 나름의 판단을 내리지만, 어느 비평가가 설명했듯이 "장난기 있는"[20] 태도에 더 가깝다. 에런 그린은 어리석기도 하고 불안해 보이기도 하지만, 또한 공감능력이 상당히 높다. 맬컴의 질문을 받으며 그는 자신이 이 직업에 끌리게 된 것 자체가 자신의 심리적 결함의 영향을 받았다는 점을 점차 인정하게 된다.

> 내가 정신분석학에 끌린 것은 바로 내가 치료하는 사람들과 나 사이에 거리를 유지할 수 있다는 점 때문이었다. 매우 편안한 절제가 가능한 상황이다.[21]

맬컴은 이 "터무니없는 직업"의 모호함과 위선을 계속 열거한다. 치료기간이 점점 길어진다는 점, 환자가 정신분석을 통해서 얻을 수 있는 것은 병의 완치가 아니라 '전이'라는 점. 전이란 환자가 애당초 치료사를 찾아오게 된 원인인 유년 시절의 감정과 욕망을 치료사와 자신의 관계로 돌려놓는 현상을 말한다. 맬컴은 이런 문제들이 대부분 정신분석 훈련기관들에 의해 제도화되었다고 보았다. 치료사들 본인도 훈련기관을 일종의 대리부모로 보게 되었기 때문이다. 훌륭한 정신분석가가 되려면 치료사 본인들이 반드시 철저한 분석을 받아야 한다는 점이 훈련 과정에서 강조된다는 사실을 맬컴은 부드럽게 지적했다.

그러나 그녀가 그린을 일종의 캐리커처처럼 만들어버리지는 않았다. 그는 불운하고, 혼란스럽고, 아무래도 다른 직업을 택해야 할 사람처럼 보이지만, 악의적이지는 않다.

맬컴이 에런 그린의 프로필을 『정신분석학: 터무니없는 직업』(*Psychoanalysis: The Impossible Profession*)이라는 책으로 정리해 펴낸 뒤 사방에서 격렬한 반응이 쏟아졌다. 거의 모든 미국인이 1970년대에는 정신분석을 시도해본 뒤 환멸과 혼란을 느끼며 포기해버린 것 같았다. 맬컴의 글은 정신분석의 역설을 아주 멋들어지게 표현했기 때문에 정신분석학자들을 포함해서 모든 서평 필자들이 이 책에 홀린 것처럼 보였다.

이런 반응 덕분에 대담해진 맬컴은 정신분석학과 관련된 두 번째 프로젝트를 시작했다. 이것도 정신분석학자에 대한 장문의 프로필이 될 예정이었다. 그러나 이번에는 맨해튼의 부유한 상담치료사 대신 제프리 무사이프 매슨을 찾아갔다. 매슨의 '다이너마이트'는 프로이트가 자신의 제자인 빌헬름 플리스와 주고받은 미발표 편지들 속에 있었다. 매슨은 프로이트가 이른바 '유혹 가설'을 완전히 버리지 않았음을 이 편지들에서 밝혀냈다고 곧 기자들에게 말했다. 원래 유혹 가설은 유년기의 성적인 경험, 흔히 부모의 유혹이라는 형태로 나타나는 그런 경험이 신경증의 원인이 되는 경우가 대부분이라는 내용이다. 프로이트는 1925년에 이 가설을 포기하면서, 환자들이 그런 경험을 묘사하는 것이 문자 그대로 진실에 대한 설명이 아니라 심리적으로 진실이라고 믿는 것에 대한 설명일 때가 많다고 말했다. 만약 매슨의 주장이 옳다면, 아동 성학대(당대의 관습을 기준으로 판단한 것)가 대부분의 심리적 문제의 중심에 있다는 프로이트의 짐작이 처음부터 옳았다는 뜻이었다.

맬컴은 이 주장 때문에 매슨에게 관심을 갖게 되어 그를 만나보기로 했다. 매슨은 말을 잘하는 사람이었으며, 문장 안에 많은 이야기를 담는 재주가 있었다. 며칠에 걸친 인터뷰에서 맬컴은 녹음기로 녹음을 하기도 하고 손으로 말을 받아 적기도 했다.

매슨은 맬컴에게 자신의 결혼생활에 대해서, 바람을 피운 이야기에 대해서 털어놓았다. 안나 프로이트를 비롯한 자신의 여러 스승들이 자신을 믿어주지 않았다는 이야기도 했다. 맬컴은 그의 말을 다음과 같이 인용했다. "나는 지식인 세계의 기둥서방 같았다. 사람들은 기둥서방에게서 쾌락을 얻지만, 그를 많은 사람 앞에 데리고 나가지는 않는다."[22] 매슨은 대중을 만날 준비가 되어 있음이 분명했다. 프로이트-플리스 서신에서 자신이 발견했다고 주장하는 진실에 대해 책을 쓸 준비를 하고 있었기 때문이다. 그에게 처음 지그문트 프로이트 문서보관소의 일자리를 소개해준 쿠르트 아이슬러와 안나 프로이트 모두 매슨이 그 편지들을 잘못 읽었다고 맬컴에게 말했다.

예전 동료들의 이런 일제공격 때문에 매슨은 맬컴을 일종의 친구로 간주하기로 한 것 같다. 그는 인터뷰를 하는 동안 내내, 그녀가 자신의 말을 글로 쓸 계획이라는 사실을 알고 있었다. 그런데도 자신의 성생활, 자신이 종사하는 업계에 대한 불만, 강한 자부심을 갖게 해준 다양한 요소들에 대해 몇 시간 동안 기꺼이 상세하게 이야기해주었다. 이 인터뷰를 바탕으로 맬컴이 써낸 글은 그의 말을 길게, 길게 인용했다. 그는 프로이트에 대한 자신의 해석과 함께 잔 여자들의 숫자에 관한 이야기를 오가며 강연을 하는 듯했다. 전형적인 예를 하나 들어보자.

> 전에 안나 프로이트가 내게 뭐라고 했는지 압니까? "지금 우리 아버지가 살아 계셨다면 정신분석가가 되고 싶어 하지 않았을 거예요." 틀림없이 이렇게 말했습니다. 아니, 잠깐만. 이건 중요한 이야기입니다. 그 말을 한 사람이 안나 프로이트가 아니라 나거든요. "미스 프로이트, 지금 당신의 아버지가 살아 계셨다면 정신분석가가 되지 않았을 겁니다." 그랬더니 안나 프로이트가 "맞아요"라고 대답했습니다.[23]

이렇게 긴 인용문이 중간에 끊기는 일 없이 독백처럼 등장했지만, 맬컴은 사실 매슨이 인터뷰 중에 한 말을 여기저기서 따와서 하나로 엮어낼 때가 많았다. 매슨은 나중에 법정에서 이 점을 문제 삼았다.

맬컴이 매슨을 인터뷰하고 쓴 글 「문서보관소의 문제」(Trouble in the Archives)를 읽은 독자들은 거의 모두 맬컴이 매슨을 일부러 어릿광대처럼 만들어 그의 신뢰성을 무너뜨리고 있다고 보았다. 비평가 크레이그 셀리그먼처럼 지적이고 통찰력 있는 팬조차 매슨을 다룬 맬컴의 글을 가리켜 "인격 살인의 걸작"[24]이라고 말했다. 나중에 크노프 출판사가 이 시리즈의 기사들을 모아서 펴낸 책 『프로이트 문서보관소에서』(*In the Freud Archives*)를 읽은 뒤 제프리 무사이프 매슨을 고결한 시민으로 생각한 사람은 분명히 하나도 없었다. 심지어 맬컴도 이 일에 관련된 정신분석가 한 명과 이야기를 나누면서 매슨에게 좋은 인상을 받지 못했다고 말했다. "그 사람이 무슨 일에든 관심을 가진 적이 있는지 잘 모르겠습니다."[25]

그러나 이런 시각은 맬컴의 의도를 살짝 잘못 이해한 결과인 듯하다. 그녀의 책을 놓고 이어서 벌어진 논란(이에 대해서는 곧 이야기하겠다)에서 우리는 몇 가지 예외를 제외하면, 맬컴이 인용한 매슨의 말이 거의 모두 녹음테이프와 그녀의 메모에서 고스란히 따온 것이라는 사실을 알 수 있다. 이런 관점에서 보면, 맬컴은 매슨이 자신에게 내어준 물건을 단순히 배달하기만 했을 뿐이다. 매슨은 소송에서 맬컴이 인용문 중 일부를 지어냈고, 나머지 인용문은 맥락을 무시한 채 따온 것이라고 주장했지만, 전부 그런 것은 아니었다. '인격 살인'이라는 말은 기자와 취재대상이 서로 대단히 협조적인 관계가 아님을 암시한다.

과연 매슨의 자기파괴적 행동을 막아야 할 의무가 맬컴에게 있었을까. 이 의문은 그 이후 10년 동안 그녀의 삶을 지배했다.

책이 출간되자 매슨은 격노했다. 그는 명예훼손을 당했다고 주장하는 편지를 『뉴욕타임스 북리뷰』에 보냈다. 맬컴은 여기에 날카로운 답변을 썼다.

> 책에 묘사된 모습은 매슨 씨와 40시간이 넘는 대화를 나누며 녹음한 내용을 바탕으로 한 것이다. 우리의 대화는 1982년 11월에 캘리포니아 주 버클리에서 시작되어 일주일 동안 계속되었으며, 그 뒤로도 8개월 동안 전화통화가 이어졌다. … 내가 매슨 씨의 말로 인용한 문장들은 모두 그가 직접 한 말이며, 나는 단어 하나하나를 거의 그대로 옮겼다(여기서 '거의'라는 단어를 쓴 것은 문장의 실수를 교정하기 위해 수정한 부분을 감안했기 때문이다).[26]

매슨은 결국 명예훼손에 대해 1020만 달러를 배상하라는 소송을 냈다. 이 금액 중 1000만 달러는 징벌적 손해배상금이었다. 터무니없는 금액이었다. 소송이 진행되는 동안(맬컴에게는 안타깝게도 소송은 10년이 넘게 계속되었다) 많은 사람이 논평을 통해 지적했듯이, 매슨은 계속해서 자신의 주장을 조금씩 수정해야 했다.[27] 처음에 그는 테이프에 녹음된 자신의 말을 열거했고, 맬컴은 테이프를 틀어 그의 주장을 확인해줄 수 있었다.

그러나 곤란한 문제가 몇 가지 있었다. '지식인 세계의 기둥서방'이라는 말을 녹음테이프에서 찾을 수 없다는 것이 하나였고, 맬컴이 인용문 중 일부를 원래 내용과 다르게 손댔다는 사실이 또 하나였다. 그러나 맬컴은 『뉴욕타임스 북리뷰』에 보낸 편지에서 매슨의 과장된 주장을 일부 지워야겠다고 생각했을 뿐이라고 설명했다. 재판부의 입장에서는 판단하기 힘든 문제였다. 또한 '헬먼 대 매카시' 소송에서도 그랬듯이, 맬컴이 결국 소송에서 승리를 거둘 것인지(실제로 승리했다)가 아니라 송사가 계속되는 동안 그녀가 비용을 얼마나 들이게 될 것인지가 문제가 되었다.

1987년에 매슨의 소송이 기각되었다. "매슨의 프로필을 쓴 사람이 나니까, 그가 그렇게 쉽게 포기할 사람이 아니라는 사실을 짐작했어야 했다."[28] 맬컴은 나중에 이렇게 말했다. 그러나 당시 그녀는 새로운 프로젝트에 힘을 쏟기로 결정했다.

원래 1989년에 『뉴요커』에 세 번에 걸쳐 연재된 『기자와 살인자』(*The Journalist and the Murderer*)의 도입부는 유명하다. "지나치게 멍청하지 않거나 자신감이 지나치지 않은 기자라면 누구나 자신의 일이 도덕적으로 변명의 여지가 없는 것임을 알고 있다."[29] 맬컴은 이렇게 썼다. 이 문장이 도화선에 불을 붙였다. 그 뒤에 이어진 내용이 무엇인지는 잘 모르는 사람이 많다. 내가 맬컴을 처음으로 직접 만난 것은 이 문장이 나오고 20년이 흐른 뒤였다. 당시 그녀는 '뉴요커 페스티벌'에 참가해 높은 연단에서 자신의 글에 대해 이야기하고 있었다. 객석에서 어떤 청년이 일어나 성난 목소리로 그녀에게 그 문장에 대해 질문을 던졌다. 맬컴은 잠시 침묵하다가 이렇게 대답했다. "글쎄요, 그것은 그냥 수사적인 표현이었을 뿐입니다."[30] 그 청년은 이 말을 이해하지 못한 것 같았다.

이것은 맬컴이 조 맥기니스 기자와 살인범 제프리 맥도널드 사이에 일어난 논쟁을 포괄적으로 살펴본 글을 발표한 뒤 일어난 일들의 사소한 맛보기에 불과하다.

맥기니스는 1979년에 맥도널드가 가족을 살해한 혐의로 재판을 받는 동안 그와 그의 변호인을 독점 취재하기로 계약을 맺었다. 맥도널드는 그의 기사가 성공을 거둘 것이라고 생각했음이 분명하다. 맥기니스는 닉슨의 선거운동 때 그를 더, 뭐랄까, 호감 가는 사람으로 만들기 위해 관계자들이 기울인 노력을 냉정하게 묘사한 책 『대통령 판촉 1968』(*The Selling of the President 1968*)로 명성과 더불어 상당한 존경을 누리고 있었다.

맥도널드에게는 안된 일이지만, 재판이 끝날 무렵 맥기니스는 그가 진범이라는 결론을 내렸다. 그가 이 사건에 대해 상업성을 노리고 조잡하게 써낸 책 『치명적인 환상』(*Fatal Vision*)은 엄청난 베스트셀러가 되었으나, 책 속에 묘사된 맥도널드는 자신의 가족을 모두 냉혹하게 살해한 사이코패스였다. 비난받는 살인자가 된 맥도널드는 맥기니스가 취재계획에 대해 고의로 오해를 불러일으키는 말을 했다면서 소송을 제기했다. 사실 대부분의 기자들이 판단하기에도, 맥기니스의 행동은 도를 넘었다. 예를 들어, 맥도널드는 그가 유죄판결을 받은 것이 대단히 부당한 일이라고 맥기니스가 분명히 말하는 듯한 편지들을 갖고 있었다.

맬컴은 이 일의 전말을 다룬 글의 도입부에서 다음과 같이 말했다.

> 그는 사람들의 허영심, 무지, 외로움 등을 먹이로 삼아 신뢰를 얻은 뒤 아무런 양심의 가책 없이 배신해버리는, 일종의 사기꾼이다. 귀 얇은 과부가 매력적인 청년과 사귀다가 어느 날 깨어 보니 그동안 저축한 돈과 청년이 함께 사라져버린 것을 알게 되는 경우처럼, 그의 취재요청에 스스로 동의해서 논픽션의 주인공이 된 사람은 해당 기사나 글이 발표된 뒤 냉혹한 교훈을 얻는다.[31]

이 문단이 배신당한 취재대상의 시각에서 서술되어 있기 때문에, 이 글을 읽은 많은 사람들은 즉시 맬컴이 언론을 고발하고 있다고 생각했다. 기자들은 언론에 대해 이야기하는 것을 세상 무엇보다 좋아한다. 따라서 맬컴의 글이 발표된 1989년 무렵에 언론계에는 언론이야말로 진정한 힘을 발휘할 수 있는 곳이라고 확신하며

우드워드(워터게이트 사건을 보도한 기자 — 옮긴이)나 번스틴 같은 기자가 되기를 꿈꾸는 사람들이 가득했다. 그 결과 맬컴이 자기들의 명예를 손상시켰다고 생각한 기자들이 많았으므로, 아주 오랫동안 비판이 우박처럼 쏟아졌다.

"미스 맬컴은 자신의 꼬리를 스스로 삼키는 뱀을 만들어낸 것 같다. 자신을 포함한 모든 기자의 윤리를 공격했으나, 과거 자신이 기자를 빙자한 사기꾼 역할을 어디까지 해냈는지는 밝히지 않았다."[32] 『뉴욕 타임스』의 한 칼럼니스트는 이렇게 호통치면서, 맬컴이 '날조' 사실을 인정했다는 거짓말까지 했다. 유명한 서평 필자인 크리스토퍼 레만-홉트는 그녀가 맥기니스를 통렬히 비판함으로써 맥도널드의 혐의를 벗겨주는 꼴이 됐다고 비난했다. 『시카고 트리뷴』의 한 칼럼니스트는 속상한 심정으로 편집국을 한 번 둘러보았더니 다음과 같은 광경이 보였다고 말했다. "동료 기자들이 정치가들의 행동을 기록하고, 의학의 획기적인 발전을 보도하고 있었다. … 기자들이 일상적으로 해야 하는 이런 사소한 일들의 어디가 그렇게 잘못되었는지 누가 좀 말해줄 수 있는가?"[33]

맬컴을 옹호하는 사람들도 물론 있었다. 데이비드 리프는 『로스앤젤레스 타임스』에서 그녀를 변호해주었다.[34] 그는 맬컴의 주장에는 널리 찬사를 받는 존 디디언의 말과 다른 부분이 거의 없다고 지적했다. "글을 쓰는 사람들은 언제나 누군가를 팔아넘긴다." 맬컴과 친구 사이인 노라 에프런은 『컬럼비아 저널리즘 리뷰』(*Columbia Journalism Review*)와의 인터뷰에서 이렇게 말했다. "재닛 맬컴의 말이 워낙 합리적이라서, 나는 그것을 문제 삼는 사람이 있다는 사실이 놀라웠다. 훌륭한 기자가 되기 위해서는 재닛이 배신이라고 표현한 거래를 기꺼이 완성할 수 있어야 한다."[35] 사실 이것은 "모든 것은 표현하기 나름"이라는 피비 에프런의 말과 그리 동떨어지지 않은 태도였다. 사람들이 때로는 말로만 그럴듯한 존재가 되고 싶어 하지 않는다는 점이 문제지만.

(제시카 밋퍼드도 노라 에프런의 말에 동조했다. "나는 맬컴이 놀라운 글을 썼다고 생각했다."[36] 밋퍼드는 1963년에 장례업계의 현실을 폭로해 명성을 얻었는데, 그녀의 자매들 역시 모두 '예리하다'는 평판이 아깝지 않은 사람들이었다.)

『기자와 살인자』에서 또 하나 눈에 띄는 점은, 그녀가 이 책에서 분석한 상황이 매슨과의 사이에서 겪은 일과 비슷하다는 것이었다. 자신의 주장을 다시 내세울 기회가 왔음을 감지한 매슨은 잡지 『뉴욕』의 기자에게 자신이 보기에 그 글의 앞부분은 자신에게 보내는 공개서한인 것 같다고 말했다. 맬컴이 자신의 죄를 고백한 내용이라는 것이었다.[37] 그는 자신의 소송을 기각한 법원의 판결에 불복해서 항소를 계속해 결국 대법원까지 올라갔다. 그리고 앤서니 케네디 대법관은 매슨이 새로 재판을 받게 해주어야 한다는 판결을 내렸다. 그러나 매슨은 1994년에 최종적으로 소송에 졌다. 맬컴이 부주의했지만, "무분별할 정도로 태만"하지는 않았다는 배심원 판결이 내려진 덕분이었다. 한 배심원은 『뉴욕 타임스』와의 인터뷰에서 "매슨이 너무 정직했다. 그는 마음을 열고 자신의 진면목을 다 보여주었다. 그녀가 거기에 색칠을 했는데, 그 결과가 그의 마음에 들지 않았다"[38]고 말했다.

나중에 맬컴은 사람들이 왜 그렇게 자신에게 돌팔매질을 했는지 조금 이해할 것 같다고 말했다.

> 잘난 척하는 사람의 몰락에서 기쁨을 느끼지 않는 사람이 있을까? 진흙탕 속을 끌려다니는 사람이 바로 『뉴요커』의 필자라는 사실은 심술궂은 즐거움을 더해주었을 뿐이다. 당시 『뉴요커』는 여전히 도덕적 우월감이라는 솜털 고치에 감싸여 있었다. 다른 매체에서 일하는 사람들에게는 정말 화나는

일이었다. 내가 기자들에게 취재요청을 받았을 때 『뉴요커』 사람들이 당연하다고 생각하는 행동을 한 것, 즉 대중적인 홍보를 광적으로 싫어하는 윌리엄 숀의 복제품처럼 군 것도 내게 도움이 되지 않았다. 나는 매슨이 수많은 인터뷰에서 내놓은 거짓 비난에 맞서 나를 옹호하는 대신 멍청하게 침묵만 지켰다.[39]

그렇다고 완전히 침묵한 것은 아니었다. 매슨의 항소가 진행 중일 때 『기자와 살인자』가 출판되었고 맬컴은 여기에 발문을 새로 썼다. 이 발문에서 그녀는 맥기니스와 맥도널드의 분쟁이라는 렌즈를 통해 자신과 매슨 사이의 문제를 보고 있다는 말을 부인했다. 오히려 매슨이 또 기자들에게 이용당하고 있는 것이 가엾다고 말했다. 그녀는 기자들이 자신을 공격하는 데 사용할 수 있는 인용문을 그에게서 얻어낸 뒤 다시 그를 팽개치고 있다고 보았다.[40]

이 발문에서 그녀는 또한 인용문을 편집하는 행위를 옹호했다. 인용문 편집은 소송의 쟁점 중 하나였다. 매슨은 맬컴이 문장들의 위치와 순서를 이리저리 바꾼 것이 기자로서 할 수 있는 일의 범주를 벗어난다고 주장했다. 맬컴은 '나'의 시점에서 쓴 글은 언제나 신뢰도가 떨어진다는 주장으로 자신의 행동을 변호했다. 그녀는 나중에도 여러 번 자신의 글을 옹호하기 위해 같은 주장을 내놓았다.

자서전의 '나'는 원래 저자를 대리하는 존재이지만, 기자가 사용하는 '나'는 저자와 아주 미약하게 연결되어 있을 뿐이다. 말하자면, 슈퍼맨과 클락 켄트의 관계와 같다. 기자가 사용하는 '나'는 지나치게 믿음이 가는 화자이다. 어떤 어조로 어떤 주장을 펼쳐서 글을 서술할 것인가 하는 중대한 임무를 맡은 기능적인 인물이라고 할 수 있다. 그리스 비극의 코러스처럼 특별한 목적을 위해 만들어진 존재인 것이다. 이 '나'는 상징적인

존재이며, 기자가 삶을 냉정하게 관찰하며 하는 생각들이 구현된 존재다.[41]

글을 쓴 필자 본인까지도 믿지 말라는 이러한 권유는 맬컴의 글뿐만 아니라 이 책에 등장하는 거의 모든 사람의 글도 이해할 수 있게 해주는 작은 다목적 열쇠다. 리베카 웨스트에서부터 디디언과 에프런에 이르기까지 한 세기에 걸쳐 구축되어 내려온 힘찬 일인칭 서술에 어느 정도의 불확실성을 덧붙여주기도 한다. 맬컴의 글을 읽다 보면, 화자가 독자에게 정확히 어떤 종류의 새로운 술수를 쓰고 있는지와 명목상의 소재(맥기니스가 정말로 나쁜 사람일까? 매슨은 멍청이였나?) 모두에 대해 항상 불확실의 영역에서 머뭇거리게 된다.

맬컴의 글에는 이처럼 언제나 한 꺼풀 더 덧붙여진 의미, 교묘한 속임수가 있다. 정신분석가가 환자를 유도해서 자신의 습관적인 반응과 감정을 조사하고 분석하게 만들 듯이, 맬컴은 감정적인 반응을 도발해 많은 기자로 하여금 각자 자기 직업에 대해 알고 있던 것들을 다시 한번 생각해보게 만들었다.

사실 『기자와 살인자』를 둘러싼 분노는 맬컴이 내놓고자 했던 주장을 증명한 것 외에 별다른 역할을 하지 못했다. 이 책의 주제는 엄연히 언론이었다. 그리고 맬컴은 취재대상이 된 사람은 상대가 자신에 대해 쓴 글을 읽고 항상 배신감을 느낄 것이라고 주장했다. 실제로 '언론'은 맬컴의 평가에 배신감을 느꼈다. 그러나 다행히도 상황이 반전되어, 지금은 대부분의 언론대학원에서 『기자와 살인자』가 교재로 쓰이고 있다. 맬컴 본인에게 물어보면, 그녀도 결국 자신이 옳았음이 증명되었다고 말할 것이다.

그 뒤 맬컴이 쓴 모든 글에는 『기자와 살인자』에서 천착했던 문제들이 특징처럼 등장했다. 어디서든 그녀는 앞뒤가 맞지 않는 이야기들을 찾아냈다. 그녀는 살인사건 재판(『호리스트 힐스의 이피게니아』[*Iphigenia in Forest Hills*]), 기업의 부정행위(『실라 맥거프의 범죄』[*The Crimes of Sheila McGough*])에 관한 글을 쓰면서, 서로 다른 입장의 사람들이 각각 내놓는 서로 다른 이야기들을 시야에서 놓치지 않았다. 그 이야기들은 서로 너무 달라서 도저히 하나로 합칠 수 없을 것 같았다. 맬컴은 제목 그대로 '마흔한 번의 부정출발'[42]로 이루어진 글에서 미술가 데이비드 살르(미국 신표현주의의 대표적인 화가 — 옮긴이)를 다루며, 기사를 쓰는 일이 과연 유용한지 의문을 던지는 듯했다. 이야기와 관련해서는, 애당초 이야기를 들려주는 일을 맡은 사람들, 즉 작가, 예술가, 사상가 등을 자세히 살피면서 디디언과 아주 흡사한 회의적인 시각(우리가 스스로 들려주는 이야기에 회의를 품는 시각)을 드러냈다.

그녀의 시각을 가장 잘 보여주는 사례는 십중팔구 『뉴요커』에 실렸던 『침묵하는 여자』(*The Silent Woman*)일 것이다. 맬컴은 책 한 권 분량만큼 긴 이 기사에서 실비아 플라스의 삶과 그녀의 남편인 테드 휴즈, 그리고 그들의 삶이 진실로 어떤 모습이었는지 알아내려고 애쓴 전기작가들을 다뤘다. 플라스는 조숙한 시인이자 산문 필자로 20대에 많은 글을 발표했으나 특별히 유명해지지는 못했다. 결국 그녀는 영국으로 이주해 시인 테드 휴즈와 결혼해서 아이 둘을 낳았다. 그녀는 시집 한 권을 출간했으나 시인으로서 계속 좌절감을 느끼다가, 휴즈가 다른 여자 때문에 그녀의 곁을 떠난 뒤인 1963년에 자살했다. 그리고 2년 뒤, 고백시라고 불리는 뜨거운 작품 『에어리얼』(*Ariel*)이 출간되어 커다란 찬사를 받았다. 그녀의 소설인 『벨 자』도 사후에 출간되어 고전이 되었다. 문제가 시작된 것은 그때부터였다.

플라스 사후에 그녀의 팬이 된 사람들은 그녀를 자살로 이끈 고통에 대해 자신들만이 제대로 이해하고 있다고 믿으며, 테드 휴즈를 비난했다. 그의 평판이 나빠진 데에는 그럴 만한 이유가 있었다. 플라스가 죽기 전 몇 달 동안, 즉 그가 다른 여자 때문에 그녀의 곁을 떠나 있을 때, 플라스는 가족이라고는 아주 어린 자식 둘밖에 없는 낯선 나라에서 혼자 살아남아야 했다. 『에어리얼』이 출간된 뒤 그녀가 페미니스트로서 스타덤에 올라섰다는 사실은, 그녀가 휴즈에게 많은 분노를 표현했음을 뜻한다. 따라서 휴즈와 올윈 남매는 나중에 플라스의 전기를 쓸 권리를 누구에게 허락할 것인지를 놓고 몹시 신중을 기했다. 플라스의 출간되지 않은 작품을 인용할 권리를 원하는 사람에게 허락해주는 권한을 두 사람이 쥐고 있었기 때문에, 전기작가를 선택하는 권한 역시 행사할 수 있었다.

맬컴이 이 문제에 대해 관심을 갖게 된 것은 휴즈 남매가 선택한 전기작가 앤 스티븐슨 때문이었다. 맬컴은 미시건 대학 시절부터 스티븐슨을 알고 있었다고 말했다.

> 언젠가 거리에서 누가 그녀를 가리켜 보여주었다. 어색할 정도로 열렬하고 열정적인 분위기를 지닌 마르고 예쁜 여자가 흥미롭게 생긴 남자들에게 둘러싸여 열심히 손짓을 하며 이야기하고 있었다. 당시 나는 예술적인 분위기를 아주 동경했는데, 앤 스티븐슨은 내 상상 속에서 특별히 밝게 빛나는 인물 중 하나였다.[43]

그러나 스티븐슨이 쓴 플라스의 전기 『씁쓸한 명성』(*Bitter Fame*)은 심각한 공격을 받았다. 스티븐슨은 유난히 눈에 띄는 저자의 말에서 올윈 휴즈에게 커다란 감사를 표했는데, 그 내용으로 미루어볼 때 이 책이 출판되기 전에 휴즈가 원고를 미리 보고 논평하면서 수정을 요구할 권리를 갖고 있었던 것 같았다. 이것이 전기작가로서 스티븐슨의 신뢰성에 흠집을 내는 요소가 되었다. 책이 출판되기 전에, 관련 재산권을 갖고 있는 사람이 그 원고를 보지 않아야만 좀 더 객관적인 전기를 쓸 수 있다고 여겨졌기 때문이다. 맬컴 역시 이 책에 대해 의구심을 품었으나, 그 의구심의 종류가 완전히 달랐다. 그녀는 전기작가로서 스티븐슨이 현자처럼 행세해야 한다는 지시를 받은 것에 분개했다. 책 속에서 플라스와 관련해 직접 겪은 일을 이야기한 사람들(그중 한 명은 진심으로 플라스를 미워했다)에 비해, 스티븐슨은 증거를 신중하게 가늠해보아야 한다는 제약에 눌려 지루한 사람이 되고 말았다.

맬컴은 개인적인 경험을 통해 강력한 목소리를 내는 사람을 더 좋아한 탓에 휴즈 남매에게 연민을 품었다. 휴즈는 이 이야기 속의 주요 인물 몇 명에게 편지를 보내, 자신의 경험을 "마치 내가 벽에 걸린 사진이나 시베리아의 죄수라도 되는 것처럼 공식적인 역사"[44]로 바꿔놓았다고 화를 냈다. 맬컴은 이 주장에 일리가 있다고 보았다. 반면 이 이야기에 등장하는 수많은 사람들, 즉 플라스가 어떤 사람인지 직접 겪어봤다고 주장한 다른 사람들의 저의는 의심스러웠다. 플라스의 전기는 그녀의 주장과 관련해서 핵심적인 증인 중 한 명이라고 할 만한 사람의 주장이 완전히 무너지는 것으로 끝난다. 그 인물이 누구인지는 여기서 밝히지 않겠다. 여러분이 책을 직접 읽어보아야 할 것이다. 이것도 맬컴의 주장이다. 누구도 믿을 필요 없고, 다른 사람들이 사실이라고 단언하는 것에 대해서도 이른바 '느린 소 같은 태도'(맬컴은 이 말을 두 가지 의미로 사용했다)로 반응을 보일 필요가 없다는 것.

그러나 이런 논란 중에 맬컴은 자신에 관한 작은 사실 하나를 드러냈다. 플라스의 친구인 비평가 앨 알바레스를 만나러 갔을 때의 일이다. 처음에 그는 1950년대에 한나 아렌트의 집에서 열린 파티에 대해 기분 좋게 이야기하다가, 플라스의 이야기로 넘어가 자신이 매력을 느끼기에는 그녀가 너무나 '거물'이었다고 설명했다.

> 나는 그가 무슨 말을 하려는 것인지 알아차리고 불편한 기분이 되었다. 알바레스는 앞서 1950년대에 내가 있었다면 한나 아렌트의 파티에 초대되었을 것이라는 착각으로 나를 띄워주었다(당시 나는 한나 아렌트가 누구인지도 몰랐던 것 같다). 그런데 지금은 자신이 보기에 매력적이지 않은 여자들에 대해 이야기하면서 내가 아무렇지도 않게 그 이야기를 들어줄 것이라는 착각으로 나를 괴롭히고 있었다. 어떤 유대인이 자신이 유대인임을 전혀 모르는 사람들 사이에서 반유대주의 대화에 휘말려 묵묵히 침묵만 지키고 있는 상황과 비슷했다.[45]

여기에 분명한 페미니즘이 암시되어 있다. 남자들이 여자에 대해 이야기하는 방식, 심지어 여자들 앞에서 여자에 대해 이야기하는 방식에 대해서도 분명히 불만스러워하는 모습. 이 테마는 맬컴이 글을 쓰기 시작하고 상당한 시간이 흐른 뒤에야 그녀의 글에 등장하기 시작했다. 1970년대에 그 장문의 비판을 쓴 뒤 그녀가 서서히 페미니즘 쪽으로 돌아섰기 때문이다. 그 과정에서 글을 쓰는 여성 여러 명과 친구가 되기도 했다. 심지어 손택과도 비록 그리 친하지는 않았지만 조금 알고 지내는 사이였다. 손택이 다시 병석에 누운 1998년에 맬컴은 그녀에게 보낸 짧은 편지에 이렇게 썼다. "내가 여기서 지금부터 하려는 말을 점심식사 때 하는 바람에 난리가 났습니다. 내가 하고 싶은 말은 이겁니다. 당신이 감내하고 있는 고통을 생각하며 나도 괴롭고, 당신을 깊이 우러러보고 있으며, 「은유로서의 질병」이라는 글을 써준 당신에게 진심으로 감사하고 있습니다."[46]

그러나 디디언처럼 맬컴도 노라 에프런과 친구가 되어 그녀의 글에 깊은 유대감을 느끼게 되었다. 특히 그녀의 에세이에 대한 감정이 각별했다. 여성주의는 그들이 항상 다루는 주제가 되었다.

에프런 말년에 두 사람은 어느 북클럽에 가입해, 『금색 공책』(*The Golden Notebook*)을 다시 읽었다. 순전히 페미니즘이 도대체 무엇인지 알아보기 위해서였다.

기자이자 비평가로서의 여정 중에 맬컴은 세상이 똑똑하고 유능하고 통찰력 있는 여성에게 보이는 태도에 대해 뭔가를 느낀 것 같았다. 1986년에 맬컴은 「시대정신의 여자」(A Girl of the Zeitgeist)를 발표했다. 처음 매슨이 소송을 제기해 정신이 없는 와중에 완성한, 잉그리드 시시(미국의 작가 겸 잡지 편집자 — 옮긴이)의 프로필이었다. 이 글의 모티브 중 하나는, 진지한 여성이 자신을 부정하는 진지한 남자들 무리 속에서 자신의 길을 개척하려고 계속 애쓰는 모습이다. 시시는 전에 어느 점심식사 자리에서 만난 남자에 대한 이야기를 맬컴에게 해주었다. 그 남자는 시시의 외모를 보고 그녀에게 별로 관심을 보이지 않았다고 했다. 맬컴은 즉시 자신이 바로 그 남자와 비슷하지 않은가 하는 생각을 했다.

> 나는 『아트포럼』(*Artforum*)이 생기 없고 모호한 잡지에서 그토록 야성적이고 당당한 현대성을 지닌 잡지로 변하는 것을 본 뒤 그녀에 대한 글을 써보자는 생각을 갖게 되었다. 잡지를 보면, 이 잡지의 편집자는 틀림없이 놀라울 정도로 현대적인 사람, 말문이 막힐 정도로 새로운 여성적 감수성의 현신 그 자체일 것이라는 생각밖에 들지 않는다. 그런데 어느 날 내 집으로 걸어 들어온 사람은 유쾌하고, 지적이고, 겸손하고, 책임감 있고, 윤리적인 젊은 여성이었다. 내가 자신감 있게 예상했던 연극적인 느낌은 흔적도 없었다. 나는 그녀가 점심식사 자리에서 만났다던 그 정치가처럼 실망해서 그녀에게서 시선을 돌려버렸던 것 같다.[47]

여성들이 서로에게 갖는 기대, 우리 모두가 서로를 가늠하는 시선에는 헤아릴 수 없이 많은 희망과 헤아릴 수 없이 많은 실망의 순간이 함께 포함되어 있다. 그것이 대중 앞에서 자신의 생각을 이야기하는 여성으로 살아가는 일의 본질인 것 같다.

재닛 맬컴, 연도 미상.

후기

이 책을 쓰면서 나는 사람들이 이 책에 등장하는 여성을 보고 예리하다고 말할 때 그것이 정확히 무슨 의미였는지에 대해 많은 생각을 했다. 그 말을 칭찬으로 한 사람이 많았지만, 그 저변에는 미약한 두려움이 깔려 있었다. 예리하다는 것은 곧 벨 수 있다는 뜻이기 때문이다. 생각하면 할수록, 나는 사람들이 이 여성들에게 예리하다거나 못됐다거나 다크 레이디라거나 기타 이와 비슷하게 어렴풋이 불길한 느낌이 나는 꼬리표를 붙였을 때 일종의 환상이 작동했음을 점점 더 확신하게 되었다. 이 환상은 이런 여성들이 파괴적이고 위험하고 변덕스럽다고 주장했다. 마치 지적인 삶이 일종의 고딕 소설이라도 되는 것처럼.

이 여성들은 전혀 그렇지 않았다. 그들이 항상 옳았던 것은 아니지만, 지나치게 자주 잘못된 주장을 펼친 것도 아니었다. 때로는 아주, 아주 옳은 주장을 하기도 했다. 문제는 사람들이 '친절하지' 않은 여성, 무릎을 구부리지 않는 여성, 때로 대중 앞에서 실수를 저지를 용기가 있는 여성을 흔쾌히 받아들이지 못한다는 점이다.

이 여성들은 또한 이 어려운 문제를 인지했을 가능성이 있는 유일한 운동에 대해 살갑게 굴지 않았다. "난 페미니스트가 아닙니다." 메리 매카시는 세상을 떠나기 2년쯤 전 샌프란시스코에서 군중을 앞에 두고 이렇게 말했다. 하지만 이어서 그녀는 다음과 같이 과거를 돌아보았다.

> 우리 세대의 뛰어난 여성들은 일반적인 여성들이 다소 무시당하는 현실의 덕을 확실히 본 것 같습니다(본인들은 그렇게 생각하지 않았지만요). [남성들은] 무시하면 안 될 것 같은 여성을 발견하면, 그녀를 그녀 자신의 능력에 비해 살짝 더 높은 자리에 올려놓았습니다. 나도 페미니스트로서 "그 여자는 남자의 머리를 갖고 있어"라는 말을 칭찬이라고 반가워하지 않을 정도는 됩니다. 난 그런 말이 언제나 싫었습니다.[1]

자신이 다른 여자들 무리에서 유독 눈에 띄는 존재라고 믿는 것은 그리 자매애에 입각한 행동처럼 보이지 않는다. 나는 이 책을 쓰기 위해 자료조사를 하는 과정에서 이 점을 자주 곰곰이 생각해보았다. 또한 이 여성들을 역사에서 잘라내고 싶어 하는 사람들과도 필요에 의해 많이 마주쳤다. 그들은 이 여성들이 타고난 재능을 이용하면서도 그 재능으로 페미니즘을 확실히 지지하지 않았다는 이유를 들었다. 그들이 보기에 이런 행동은 용서할 수 없는 과오였다.

이런 비난을 한 가장 유명한 사례로는 손택의 오랜 라이벌인 에이드리언 리치가 있다. 리치는 아렌트가 마지막으로 완성한 저서 중 하나인 『인간의 조건』을 읽은 뒤 흥미와 실망을 동시에 느꼈다.

> 훌륭한 정신과 박학한 지식을 지닌 여성이 쓴 그런 책을 읽는 것은 고통스러운 일이 될 수 있다. 남성의 이념을 양분 삼아 자라난 여성 지성인의 비극이 거기에 구현되어 있기 때문이다. 사실 상실은 우리의 몫이다. 심오한 도덕적 이슈들을 이해하고자 하는 아렌트의 욕구가 우리에게 필요한 것이기 때문이다. …

> 이런 여성 지성인을 사로잡아, 그 머리를 둘러싸고 있으며 동시에 그 머리에 둘러싸여 있는 여성적 몸과 유대가 끊어지게 만드는 남성 이념의 힘이 아렌트의 고상하고 손상된 책에 가장 충격적으로 드러나 있다.[2]

이 정도면 공정한 비판이었다. 아렌트가 죽는 날까지 굳건히 여성주의를 비난했다는 점을 감안하면. 그녀는 젠더에 대해 거의 한마디도 하지 않았다. 이 책에 등장하는 다른 여성들과는 비교가 되지 않는다. 당대의 페미니스트들을 경멸하는 그녀의 태도는 때로 신랄할 정도였다. 아렌트의 마지막 제자 중 한 명인 제니퍼 네델스키는 내 대학 시절 교수님이기도 한데, 언젠가 아렌트와 함께 엘리베이터에 탔을 때의 이야기를 해주었다. 당시 교수님은 시카고 여성해방연합의 배지를 착용하고 있었다. 아렌트가 그것을 보더니 손가락으로 가리키면서, 독일식 발음이 강하게 남은 말씨로 이렇게 말했다. "설마 진심은 아니겠지."

파커, 웨스트, 손택, 케일, 에프런, 맬컴은 모두 여성주의라는 말을 이보다 편안하게 받아들였지만, 그래도 흔들릴 때가 있었다. 파커는 딱히 여성참정권 운동에 참여하지 않았고, 손택은 여성주의의 "순진한"[3] 문제점들을 놓고 리치와 논쟁을 벌였다. 케일은 『그룹』과 관련해서 여성주의 주장을 펼치려고 시도했지만, 그 글은 거절당했다. 그 뒤로 케일은 여성해방이라는 주제를 완전히 버린 것으로 보인다. 디디언은 나중에 한 인터뷰에서 여성해방에 반대했던 자신의 글을 돌아보며 이렇게 주장했다. "그 글은 역사 속의 어느 특정한 순간을 다룬 겁니다."[4] 맬컴도 한때 『뉴 리퍼블릭』에 여성주의를 비판하는 글을 썼지만, 지금은 페미니스트를 자처하고 있다.

이 책에서 나는 여성주의에 양면적인 반응을 보일 뿐만 아니라 때로는 심지어 적대적이기까지 한 이들의 태도에 여성주의 메시지를 전달할 여지가 남아 있음을 지적하고자 했다. 페미니즘에서 자매애는 확실히 중요하다. 그러나 자매들이 말다툼을 벌이는 것은 당연한 일이다. 때로는 서로 완전히 사이가 멀어질 만큼 다투기도 한다. 우리를 규정하는 것은 서로의 공통점만이 아니다. 만약 우리가 서로 겹치는 부분에 대한 토론에서 배운 점이 있다면, 그것은 '여성으로 살아가는' 경험이 인종이나 계급 같은 여러 사회적 지표의 영향을 크게 받는다는 점이다.

개인의 성격 또한 영향을 미치는 요소다. 어떤 사람들은 사회운동의 일반적인 요구에 쉽사리 동조하지 못하는 천성을 지니고 있다. 언제나 외곽에 벗어나 있는 사람도 있다. 그들은 "왜 꼭 이런 식이어야 하는가?"라는 질문을 떨쳐버리지 못한다.

"완전히 혼자일 때는 남들과 다른 것이 흠인지 개성인지 판단하기 힘들다."[5] 아렌트는 라헬 판하겐에 대해 이렇게 썼다. "매달릴 것이 전혀 없는 사람은 결국 자신을 다른 사람들과 구분해주는 것에 매달리게 된다." 아렌트는 남들과 다른 것이 개성이라고 주장했다. 옳은 말이었다.

우리는 자신에게 부여된 목소리로만 말할 수 있다. 그리고 그 목소리의 높이와 음조를 결정하는 것은 우리의 경험이다. 그런 경험 중에는 여성으로 살면서 겪은 일들이 반드시 포함될 것이다. 우리는 모두 서로에게서, 우리보다 앞서 살아간 사람들의 역사에서 벗어날 수 없다. 자기만의 길을 개척할 수는 있지만, 그것은 언제나 다른 사람들이 이미 건너간 소용돌이와 개울 속에서 이루어진다. 앞서 간 사람들을 내가 개인적으로 좋아하든 싫어하든, 그들의 주장에 동의하든 반대하든, 이 모든 상황을 초월하고 싶은 마음이 얼마나 간절하든 상관없다.

이것이야말로 이 책에 등장하는 모든 여성이 배워야 했던 교훈이었다.

참고자료에 대하여

이 책을 만드는 데에 많은 책이 필요했다. 직접 인용한 부분은 각주에 출처를 밝혀두었다. 이 책에 등장한 여성들의 전기를 이미 펴낸 작가들의 노고가 없었다면, 나는 이 책을 쓸 수 없었을 것이다. 전기는 이 책을 시간 순서대로 조립하는 데 필수적이었다. 그 전기작가들이 모두 나를 밑에서 받쳐주고 있다. 이 책을 시간순서대로 정리할 때 참고한 전기들과 2차 자료를 참고문헌에 밝혀두었다. 개중에는 이 책에서 직접 인용하지 않은 자료도 포함되어 있다.

나는 이 책에 등장한 여성들의 글을 통해 그들의 페르소나를 조사했으므로, 주로 이미 발표된 그들의 문헌을 조사대상으로 삼았다. 그밖에 편지 모음집을 살피기도 하고, 때로는 내가 직접 문서보관소를 뒤지며 기존의 전기작가들이 완전히 살펴보지 못한 주제를 밝혀줄 스위치를 찾아 헤맸다.

이 책에 등장한 여성들의 철저한 전기를 쓰는 것은 내 목적이 아니었지만, 다행히 2014년에 재닛 맬컴과 짤막한 인터뷰를 하고, 2015년에는 내 연구성과를 발표하는 자리에서 레나타 애들러를 만날 수 있었다. 그 만남에서 두 사람이 보여준 말과 행동도 이 책의 날실이 되었다.

참고문헌

1. 파커

1 Frank Crowninshield, "Crowninshield in the Cubs' Den," *Vogue*, 1944년 9월 15일자.

2 "The Wonderful Old Gentleman," in *Collected Stories* (Penguin Classics, 2002).

3 "The Art of Fiction No. 13: Dorothy Parker," 매리언 캐프론과의 인터뷰, *Paris Review*, 1956년 여름호.

4 같은 글.

5 파커가 어렸을 때 쓴 편지 여러 통의 복사본이 컬럼비아 대학에 매리언 미드 문헌으로 보관되어 있다.

6 Larry Tye, *The Father of Spin: Edward L. Bernays and the Birth of Public Relations* (Picador, 1998) 참조; 래리 타이, 『여론을 만든 사람, 에드워드 버네이즈』, 송기인·김현희·이종혁 옮김(커뮤니케이션북스, 2004).

7 "In *Vanity Fair,*" *Vanity Fair*, 1914년 3월호.

8 "Any Porch," *Vanity Fair*, 1915년 9월호.

9 "The Art of Fiction No. 13: Dorothy Parker."

10 *Vogue*, 1916년 10월 1일자, 101호. 『보그』의 그림 설명에는 작성자의 서명이 없지만, 여기서 인용한 사례들은 학자들의 연구결과 파커의 것으로 여겨지고 있다.

11 "The Younger Generation," *Vogue*, 1916년 6월 1일자.

12 Alexander Woollcott, *While Rome Burns* (Grosset and Dunlap, 1934), 144.

13 "Why I Haven't Married," *Vanity Fair*, 1916년 10월호(도러시 로스차일드의 이름으로).

14 "Interior Desecration," *Vogue*, 1917년 4월 15일자(도러시 로스차일드의 이름으로).

15 "Here Comes the Groom," *Vogue*, 1917년 6월 15일자.

16 "A Succession of Musical Comedies," *Vanity Fair*, 1918년 4월호.

17 "Mortality in the Drama: The Increasing Tendency of Our New Plays to Die in

Their Earliest Infancy," *Vanity Fair*, 1918년 7월호.

18 "The Star-Spangled Drama: Our Summer Entertainments Have Become an Orgy of Scenic Patriotism," *Vanity Fair*, 1918년 8월호.

19 "The Dramas That Gloom in the Spring: The Difficulties of Being a Dramatic Critic and a Sunny Little Pollyanna at the Same Time," *Vanity Fair*, 1918년 6월호.

20 "The Art of Fiction no. 13: Dorothy Parker."

21 "Inside Stuff," *Variety*, 1923년 4월 5, 12일자 참조.

22 "The Art of Fiction no. 13: Dorothy Parker."

23 Dorothy Herrmann, *With Malice Toward All: The Quips, Lives and Loves of Some Celebrated 20th0Century American Wits* (Putnam, 1982)에서 재인용.

24 O. O. McIntyre, "Bits of New York Life," *Atlanta Constitution*, 1924년 10월 29일자.

25 "The Oriental Drama: Our Playwrights Are Looking to the Far-East for Inspiration and Royalties," *Vanity Fair*, 1920년 1월호.

26 "The Art of Fiction No. 13: Dorothy Parker."

27 Edmund Wilson, *The Twenties* (Douglas and McIntyre, 1984), 32-34 참조.

28 같은 책, 44-45.

29 같은 책, 47-48.

30 "The Flapper," *Life*, 1922년 1월 26일자.

31 "Hymn of Hate," *Life*, 1922년 3월 30일자.

32 Heywood Broun, "Paradise and Princeton," *New York Herald Tribune*, 1920년 4월 11일자.

33 "Once More Mother Hubbard," *Life*, 1921년 7월 7일자.

34 Nancy Milford, *Zelda: A Biography* (Harper Perennial, 2001), 66.

35 Scott Donaldson, "Scott and Dottie," *Sewanee Review*, 2016년 겨울호 참조.

36 "What a 'Flapper Novelist' Thinks of His Wife," *Baltimore Sun*, 1923년 10월 7일자.

37 예를 들어, Maureen Corrigan, *So We Read On: How the Great Gatsby Came to Be and Why It Endures* (Little, Brown, 2014) 참조; 모린 코리건, 『그래서 우리는 계속 읽는다: F. 스콧 피츠제럴드와 〈위대한 개츠비〉, 그리고 고전을 읽는 새로운 방법』, 진영인 옮김(책세상, 2016).

38 Sterling North, "More Than Enough Rope," *Poetry*, 1928년 12월호.

39 Edmund Wilson, "Dorothy Parker's Poems," *New Republic*, 1927년 1월 19일자.

40 "The Art of Fiction No. 13: Dorothy Parker."

41 Wilson, "Dorothy Parker's Poems."

42 "Résumé," *Enough Rope* (Boni and Liveright, 1926).

43 "Constant Reader," *New Yorker*, 1927년 10월 29일자

44 Ernest Hemingway, "To a Tragic Poetess," in *Complete Poems* (University of Nebraska Press, 1983).

45 "Reading and Writing," *New Yorker*, 1927년 10월 29일자.

46 Ben Yagoda, *About Town: The "New Yorker" and the World It Made* (Da Capo, 2001), 77.

47 James Thurber, *The Years with Ross* (Harper Perennial, 2000), 4-5.

48 "Constant Reader," *New Yorker*, 1927년 10월 22일자.

49 Joan Acocella, "After the Laughs," *New Yorker*, 1993년 8월 16일자.

50 "Constant Reader," *New Yorker*, 1928년 2월 8일자.

51 "The Art of Fiction No. 13: Dorothy Parker."

52 La Mar Warrick, "Farewell to Sophistication," *Harper's*, 1930년 10월 1일자.

53 "Big Blonde," *Bookman*, 1929년 2월호.

54 1945년 6월 28일자인 이 전신의 사진을 인터넷에서 쉽게 구해볼 수 있다. 예를 들어, "I can't look you in the voice," *Letters of Note* (2011년 6월 17일) at http://www.lettersofnote.com/2011/06/i-cant-look-you-in-voice.html 참조.

55 "NY Pickets Parade Boston Street in Bus," *New York Herald Tribune*, 1927년 8월 12일자.

56 "Incredible, Fantastic...and True," *New Masses*, 1937년 11월 25일자.

57 *New Masses*, 1939년 6월 27일자.

58 "The Art of Fiction No. 13: Dorothy Parker."

59 Rebecca West, "What Books Have Done to Russia," *New York Herald Tribune*, 1928년 10월 28일자.

2. 웨스트

1 "Marriage," *Freewoman*, 1912년 9월 19일자.

2 같은 자료.

3 리티샤 페어필드에게 보낸 편지, 1910년 4월 18일자. *Selected Letters of Rebecca West*, Bonnie Kime Scott 편집 (Yale University Press, 2000)에서 재인용.

4 *The Fountain Overflows* (New York Review Books, 2003), 85.

5 Lorna Gibb, *The Extraordinary Life of Rebecca West* (Counterpoint, 2014), 36 참조.

6 "I Regard Marriage with Fear and Horro," *Hearst's International*, 1925년

11월호. *Woman as Artist and Thinker* (iUniverse, 2005)에 재수록.

7 이 헤드라인은 『로스앤젤레스 타임스』, 1906년 12월 2일자에 실렸다.

8 "A Reed of Steel," in *The Post-Victorians*, W. R. Inge 편집 (Ivor Nicholson and Watson, 1933).

9 BBC 라디오에서 앤서니 커티스와 한 인터뷰, 1972년 12월 21일. Gibb, *Rebecca West*, 41에서 재인용.

10 V. S. Pritchett, "One of Nature's Balkans," *New Yorker*, 1987년 12월 21일자.

11 리베카 웨스트가 쓴 독자의 편지, *Freewoman*, 1912년 3월 14일자.

12 리베카 웨스트가 웰스에 대해 한 말, 1CDR 0019053, Yale's Beinecke Library. Gibb, *Rebecca West*, 48에서 재인용.

13 H. G. Wells, *H. G. Wells in Love: Postscript to an Experiment in Autobiography* (Faber and Faber, 1984), 94–95.

14 리베카 웨스트가 웰스에게 쓴 편지, 1913년 3월경, in *Selected Letters of Rebecca West*.

15 "At Valladolid," *New Freewoman*, 1913년 8월호.

16 "The Fool and the Wise Man," *New Freewoman*, 1913년 10월호.

17 리베카 웨스트가 실비아 린드에게 보낸 편지, 1916년경, in *Selected Letters of Rebecca West*.

18 "The Duty of Harsh Criticism," *New Republic*, 1914년 11월 7일자.

19 *New York Times*, 1914년 11월 7일자에 실린 광고.

20 "The Duty of Harsh Criticism."

21 "Reading Henry James in Wartime," *New Republic*, 1915년 2월 27일자.

22 *Henry James* (Nisbet and Co, 1916).

23 *Observer*, 1916년 7월 23일자.

24 Fanny Butcher, "Rebecca West's Insulting Sketch of Henry James," *Chicago Tribune*, 1916년 12월 2일자.

25 Lawrence Gilman, "The Book of the Month," *North American Review*, 1918년 5월호.

26 *Living Age*, 1922년 8월 18일자에서 재인용.

27 "Fantasy, Reality, History," *Spectator*, 1929년 9월 21일자.

28 "Mr. Shaw's Diverted Genius," *New Republic*, 1914년 12월 5일자.

29 "Redemption and Dostoevsky," *New Republic*, 1915년 6월 5일자.

30 "The Dickens Circle," *Living Age*, 1919년 1월 18일자.

31 "Notes on Novels," *New Statesman*, 1920년 4월 10일자.

32 "Women of England," *Atlantic*, 1916년 1월 1일자.

33 *Westminster Gazette*, 1923년 6월 23일자.

34 리베카 웨스트가 위니프리드 매클라우드에게 보낸 편지, 1923년 8월 24일자. Gibb, *Rebecca West*, 85에서 재인용.

35 리베카 웨스트가 위니프리드 매클라우드에게 보낸 편지, 1923년 11월 2일자, Lilly Library. Gibb, *Rebecca West*, 85에서 재인용.

36 "Rebecca West Explains It All," *New York Times*, 1923년 11월 11일자.

37 같은 자료.

38 "Impressions of America," *New Republic*, 1924년 12월 10일자.

39 리베카 웨스트가 위니프리드 매클라우드에게 보낸 편지, 1923년 11월 2일자, in *Selected Letters of Rebecca West*.

40 리베카 웨스트가 고든 레이, 피어폰트 모건에게 보낸 편지, 날짜 미상. Gibb, *Rebecca West*, 88에서 재인용.

41 "Rebecca West: The Art of Fiction No. 65," 마리나 워너와의 인터뷰, *Paris Review*, 1981년 봄호.

42 *The Diary of Virginia Woolf, Volume Four (1931–1935)* (Mariner Books, 1983), 131.

43 *Black Lamb and Grey Falcon: A Journey Through Yugoslavia* (Penguin Classics, 2007), 403.

44 *A Train of Powder* (Viking, 1955), 78.

45 "Rebecca West: The Art of Fiction No. 65."

46 털사 문서고의 한 공책에서. Gibb, *Rebecca West*, 116에서 재인용.

47 "A Letter from Abroad," *Bookman*, 1930년 4월호.

48 Anaïs Nin, *Incest, "A Journal of Love": The Unexpurgated Diary of Anaïs Nin, 1932–1934* (Harvest, 1992), 1934년 4월 27일자 일기, 323.

49 Anaïs Nin, *Fire, "A Journal of Love": The Unexpurgated Diary of Anaïs Nin* (Harvest, 1995), 1935년 8월 12일자 일기, 130.

50 Gibb, *Rebecca West*, 183.

51 *Black Lamb and Grey Falcon*, 37.

52 같은 책, 124.

53 같은 책, 59.

54 Katharine Woods, "Rebecca West's Brilliant Mosaic of Yugoslavian Travel," *New York Times*, 1941년 10월 26일자.

55 Joseph Barnes, "Rebecca West in the Great Tradition," *New York Heral Tribune*, 1941년 10월 26일자.

56 "Housewife's Nightmare," *New Yorker*, 1941년 12월 14일자.

57 "A Day in Town," *New Yorker*, 1941년 1월 25일자.

58 "The Crown Versus William Joyce," *New Yorker*, 1945년 9월 22일자.

59 "William Joyce: Conclusion," *New Yorker*, 1946년 1월 26일자.

60 *A Train of Powder*, 83.

61 *The Meaning of Treason* (Macmillan and Company, 1952), 305.

62 "Shoulder to Shoulder," *New York Times*, 1975년 10월 21일자.

63 리베카 웨스트가 이매니 아를링에게 보낸 편지, 1952년 3월 11일자. Gibb, *Rebecca West*, 198에서 재인용.

3. 웨스트와 허스턴

1 "So. Carolina Man Lynched in Cruel Mob Orgy," *Los Angeles Sentinel*, 1947년 2월 20일자.

2 "Lynch Mob Rips Victim;s Heart," *New York Amsterdam News*, 1947년 2월 27일자.

3 "Opera in Greenville," *A Train of Powder*, 88.

4 같은 책, 82.

5 같은 책, 109.

6 같은 책, 99.

7 같은 책, 112.

8 허스턴의 생애에 대한 자세한 정보는 Valerie Boyd, *Wrapped in Rainbows: The Life of Zora Neale Hurston* (Simon and Schuster, 2004)를 참고했다.

9 *Pittsburgh Courier*, 1938년 5월 12일자.

10 "What White Publishers Won't Print," *Negro Digest*, 1950년 4월.

11 "Ruby McCollum Fights for Life," *Pittsburgh Courier*, 1952년 11월 22일자.

12 Virginia Lynn Moylan, *Zora Neale Hurston's Final Decade* (University Press of Florida, 2012) 참조.

4. 아렌트

1 "Shadows," in *Letters, 1925–1975: Martin Heidegger and Hannah Arendt*, Ursula Lutz 편집, Andrew Shields 번역 (Harcourt, 2004).

2 Elisabeth Young-Bruehl, *Hannah Arendt: For the Love of the World*, 2판 (Yale University Press, 2004), 50.

3 "Shadows," in *Letters, 1925–1975*.

4 Young-Bruehl, *Hannah Arendt*, 40에서 재인용; 엘리자베스 영-브루엘, 『한나

아렌트 전기: 세계 사랑을 위하여』, 홍원표 옮김(인간사랑, 2007), 105쪽.

5 Daniel Maier-Katkin, *Stranger from Abroad: Hannah Arendt, Martin Heidegger, Friendship and Forgiveness* (Norton, 2010), 27.

6 "Heidegger at 80," *New York Review of Books*, 1971년 10월 21일자.

7 마르틴 하이데거가 한나 아렌트에게 보낸 편지, 1925년 2월 10일자. *Letters: 1925–1975*에서.

8 마르틴 하이데거가 한나 아렌트에게 보낸 편지, 1925년 2월 27일자. *Letters: 1925–1975*에서.

9 한나 아렌트가 카를 야스퍼스에게 보낸 편지, 1946년 7월 9일자. *Correspondence: 1926–1969*, Lotte Kohler와 Hans Saner 편집, Robert와 Rota Kimber 번역(Harvest, 1992).

10 "What Remains? The Language Remains: A Conversation with Günter Gaus," in *Hannah Arendt: The Last Interview and Other Conversations*, Joan Stumbaugh 번역 (Melville House, 2013), 18.

11 Young-Bruehl, *Hannah Arendt*, 77; 『한나 아렌트 전기』, 164쪽.

12 Gunther Anders, *Die Kirschenschlacht*를 아렌트 센터(Arendt Center)가 번역한 것. http://hac.bard.edu/news/?item = 4302.

13 한나 아렌트가 마르틴 하이데거에게 쓴 편지, 1929년경, *Letters, 1925–1975*, 51.

14 *Rachel Varnhagen: The Life of a Jewish Woman* (Harvest, 1974), 3; 한나 아렌트, 『라헬 파른하겐: 어느 유대인 여성의 삶』, 김희정 옮김(텍스트, 2013), 20쪽.

15 *Varnhagen*, xv; 『라헬 파른하겐』, 12쪽.

16 Seyla Benhabib, "The Pariah and Her Shadow: Hannah Arendt's Biography of Rahel Varnhagen," *Political Theory*, 1995년 2월.

17 *Varnhagen*, 214; 『라헬 파른하겐』, 264쪽.

18 같은 책, xviii; 『라헬 파른하겐』, 15쪽.

19 "What Remains?" 5.

20 같은 글, 8–9.

21 마르틴 하이데거가 한나 아렌트에게 쓴 편지, 1932–1933년 겨울경, *Letters, 1925–1975*.

22 "What Remains?" 10.

23 같은 글, 19.

24 한스 블뤼허가 한나 아렌트에게 보낸 편지, 1948년 7월 29일자, *Whitin Four Walls: The Correspondence Between Hannah Arendt and Heinrich Blücher, 1936–1968*, Lotte Kohler 편집, Peter Constantine 번역 (Harcourt, 1996), 93–95.

25 Young-Bruehl, *Hannah Arendt*, xii; 『한나 아렌트 전기』, 27쪽.

26 "Walter Benjamin," *Men in Dark Times* (Houghton Mifflin Harcourt, 1995),

176; 한나 아렌트, 『어두운 시대의 사람들』, 홍원표 옮김(한길사, 2019), 305쪽.

27 발터 베냐민이 게르숌 숄렘에게 쓴 편지, 1939년 2월 20일자, *Correspondence of Walter Benjamin, 1910–1941*, Gershom Scholem과 Theodor W. Adorno 편집, Manfred R. Jacobson과 Evelyn M. Jacobson 번역 (University of Chicago Press, 1994), 596.

28 Howard Eiland, *Walter Benjamin: A Critical Life* (Harvard University Press, 2014)에서 재인용; 하워드 아일런드, 마이클 제닝스, 『발터 벤야민 평전: 위기의 삶, 위기의 비평』, 김정아 옮김(글항아리, 2018).

29 "Walter Benjamin," 181. 한나 아렌트, 「발터 베냐민」, 『어두운 시대의 사람들』, 311쪽.

30 같은 글, 192; 『어두운 시대의 사람들』, 299쪽.

31 Gershom Scholem, *Walter Benjamin: The Story of a Friendship* (New York Review Books, 2003), 283에서 재인용. 게르숌 숄렘, 『한 우정의 역사: 발터 벤야민을 추억하며』, 최성만 옮김(한길사, 2002), 387쪽.

32 "Theses on the Philosophy of History," *Illuminations: Essays and Reflections* (Schocken Books, 1969), 254.

33 "We Refugees," *The Jewish Writings*, Jerome Kohn, Ron Feldman 편집 (Schocken, 2007), 265.

34 "We Refugees," 268.

35 하인리히 블뤼허가 한나 아렌트에게 쓴 편지, 1941년 7월 26일자, *Within Four Walls*, 65.

36 "French Existentialism," *Nation*, 1946년 2월 23일자.

37 *The Origins of Totalitarianism* (Harvest, 1973), viii; 한나 아렌트, 『전체주의의 기원 1』, 박미애, 이진우 옮김(한길사, 2006), 34쪽.

38 같은 책, 459; 『전체주의의 기원 2』, 253쪽.

39 Young-Bruehl, *Hannah Arendt*, 292; 『한나 아렌트 전기』, 422쪽.

40 "People Are Talking About," *Vogue*, 1951년 5월.

41 Janet Malcolm, *The Silent Woman* (Vintage, 1995), 50.

42 William Barrett, *The Truants: Adventures Among the Intellectuals* (Doubleday, 1983), 103.

43 Anne Heller, *Hannah Arendt: A Life in Dark Times* (New Harvest, 2015), 25 참조.

44 Alfred Kazin, *New York Jew* (Knopf, 1978), 195.

45 Dwight Macdonald, "A New Theory of Totalitarianism," *New Leader*, 1951년 5월 14일자.

46 메리 매카시가 한나 아렌트에게 쓴 편지, 1951년 4월 26일자, *Between Friends:*

The Correspondence of Hannah Arendt and Mary McCarthy, 1949–1975 (Harcourt Brace, 1995).

5. 매카시

1 Eileen Simpson, "Ode to a Woman Well at Ease," *Lear's*, 1990년 4월. Frances Kiernan, *Seeing Mary Plain: A Life of Mary McCarthy* (Norton, 2000), 223에서 재인용.

2 Young-Bruehl, *Hannah Arendt*, 197; 『한나 아렌트 전기』, 340쪽.

3 Elizabeth Hardwick, "Mary McCarthy in New York," *New York Review of Books*, 1992년 3월 26일자.

4 *Memories of a Catholic Girlhood* (Harcourt, Brace & Company, 1957), 61.

5 *The Company She Keeps* (Harcourt, Brace & Company, 1942), 263.

6 같은 책, 194.

7 *Memories of a Catholic Girlhood*, 16.

8 *The Company She Keeps*, 264.

9 *Memories of a Catholic Girlhood*, 102.

10 같은 책, 111.

11 같은 책, 121.

12 같은 책, 111.

13 Hardwick, "Mary McCarthy in New York."

14 Kiernan, *Seeing Mary Plain*, 119에서 재인용.

15 Diana Trilling, *The Beginning of the Journey* (Harcourt Brace, 1993), 350–351.

16 *The Company She Keeps*, 276.

17 *How I Grew* (Harvest Books, 1987), 56.

18 같은 책, 61.

19 같은 책, 78.

20 "The Vassar Girl," *Holiday*, 1951년. *On the Contrary* (Noonday, 1961), 196에서 재인용.

21 *The Group* (Harcourt Brace, 1963), 30.

22 Elinor Coleman Guggenheimer, Kiernan, *Seeing Mary Plain*, 67에서 재인용.

23 Lucille Fletcher Wallop, Kernan, *Seeing Mary Plain*, 67에서 재인용.

24 메리 매카시가 테드 로젠버그에게 보낸 편지, 1929년 11월 1일자. Kiernan, *Seeing Mary Plain*, 69에서 재인용.

25 "Two Crystal-Gazing Novelists," *Con Spirito*, 1933년 2월. Kiernan, *Seeing Mary

Plain, 81에서 재인용.

26 "My Confession," *On the Contrary*, 80.

27 Adam Kirsch, "What's Left of Malcolm Cowley," *City Journal*, 2014년 봄.

28 *Intellectual Memoirs 1936–1938* (Harcourt Brace Jovanovich, 1992), 9.

29 "Coalpit College," *New Republic*, 1934년 5월 2일자.

30 "Mr. Burnett's Short Stories," *Nation*, 1934년 10월 10일자.

31 "Pass the Salt," *Nation*, 1935년 1월 30일자.

32 "Our Critics, Right or Wrong, Part I," *Nation*, 1935년 10월 23일자.

33 "Our Critics, Right or Wrong, Part III," *Nation*, 1935년 11월 20일자.

34 "Our Critics, Right or Wrong, Part IV," *Nation*, 1935년 12월 4일자.

35 John Chamberlain, "Books of the Times," *New York Times*, 1935년 12월 12일자.

36 F. P. Adams, "The Conning Tower," *New York Herald Tribune*, 1935년 12월 13일자.

37 "Our Critics, Right or Wrong, Part V," *Nation*, 1935년 12월 18일자.

38 *How I Grew*, 267.

39 "My Confession," *On the Contrary*, 78.

40 같은 글, 86.

41 같은 글, 77.

42 같은 글, 100.

43 Isaiah Berlin. Kiernan, *Seeing Mary Plain*에서 재인용.

44 "My Confession," *On the Contrary*, 102.

45 "Philip Rahv (1908-1973)," *Occasional Prose* (Harcourt, 1985), 4.

46 Isaiah Berlin. Kiernan, *Seeing Mary Plain*, 121에서 재인용.

47 다이애나 트릴링의 드와이트 맥도널드 인터뷰, *Partisan Review*, 1984, *Interviews with Dwight Macdonald*, Michael Wreszin 편집 (University Press of Mississippi, 2003).

48 "Philip Rahv (1908-1973)," *Occasional Prose*, 4.

49 *Theatre Chronicles, 1937–1962* (Farrar, Straus and Giroux, 1963), ix.

50 "Theatre Chronicle," *Partisan Review*, 1938년 6월.

51 "Theatre Chronicle," *Partisan Review*, 1940년 3-4월.

52 "Theatre Chronicle," *Partisan Review*, 1938년 4월.

53 "Wartime Omnibus," *Partisan Review*, 1944년 봄.

54 *How I Grew*, 16.

55 같은 책, 260.

56 *Intellectual Memoirs*, 97.

57 David Laskin, *Partisans: Marriage, Politics, and Betrayal Among the New York Intellectuals* (University of Chicago Press, 2000), 88.

58 Reuel K. Wilson, *To the Life of the Silver Harbor* (University Press of New England, 2008), 53.

59 *The Company She Keeps* (Harcourt Brace & Company, 1942), 84.

60 같은 책, 112.

61 George Plimpton. Kiernan, *Seeing Mary Plain*, 181에서 재인용.

62 블라디미르 나보코프가 에드먼드 윌슨에게 보낸 편지, 1942년 5월 6일자, *Dear Bunny, Dear Volodya: The Nabokov-Wilson Letters, 1940–1971*, Simon Karlinsky 편집 (University of California Press, 2001).

63 Pauline Kael. Kiernan, *Seeing Mary Plain*, 181에서 재인용.

64 William Abrahams, "Books of the Times," *New York Times*, 1942년 5월 16일자.

65 Lewis Gannett, *New York Herald Tribune*, 1942년 5월 15일자.

66 Malcolm Cowley, "Bad Company," *New Republic*, 1942년 5월 25일자.

67 *The Company She Keeps*, 194.

68 같은 책, 223.

69 Cowley, "Bad Company."

70 Lionel Abel. Kiernan, *Seeing Mary Plain*, 180에서 재인용.

71 "The Weeds," *Cast a Cold Eye* (Harcourt Brace & Company, 1950), 35.

72 메리 매카시의 말. *Contemporary Authors*, New Revision Series, vol. 16 (Gale, 1984), Kiernan, *Seeing Mary Plain*, 208에서 재인용.

73 Margaret Shafer. Kiernan, *Seeing Mary Plain*, 267에서 재인용.

74 "People Are Talking About," *Vogue*, 1947년 7월호.

75 Alfred Kazin, "How to Plan Your Reading," *Vogue*, 1947년 7월호.

76 "The Art of Fiction No. 27: Mary McCarthy," *Paris Review* (1962년 겨울-봄).

77 *The Oasis* (Harcourt Brace, 1949), 39.

78 William Barrett, *The Truants: Adventures Among the Intellectuals* (Doubleday, 1982), 67.

79 H. 윌리엄 피털슨이 로버트 N. 린스콧에게 보낸 편지, 1949년 5월 3일자. 배서 대학 「메리 매카시 문건」(Mary McCarthy Papers) 중.

80 Donald Barr, "Failure in Utopia," *New York Times*, 1949년 8월 14일자.

81 한나 아렌트가 메리 매카시에게 보낸 편지, 1949년 3월 10일자. *Between Friends*에 재수록.

82 메리 매카시가 한나 아렌트에게 보낸 편지, 1954년 8월 10일자. *Between Friends*에 재수록.

83 메리 매카시가 한나 아렌트에게 보낸 편지, 1954년 8월 20일자. *Between Friends*에

재수록.

84 메리 매카시가 한나 아렌트에게 보낸 편지, 1966년 10월 11일자. *Between Friends*에 재수록.

85 한나 아렌트가 메리 매카시에게 보낸 편지, 1965년 10월 20일자. *Between Friends*에 재수록.

6. 파커와 아렌트

1 Marion Meade, *Dorothy Parker: What Fresh Hell Is This?* (Penguin, 1988), 699.

2 "Lolita," *New Yorker*, 1955년 8월 27일자.

3 Galya Diment, "Two 1955 Lolitas: Vladimir Nabokov's and Dorothy Parker's," *Modernism/Modernity*, 2014년 4월호.

4 "Book Reviews," *Esquire*, 1958년 5월호.

5 "Book Reviews," *Esquire*, 1959년 9월호.

6 "Book Reviews," *Esquire*, 1959년 6월호.

7 Harry Hansen, "The 'Beat' Generation Is Scuttled by Capote," *Chicago Tribune*, 1959년 2월 1일자.

8 Janet Winn, "Capote, Miller, and Miss Parker," *New Republic*, 1959년 2월 9일자.

9 "Book Reviews," *Esquire*, 1962년 12월호.

10 "New York at 6:30 p.m." *Esquire*, 1964년 11월호.

11 이곳에 설명한 내용은 Christine Firer Hinze, "Reconsidering Little Rock: Hannah Arendt, Martin Luther King Jr., and Catholic Social Thought on Children and Families in the Struggle for Justice," *Journal of the Society of Christian Ethics*, 2009년 봄/여름호를 참고한 것이다.

12 "Reflections on Little Rock," *Dissent*, 1959년 겨울호, 50.

13 같은 글, 51.

14 같은 글, 46.

15 Melvin Tumin, "Pie in the Sky…" *Dissent*, 1959년 1월호.

16 "The World and the Jug," Ralph Ellison, *Shadow and Act* (Random House, 1964), 108.

17 Ralph Ellison. Robert Penn Warren, *Who Speaks for the Negro?* (Random House, 1965), 343에서 재인용.

18 한나 아렌트가 랠프 엘리슨에게 보낸 편지, 1965년 7월 29일자. Young-Bruehl, *Hannah Arendt*, 316에서 재인용. (인용 및 출처와 관련해 저자의 착오가 있었던

것 같다. 본문에 인용된 문장 "You are entirely right"는 Hannah Arendt: For Love of the World [한국어판은 『한나 아렌트 전기』]에 두 번 등장한다. 한 번은 용서 개념과 관련해 오든과의 논쟁에서이고[한국어판 609쪽], 다른 한 번은 베트남전쟁 반대 집회권과 관련한 론 영과의 토론에서이다[한국어판 692쪽]. 즉, 해당 구절이 위 원서에 분명 나오긴 하나 리틀록 9인과 상관이 없다. 하지만 같은 책에서 아렌트의 리틀록 9인 글로 촉발된 랠프 엘리슨과의 논쟁을 다루며, 아렌트는 오직 엘리슨의 의견에 대해서만 양보를 했다고 밝히고 있어서[한국어판 520-522쪽], 출처가 완전히 틀렸다기보다 단순 착오로 내용과 관련 없는 구절을 인용한 것으로 보인다 - 편집자)

19 "Letter from a Region in My Mind," *New Yorker*, 1962년 11월 17일자.

20 한나 아렌트가 제임스 볼드윈에게 보낸 편지, 1962년 11월 21일자. http://www.hannaharendt.net/index.php/han/article/view/95/156.

21 Kathryn T. Gines, *Hannah Arendt and the Negro Question* (Indiana University Press, 2014), 5.

7. 아렌트와 매카시

1 한나 아렌트가 카를 야스퍼스에게 쓴 편지, 1960년 12월 2일자, *Correspondence: 1926–1969*.

2 *Eichmann in Jerusalem* (Penguin, 1963), 22; 한나 아렌트, 『예루살렘의 아이히만』, 김선욱 옮김(한길사, 2006), 74쪽.

3 한나 아렌트가 윌리엄 숀에게 보낸 편지, 1960년 4월 11일자. http://www.glennhorowitz.com/dobkin/letters_hannah_arendt-william_shawn_correspondence1960-1972에서 재인용.

4 *Eichmann in Jerusalem*, 30; 『예루살렘의 아이히만』, 84쪽.

5 같은 책, 51-52; 『예루살렘의 아이히만』, 109쪽.

6 Michael A. Musmanno, "Man with an Unspotted Conscience," *New York Times*, 1963년 5월 19일자.

7 로버트 로웰이 『뉴욕 타임스』에 보낸 독자의 편지, 1963년 6월 23일자.

8 *Eichmann in Jerusalem*, 125; 『예루살렘의 아이히만』, 196-197쪽.

9 힐베르크는 아렌트가 자신에게 큰 빚을 졌으며, 자신의 작품을 표절했다고 주장했다. Nathaniel Popper, "A Conscious Pariah," *Nation*, 2010년 3월 31일자 참조.

10 *Eichmann in Jerusalem*, 117; 『예루살렘의 아이히만』, 188쪽.

11 같은 책, 12; 『예루살렘의 아이히만』, 61쪽.

12 Norman Podhoretz, "Hannah Arendt on Eichmann: A Study in the Perversity of Brilliance," *Commentary*, 1963년 9월 1일자.

13 Lionel Abel, "The Aesthetics of Evil: Hannah Arendt on Eichmann and the Jews," *Partisan Review*, 1963년 여름호.

14 게르솜 숄렘이 한나 아렌트에게 보낸 편지, 1963년 6월 22일자. "Eichmann in Jerusalem: An Exchange of Letters Between Gershom Scholem and Hannah Arendt," *Encounter*, 1964년 1월호에 재수록.

15 예를 들어, "아무한테도 말하지 마세요. 그것은 내게 '영혼'이 없다는 확실한 증거가 아닙니까?"라는 구절 참조. 한나 아렌트가 메리 매카시에게 보낸 편지, 1964년 6월 23일자, *Between Friends*.

16 한나 아렌트가 게르솜 숄렘에게 보낸 편지, 1963년 7월 24일자, "An Exchange of Letters."

17 한나 아렌트가 카를 야스퍼스에게 보낸 편지, 1963년 10월 20일자, *Correspondence: 1926–1969* (Harcourt Brace, 1992), 523.

18 한나 아렌트가 메리 매카시에게 보낸 편지, 1963년 9월 20일자, *Between Friends*.

19 같은 글.

20 Saul Bellow. Kiernan, *Seeing Mary Plain*, 354에서 재인용.

21 로버트 로웰이 엘리자베스 비숍에게 보낸 편지, 1963년 8월 12일자, *Words in Air: The Complete Correspondence Between Elizabeth Bishop and Robert Lowell*, Thomas Travasino와 Saskia Hamilton 편집 (Farrar, Straus and Giroux, 2008), 489.

22 Elizabeth Hardwick, "The Decline of Book Reviewing," *Harper's*, 1959년 10월호.

23 Mary McCarthy, "Déjeuner sur l'herbe," *New York Review of Books*, 1963년 2월 1일자.

24 Gore Vidal, "The Norman Mailer Syndrome," *Nation*, 1960년 10월 2일자.

25 Norman Mailer. Kiernan, *Seeing Mary Plain*, 189에서 재인용.

26 메리 매카시가 한나 아렌트에게 보낸 편지, 1962년 9월 28일자, *Between Friends*.

27 Norman Mailer, "The Mary McCarthy Case," *New York Review of Books*, 1963년 10월 12일자.

28 엘리자베스 하드윅이 메리 매카시에게 보낸 편지, 1963년 8월 3일자, 배서 대학에 있는 「메리 매카시 문서」 중.

29 메리 매카시가 한나 아렌트에게 쓴 편지, 1963년 10월 24일자, *Between Friends*.

30 엘리자베스 하드윅이 메리 매카시에게 보낸 편지, 1963년 11월 20일자, 배서 대학에 있는 「메리 매카시 문서」 중.

31 Gore Vidal. Kiernan, *Seeing Mary Plain*, 525에서 재인용.

32 매카시가 캐서린 화이트에게 보낸 편지, Kiernan, 524에서 재인용.
33 엘리자베스 비숍이 펄 케이진에게 보낸 편지, 1954년 2월 22일자, *One Art: Letters Selected and Edited by Robert Giroux* (Farrar, Straus and Giroux, 1994), 288-289.

8. 손택

1 Daniel Stern, "Life Becomes a Dream," *New York Times*, 1963년 9월 8일자.
2 *As Consciousness Is Harnessed to Flesh*, David Rieff 편집 (Farrar, Straus and Giroux, 2012), 237; 수전 손택, 『의식은 육체의 굴레에 묶여: 수전 손택의 일기와 노트 1964-1980』, 데이비드 리프 엮음, 김선형 옮김(이후, 2018), 325쪽.
3 한나 아렌트가 파라, 스트로스 앤드 지루(Farrar, Straus & Giroux)에 보낸 편지, 1963년 8월 20일자. Carl Rollyson, Lisa Paddock, *Sousan Sontag: The Making of an Icon* (Norton, 2000), 73에서 재인용.
4 메리 매카시가 한나 아렌트에게 보낸 편지, 1967년 12월 19일, *Between Friends*.
5 Susan Sontag. Kiernan, *Seeing Mary Plain*, 537에서 재인용.
6 Morris Dickstein. Sheelah Kolhatkar, "Notes on Camp Sontag," *New York Observer*, 2005년 1월 10일자에서 재인용.
7 *As Consciousness*, 8; 『의식은 육체의 굴레에 묶여』, 23쪽.
8 이 일화는 Kiernan, *Seeing Mary Plain*, 538에도 실려 있다.
9 *As Consciousness*, 10; 『의식은 육체의 굴레에 묶여』, 25쪽.
10 메리 매카시가 수전 손택에게 보낸 편지, 1964년 8월 11일자, 배서 대학에 있는 「메리 매카시 문서」 중.
11 "Project for a Trip to China," *Atlantic Monthly*, 1973년 4월호.
12 *Reborn: Journal and Notebooks 1947-1963* (Farrar, Straus and Giroux, 2008), 5; 수전 손택, 『다시 태어나다: 수전 손택의 일기와 노트 1947-1963』, 데이비드 리프 엮음, 김선형 옮김(이후, 2013), 19쪽.
13 "Pilgrimage," *New Yorker*, 1987년 12월 21일자.
14 Daniel Schreiber, *Susan Sontag: A Biography* (Northwestern University Press, 2014), 22 참조; 다니엘 슈라이버, 『수전 손택: 영혼과 매혹』, 한재호 옮김(글항아리, 2020), 63쪽.
15 Terry Castle, "Desperately Seeking Susan," *London Review of Books*, 2005년 3월 17일자.
16 "Susan Sontag: The Art of Fiction No. 143," 에드워드 허쉬와의 인터뷰, *Paris Review*, 1995년 겨울호.

17 해리엇 좀머스 츠월링과의 인터뷰, 2015년 11월 30일, http://lastbohemians.blogspot.com/2015/11/harriet-sohmers-zwerling-ex-nude-model.html.

18 *Reborn*, 28; 『다시 태어나다』, 47쪽.

19 "Susan Sontag: The Art of Fiction No. 143."

20 Wilhelm Stekel, *The Homosexual Neurosis* (Gotham Press, 1922), 11.

21 수전 손택이 '메릴'에게 보낸 편지, 날짜가 적혀 있지 않지만, 1950년 3월 23일자 일기 근처에 있었음. Alice Kaplan, *Dreaming in French: The Paris Years of Jacqueline Bouvier Kennedy, Susan Sontag, and Angela Davis* (University of Chicago Press, 2014)에서 재인용.

22 *Reborn*, 60; 『다시 태어나다』, 89쪽.

23 *As Consciousness*, 362; 『의식은 육체의 굴레에 묶여』, 495쪽.

24 *Reborn*, 79; 『다시 태어나다』, 114쪽.

25 같은 책, 138; 『다시 태어나다』, 181쪽.

26 Joan Acocella, "The Hunger Artist," *New Yorker*, 2000년 3월 6일자.

27 *In America* (Picador, 1991), 24.

28 마리셀마 코스타와 애들레이드 로페즈와의 인터뷰, *Conversation with Susan Sontag*, Leland A. Pogue 편집 (University of Mississippi Press, 1995), 227.

29 Sigrid Nunez, *Sempre Susan: A Memoir* (Atlas, 2011), 87.

30 Donald Phelps, "Form as Hero," *New Leader*, 1963년 10월 28일자.

31 "Susan Sontag: The Art of Fiction No. 143."

32 Ellen Hopkins, "Susan Sontag Lightens Up," *Los Angeles Times*, 1992년 8월 16일자.

33 "Noets on 'Camp,'" *Partisan Review*, 1964년 9월호; 수전 손택, 「캠프에 대한 단상」, 이민아 옮김(이후, 2002), 408쪽.

34 "Not Good Taste, Not Bad Taste–It's 'Camp,'" *New York Times*, 1965년 3월 21일자.

35 필립 라브(Philip Rahv)가 메리 매카시에게 보낸 편지, 1965년 4월 9일자, 배서 대학의 「메리 매카시 문서」 중.

36 "Notes on 'Camp.'"; 「캠프에 대한 단상」, 『해석에 반대한다』, 410쪽.

37 Terry Castle, "Some Notes on Notes on Camp," *The Scandal of Susan Sontag*, Barbara Ching, Jennifer A. Wagner-Lawlor 편집 (Columbia University Press, 1999), 21 참조.

38 "Against Interpretaion," *Evergreen Review*, 1964년 12월호; 수전 손택, 「해석에 반대한다」, 『해석에 반대한다』, 이민아 옮김(이후, 2002), 25쪽, 35쪽.

39 "Sontag and Son," *Vogue*, 1966년 6월호.

40 Kevin Kelly, "'A' for Promise, 'F' for Practice," *Boston Globe*, 1966년 1월

30일자.

41 Geoffrey A. Wolff, "Hooray for What Is There and Never Mind Reality," *Washington Post*, 1966년 2월 5일자.

42 「세 카메라」(Camera Three) 인터뷰, 1969년 가을경, https://vimeo.com/111098095.

43 릴라 카르프가 수전 손택에게 보낸 편지, 1966년 11월 22일자. Schreiber, *Susan Sontag*, 133에서 재인용.

44 Robert Phelps, "Self-Education of a Brilliant Highbrow," *Life*, 1966년 1월 1일자.

45 Gore Vidal, "The Writer as Cannibal," *Chicago Tribune*, 1967년 8월 10일자.

46 Beatrice Berg, "Susan Sontag, Intellectuals' Darling," *Washington Post*, 1967년 1월 8일자.

47 Carolyn Heilbrun, "Speaking of Susan Sontag," *New York Times*, 1967년 8월 27일자.

48 James Toback, "Whatever You'd Like Susan Sontag to Think, She Doesn't," *Esquire*, 1968년 7월.

49 Howard Junker, "Will This Finally Be Philip Roth's Year?" *New York*, 1969년 1월 13일자.

50 필립 로스가 수전 손택에게 보낸 편지, 1969년 1월 10일자, UCLA 수전 손택 아카이브 중.

51 "What's Happening in America: A Symposium," *Partisan Review*, 1967년 겨울호.

52 William F. Buckley, "Don't Forget-'Hate America' Seems to Be the New Liberal Slogan," *Los Angeles*, 1967년 3월 20일자.

53 Lewis S. Feuer, "The Elite of the Alienated," *New York Times*, 1967년 3월 26일자.

54 "Trip to Hanoi," *Esquire*, 1978년 2월호.

55 Frances FitzGerald, "A Nive Place to Visit," *New York Review of Books*, 1969년 3월 13일자.

56 *Trip to Hanoi* (Farrar, Straus and Giroux, 1969), 87.

57 Mary McCarthy, "Report from Vietnam I: The Home Program," *New York Review of Books*, 1967년 4월 20일자.

58 FitzGerald, "A Nive Place to Visit."

59 Kiernan, *Seeing Mary Plain*, 594에서 재인용.

60 메리 매카시가 수전 손택에게 보낸 편지, 1968년 12월 16일자, UCLA 수전 손택 아카이브에서.

61 *Reborn*, 168; 『다시 태어나다』, 215쪽.

62 Herbert Mitgang, "Victory in the Ashes of Vietnam," *New York Times*, 1969년 2월 4일자.

63 메리 매카시가 수전 손택에게 보낸 편지, 1968년 12월 16일자, UCLA 수전 손택 아카이브에서.

64 Leticia Kent, "What Makes Susan Sontag Make Movies?" *New York Times*, 1970년 10월 11일자.

65 *As Consciousness*, 340; 『의식은 육체의 굴레에 묶여』, 466쪽.

66 이러한 변화가 페미니즘에서 주기적으로 나타나는 현상임을 속속들이 설명한 글을 보려면, 예를 들어, Susan Faludi, "American Electra," *Harper's*, 2010년 10월호 참조.

67 Norman Mailer, "The Prisoner of Sex," *Harper's*, 1971년 3월호.

68 *Town Bloody Hall* (1979), D. A. Pennebaker, Chris Hegedus 연출, 참조.

69 Leticia Kent, "Susan Sontag Speaks Up," *Vogue*, 1971년 8월호.

70 "The Third World of Women," *Partisan Review*, 1973년 봄호.

71 *On Photography* (Dell, 1978), 3; 수전 손택, 『사진에 관하여』, 이재원 옮김(이후, 2005), 17쪽.

72 같은 책, 9; 『사진에 관하여』, 26쪽.

73 "How to Be an Optimist," *Vogue*, 1975년 1월호.

74 "A Woman's Beauty: Put-down or Power Source?" *Vogue*, 1975년 4월호.

75 "Fascinating Fascism," *New York Review of Books*, 1975년 2월 6일자.

76 *Performing Arts Journal*, 1977에 실린 인터뷰, *Conversations with Susan Sontag*, Leland Pogue 편집 (University Press of Mississippi, 1995), 84.

77 David Rieff, *Swimming in a Sea of Death* (Simon and Schuster, 2008), 35; 데이비드 리프, 『어머니의 죽음: 수전 손택의 마지막 순간들』, 이민아 옮김(이후, 2008), 38쪽. 리프는 이 일기를 『의식은 육체의 굴레에 묶여』에는 포함시키지 않았다.

78 같은 책; 『어머니의 죽음』, 39쪽.

79 웬디 레서(Wendy Lesser)와의 인터뷰, 1980, *Conversations with Susan Sontag*, 197.

80 *Illness as Metaphor*(vintage, 1979), 22; 수전 손택, 『은유로서의 질병』, 이재원 옮김(이후, 2002), 39쪽.

81 Denis Donoghue, "Disease Should Be Itself," *New York Times*, 1978년 7월 16일자.

82 Castle, "Desperately Seeking Susan."

9. 케일

1 로버트 실버스가 폴린 케일에게 보낸 편지 참조, 1963년 8월 28일자, 블루밍턴 인디애나 대학 릴리 도서관의 「폴린 케일 문서」에서.

2 『그룹』 서평 초고, 「폴린 케일 문서」에서. Brian Kellow, *Pauline Kael: A Life in the Dark* (Penguin, 2011)에서 재인용.

3 캘리포니아 주 버클리의 KPFA 라디오 방송, 날짜 미상(1962-1963년경), http://www.youtube.com/watch?v = sRhs-jKei3g.

4 "'Hud': Deep in the Divided Heart of Hollywood," *Film Quarterly*, 1964년 여름호.

5 폴린 케일이 로젠버그에게 보낸 편지, 1942년 2월 28일자. Kellow, *Pauline Kael*, 29에서 재인용.

6 *City Lights*, 1953년 겨울. *Artforum*, 2002년 3월호, 122에서 재인용.

7 『포스앤젤레스 리더』와의 인터뷰, 1982년, *Conversation with Pauline Kael*, Will Brantley 편집 (University Press of Mississippi, 1996), 76.

8 *Ed and Bauline,* Christian Brando 연출 (2014) 참조.

9 같은 자료.

10 같은 자료.

11 "Owner and Employe Feud over 'Art': Guess Who Has to Take Powder?" *Variety*, 1960년 11월 16일자.

12 "Wife Wants Artie Operators 'Wages,'" *Variety*, 1960년 11월 16일자.

13 "Fantasies of the Art House Audience," *Sight and Sound*, 1961년 겨울호.

14 "Is There a Cure for Film Criticism?" *Monthly Film Bulletin*, 1962년 봄호.

15 Andrew Sarris, "Notes on the Auteur Theory in 1962," *Film Culture*, 1962-1963년 겨울호.

16 "Circles and Squares," *Film Quarterly*, 1963년 봄호.

17 Kellow, *Pauline Kael*, 78에서 재인용.

18 같은 책. 이 이야기 전체가 Kellow, *Pauline Kael*, 78에서 가져온 것이다.

19 "Movie vs. Kael," *Film Quarterly*, 1963년 가을호.

20 같은 글.

21 앨런 배라와의 인터뷰, *San Francisco Bay Guardian*, 1991년 8월 28일자, *Conversations with Pauline Kael*, 135.

22 Kellow, *Pauline Kael*, 78 참조.

23 드와이트 맥도널드가 폴린 케일에게 보낸 편지, 1963년 11월 27일자, 릴리 도서관, 「폴린 케일 문서」에서. Kellow, *Pauline Kael*, 70에서 재인용.

24 수전 손택이 폴린 케일에게 보낸 편지, 1963년 10월 25일자, 릴리 도서관, 「폴린

케일 문서」에서.

25 캐런 더빈. Kellow, *Pauline Kael*, 174에서 재인용.

26 "The Making of *The Group*," *Kiss Kiss Bang Bang* (Little Brown, 1968), 97.

27 Kellow, *Pauline Kael*, 91.

28 이 책이 『키스 키스 뱅뱅』이다.

29 Pauline Kael, *I Lost It at the Movies* (Dell, 1965), 17.

30 Sontag, *Against Interpretation*, 229 참조. 수전 손택, 「잭 스미스의 『불타는 족속들』」, 『해석에 반대한다』, 이민아 옮김(이후, 2002), 324쪽.

31 Richard Schickel, "A Way of Seeing a Picture," *New York Times*, 1965년 3월 14일자.

32 "Circles and Squares."

33 Geoffrey Nowell-Smith, *Review of I Lost It at the Movies*, *Sight and Sound*, 1965년 여름호.

34 "The Sound of…" *Kiss Kiss Bang Bang*, 177.

35 "Sez McCall's Stein: Kael Pans Cinema Profit Motives," *Variety*, 1966년 7월 20일자.

36 "Bonnie and Clyde," *New Yorker*, 1967년 10월 21일자.

37 마크 스미노프와의 인터뷰, *Oxford American*, 1992년 봄호, *Conversations with Pauline Kael*, 155.

38 같은 책, 156.

39 루이스 브룩스가 폴린 케일에게 보낸 편지, 1962년 5월 26일자. Kellow, *Pauline Kael*에서 재인용.

40 *Variety*, 1967년 12월 13일자 참조.

41 "Trash, Art, and the Movies," *Harper's*, 1969년 2월호.

42 "Raising Kane," *New Yorker*, 1971년 2월 20일자.

43 Mordecai Richler, "The Citizen Kane Book," *New York Times*, 1971년 10월 31일자.

44 "The Art of Fiction No. 13: Dorothy Parker."

45 Andrew Sarris, "Films in Focus," *Village Voice*, 1971년 4월 1일자.

46 Kenneth Tynan, "The Road to Xanadu," *Observer*, 1972년 1월 16일자.

47 Barbara Leaming, *Orson Welles: A Biography* (Limelight Editions, 2004), 476 참조.

48 Peter Bogdanovich, "The Kane Mutiny," *Esquire*, 1972년 10월호.

49 "Raising Kael," 홀리스 앨퍼트와의 인터뷰, *Saturday Review*, 1971년 4월 24일자, *Conversations with Pauline Kael*, 13.

50 James Wolcott, *Lucking Out: My Life Getting Down and Semi-Dirty in Seventies*

New York (Anchor, 2011), 67.

51 Kellow, *Pauline Kael*, 167.

52 John Gregory Dunne, "Pauline," *Quintana and Friends* (Penguin, 2012).

10. 디디언

1 Pauline Kael, "The Current Cinema," *New Yorker*, 1972년 11월 11일자.

2 Dunne, "Pauline."

3 "Joan Didion: The Art of Nonfiction No. 1," *Paris Review*, 2006년 봄호.

4 디디언의 가족에 대한 자세한 이야기는 Tracy Daugherty, *The Last Love Song: A Biography of Joan Didion* (St. Martin's, 2015)를 참조했다.

5 *Where I Was From* (Vintage, 2003), 211.

6 "Farewell to the Enchanted City," *Saturday Evening Post*, 1967년 1월 14일자. *Slouching Towards Bethlehem* (Farrar, Straus and Giroux, 1968)에 "Goodbye to All That"이라는 제목으로 재수록.

7 "Jealousy: Is It a Curable Illness?" *Vogue*, 1961년 6월호.

8 "Telling Stories in Order to Live," 내셔널 북 어워드(National Book Award)를 수상했을 때의 인터뷰, 2006년 6월 3일. 전에는 인터넷에서 찾아볼 수 있었으나, 여기에는 저자 본인의 파일을 복사해서 참조했다.

9 "Finally (Fashionably) Spurious," *National Review*, 1961년 11월 18일자.

10 "The Current Cinema," *New Yorker*, 1972년 11월 11일자.

11 "Letter from 'Manhattan,'" *New York Review of Books*, 1979년 8월 16일자.

12 Pauline Kael, "The Current Cinema," *New Yorker*, 1980년 10월 27일자.

13 "Movies," *Vogue*, 1964년 2월 1일자.

14 "Movies," *Vogue*, 1964년 3월 1일자.

15 "Movies," *Vogue*, 1964년 6월 1일자.

16 "Movies," *Vogue*, 1964년 11월 1일자.

17 "Movies," *Vogue*, 1965년 5월 1일자.

18 "How Can I Tell Them There's Nothing Left," *Saturday Evening Post*, 1966년 5월 7일자. *Slouching Towards Bethlehem*에 "Some Dreamers of the Golden Dream"으로 재수록.

19 하워드 윅스가 보낸 독자의 편지, *Saturday Evening Post*, 1966년 6월 18일자.

20 "The Big Rock Candy Figgy Pudding Pitfall," *Saturday Evening Post*, 1966년 12월 3일자.

21 "Farewell to the Enchanted City."

22 "Pretty Nancy," *Saturday Evening Post*, 1968년 6월 1일자.

23 Nancy Skelton, "Nancy Reagan: Does She Run the State Or the Home?" *Fresno Bee*, 1968년 6월 12일자.

24 "Slouching Towards Bethlehem," *Saturday Evening Post*, 1967년 9월 23일자.

25 서니 브렌트우드가 보낸 독자의 편지, *Saturday Evening Post*, 1967년 11월 4일자.

26 "Places, People and Personalities," *New York Times*, 1968년 7월 21일자.

27 "Her Heart's with the Wagon Trains," *Christian Science Monitor*, 1968년 5월 16일자.

28 *Los Angeles Times*, 1970년 8월 2일자 참조.

29 *Newsday*, 1971년 10월 2일자 참조.

30 Alfred Kazin, "Joan Didion, Portrait of a Professional," *Harper's*, 1971년 12월호.

31 *The Year of Magical Thinking* (Vintage, 2006), 111; 조앤 디디온, 『상실』, 이은선 옮김(2006, 시공사), 144쪽.

32 "A Problem of Making Connections," *Life*, 1969년 12월 9일자.

33 "The Women's Movement," *New York Times*, 1972년 7월 30일자.

34 Didion이 Wendy Martin (ed.), *The American Sisterhood: Writings of the Feminist Movement from Colonial Times to the Present* (Harper and Row, 1972)에서 인용한 말.

35 "The Women's Movement."

36 "African Stories," *Vogue*, 1965년 10월 1일자.

37 Susan Brownmiller, 독자의 편지, *New York Times*, 1972년 8월 27일자.

38 "The White Album," *The White Album* (Farrar, Straus and Giroux, 1979), 11.

39 같은 책, 142.

40 "Hollywood: Having Fun," *New York Review of Books*, 1973년 3월 22일자.

41 독자의 편지, *New York Review of Books*, 1973년 4월 19일자.

42 "Letter from 'Manhattan.'"

43 "They'll Take Manhattan," *New York Review of Books*, 1979년 10월 11일자.

44 Wolcott, *Lucking Out*, 61.

45 "Love and Death in the Pacific," *New York Times Book Review*, 1984년 4월 22일자.

46 *Salvador* (Vintage, 2011), 17.

47 "Insider Baseball," *New York Review of Books*, 1988년 10월 27일자.

11. 에프런

1 *Heartburn* (Knopf, 1983), 3.

2 웰즐리 대학 졸업식 연설, 1996년. http://www.wellesley.edu/events/commenceent/archives/1996commencement.

3 "Dorothy Parker," *Crazy Salad and Scribble Scribble* (Vintage, 1972), 168.

4 Henry Ephron, *We Thought We Could Do Anything* (Norton, 1977), 12-13.

5 피비 에프런을 기리는 글, *We Thouhgt We Could Do Anything*에 "Epilogue"로 수록, 209.

6 같은 책, 211.

7 "The Legend," *I Remember Nothing* (Random House, 2010), 37.

8 "Epilogue," *We Thought We Could Do Anything*, 210.

9 Bosley Crowther, "The Screen," *New York Times*, 1944년 12월 20일자.

10 Henry and Phoebe Ephron, *Take Her, She's Mine* (Samuel French, 2011), 18.

11 Thomas R. Dash, "Brining Up Father Theme Yields Tempest of Mirth," *Women's Wear Daily*, 1961년 12월 26일자.

12 "Take Her, She's Mine," *Variety*, 1961년 12월 29일자.

13 *Slouching Towards Bethlehem*의 서문, xiv.

14 "Journalism: A Love Story," *I Remember Nothing*.

15 "Dorothy Schiff and the *New York Post*," *Esquire*, 1975년 4월 1일자.

16 *Wallflower at the Orgy* (Bantam, 2007)의 서문, 18

17 *New York Post*, 1967년 9월 23일자.

18 "Dorothy Shciff and the *New York Post*."

19 이 인터뷰의 한 장면이 다큐멘터리 「모든 것은 표현하기 나름이다」(Everything Is Copy), Jacob Bernstein 연출 (2016)에 나온다.

20 멕 라이언 인터뷰, 「모든 것은 표현하기 나름이다」, Jacob Bernstein 연출 (2016).

21 "A Strange Kind of Simplicity," *New York Times*, 1968년 5월 5일자.

22 "Dick Cavett Reads Books," *New York Times*, 1968년 6월 2일자.

23 *Review of Do You Sleep in the Nude?*, *New York Times*, 1968년 7월 21일자.

24 "Where Bookmen Meet to Eat," *New York Times*, 1969년 6월 22일자.

25 마이클 래스키와의 인터뷰, *Writer's Digest*, 1974년 4월. *Nora Ephron: The Last Interview and Other Conversations* (Melville House, 2015)에 재수록.

26 "Women's Wear Daily Unclothed," *Cosmopolitan*, 1968년 1월호. *Wallflower at the Orgy*에 재수록.

27 "Helen Gurley Brown Only Wants to Help," *Esquire*, 1970년 2월호. *Wallflower at the Orgy*에 "If You're a Little Mouseburger, Come with Me. I Was a

Mooseburger and I Will Help You"라는 제목으로 재수록.

28 Joan Didion, "Bosses Make Lousy Lovers," *Saturday Evening Post*, 1965년 1월 30일자.

29 *Nora Ephron: The Last Interview.*

30 "Mush," *Esquire*, 1971년 6월호.

31 *Wallflower at the Orgy*의 머리말.

32 "Some Words About My Breasts," *Esquire*, 1972년 5월호.

33 "Women," *Esquire*, 1972년 7월호.

34 Alix Kates Shulman, *Memoirs of an Ex-Prom Queen* (Knopf, 1972), 17.

35 "On Never Having Been a Prom Queen," *Esquire*, 1972년 8월호.

36 "Miami," *Esquire*, 1972년 11월호.

37 "Vaginal Politics," *Crazy Salad.*

38 크리스토퍼 볼런이 디디언을 인터뷰한 글, *V*. http://www.christopherbollen.com/archive/joan_didion.pdf.

39 "Dealing with the uh, Problem," *Esquire*, 1973년 3월호.

40 "On Never Having Been a Prom Queen."

41 "Truth and Consequences," *Esquire*, 1973년 5월호.

42 "A Star Is Born," *New York Magazine*, 1973년 10월호.

43 "Guccione's Ms. Print," *New York*, 1973년 10월 29일자에서 재인용.

44 "Women: The Littlest Nixon," *New York*, 1973년 12월 24일자.

45 예를 들어, "The Legend," *I Remember Nothing*, 37 참조.

46 다큐멘터리 「모든 것은 표현하기 나름이다」의 한 장면.

47 Jurate Karickas, "After Book, Friends No More," *Atlanta Constitution*, 1975년 8월 3일자.

48 *Nora Ephron: The Last Interview.*

49 Peter Stone, "Nora Ephron: 'I Believe in Learning the Craft of Writing,'" *Newsday*, 1976년 12월 5일자.

50 "The Story of My Life in 5,000 Words or Less," *I Feel Bad About My Neck* (Knopf, 2006); 노라 에프론, 『내 인생은 로맨틱 코미디』, 박산호 옮김(브리즈, 2007), 113쪽.

51 같은 책, 86.

52 Jesse Kornbluth, "Scenes from a Marriage," *New York Magazine*, 1983년 3월 14일자.

12. 아렌트와 매카시와 헬먼

1 한나 아렌트가 메리 매카시에게 보낸 전보, 1970년 11월 1-2일, *Between Friends*에서 재인용.

2 한나 아렌트가 메리 매카시에게 보낸 편지, 1970년 11월 22일자, *Between Friends*에서 재인용.

3 "Saying Good-By to Hannah," *New York Review of Books*, 1976년 1월 22일자.

4 메리 매카시가 벤 오설리번에게 보낸 편지, 1980년 2월 26일자, 배서 대학의 「메리 매카시 문서」 중.

5 *The Dick Cavett Show*, 1979년 10월 17일자. Kiernan, *Seeing Mary Plain*, 673에서 재인용.

6 Irving Howe. Kiernan, *Seeing Mary Plain*, 674에서 재인용.

7 Jane Kramer. Kiernan, *Seeing Mary Plain*, 674에서 재인용.

8 Dick Cavett, "Lillian, Mary and Me," *New Yorker*, 2002년 12월 16일자.

9 "Miss Hellman Suing a Critic for $2.25 Million," *New York Times*, 1980년 2월 16일자.

10 Norman Mailer, "An Appeal to Lillian Hellman and Mary McCarthy," *New York Times*, 1980년 5월 11일자.

11 Martha Gellhorn, "Guerre de Plume," *Paris Review*, 1981년 봄호.

12 Nora Ephron, *Imaginary Friends* (Vintage, 2009)의 서문.

13. 애들러

1 Lili Anolik, "Warren Beatty, Pauline Kael, and an Epic Hollywood Mistake," *Vanity Fair*, 2017년 2월호.

2 "The Perils of Pauline," *New York Review of Books*, 1980년 8월 14일자.

3 매슈 와일더가 보낸 독자의 편지, *New York Review of Books*, 1980년 2월 5일자.

4 John Leonard, "What Do Writers Think of Reviews and Reviewers?" *New York Times*, 1980년 8월 7일자.

5 *Time*, 1980년 7월 27일자.

6 Jesse Kornbluth, "The Quirky Brilliance of Renata Adler," *New York*, 1983년 12월 12일자.

7 메리 매카시가 카먼 앵글턴에게 보낸 편지, 1961년 8월 29일자. Kiernan, *Seeing Mary Plain*, 499에서 재인용.

8 Kiernan, *Seeing Mary Plain*, 500에서 재인용.

9 존 허시의 『여기 머물다』(*Here to Stay*)에 대한 비평, *Commentary*, 1963년 4월호.
10 "Talk of the Town," *New Yorker*, 1962년 12월 8일자.
11 "Polemic and the New Reviewing," *New Yorker*, 1964년 7월 4일자.
12 같은 자료.
13 "Comment," *New Yorker*, 1963년 7월 20일자.
14 *Gone: The Last Days of the "New Yorker"* (Simon and Schuster, 1999), 82.
15 크리스토퍼 볼런과의 인터뷰, *Interview*, 2014년 8월 14일자.
16 *Gone*, 33.
17 2015년 11월 뉴욕 인문학 연구소(New York Institute for the Humanities)에서 이 책을 위해 진행 중이던 자료조사에 관한 강연이 열렸을 때, 질의응답 시간에 애들러가 한 말이다.
18 "Polemic and the New Reviewing," *New Yorker*, 1964년 7월 4일자.
19 Irving Kristol, "On Literary Politics," *New Leader*, 1964년 8월 3일자.
20 "Letter from Selma," *New Yorker*, 1965년 4월 10일자.
21 Jesse Kornbluth, "The Quirky Brilliance of Renata Adler," *New York*, 1983년 12월 12일자.
22 "Fly Trans Love Airways," *New Yorker*, 1967년 2월 25일자.
23 같은 글.
24 *Toward a Radical Middle: Fourteen Pieces of Reporting and Criticism* (Dutton, 1971)의 서문.
25 "A Teutonic Striptease," *New Yorker*, 1968년 1월 4일자.
26 "Norman Mailer's Maile8r," *New York Times*, 1968년 1월 8일자.
27 *Adler v. Condé Nast Publications, Inc.*, 943 F. Supp. 1558 (S. D. N. Y. 1986) 소송 재판 때 법정에서 이 광고가 인용되었다.
28 Lee Beauport, "Trade Making Chart on Renata Adler; but Some Like Her Literary Flavor," *Variety*, 1968년 3월 6일자.
29 "How Movies Speak to Young Rebels," *New York Times*, 1968년 5월 19일자.
30 "Science + Sex = Barbarella," *New York Times*, 1968년 10월 12일자.
31 크리스토퍼 볼런과의 인터뷰, *Interview*, 2014년 8월 14일자.
32 *Pitch Dark* (NYRB Classics, 2013), 5.
33 Renata Adler, *Reckless Disregard: Westmoreland v. CBS et al.; Sharon v. Time* (Knopf, 1986).
34 Ronald Dworkin, "The Press on Trial," *New York Review of Books*, 1987년 2월 26일자.
35 Robert Gottlieb, *Avid Reader: A Life* (Farrar, Straus and Giroux, 2016), 220 참조.

36 *Gone*, 203.

37 Robert Gottlieb, "Ms. Adler, the *New Yorker*, and Me," *New York Observer*. 2000년 1월 17일자.

38 *Gone*, 125.

39 "A Court of No Appeal," *Harper's*, 2000년 8월호.

40 "Decoding the Starr Report," *Vanity Fair*, 1999년 2월호.

41 Rachel Cooke, "Renata Adler: 'I've Been Described as Shrill. Isn't That Strange?'" *Guardian*, 2013년 7월 7일자.

14. 맬컴

1 *In the Freud Archives* (Knopf, 1983), 35.

2 같은 책, 133.

3 "Janet Malcolm: The Art of Nonfiction No. 4," 케이티 로이프와의 인터뷰, *Paris Review*, 2011년 봄호.

4 "A Star Is Borne," *New Republic*, 1956년 12월 24일자.

5 "Black and White Trash," *New Republic*, 1957년 9월 2일자.

6 제임스 F. 홀리가 쓴 독자의 편지, *New Republic*, 1957년 9월 9일자.

7 할 카우프만(Hal Kaufman)이 쓴 독자의 편지, *New Republic*, 1957년 9월 30일자.

8 "D. H. Lawrence and His Friends," *New Republic*, 1958년 2월 3일자.

9 노먼 메일러가 쓴 독자의 편지, *New Republic*, 1959년 3월 9일자.

10 "Children's Books for Christmas," *New Yorker*, 1966년 12월 17일자.

11 "Children's Books for Christmas," *New Yorker*, 1968년 12월 14일자.

12 "Help! Homework for the Liberated Woman," *New Republic*, 1970년 10월 10일자.

13 "No Reply," *New Republic*, 1970년 11월 14일자.

14 "About the House," *New Yorker*, 1972년 3월 18일자.

15 *Diana and Nikon*(Aperture, 1997)의 서문.

16 "Slouching Towards Bethlehem, Pa.," *New Yorker*, 1979년 8월 6일자.

17 "Artists and Lovers," *New Yorker*, 1979년 3월 12일자.

18 "The One-Way Mirror," *New Yorker*, 1978년 5월 15일자.

19 *Psychoanalysis: The Impossible Profession* (Knopf, 1977), 47.

20 Joseph Adelson, "Not Much Has Changed Since Freud," *New York Times*, 1981년 9월 27일자.

21 *Psychoanalysis*, 110.

22 같은 책, 41.

23 같은 책, 38.

24 http://www.salon.com/2000/02/29/malcolm/.

25 같은 자료, 163.

26 재닛 맬컴이 보낸 독자의 편지, *New York Times*, 1984년 6월 1일자.

27 예를 들어, Robert Boynton, "Who's Afraid of Janet Malcolm?" *Mirabella*, 1992년 11월호, http://www.robertboynton.com/articleDispaly.php?article_id = 1534 참조.

28 "Janet Malcolm: The Art of Nonfiction No. 4."

29 *The Journalist and the Murderer* (Vintage, 1990), 3; 재닛 맬컴, 『기자와 살인자』, 권예리 옮김(이숲, 2015), 13쪽.

30 2011년 9월 30일에 뉴요커 축제에서 맬컴이 이언 프레이저(Ian Frazier)와 함께 등장해서 이 말을 한 것이 기억난다.

31 *The Journalist and the Murderer*, 3; 『기자와 살인자』, 13쪽.

32 Albert Scardino, "Ethics, Reporters, and the *New Yorker*," *New York Times*, 1989년 3월 21일자.

33 Ron Grossman, "Malcolm's Charge Turns on Itself," *Chicago Tribune*, 1990년 3월 28일자.

34 David Rieff, "Hoisting Another by Her Own Petard," *Los Angeles Times*, 1990년 3월 11일자.

35 Nora Ephron, *Columbia Journalism Review*, 1989년 7월 1일자.

36 Jessica Mitford, *Columbia Journalism Review*, 1989년 7월 1일자.

37 John Taylor, "Holier Than Thou," *New York*, 1989년 3월 27일자.

38 David Margolick, "Psychoanalyst Loses Libel Suit Against a New Yorker Reporter," *New York Times*, 1994년 11월 3일자.

39 "Janet Malcolm: The Art of Nonfiction No. 4."

40 "The Morality of Journalism," *New York Review of Books*, 1990년 3월 1일자.

41 *The Journalist and the Murderer*, 159-160; 『기자와 살인자』, 271쪽.

42 *New Yorker*, 1994년 7월 11일자에 실린 같은 제목의 기사 참조.

43 *The Silent Woman: Sylvia Plath and Ted Hughes* (Vintage, 1995), 13.

44 테드 휴즈의 편지, *The Silent Woman*, 53에서 재인용.

45 같은 책, 48.

46 재닛 맬컴이 수전 손택에게 보낸 편지, 1998년 10월 3일자. UCLA 수전 손택 아카이브 중.

47 "A Girl of the Zeitgeist," *New Yorker*, 1986년 10월 20일, 27일자.

후기

1 메리 매카시가 샌프란시스코의 City Arts and Lectures에서 한 강연, 1985년 10월. Kiernan, *Seeing Mary Plain*, 710에서 재인용.

2 Adrienne Rich, "Conditions for Work: The Common World of Women," *On Lies, Secrets and Silence* (Norton, 1979).

3 에이드리언 리치와 수전 손택, "Feminism and Fascism: An Exchange," *New York Review of Books*, 1975년 3월 20일자.

4 크리스토퍼 볼런과의 인터뷰, 날짜 미상, http://www.christopherbollen.com/archive/joan_didion.pdf.

5 Arendt, *Varnhagen*, 218.

도판 출처

59쪽　ⓒ The LIFE Picture Collection via Getty Images / 게티이미지코리아
101쪽　Public Domain
113쪽　ⓐ news.ufl.edu*
151쪽　ⓟ Hannah Arendt Bluecher Literary Trust*
195쪽　ⓒ The LIFE Picture Collection via Getty Images / 게티이미지코리아
277쪽　ⓒ Roger Viollet via Getty Images / 게티이미지코리아
319쪽　ⓒ Toronto Star via Getty Images / 게티이미지코리아
359쪽　ⓒ Corbis via Getty Images / 게티이미지코리아
395쪽　ⓒ RGR Collection / Alamy Stock Photo
443쪽　ⓐ interviewmagazine.com*
479쪽　ⓐ goodreads.com*

저작권자의 허락을 받기 위해 최선의 노력을 다했으나 출처 불명 등의 사유로 일부 도판(*)의 저작권을 해결하지 못했습니다. 이후 저작권자와 연락이 닿으면 해당 도판들에 관한 적절한 조치를 취하겠습니다.

찾아보기

[ㅇ]

[ㅌ]

[ㅍ]

미셸 딘 Michell Dean

저널리스트이자 비평가. 2016년 전미도서비평가협회에서
우수 비평가에게 수여하는 '노나 발라키안 표창상'을 수상했다.
『뉴 리퍼블릭』의 객원 편집자이자, 『뉴요커』, 『네이션』, 『뉴욕 타임스』,
『슬레이트』, 『뉴욕』, 『엘르』, 『버즈피드』 등에 글을 기고한다.

김승욱 옮김

성균관대학교 영문학과를 졸업하고 뉴욕시립대학교 대학원에서
여성학을 공부했다. 『동아일보』 문화부 기자로 근무했으며,
현재 전문번역가로 활동하고 있다. 옮긴 책으로 『내면의 방』, 『스토너』,
『유발 하라리의 르네상스 전쟁 회고록』,
『고양이에 대하여』, 『19호실로 가다』 등이 있다.

날카롭게 살겠다,
내 글이 곧 내 이름이 될 때까지

미셸 딘 지음
김승욱 옮김

초판 1쇄 인쇄 2020년 12월 1일
초판 1쇄 발행 2020년 12월 8일

ISBN 979-11-90853-07-1 (03300)

발행처 도서출판 마티
출판등록 2005년 4월 13일
등록번호 제2005-22호
발행인 정희경
편집장 박정현
편집 서성진
마케팅 주소은
디자인 조정은

주소 서울시 마포구 잔다리로 127-1, 8층 (03997)
전화 02. 333. 3110
팩스 02. 333. 3169
이메일 matibook@naver.com
홈페이지 matibooks.com
인스타그램 matibooks
트위터 twitter.com/matibook
페이스북 facebook.com/matibooks

이 도서의 국립중앙도서관 출판예정도서목록(CIP)은
서지정보유통지원시스템 홈페이지(http://seoji.nl.go.kr)와
국가자료종합목록 구축시스템(http://kolis-net.nl.go.kr)에서 이용하실 수 있습니다.
(CIP제어번호 : CIP2020048167)